Schijnwereld

Van dezelfde auteur

Stervensuur

Bezoek onze internetsite www.awbruna.nl
voor informatie over al onze boeken en softwareproducten.

Roger Jon Ellory

Schijnwereld

A.W. Bruna Uitgevers B.V., Utrecht

Oorspronkelijke titel
Ghostheart
© 2004 Roger Jon Ellory
Originally published in 2004 by Orion Books an imprint of
the Orion Publishing Group
Vertaling
Eny van Gelder
Omslagontwerp
Studio Jan de Boer
© 2005 A.W. Bruna Uitgevers B.V., Utrecht

ISBN 90 229 8928 3
NUR 332

Mijn oppervlakte ben ikzelf
Waaronder
de jeugd als getuige
ligt begraven. Wortels?
Iedereen heeft wortels.

William Carlos Williams – *Paterson*

I

Het lawaai van de straat wapperde als een felgekleurde serpentine in de wind, en uit de roosters op het trottoir stegen rook en stoom op als geesten uit de ondergrondse. Het was nog vroeg, even na achten, en over de boulevards, van de kruispunten, om de hoeken en uit winkels kwamen de mensen tevoorschijn om de wereld te begroeten die zojuist was ontwaakt.

Hier op de Upper East Side kwam Manhatten tot leven. De Columbia University, het Barnard College en het Morningside Park, met aan de westkant het Hudson River Park, in het oosten Central Station, en verder de West Nineties en Hundreds, al die wegen die kaarsrecht naast elkaar lagen – een droomwijk voor wiskundigen. Hier bevond zich de wetenschap – de studenten en boekwinkels, het Nicholas Roerich Museum, de graftombe van Grant, en de Cloisters – en alles omhuld door de geur van de Hudson, het geluid uit het havenbekken van de 79th Fast Ferries en de terminal van de passagiersschepen naar het zuiden.

Dat alles was doorweven met de geur van versgebakken brood en donuts, suikerglazuur en gebakken spek; het geluid van grendels die werden weggeschoven, van stemmen die in elkaar versmolten totdat het op gerommel van de donder in de verte leek; het denderen van het verkeer, van auto's, karren, van bestelbussen vol vers fruit en ham, kranten en sigaretten, en verse room voor de cafés en lunchrooms – al die dingen en nog veel meer. En in die mix van de kleine genoegens des levens met zijn ruwe en scherpe kanten, liep een jonge vrouw met gezwinde pas vastberaden langs de trap die naar de tunnels beneden voerde. De wind blies het haar voor haar gezicht, en haar ene hand hield haar jas bij de kraag vast tegen de koude windvlagen die haar uit alle hoeken en gaten leken te belagen. Met haar bleke huid, scherpe gelaatstrekken en donkerrood aangezette lippen liep ze snel naar de kruising van Duke Ellington en West 107th. Daar bleef ze even staan, keek als een kind eerst naar links, dan naar rechts en dan weer naar links, stapte vervolgens van het trottoir en rende tussen de auto's door naar de overkant. Daar bleef ze bijna onopgemerkt weer even staan, sloeg toen rechts af en liep door de zijstraat naar de smalle voorgevel van een boekwinkel. In het portiek zocht ze in haar zak naar de sleutels en deed de deur van het slot. Binnen knipte ze de lampen aan, draaide het bordje om en liep snel naar de achterkamer, waar ze een koffiekan met water vulde. Ze drukte op de schakelaar van de antieke percolator, vulde het reservoir, zette de kan eronder, stopte een filterzakje in de houder, schepte er een afgepaste hoeveelheid gemalen koffie in en duwde het koffiefilter weer op zijn plaats. Het ging haar handig af – geen wonder, want ze had het al talloze keren gedaan. Daarna trok ze haar jas uit, wierp die achteloos op een stoel bij het klaptafeltje en liep daarna weer naar de winkel.

Ze keek om zich heen. Het vertrek deed enigszins aan een kleine bibliotheek denken. De boekenplanken reikten van links naar rechts tot aan het plafond, met nauwelijks enige ruimte ertussen. De haveloze, versleten tweedehandse en naar schimmel ruikende boeken vol ezelsoren stonden door elkaar, niets stond op alfabet. Ze daagden haar uit met al die woorden, hun talloze verstilde stemmen, de beelden die elke alinea en elke zin opriepen, alle passages en zinsnedes die inspirerend werkten. Het waren haar woorden. Haar boeken. Haar leven. Hier op Lincoln Street, in de achtertuin van bijna niemandsland, had ze een kleine, geestelijk gezonde oase gecreëerd. Ze heette Annie O'Neill. In november zou ze eenendertig worden. Sagittarius. Boogschutter. Ze had dik kastanjebruin haar, fraaie, ingetogen gelaatstrekken en bijna zeegroene ogen. Ze was mooi, ongetrouwd, en vaak een tikje eenzaam. De blouses die ze droeg waren niet tot bovenaan dichtgeknoopt, en daaroverheen droeg ze een slobbertrui. Ze schoof voortdurend de mouwen tot aan haar ellebogen omhoog, waardoor een herenhorloge te zien was dat ze van haar moeder had gekregen. Het horloge was van haar vader geweest; het was veel te groot, en hoewel de gesp van het leren bandje op het laatste gaatje zat, gleed het horloge nog steeds als een ondeugend kind op en neer. Haar blik was soms wat omfloerst en verstild, andere keren weer helder en alert, en haar gedrag was onvoorspelbaar – vaak zachtaardig, soms ook uitdagend, of fel, of onhandig. Ze las gedichten van Carlos Williams en Walt Whitman, maar ook proza – *As I Lay Dying* van Faulkner, of *Travelogue For Exiles* van Shapiro. En nog meer, nog veel meer; niet alle boeken die op de planken stonden, maar toch wel een stuk of duizend, of misschien wel twee, of drie.

Dit was de wereld van Annie O'Neill waar maar weinig mensen kwamen. De meesten omdat ze het bestaan ervan niet kenden, anderen omdat ze er geen belangstelling voor hadden, omdat ze haastig op weg waren naar een plek die veel belangrijker voor hen was dan de wereld van het geschreven woord. Naar een plekje met dingen die hier niet thuishoorden: ijdelheid, uiterlijk vertoon, valsheid, lafheid, hebzucht, oppervlakkigheid.

Andere zaken waren hier wel te vinden: liefde, wellust, magie, het onherroepelijke, medelijden, medeleven, volmaaktheid.

Annie O'Neill, idealistisch, hartstochtelijk, vastberaden, die zo met handenvol van het leven greep dat het te veel was om vast te houden, wilde iets anders. Iets wat niet te benoemen was, maar wel gevaarlijk. Ze wilde iemand die van haar hield, ze wilde worden aangeraakt, vastgehouden. Ze wilde dat zo graag dat het pijn deed.

Dat waren haar gevoelens, haar emoties, haar gedachten. Dat was het patroon van haar onbestendige, broedende leven dat zich ontvouwde. Dat waren haar kleuren, haar overwegingen, en haar leegte.

Het was donderdagochtend, een donderdag in augustus, in de zomer die ten einde liep. Terwijl ze haar leven overdacht, besefte ze dat ze een buitenstaander was, een vrouw die buiten de tijd en de wereld stond. Want dit was het begin van de eenentwintigste eeuw, en ze wist heel zeker dat ze daar niet thuishoorde. Ze hoorde bij Scott Fitzgerald, bij Hemingway en Steinbeck, bij *To A God Unknown* en *The Outsiders*. Daar lag haar hart, en daar had ze moeite mee. Ze had moeite met elke nieuwe dag en de zakelijkheid van haar beknopte leventje waarin ze in steeds kleinere kringetjes naar de leegte van de eenzaamheid spiraalde.

Er moest iets veranderen. Ze moest zorgen dat er iets veranderde, en ze was pragmatisch genoeg om te beseffen dat ze zelf de kern van die verandering moest zijn. Veranderingen vonden niet zomaar plaats, zelfs niet door goddelijke tussenkomst. Ze kwamen voort uit vastberadenheid, uit handelen, uit het stellen van een voorbeeld. De mensen veranderden met jou of anders bleven ze achter. Net als Grand Central. Je nam de trein, die van zes over half zes naar Two Harbors, dat in de Sawtooth Mountains lag genesteld en waar je op een heldere dag bijna de Apostle Islands kon aanraken, en Thunder Bay, en degenen die met je meeliepen, kwamen daar ook aan, of niet. Zo niet, dan bleven ze liever staan en wuifden naar je, en keken toe terwijl jij geluidloos wegrolde naar de onduidelijke verte van hun herinneringen. En als je in je eentje op reis ging, pakte je alleen in wat je nodig had, en belastte je jezelf niet met dingen die te zwaar waren, zoals verloren liefdes, vergeten dromen, jaloezie, frustratie en haat. Je nam de mooiere dingen mee. Dingen die je kon delen. Dingen die zo goed als niets wogen, maar de grootste betekenis in zich droegen. Dat waren de dingen die je meenam, en in zekere zin namen ze jou mee.

Zulke dingen dacht Annie O'Neill vaak, en alleen met die gedachten glimlachte ze dan.

De koffie was klaar. Ze kon hem voor in de winkel ruiken. Ze liep naar achteren, waste een kopje af in de gootsteen in de hoek, pakte een kartonnetje koffieroom uit de koelkast, goot het laatste beetje in de kop en schonk er koffie op. Ze bleef een tijdje in de achterkamer, en pas toen ze de bel boven de deur hoorde, ging ze terug naar haar wereld vol woorden. De man was oud, ergens tussen de vijfenzestig en zeventig, en onder zijn arm had hij een in bruin papier verpakt bundeltje dat met een touwtje was dichtgeknoopt. Zijn overjas, dik en duur, vertoonde hier en daar slijtageplekken. Zijn haar was zilvergrijs, met wit boven de slapen, en toen hij haar zag, lachte hij zo warm en oprecht naar haar dat Annie onwillekeurig teruglachte.

'Stoor ik?' vroeg hij beleefd.

Annie schudde haar hoofd en ging naar hem toe. 'Helemaal niet. Waarmee kan ik u helpen?'

'Ik wil u niet lastigvallen als u ergens mee bezig bent,' zei de oude man. 'Ik kan wel een andere keer terugkomen.'

'Het maakt niet uit,' zei Annie. 'Bent u naar iets bepaalds op zoek?'

De oude man schudde zijn hoofd. Hij glimlachte nog eens, en dat lachje had bijna iets wat vertrouwd was, en dat Annie op haar gemak stelde.

'Ik ben hier op bezoek,' zei hij. Hij keek een tijdje rond in de winkel, wierp een paar keer een blik op Annie, en draaide zich vervolgens weer om naar de rekken en planken vol boeken.

'U hebt hier een indrukwekkende verzameling,' zei hij.

'Genoeg om me bezig te houden,' antwoordde ze.

'En om te voldoen aan de behoeften van diegenen die iets meer willen dan de bestsellerlijst van de *New York Times*.'

Annie lachte. 'We hebben hier inderdaad nogal wat merkwaardige en ongebruikelijke exemplaren,' zei ze. 'Niets echt iets zeldzaams of al te intellectueels, maar toch wel aardig wat goede boeken.'

'Dat geloof ik graag,' zei de man.

'Was u naar iets op zoek?' vroeg ze weer, omdat ze zich toch wat ongemakkelijk begon te voelen.

De man knikte. 'Zo zou je het denk ik wel kunnen zeggen,' antwoordde hij.

Annie deed een stapje naar voren. Ze had absoluut het gevoel dat haar iets ontging.

'En wat mag dat dan wel zijn?' vroeg ze.

'Het ligt een beetje moeilijk...'

Annie fronste haar voorhoofd.

De man schudde zijn hoofd, alsof hij zich afvroeg wat hij hier eigenlijk deed. 'Als ik heel eerlijk ben, moet ik zeggen dat ik hier alleen vanwege mijn herinneringen ben gekomen.'

'Herinneringen?'

'Nou ja... Nou ja, zoals ik al zei, is het na al die jaren een tikje moeilijk, maar de reden dat ik hier kwam was omdat ik uw vader heb gekend...'

De oude man hield halverwege op, alsof hij op een reactie wachtte.

Annie was sprakeloos en volkomen in de war.

De man schraapte zijn keel. Het leek verontschuldigend bedoeld. 'Ik kende hem goed genoeg om boeken te komen halen,' ging hij verder. 'Om ze te lezen en hem later te betalen.'

Hij zweeg weer even en lachte toen vriendelijk. 'Uw vader was een briljant man, met een briljante geest... Ik mis hem.'

'Ik ook,' zei Annie bijna onwillekeurig, en ze werd ineens gegrepen door aanstormende emoties. Ze zei even niets, misschien wel om zichzelf weer in de hand te krijgen, en liep toen nog een eindje verder de winkel in.

De oude man legde zijn pakje op een stapeltje ingebonden boeken en zuchtte. Hij keek op, liet zijn blik van de ene muur naar de andere langs de planken gaan en toen weer terug.

Hij spreidde zijn armen, als een visser die visserslatijn gaat spreken.

'Dit was zijn droom,' zei hij. 'Hij leek niets meer te verlangen dan wat hij hier bezat... behalve uw moeder, natuurlijk.'

Annie schudde haar hoofd. Het kostte haar moeite alle gevoelens te verwerken die op haar afstormden. Een gevoel van er niet bij zijn, van mysterie, en de abrupte herinnering van een enorm gat in haar leven dat ze op dit moment wanhopig met halfvergeten herinneringen probeerde te vullen. Haar vader was al ruim twintig jaar dood, haar moeder meer dan tien jaar, en toch waren de herinneringen aan haar vader op de een of andere manier sterker, levendiger en vuriger. Nu, op dit moment, kon ze hem bijna voor zich zien. Op de plek waar de oude man met zijn versleten, dure overjas stond.

'Hoe goed hebt u mijn vader gekend?' vroeg Annie. Ze kreeg de woorden nauwelijks uit haar keel. Haar borst was verkrampt, alsof ze tegen de tranen moest vechten die al lang geleden waren vergoten.

De oude man knipperde even met zijn ogen.

'Dat is een heel lang verhaal, beste kind...'

De moeder van Annie O'Neill had naar Sinatra geluisterd. Zonder mankeren. Omdat ze als kind zo vaak zijn stem had gehoord, was Annie er lang voordat ze zijn films was gaan zien of zijn biografieën had gelezen door betoverd. En het kon haar geen barst schelen wat de hele wereld van hem vond. Het kon haar niet schelen dat Coppola hem in *The Godfather* Johnny Fontaine had genoemd, of dat hij ene Judith Exner aan zowel

Sam Giancana als John Kennedy had voorgesteld, of dat hij langdurig was ondervraagd omdat men vermoedde dat hij bij de maffia betrokken was... De man kon zingen! Vanaf de eerste klanken van *Young At Heart* of *I've Got The World On A String*, onder leiding van Harry James, Nelson Riddle of Tommy Dorsey, of zelfs van Take 9 of Take 12, waarop Franks geïrriteerde eisen op de master bewaard waren gebleven, maakten al die verhalen niets meer uit. Als een man zo kon zingen, deed het er niet toe of hij achter een grasheuveltje een sigaret rokend op The Man had zitten wachten. In Hoboken, New Jersey, had de wereld op 12 december 1915 een godsgeschenk gekregen, en het had God behaagd hem daarna lang genoeg te verlaten om miljoenen harten te betoveren.

En als Annie O'Neill het gevoel kreeg dat ze zichzelf in de anonimiteit van haar eigen leven dreigde te verliezen, wendde ze zich tot Frank. En enkel en alleen omdat ze deze liefde met haar moeder had gedeeld vond ze enige troost in het timbre en tempo van zijn stem, en kon ze er haar toevlucht toe nemen. In haar appartement op de derde verdieping van Morningside Heights – vier kamers, stuk voor stuk zorgvuldig ingericht. Alle kleuren waren weloverwogen uitgezocht, elk meubelstuk was uitgezocht om in het grote geheel te passen wanneer alles klaar was. Daar sloot ze zich voor de werkelijkheid af en vond ze haar eigen werkelijkheid die zoveel échter was.

Vanuit die veilige haven was ze die donderdagochtend in augustus vertrokken. Ze liep elke werkdag naar haar werk, en in die tien of vijftien minuten keerde ze dan terug naar iets wat meer met haar verlangens overeenstemde. Ondanks al die honderden en misschien wel duizenden mensen die ze op straat passeerde, was het toch altijd een eenzame wandeling, de ene stap na de andere, met weinig van belang ertussen. En als ze daar aankwam, zag ze vrijwel altijd dezelfde mensen. Harry Carpenter, een gepensioneerd ingenieur die vroeger bij het Rose Center for Earth & Space had gewerkt: een man die eindeloos kon praten over zijn verzameling Spiderman-stripboeken, bijvoorbeeld hoe hij in maart 1963 een keer een ongeschonden exemplaar van *The Amazing Spider-Man* op de kop had getikt, en nummer 14 van juli '64, waarin de *Green Goblin* voor het eerst was verschenen, en het allermooiste nog: nummer 39 van augustus '66, waarin de ware identiteit van Norman Osborn werd onthuld. Harry was misschien wel een beetje de weg kwijt. Hij was zesenzeventig, zijn vrouw was er al lang niet meer, en hij speurde steeds weer de planken af en koos boeken uit waarvan Annie zeker wist dat hij ze nooit zou lezen. En dan was er John Damianka, een docent van Barnard, in zekere zin een verwante geest. John en Annie waren tijden geleden buren geweest, en toen ze

12

naar Morningside was verhuisd, was John haar blijven opzoeken. Soms leek het of het hun hele leven zo zou blijven. Vroeger hadden ze op de stoep zitten praten over de inconsequenties van het leven, maar nu kwam hij naar de winkel, en hoe goed hij er ook uitzag, er was altijd iets wat Annie deed herinneren aan de stille wanhoop die iedereen leek te omhullen die eenzaam was. Hij praatte voortdurend over de moeite die het tegenwoordig kostte om een fatsoenlijk meisje te vinden. 'Ik hoef geen Kim Basinger,' zei hij dan, 'ik zoek alleen iemand die me begrijpt... wat ik doe, wat ik ben, wat ik wil.' Annie hield haar mond, weerstond de verleiding hem te vertellen dat het wat gemakkelijker zou zijn als hij dat zélf wist, en hoorde hem geduldig aan. 'Wat pas echt ironisch is,' zei hij nog, 'is dat mensen als ik alleen brieven krijg die met "Beste John" beginnen.' Hij moest er elke keer weer om lachen, en ging dan verder: 'Weet je, het enige meisje dat me ooit per brief de bons heeft gegeven, noemde me J.D. "Beste J.D." – zo begon die brief. Dus de enige echte Beste John-brief die ik kreeg, was helemaal geen Beste John-brief.'

Zulk soort mensen. Mensen die vermoedelijk een beetje de weg kwijt waren. Die genoeg uit de koers waren geraakt om een boekwinkel in een smalle zijstraat vlak bij Ellington en West 107th te vinden.

Ze heette hen allemaal welkom, want ze was nog steeds idealistisch genoeg om te denken dat een boek een andere richting aan het leven kon geven. Toen de oude man in de dure, maar afgedragen overjas over haar vader begon, had ze dus meteen gedacht dat hij herinneringen wilde ophalen, en misschien een boek zou uitkiezen om een poosje met haar over ditjes en datjes te kunnen praten. Toen bedacht ze dat deze man – wie hij ook mocht zijn – haar misschien kon helpen haar eigen verleden te begrijpen, omdat dat altijd een mysterie voor haar was gebleven. Die gedachte raakte ze niet kwijt. Ze zou niet weten hoe ze de aandrang anders moest verklaren: hij gooide een reddingsboei uit, en zij greep hem met beide handen vast en trok zich er uit alle macht aan op.

'Hebt u het druk?' vroeg de oude man.

Annie stak haar armen uit, alsof ze hem uitnodigde naar de menigte te kijken die de winkel kwam binnendringen. Ze schudde glimlachend haar hoofd. 'Nee,' zei ze, 'ik heb het niet druk.'

'Dan kan ik misschien vragen of u een paar minuutjes tijd hebt om iets te bekijken.'

Hij kwam naar haar toe en pakte onderweg het pakje van de stapel boeken. Hij legde het op de toonbank en maakte het touwtje los.

'Ik heb hier iets wat u misschien wel zal intrigeren,' zei hij bedaard.

Het bruine papier ontvouwde zich als een uitgedroogde huid, als een herfstblad dat om een veelkleurige pop zat gewikkeld. In het pakje lagen vellen papier, met bovenop een blanco envelop. De oude man pakte de envelop en haalde er een vel papier uit, dat hij aan Annie gaf.

'Een brief,' zei de man.

Annie pakte hem aan. Ze merkte dat het papier ruw en bros aanvoelde. Het deed denken aan een bladzijde uit een eeuwenoud boek, een eerste editie die was achtergelaten om de woorden in ademloze oneindigheid vast te houden. Boven aan de brief stond in verschoten, maar nog steeds leesbare letters: *Van het Cicero Hotel.*

'Dat is er niet meer,' zei de oude man. 'Ze hebben het in de jaren zestig neergehaald en er iets vreemds en moderns voor in de plaats gezet.'

Hij sprak kortaf en zo zorgvuldig dat het moeilijk was hem te plaatsen.

Annie keek op en knikte.

'Het is een brief van je vader,' zei hij. 'Hij schreef hem aan je moeder. Kijk maar...'

De man liet zijn uitgestoken wijsvinger over de brief glijden en bleef boven de woorden *Mijn hartje* steken.

Annie fronste haar voorhoofd.

'Zo begon hij zijn brieven altijd... Het was een bewijs van zijn genegenheid en liefde voor haar. Jammer dat de brieven haar nooit hebben bereikt...'

De oude man trok zijn vinger terug.

Annie keek hem na alsof het een trein was met een geliefde aan boord die het station uit reed.

'Als je vader één ding wist,' fluisterde hij, wat aan effectbejag deed denken, 'dan was het wel hoe hij iemand moest liefhebben.'

De oude man knikte naar de brief en de hand van die wijsvinger maakte een gebaartje alsof hij een onbelangrijk optreden in een cabaret aankondigde.

'Ga uw gang,' zei hij glimlachend.

'Hoe heet u?' vroeg Annie.

De man fronste heel even, alsof de vraag helemaal niets met deze belangrijke zaak van doen had.

'Hoe ik heet?'

'Ja, hoe heet u?' zei ze weer.

De man aarzelde. 'Forrester,' zei hij. 'Ik heet Robert Franklin Forrester, maar iedereen noemt me Forrester. Robert is te modern voor een man van mijn leeftijd, en Franklin klinkt te presidentieel, vindt u ook niet?'

Hij lachte en maakte vervolgens een kleine buiging, alsof er een derde persoon formeel was voorgesteld.

Opnieuw voelde ze dat steekje toen hij lachte. Was er soms iets al te vertrouwds in de manier waarop hij naar haar keek?

Ze werd ineens overvallen door iets wat haar tegelijkertijd opwond en bang maakte. Ze nam hem nauwkeurig op, op zoek naar iets wat haar zou vertellen wie hij was. Ze huiverde zichtbaar en richtte haar blik weer op de brief:

Mijn hartje,

Ik zie geen uitweg meer. Het is nog erger dan ik me had kunnen voorstellen. Het spijt me van al die jaren. Ik weet dat je het zult begrijpen, en ik weet dat je je belofte zult houden, wat er ook gebeurt. Ik vertrouw erop dat je net zo goed voor het kind zult zorgen als ik zou hebben gedaan als ik de kans had gekregen. Ik ben ervan overtuigd dat ik je nooit meer zal zien, maar zoals altijd zit je in mijn hart. Ik hou van je, Madeline, en ik weet dat jij van mij houdt. Misschien was een liefde als de onze niet voorbestemd te duren. Een nachtuiltje in een vlam. Eén moment van stralende, verbijsterende schoonheid, en dan duisternis.

Altijd de jouwe,
Chance

Annie fronste haar voorhoofd en haar hart kneep zich samen als een babyknuistje. 'Chance?'

Forrester glimlachte. 'Hij noemde haar hartje, zij noemde hem Chance... Je weet hoe dat in de liefde gaat.'

Annie lachte alsof ze het begreep. Ze ging er niet op door, maar het gevoel drong zich aan haar op dat ze echt niet wist wat liefde was.

'Kort daarop is hij overleden,' zei Forrester. 'Ook al weet ik het niet zeker, toch heb ik het idee dat dit zijn laatste brief aan haar was, hoewel ze hem nooit heeft ontvangen.'

Annie hield het velletje papier in haar handen, die ineens begonnen te trillen. De emotie vloog haar naar de keel en bleef daar als een gebalde vuist steken. Toen ze weer naar Forrester keek, waren haar ogen omfloerst door tranen.

'Lieve kind,' zei hij. Hij haalde prompt een zijden pochet uit zijn borstzakje en raakte er voorzichtig haar oogleden mee aan.

'Het was niet de bedoeling je van streek te maken,' zei hij. 'Integendeel, mag ik wel zeggen.'

Annie keek weer naar het velletje papier, en daarna weer naar de oude man. De oude man die naast haar stond en de brief die ze vasthield, waren niet meer van elkaar los te maken, en in die fractie van een seconde vertegenwoordigden ze alles wat ze ooit over haar eigen verleden had willen weten.

'Want zie je, ik kwam met een verzoek,' en opnieuw was er dat lachje dat op een rare manier vertrouwd was.

Annie O'Neill wist maar weinig over de relatie tussen haar ouders. Haar vader was overleden toen ze zeven was, en in de jaren daarna, waarin ze alleen met haar moeder was geweest, had Madeline maar weinig over hem gesproken. Natuurlijk kwam hij wel eens in hun gesprekken voor, wanneer haar moeder bijvoorbeeld iets over de winkel zei, of over een boek dat ze hadden gelezen... maar de intieme details, het hoe en waarom van hun leven voor zijn dood... over die dingen werd nooit gesproken. Madeline O'Neill was een vrouw met karakter geweest, bedaard en intuïtief. Haar intelligentie en ontwikkeling stonden buiten kijf, en steeds weer sprak ze over zaken die volgens Annie niemand had kunnen weten. Boeken en kunst hadden geen geheimen voor haar, net zomin als muziek en geschiedenis; ze sprak altijd de waarheid, ronduit en zonder aarzelen. Ze was Annies leven geweest, totaal, allesomvattend, en in de jaren die ze samen hadden doorgebracht kon Annie zich geen leven zonder haar voorstellen. Maar de tijd schreed voort als een peloton infanteristen, uitgerust met wapens die het hart en de zenuwen aantasten. En op een avond, even na Kerstmis 1991, hadden ze Madeline O'Neill in hun gelederen opgenomen.

Na de dood van haar moeder, na de begrafenis, nadat al die mensen die ze nauwelijks kende met woorden van troost en spijt waren gekomen en waren gegaan, bleef Annie met bijna niets achter. Het huis waar ze al die jaren hadden gewoond was verkocht, en van de opbrengst pachtte ze de winkel en betaalde ze de borg voor haar appartement. Daarnaast had er nog een doos vol paperassen en spulletjes onder het bed van haar moeder gestaan, die voor Annie waren bestemd. Er zat ook een boek in. Eén enkel boek uit de duizenden die door de jaren heen door hun handen waren gegaan. Het was maar een klein boekje, met de titel *Breathing Space*, van Nathaniel Levitt, gedrukt door Hollister & Sons uit Jersey City, en ingebonden door Hoopers uit Camden. Beide firma's bestonden al lang niet meer. Annie wist eigenlijk niet wat er zo belangrijk aan het boekje was, maar het was representatief voor haar vader en daarom had ze zich er nooit verder in verdiept en had ze nooit uitgezocht of er nog meer titels van de schrijver waren. Die dingen deden er niet toe, want op de een of andere manier leken ze de herinnering aan haar vader te schenden. Aan de binnenkant van het omslag stonden de woorden *Annie, voor wanneer de tijd daar is. Pap.* En de datum: *2 juni 1979.* Het was een simpel verhaaltje over verloren en herwonnen liefde, en hoewel alles nogal gedateerd was, hadden het ritme van het proza en de verfijnde manier waarop zelfs het kleinste detail was omschreven en belicht iets wat het boek bijzonder maakte. Misschien had het weinig te betekenen, maar aan dat boek had ze een karakter en betekenis toegeschreven die ver boven de waarde ervan uit-stegen. Het was haar nagelaten. Het was van haar vader gekomen. En hoe-wel ze misschien nooit de tijd zou begrijpen waaraan het refereerde, maakte ook dat niet uit. Het was zoals het was, maar bovenal was het van haar.

Desondanks trof het Annie O'Neill dat ze voor het eerst in jaren aan haar vader dacht als aan een bestaand persoon: iemand met een eigen leven, dromen en aspiraties. Wat had Forrester ook weer gezegd? Dat als er iets was wat haar vader kon, het wel was hoe hij van zijn vrouw moest houden. Van Annies moeder. En nu leek die liefde een moeizame weg op een on-bekend terrein te hebben bewandeld, en door de slagaderlijke snelwegen van het hart hebben moeten navigeren. Voor iemand vallen... zoals dat klonk. Dat zei toch eigenlijk alles. Alsof je halsoverkop in het hiernamaals viel. Waarom zeiden ze niet dat je naar iemand oprees! Hé, je raadt nooit wat er is gebeurd. Ik ben naar iemand opgerezen... en o, wat was dat een fijn gevoel. Met niets te vergelijken.

Annies moeder had altijd op een bepaalde manier gekeken wanneer ze het over hem hadden. Annie smeekte haar vaak om over hem te praten, maar iets had Madeline verhinderd haar hart te luchten, iets gedrevens, iets machtigs. Ze was kapot geweest toen ze haar man had verloren, dat was aan haar ogen te zien, en aan de manier waarop ze haar vuisten balde wan-neer zijn naam werd genoemd. Madeline O'Neill had een sterk karakter gehad, iets wat Annie maar zelden bij anderen had aangetroffen. Annie had er altijd naar gestreefd net zo geestig, meelevend, en hartstochtelijk van het leven te houden, maar dat leek haar nooit helemaal te lukken. Annie wist wel zeker dat haar moeders karakter haar zo bijzonder had ge-maakt voor haar vader, en door dat ene simpele feit wist ze dat haar vader een opvallend man moest zijn geweest als hij het hart van haar moeder had kunnen veroveren.

Annie hield de brief in de hand. *Cicero Hotel.* Waarom had hij in een hotel gezeten? In een hotel, en vandaar uit naar zijn vrouw geschreven? Ze ge-loofde dat ze in dit korte tijdsbestek meer emotie had gevoeld dan het hele afgelopen jaar. Emotie vanwege haar vader, de man die haar het leven had geschonken, en bijna net zo snel weer uit dat leven was verdwenen. Emo-tie vanwege haar moeder, dat ook, want deze paar woorden leken alles te zeggen wat over de intensiteit van hun liefde voor elkaar maar kon worden gezegd. Er zat een leegte binnen in haar die bijna net zo groot was als het gebouw waarin ze stond, en ze had nooit iets gevonden waarmee ze die leegte kon doen verdwijnen.

Ze keek naar Forrester. Hij keek onaangedaan en strak terug. Hij had een doorleefd gezicht, warm, vriendelijk. Zijn gezicht was niet grof, ook niet fijnbesneden, maar iets daartussenin. Het was het gezicht van een man die ergens in een hotellobby naar het eind van zijn leven gleed, of in een schommelstoel op een veranda, en ondubbelzinnig zou verklaren dat hij een leven had gehad! Een echt leven! Een vol leven, een leven dat iets had betekend, een leven van liefdes en verlies, en ingecalculeerde risico's. Een man, dacht ze, die zich nooit zou afvragen: veronderstel nu eens... Het was te triest voor woorden, maar wel waar, dat het het tegenovergestelde van haar eigen kalme bestaan was.

Annie gaf hem glimlachend de brief terug.

Forrester hief zijn hand. 'Nee, u mag hem houden.'

Ze fronste haar voorhoofd, maar vroeg niet hoe of waarom deze vreemde die brief eigenlijk in zijn bezit had gekregen.

Forrester raadde haar onuitgesproken gedachte en glimlachte. 'Frank... Je vader en ik, we hebben heel lang geleden een kamer gedeeld. Ik ben weg geweest en pas kortgeleden naar de stad teruggekeerd, en toen ik mijn verhuizing voorbereidde kwam ik deze brief tegen, en nog een paar...'

'Nog meer?' vroeg ze.

Forrester knikte. 'Andere brieven, ja. Allemaal van je vader aan je moeder... En ik heb ook wat foto's gevonden, oude foto's... Ook een paar van u toen u nog jonger was.' Hij lachte weer. 'Daarom wist ik dat u Franks dochter moest zijn toen ik hier binnenkwam.'

'Zou u me die willen brengen?'

Forrester reageerde er eerst niet op. Hij knikte alleen, en legde zijn hand op het stapeltje papier op de toonbank. 'Ik wil u het volgende voorstellen,' zei hij. 'Uw vader en ik zijn vroeger iets begonnen. Iets speciaals, hier in Manhattan, tientallen jaren geleden. Kort nadat hij deze winkel had overgenomen...'

Forrester hief zijn hand en wees om zich heen.

'Hier heb ik hem ontmoet, en hier is het allemaal begonnen.'

Annie legde de brief op de toonbank. 'Wat dan?'

Forrester knikte en knipperde met zijn ogen alsof hij op het punt stond een groot geheim te onthullen. 'De leesclub.'

Annie lachte. 'Een leesclub... U en mijn vader?'

'En vijf of zes anderen, heimelijke bohémiens, dichters, schrijvers soms ook... Elke week kwamen we hier of in een van de appartementen bij elkaar en wisselden verhalen uit of lazen gedichten, of zelfs brieven die we hadden ontvangen. Het was toen een andere tijd, een andere cultuur eigenlijk, en de mensen schreven toen veel meer... Om eerlijk te zijn hadden ze destijds veel meer te vertellen.'

Annie glimlachte. Hier zag ze vanuit een andere invalshoek een facet van het leven van haar vader dat ze nog nooit eerder had gezien. Hij had een leesclub opgericht.

'En omdat ik hier een week of wat, of misschien wel een paar maanden zal blijven, vond ik dat we die traditie weer moesten laten herleven.' Forrester lachte en wees naar de boeken die als literaire schildwachten om hen heen stonden. 'We zullen beslist geen gebrek aan materiaal hebben.'

Annie knikte. 'Daar hebt u gelijk in.'

'En dit,' zei Forrester, terwijl hij het stapeltje papier uit het pakpapier op de toonbank haalde, even aarzelde, en toen wat ongemakkelijk lachte. 'Nou, ik had zo gedacht dat dit misschien wel het eerste onderwerp van gesprek kon zijn, mevrouw O'Neill.'

Hij gaf het stapeltje aan Annie. Ze kon de ouderdom ruiken, en de jaren voelen die op de een of andere manier in de materie van de pagina's waren getrokken. Ze kon het zich verbeelden, maar het leek bijna alsof zich hierin haar verleden bevond, een verleden waarvan haar vader deel had uitgemaakt, en of ze hier iets kon vinden wat iets aan haar eigen leven zou toevoegen. Een deur die openstond en wenkte, zodat haar niets anders overbleef dan erdoorheen te lopen.

'Het is geloof ik een roman... of in elk geval de aanvang van een roman. Het is heel lang geleden door een man geschreven. Ik heb hem al met al maar kort gekend. Hij was ook lid van de club, en hij wist ons destijds allemaal te raken.' Forrester glimlachte bij de herinnering. 'Zo'n man ben ik nooit meer tegengekomen.'

Hij zweeg een paar tellen. 'Dit is het eerste hoofdstuk... Het is denk ik als een soort dagboek geschreven. Ik zou graag willen dat u het las. Dan kom ik komende maandag terug en praten we er samen over.'

De glimlach die over zijn gezicht gleed was zo warm, zo oprecht, dat Annie O'Neill zich geen moment afvroeg wat zijn bedoelingen of motieven waren. Ze zei simpelweg: 'Ja, natuurlijk... De komende maandag.'

'Dat is het dan... getekend, verzegeld en afgeleverd.' Forrester stak glimlachend zijn hand uit.

Annie keek naar zijn hand en toen naar zijn gezicht. Zijn blik was op de zijden pochet gericht die ze nog steeds in haar hand klemde. 'Ach ja,' zei ze. 'Sorry...' en ze gaf hem het doekje terug.

'Het was me een genoegen,' zei hij, en hij boog opnieuw op die eigenaardige, abrupte Europese manier zijn hoofd.

'Meneer Forrester?'

Hij wachtte.

'Kunt u... Wilt u me wat meer over mijn vader vertellen? Ik weet dat het een vreemde vraag lijkt, maar hij is gestorven toen ik nog erg jong was... en... Nou ja...'

'Mist u hem?'

Annie voelde de gebalde emotie weer opkomen die haar het ademen bemoeilijkte. Ze knikte. Ze wist dat ze, als ze iets zou zeggen, in tranen zou uitbarsten.

'Ik kom maandag,' zei Forrester, 'en dan kunt u me alles vragen wat u maar wilt, en ik zal u alles vertellen wat ik weet.'

'Zou u... Zou u niet iets langer kunnen blijven?' vroeg Annie voorzichtig.

Forrester glimlachte. Hij stak zijn hand uit en raakte haar arm aan. 'Het spijt me, mijn beste,' zei hij kalm. 'Ik heb helaas iets anders te doen... Maar maandag kom ik terug.'

Annie knikte. 'U komt toch echt... Belooft u dat?'

'Ik kom, mevrouw O'Neill, daar kunt u op rekenen.' Toen draaide hij zich om. Annie keek hem na, en hoewel er van alles door haar hoofd speelde, zei ze niets. De deur ging open en een briesje van buiten probeerde wat warmte van binnen te stelen. Toen ging de deur dicht en was hij weg.

Annie nam het stapeltje papier mee naar de toonbank en legde het er neer. Ze sloeg de eerste blanco pagina om en begon te lezen:

Een vriend van me vertelde me eens iets over schrijven. Hij zei dat je eerst voor jezelf schrijft, dan voor je vrienden, en pas het allerlaatst voor geld. Dat leek me logisch, maar alleen achteraf bezien, want ik heb dit hier geschreven voor iemand die ik nooit meer terug dacht te zien, en daarna schreef ik het voor het geld. Een heleboel geld. En hoewel het verhaal dat ik je ga vertellen meer met een ander dan met mezelf van doen heeft, en hoewel alles begon lang voordat ik hem leerde kennen, ga ik het je toch maar vertellen. Er zit een verleden aan vast, een verleden dat van gewicht is en betekenis heeft, en ik schrijf over dit verleden zodat je zult begrijpen hoe dit soort dingen gebeurden, en waarom. Misschien zul je dan de reden en de motieven begrijpen. Misschien ook niet, maar hoe het ook uitpakt...

De winkelbel rinkelde weer. Annie brak halverwege een zin af en keek op. De wind had de deur opengeblazen, en de kille luchtstroom kwam binnen en wist haar te vinden.

Ze deed de deur stevig dicht en liep terug naar de toonbank. Ze had het een en ander te doen: een nieuwe zending die moest worden genoteerd en geïnventariseerd. De stapel papier zou dus moeten wachten tot ze thuis was.

Ze wikkelde het stapeltje zorgvuldig in het pakpapier dat Forrester had meegebracht, stopte de brief er ook in, stopte alles in een tas en nam die mee naar de keuken achter de winkel. Ze zette de tas op een stoel, en om te voorkomen dat ze zonder hem mee te nemen naar huis zou snellen, legde ze haar jas eroverheen. Ze zou de tas niet vergeten. Ze kón die niet eens vergeten.

Annie O'Neill dacht de hele dag aan het stapeltje papier, alsof haar iets was beloofd. Er hing iets van verwachting en mysterie omheen. En nog meer dacht ze aan de man die haar had opgezocht. Robert Franklin Forrester. Een man die haar vader had gekend, en die haar in die korte tijd die ze met hem had doorgebracht de indruk had gegeven dat hij haar vader veel beter had gekend dan zijzelf. En dan de leesclub. Een club die uit maar twee leden zou bestaan. De eerste bijeenkomst op maandag 26 augustus 2002, hier in The Reader's Rest, een kleine boekwinkel met een smalle voorgevel, vlak bij de kruising van Duke Ellington en West 107th.

2

*I*edereen die hem kende – en dat waren er niet al te veel – leek hem Sullivan te noemen. Gewoon Sullivan. Voor Annie O'Neill was de man die samen met haar op de derde verdieping woonde, in het appartement recht tegenover het hare, gewoon Jack. Net als Annies moeder was Jack een anachronisme, een man die in deze tijd niet thuishoorde, en de grootste verteller die Annie tot haar geluk – of misschien wel ongeluk – had leren kennen. Hij woonde er al toen zij aan het eind van 1995 in haar appartement trok. Hij had boven aan de trap gestaan toen ze al die dozen en zakken naar boven hees. Hij had geen moment aangeboden haar te helpen. Hij had eigenlijk niet eens iets gezegd totdat ze eindelijk boven was en zich voorstelde.

'Annie O'Neill,' zei hij. 'En hoe oud ben je, Annie?'

'Drieëntwintig,' had ze geantwoord.

'Klote,' had hij gezegd. 'Ik wilde iemand die wat meer van mijn eigen leeftijd was... Ik dacht dat we het gezellig zouden kunnen maken, als je begrijpt wat ik bedoel.'

Jack Sullivan was toen achtenveertig geweest, en nu was hij vijfenvijftig, en hij had een zo boeiend leven geleid dat het Annies voorstellingsvermogen te boven ging. Dat wil zeggen dat het alleen boeiend was omdat ze nooit zou kunnen begrijpen waarom hij voor zo'n leven had gekozen. Zijn vader had als militair in de Pacific gediend en was na de Japanse capitulatie in augustus 1945 naar huis teruggekeerd. Zijn vrouw, Jacks moeder, was met de kerst zwanger, en op 14 september 1946 was Jack Ulysses Sullivan geboren. Het eerste deel van zijn leven, zijn kinderjaren en zijn tienertijd, was in alle rust verlopen. Hij was enig kind, bemind, ging naar school, naar college, studeerde fotografie, en trad op zijn twintigste in de voetsporen van zijn vader: hij ging in het leger. Door zijn fotografische opleiding werd hij bij de pers ingedeeld, en in juni 1967 werd hij naar Vietnam gestuurd. Hij bleef daar tot december 1968, kwam met een kogelwond in zijn bovenbeen terug en had na die tijd nooit meer goed kunnen lopen. Hoewel hij als invalide uit het leger ging, bleef hij van zijn werk houden. Daardoor belandde hij in maart 1969 in Haïti, en daar bleef hij tot april 1971, waar Jean-Claude na de dood van Papa

Doc Duvalier zijn vader als president opvolgde. Na Haïti kwam El Salvador – februari 1972, vlak voor de mislukte opstand in maart van dat jaar – een opdracht die tot januari 1973 duurde. In augustus daarop vloog Sullivan naar Cambodja en fotografeerde de gruweldaden van de Rode Khmer in hun poging Lon Nol uit de macht te ontzetten; nadat de Verenigde Staten hun bombardementen officieel hadden gestaakt, was hij ooggetuige geweest van de felle guerrillaoorlog, maar toen hij in september opnieuw tegen een kogel op liep – hetzelfde been, en op vrijwel dezelfde plek – keerde hij terug naar de VS. Daar bleef hij vijf jaar voor UIP en Reuters werken, en voor wat kleinere syndicaten en zelfstandige dochtermaatschappijen van het medianetwerk, maar hij werd steeds weer aangetrokken door de oorlogsgebieden in de wereld. In oktober 1979 zat hij weer in El Salvador, nadat president Carlos Romero door een militaire coup uit de macht was ontzet; daar was hij toen de Amerikaanse nonnen en missionarissen werden vermoord en Jose Duarte terugkwam om de nieuwe junta te leiden, en hij vluchtte in januari 1981 weer naar huis toen de krijgswet werd afgekondigd. En over die plekken gingen zijn verhalen, die niet-loslatende, kwellende verhalen, en omdat Jack Sullivan het grootste deel van de tijd dronken was, vertelde hij ze aan iedereen die maar wilde luisteren.

Annie wilde wel luisteren. En ze luisterde goed. De afgrijselijke wreedheden waarvan hij getuige was geweest en die hij onsamenhangend navertelde, hadden iets zo intens dat het bijna verslavend werkte.

De avond dat ze haar nieuwe appartement had betrokken, had Jack Sullivan, vergezeld van een fles Crown Royal en twee glazen, bij haar aangeklopt. Ze had hem binnen gevraagd zoals een goede buur betaamt, en hij was tot een uur of drie 's nachts gebleven en had haar op zijn gruwelijkheden vergast. Van alles wat hij die nacht had gezegd, was haar één ding, één moment, bijgebleven. Hij had het over zijn terugkomst uit Vietnam gehad, in december '68. Hij had het over het Tet-offensief gehad, de aanval op de artilleriepost van Khe Sanh, en over heuvels die 101S en 88IN heetten. Hij vertelde over een man met wie hij bevriend was geraakt, iemand van de Langvei Camp-commando's, een jonge man van tweeëntwintig die van opzij in zijn gezicht was geschoten.

'Ik kon zijn tanden dwars door zijn wang zien,' had Jack verteld, 'en toen hij probeerde te praten, stroomde het bloed eruit alsof ze een kraan hadden opengedraaid.'

Annie, die nooit echt een drinker was geweest, had die avond en nacht meer gedronken dan in het hele jaar ervoor.

'In januari '68 bestormde de Vietcong, vermomd in Zuid-Vietnamese uniformen, de Amerikaanse ambassade in Saigon,' vertelde hij haar op zijn trage, matte, slepende toon. 'Troepen van de VS werden met een helikopter op het dak gezet, gingen van kamer naar kamer en vermoordden iedereen die ze tegenkwamen. Ik was erbij, en nam een paar kiekjes van onze dappere jongens die Lyndon B's werk deden. Ze hadden er zes uur voor nodig... en jezus, de doden waren niet eens te tellen.'

Jack glimlachte alsof hij het over een familiebarbecue op een warme zondagmiddag in Savannah had.

'In februari bevrijdden we de citadel van de Keizerlijke Stad Hué. Dat was een zware klap voor de Commies. Er was daar een rivier, de Parfum-rivier, met daarlangs een park dat tussen Le Loi Avenue en de waterkant lag. Daar was ik, met nog een paar anderen, terwijl we in de regen stonden te wachten tot we de citadel binnen mochten. Die knapen met wie we stonden te wachten belden het bataljon van de citadel... Een stelletje ruige knapen die in de voorgaande zes maanden bij alle harde gevechten tussen de pas van Hai Vanh en Phu Loc betrokken waren. Hoe dan ook, de Amerikanen en de Zuid-Vietnamezen drongen er binnen en hielpen iedereen om zeep en vervingen ze door hun eigen mensen. Het was een bloedbad. En midden in al dat gedoe komt er een zwerm witte ganzen omlaag en strijkt neer op het binnenterrein. Pletsen door de plassen... Het had de hele nacht geregend... En een of andere klootzak zegt dat we er eentje zouden moeten vangen en opeten.'

Jack lachte – een droog, raspend geluid dat Annies nieuwe en nog lege appartement helemaal leek te vullen.

'De sergeant zei dat iedereen die zijn poten naar een van die ganzen zou uitsteken voor de krijgsraad zou komen. Het werd doodstil. Iedereen wist dat hij geen grapjes maakte. Al die tijd dat we daar waren, bleven de ganzen ook... Ik heb ergens nog wel foto's... Spierwitte ganzen die rondspetterden in de bloederige plassen regenwater, en overal om hen heen dode lichamen van honderd of meer man.'

Sullivan zweeg even, dronk zijn glas leeg en schonk het weer bij.

'Toen werd in april Martin Luther King doodgeschoten, en Bobby Kennedy in juni, en tegen de tijd dat ze Nixon in september hadden gekozen was ik het meer dan zat om een halve meter in modder en bloed te staan om foto's voor het leger te maken. Half december kwam ik terug... Ik dacht dat ik een goede reden had om naar huis te gaan nadat ik in mijn been was geschoten, en ik herinner me nog dat ik in een bar zat waar ik me bezoop, en dat de radio aangaat. Een week voor de kerst, en die vent op de radio zegt dat John Steinbeck dood is, en dan spelen ze *What A Wonderful World* van Louis Armstrong, en ik begin te janken als een cheerleader van de middelbare school die haar vriendje is kwijtgeraakt. Ik zat daar in die bar... maar een goeie kilometer vanwaar we hier zitten, en ik zit daar als een klein kind te grienen. Niemand zegt er iets van, helemaal niks, ze laten me gewoon zitten huilen. Ik moet toch goddorie minstens een halve fles van het een of ander hebben gedronken, maar toen ik ging betalen zei de barkeeper dat ik mijn geld maar moest houden, dat hij best begreep waar ik was geweest, en dat hij echt wel respect voor me had dat ik daarnaartoe was gegaan om de Amerikaanse manier van leven te beschermen, ook al was hij het nooit eens geweest met die oorlog. Ik heb hem maar niet gezegd dat ik om John Steinbeck jankte... Dat leek me niet juist, maar zo was het wel. Ik zat daar te huilen terwijl Satchelmouth zong dat het toch zo'n mooie wereld was, en dat vond ik pas echt ironisch.'

Jack stopte, nam nog een slok, en zette toen zijn glas op zijn knie.

'De aarde was niet in staat om alles te verwerken wat we naar Vietnam brachten. We lieten bommen vallen, en voedselpakketten... klotebommen en -voedselpakketten... en toen haalde Nixon ons met de staart tussen de benen terug, en we vragen ons nog steeds af waarom we daar überhaupt naartoe zijn gegaan. Het was vreselijk, Annie O'Neill... Het was vreselijk.'

En toen lachte hij en hief zijn glas, en Annie hief het hare, en hij fluisterde: 'Op de vervloekte, krankzinnige ironie!'

Ze glimlachte, dronk haar glas leeg en deed haar ogen dicht.

Ze herinnerde zich niet dat ze in slaap was gevallen, maar toen ze wakker werd was hij weg en scheurde het helle ochtendlicht de schaduwen in haar lege appartement aan flarden.

Dat was haar welkom op Morningside Heights in Manhattan geweest, en Jack Ulysses Sullivan was tot op de dag van vandaag blijven praten. Ze werden goede vrienden, deelden hun tijd, en bijna hun appartementen – ze hadden elkaars sleutel, lieten zichzelf binnen wanneer de ander thuis was, en dronken dan samen koffie of praatten over onbeduidende bijzonderheden van hun onbeduidende dagen – en hoewel er nooit iets meer dan een platonische relatie was geweest, waren ze toch zo met elkaar verbonden dat Annie het alleen als een familieband kon zien. Jack verving ergens de vader die ze nooit had gekend, en daarom kon ze Jack, al was hij nog zo'n zuiplap, al zijn eigenaardigheden en irritante gewoonten vergeven.

Toen ze die donderdagavond thuiskwam, met het stapeltje papier in de hand, haar hoofd bij haar vader en zich afvragend wie hij wel was geweest, was Jack er ook. En toen hij haar vroeg of ze binnen wilde komen 'voor een kop koffie met die dronken klootzak van de overkant', glimlachte ze en zei: 'Heel graag.' Ze deed haar jas uit, legde het stapeltje papier neer en begon in zijn keuken een pot koffie te zetten.

'Vandaag kwam er iemand,' vertelde ze toen ze aan het tafeltje in zijn voorkamer zaten. Hij hief zijn vijfenvijftig jaar oude gezicht op dat Annie steeds weer verbaasd deed staan door het enorme karakter en leven waarmee het getekend was: een gezicht dat met origami was gemaakt en daarna in een storm terecht was gekomen. Hij was knap, en was vroeger blond geweest, dacht ze, maar nu was zijn haar peper-en-zoutkleurig en begon het bij de slapen wit te worden. Hij had diepliggende ogen en een smalle, bijna Romeinse neus, en wanneer hij praatte gloeiden er lichtjes onder zijn wenkbrauwen die zonder ook maar iets te zeggen alles zeiden wat er maar te zeggen viel.

'Er kwam iemand,' herhaalde hij. 'Had je een klant?'

Ze schudde haar hoofd. 'Nee, geen klant... Een oude man, een man die zei dat hij mijn vader had gekend.'

'Niemand minder dan de mysterieuze en onvergetelijke Frank O'Neill,' zei Sullivan.

Annie had al eerder met Sullivan over haar vader gesproken en had hem het weinige verteld dat ze wist en het nog kleinere beetje dat ze zich herinnerde, en Sullivan had er altijd een intens verlangen in bespeurd. Ze vond het vreselijk dat ze hem nooit echt gekend had. Ze vond het echt vreselijk.

'Hij heeft iets voor me meegebracht,' ging Annie door. 'En hij heeft me ergens voor uitgenodigd.'

Sullivan keek fronsend op.

'Robert Franklin Forrester,' zei Annie. 'Zo heet hij, en hij vertelde me dat hij mijn vader heel lang geleden heeft gekend en dat ze een leesclub hadden opgericht.'

Sullivan trok zijn mondhoeken omlaag en knikte. 'Hij had een boekwinkel, dus dat lijkt me nogal logisch.'

'Hij zei dat hij een tijdje in Manhattan zou blijven en dacht dat we de traditie weer konden doen herleven... dat we weer een leesclub konden beginnen. Hij komt maandag.'

'Alleen jullie twee?'

Annie knikte.

'Wat een club.'

Annie lachte. 'Hij leek wel oké. Een beetje eenzaam, denk ik.'

'En heb jij gezegd dat hij kon komen?' vroeg Sullivan.

'Inderdaad.'

'Dan moet ik mee om je te beschermen... Hij kon wel eens een seriemoordenaar zijn of zo, die op mooie jonge vrouwen uit is die in verlopen boekwinkels werken.'

Annie wuifde zijn sarcastische toontje weg. 'Hij had iets te lezen voor me meegenomen... Mijn eerste opdracht voor de club. En hij heeft ook een brief van mijn vader aan mijn moeder meegebracht.'

Annie stond op en liep naar de deur. Ze pakte het stapeltje papier onder haar jas op de stoel vandaan, liep terug naar de tafel en legde de vellen neer.

Sullivan pakte de stapel op en bladerde die door.

'Het is geloof ik een roman of zoiets,' zei Annie. 'Die Forrester zei dat een van de leden van de oorspronkelijke club het had geschreven.'

'Dik boek.'

'Er komt vast nog meer,' zei Annie. 'Ik heb het idee dat hij één hoofdstuk per keer brengt.'

'Heb je het al gelezen?'

Annie schudde haar hoofd.

'Vind je het goed dat ik het ook lees?' vroeg Sullivan.

'Laten we het nu samen lezen,' zei ze.

'Alles?'

'Tuurlijk, zo lang is het niet.'

Sullivan knikte. 'Pak mijn bril even van de commode, wil je?'

Annie pakte Sullivans bril, schonk nog snel een kop koffie in en trok toen haar stoel om de tafel heen naast de zijne.

Het was warm in de kamer, maar buiten hoorde ze de wind om het gebouw fluiten alsof die probeerde zachtjes in de warmte binnen te dringen. Ze keek omlaag toen Sullivan de eerste pagina omsloeg, en ze begonnen bladzijde voor bladzijde, bijna regel voor regel te lezen. Het had iets speciaals dat ze zo dicht naast elkaar zaten, wat haar het gevoel gaf dat ze ooit iets dergelijks met haar vader had gedeeld.

Een vriend van me vertelde me eens iets over schrijven. Hij zei dat je eerst voor jezelf schrijft, dan voor je vrienden, en pas het allerlaatst voor geld. Dat leek me logisch, maar alleen achteraf bezien, want ik heb dit hier geschreven voor iemand die ik nooit meer terug dacht te zien, en daarna schreef ik het voor het geld. Een heleboel geld. En hoewel het verhaal dat ik je ga vertellen meer met een ander dan met mezelf van doen heeft, en hoewel alles begon lang voordat ik hem leerde kennen, ga ik het je toch maar vertellen. Er zit een verleden aan vast, een verleden dat van gewicht is en betekenis heeft, en ik schrijf over dit verleden zodat je zult begrijpen

27

hoe dit soort dingen gebeurden, en waarom. Misschien zul je dan de reden en de motieven begrijpen. Misschien ook niet, maar hoe het ook uitpakt, ik geloof stellig dat er beter over gesproken kan worden dan dat het wordt verzwegen. Ik heb me jarenlang stilgehouden, en soms leek stil zijn het enige te zijn wat ik bezat, maar vanaf het moment dat ik me van jouw bestaan bewust werd, kreeg mijn leven een andere betekenis. Lees het dus, lees alles, en maak er maar van wat je wilt. Dit was mijn leven, en omdat jij bent wie je bent, is het tot op zekere hoogte ook jouw leven. Zoals Whitman eens zei: 'Mijn oppervlakte ben ikzelf, waaronder de jeugd als getuige ligt begraven. Wortels? Iedereen heeft wortels.'

Dit zijn mijn wortels, en hoe aangetast en gebroken ze ook mogen lijken, het zijn mijn wortels. Lees maar verder. Ik vertrouw erop dat je het zult begrijpen.

Dit alles begon met een kind dat uit een samenkomst is geboren die nooit stand had kunnen houden. Zijn verhaal begint bij de boeren en zigeuners: hij was van geboorte een Pool, in de tijd dat de Polen de Sudeten en de Karpaten onder Kraków en Wrocław en langs de Tsjecho-Slowaakse grens hadden bezet. Jozef Kolzac stamde af van rondzwervende zigeuners met woeste ogen en zwarte haren, een overtreding onder de smerige rafels van een met de hand genaaide canvas tent, in de bitterkoude winter van 1901. Zijn moeder, een rondtrekkende landarbeidster die niet kon lezen of schrijven, werd zwanger gemaakt door een man die ze niet kende en zich ook niet herinnerde, en stierf bij zijn geboorte.

Kolzac, die de naam had aangenomen van de krijgsheren uit de legenden die van de ene generatie op de andere waren overgeleverd – legenden die onder de Sileziërs rondgingen die lang voor Jagiello en de overheersing van de Saksen aan de oevers van de Oder kampeerden – groeide op tot een klein, zwak kind met smalle schoudertjes en een bleke huid, en scharrelde zijn voedsel op tussen de overblijfselen en het afval dat uit de tenten en onderkomens werd gesmeten waarin zijn volk sliep en at en elkaar verkrachtte en vermoordde. Misschien werd hij gemeden, die krielhaan, deze jongeling, deze halfvegare die bijna niks menselijks had en die geen enkel recht bezat.

Jozef, die zijn kinderjaren wist te overleven – op zich al een wonder – was schrander genoeg om in te zien dat hier geen steun en schuilplaats te vinden zouden zijn, dus verliet hij zijn geboorteplaats en trok dieper de Karpaten in. Hij liep een rondreizende muzikant tegen het lijf, een oude man die een leerling zocht, en daar leerde Jozef zijn vak, de enige vaardigheid die hem mettertijd in leven zou houden, hem te eten zou geven, en hem een klein beetje behaaglijkheid zou schenken in een land dat dor, liefdeloos en koud was.

Hij volgde de man en trok naar het westen, terug naar Kraków. 's Nachts kampeerden ze, overdag trokken ze verder, en ze waren niet alleen reisgezellen en landgenoten, maar werden ook vrienden. Jozef leerde muziek, en zijn soepele vingers bewerkten het instrument van de oude man, een dikbuikige viool met zeven snaren, dat op de knieën werd gelegd en waarop de ene hand plukte en de andere tokkelde. De muziek die hij speelde was prachtig, vloeiend en melodieus, en zo liepen ze door de kleine kampementen en tussen de mensen door die hij daar aantrof, even verwilderd als Jozef zelf als kind was geweest. Die mensen werden dan rustig en luisterden, en gaven de minstrelen te eten, ontstaken 's avonds de vuren en dansten zingend op hun eigen liederen met stemmen die uit het verleden kwamen aangolven, terwijl Jozef Kolzac, inmiddels een tiener en een eigenaardig en vreemd uitziende jongeling, speelde alsof de duivel zijn vingers dirigeerde en God zijn ziel.

De afkondiging van de onafhankelijkheid van Polen in 1918, het Verdrag van Versailles dat de Poolse grenzen naar binnen dwong en in 1920 tot de oorlog met Rusland leidde, bracht de negentienjarige Kolzac weer met beide benen op de grond. Het was in datzelfde jaar dat Polen zelfs tot aan Vilnius oprukte, de hoofdstad van Litouwen, en verder de Oekraïne in. Gewapende Russische soldaten zeulden hun zware kanonnen en paarden door het dorre landschap van zijn land en vermoordden dit volk, deze zigeuners met hun woeste ogen, en dat duurde totdat het Verdrag van Riga Polen een nieuwe grens toewees, bijna tweehonderd kilometer verder oostwaarts.

De oude man, een leermeester, vluchtte weer naar de Karpaten, met zijn leerling op zijn hielen. Ze lieten een troosteloos land achter zich dat door de oorlog was verwoest, waar de mensen de dood nabij waren en de aristocraten zich wanhopig aan hun landgoederen vastklemden en weigerden zich om hun zorgen te bekommeren. Toen kwamen de buitenlanders, uit de Oekraïne, uit Ruthanië, uit Duitsland, en in 1926 wierp maarschalk Pilsudski met zijn leger de regering omver, dezelfde man die zijn Poolse leger in de oorlog van 1920-1921 tussen Polen en de Sovjet-Unie naar de overwinning had gevoerd en had geweigerd aan de presidentsverkiezing deel te nemen. Hij riep zichzelf tot dictator uit.

Jozef Kolzac en zijn meester bleven bijna tien jaar lang in het zuiden, in het hart van de Karpaten. De oude man stierf en werd betreurd, waarna een vuurstapel werd opgericht, zijn lichaam werd verbrand en zijn as door de jongeman die hem had gevolgd over de maagdelijke sneeuw werd uitgestrooid. En toen keerde die jongeman terug naar de beschaving, waar de dictator Pilsudski na zijn dood door een militaire junta was opgevolgd. Kolzac reisde naar het westen, tot aan de grens met Tsjecho-Slowa-kije, daarna naar het noorden, naar Kraków, en uiteindelijk naar Łódź in het midden van Polen.

Daar bevond Kolzac zich in 1926, en daar veranderde zijn levenswijze. Hier speelde hij voor mensen die nog nooit zulke muziek hadden gehoord en nog nooit zo'n man hadden gezien, en ze staarden naar die zigeuner met zijn verwilderde haren en woeste ogen die stond te springen en te dansen en van die vreemde akkoorden aan zijn instrument ontlokte. Die mensen, die stellig geloofden dat Godin en Paderewski de echte genieën van hun vaderland waren, gaven hem te eten, wierpen hem geldstukken toe en raakten betoverd en ademloos als die ronddolende bastaard-Paganini hun in hun straten en op hun pleinen een serenade bracht.

Kolzac, die nog nooit zo'n rijkdom had gezien, nooit zulke extravagantie, geloofde dat hij hier datgene zou vinden waarnaar hij had gezocht: een mecenas, iemand die hem wilde ondersteunen. Hij was vijfendertig, tijd-loos en ondefinieerbaar, en hij geloofde dat hij nooit meer honger zou lij-den en nooit meer verder zou trekken.

In de winter van dat jaar, drie jaar voordat de Duitsers op basis van zoge-naamde mishandeling van hun onderdanen in Polen hun tanks en troe-pen over de grens joegen en de Tweede Wereldoorlog begonnen, zag Jozef Kolzac Elena Kruszwica, een Poolse jodin van zestien, in de deuropening van een slagerij, waar ze met de proviand in haar armen naar die waanzin-nige, raspoetinachtige persoon stond te kijken, naar die man met ogen die feller schitterden dan edelstenen en met manen die meer verwilderd wa-ren dan die van een leeuw, en radslagen maakte en rondsprong, en zulke mooie melodieën aan de snaren ontlokte die hij met zoveel verve en los-bandigheid voor de stedelingen ten gehore bracht dat ze er opgewonden, verward en betoverd door raakte. Ze kwam steeds weer terug om naar hem te kijken, en elke keer dat ze kwam opdagen voelde hij haar aanwe-zigheid, en soms was hij brutaal genoeg om naar haar toe te dansen, en dan zag hij hoe ze zich in de deuropening terugtrok, en hij hoorde haar lachen, met haar gezicht onder een sjaal, en hoorde haar in haar handen in de dikke wollen handschoenen klappen als hij een buiging maakte en achteruitliep om de munten en het applaus van deze mensen in ontvangst te nemen.

Elena Kruszwica, die haar gevoelens maar nauwelijks begreep, raakte door deze man gefascineerd en werd verliefd op die woeste zigeuner die uit de heuvels naar Łódź was geblazen.

Haar ouders vroegen waar ze was geweest, waarom het zo lang had ge-duurd om proviand te halen, waarop zij, beschaamd, of misschien ook wel bang, reageerde met leugentjes om bestwil en halve waarheden die haar op de een of andere manier dichter bij dat krankzinnige genie Kolzac leken te brengen.

In november van dat jaar kwam ze niet meer opdagen. Kolzac speelde in de straten en op de pleinen, maar zijn muziek klonk hol, werd plichtmatig en uit zelfbehoud opgevoerd, en leek iets van zijn magie en zijn betovering te hebben verloren. Hij zocht naar haar, vroeg naar haar, en ontdekte dat ze alleen maar op bezoek was geweest in Łódź, dat ze in Tomaszów woonde, een paar kilometer zuidelijker. Hij liep er 's nachts naartoe, een groot deel van de weg hardlopend, met zijn instrument op zijn rug gebonden, zijn zakken volgepropt met grof roggebrood en een stukje kaas in een linnen doek, en met een deken om zijn hoofd en schouders vanwege de bittere, tot op het bot doordringende kou.

Hij was er toen ze de volgende ochtend naar pianoles ging, en stond op straat toen ze een hoek omsloeg, en die twee mensen – Elena, nog maar een tiener die weinig van het leven wist, en weinig van wat het betekende vrouw te zijn, en Jozef, die niets van het leven wist behalve de muziek die de oude man hem had geleerd – staarden elkaar minutenlang aan voordat ze iets zeiden.

Ze leken in elkaar te geloven, want die ochtend nam ze geen les, en hij speelde niet in de straten van Tomaszów. Ze wandelden en praatten, lachten en zongen samen in de velden en de bossen buiten de stad.

Misschien was het liefde, misschien fascinatie, of misschien geen van beide: het leek er niet toe te doen. Drie dagen waren ze samen, behalve in de uren dat ze sliepen. Elena vertelde haar ouders dat ze thuis bij een vriendin studeerde, en hij was er tevreden mee niets te doen behalve er voor haar te zijn. Ze hadden het over leven en liefde en lachen; ze hadden het over dromen en verwachtingen; ze hadden het over een toekomst die nog niet te zien was, en over het verleden dat in het heden van geen enkel belang meer leek te zijn. Het heden was wat ze zelf tot stand hadden gebracht, en in dat heden deden eigenlijk alleen zij tweeën ertoe. Elena was een meisje vol hartstocht en geestdrift; die geestdrift werd in toom gehouden door de etiquette en de regels van een leven waarin ze volgens haar niet thuishoorde. Ze wilde vrijheid: vrij zijn van degene die ze hoorde te zijn, vrij zijn om te zijn wie zij wilde. Jozef gaf haar die vrijheid, zonder straf, zonder er iets voor terug te verlangen, en dat was misschien wel de voornaamste reden dat ze van hem hield.

En toen werden ze door het leven geraakt, en Elena gaf alles wat ze had – ze had geen munten, maar schonk hem al haar lachjes en applaus, alles wat ze verder maar bezat. Onder het dak van een schuur, in een berg stro, legde ze zich neer voor Jozef Kolzac – en Jozef, met de tranen in de ogen en een hart zo barstensvol gevoelens die hij nog nooit eerder had gevoeld – gaf haar zijn maagdelijkheid en nam de hare. Hij was vijfendertig, zij was zestien, en dit was misschien wel de grootste en oprechtste liefde die ooit was uitgeademd of uitgesproken of op aarde was vertoond.

Elena werd in januari 1937 zeventien, en in diezelfde maand werd ze zich ervan bewust dat haar maandelijkse periode was gestopt, werd ze zich van haar toestand bewust, en ze rende het huis uit naar Jozef. Hij begreep het, en nam haar mee. Ze gingen te voet, en aanvaardden alle hulp die hun door rondtrekkende reizigers, zwervers en mensen te paard of met karren werd aangeboden.

Eind februari bereikten ze Lublin in het oosten, en hier speelde Jozef Kolzac, vader in spe en zich ten volle bewust van zijn verantwoordelijkheden, voor twee, en bracht geld en eten naar zijn zwangere Elena, die als dienstmeid, kokkin en werkster bij een familie werkte die aan de burgemeester verwant was.

En in Lublin kwamen haar ouders haar op het spoor. Ze namen mannen uit Łódź mee die van deze vreselijke, verdorven mensenroof hadden gehoord. Kolzac werd aan handen en voeten meegenomen, hij werd geslagen en kreeg met de zweep, en toen werd hij aan een boom in de naburige bossen opgehangen, waar zijn lichaam aan de vogels en de wolven werd overgelaten.

Elena Kruszwica werd naar Łódź teruggebracht. Ze was gek van woede en verdriet, en werd aan de zorgen van de plaatselijke arts toevertrouwd totdat in augustus haar zoon werd geboren. Ze was zeventien, en toen ze weer voldoende op krachten was, nam ze haar zoon en vluchtte uit Łódź naar de Karpaten, het thuisland van zijn vader. Haar ouders zochten haar vergeefs. Ze zochten net zo lang tot de Duitsers in september 1939 het land binnendrongen, en toen de Russen nog geen maand later kwamen, en ze in hun eigen land opnieuw blootstonden aan verkrachting en mishandeling, begreep Elena's familie dat ze haar voorgoed kwijt waren, dat ze haar nooit meer terug zouden zien. Haar moeder benam zich het leven toen de Russen Łódź binnenstormden, en haar vader – een sterke, koppige man – rende gillend het huis uit en werd neergemaaid in een hagel van communistisch geweervuur, dat zijn lichaam aan stukken reet tot hij languit in de sneeuw lag, bijna net als de vader van zijn enige kleinzoon in Lublin had gelegen.

Elena, die alleen eenzaamheid en armoede in de bergen vond, keerde naar Kraków terug om er werk en onderdak te zoeken. Hier werd ze, tegen het eind van de zomer van 1941, door de nazi's opgepakt en ondervraagd. Ze stelden vast dat ze een jodin was, een geloof en leer die op het moment van de dood van haar geliefde in het niet waren opgegaan. Ze werd met haar vierjarige zoon Haim in een veewagen naar Oświęcim gebracht, een stadje dat zevenenhalve kilometer westelijk van Kraków lag.

Dat werd de volgende vier jaar haar thuis, in het oord dat Auschwitz I heette.

Om de gruwelen te beschrijven, het lijden te voelen, de diepe, diepe pijn te voelen... Zulke dingen kun je niet begrijpen; je kijkt toe, je onttrekt je eraan, je doet misschien alsof dat soort dingen niet bij hetzelfde menselijke ras als het jouwe horen.

In die zomermaanden – juli, augustus, tot in september – werden Elena's ogen pas echt geopend. Wilhelm Kiel, een hooggeplaatste officier, geïndoctrineerd met het Nietzsche-concept van *Mensch* en *Übermensch* en de geboorte van het ware arische ras, nam de eenentwintigjarige Poolse jodin mee naar zijn kwartier, een houten barak, door een grindpad van het onderkomen van zijn ondergeschikte officieren gescheiden. Hier werd ze het slachtoffer van barbaarse daden van seksuele verdorvenheid; ze werd eraan onderworpen en erdoor overweldigd, en ze werd tot het uiterste gedreven wanneer hij zijn sadistische voorkeuren botvierde. Hij was lang, had brede schouders, blonde haren, het prototype van de Gestapo, en op seksueel gebied was hij onverzadigbaar. Soms kwam hij van dienst terug en vond haar onder het bed, met haar zoon stijf in haar armen, niet meer in staat te huilen of te schreeuwen, en dan gaf hij haar er met gloeiend draad van langs, bond haar vast en bedreef sodomie met haar, gaf haar met de vlakke hand slaag op haar rug, haar schouders en haar borsten, drukte brandende sigaretten op haar uit en brandmerkte haar met een uit draad gemaakt brandijzer dat hij tot het woord *Jude* had omgebogen. Lachend, giftig, schreeuwend hield hij haar vast bij haar haar, boog haar achterover op de tafel en verkrachtte haar keer op keer, terwijl haar zoon in een hoekje in elkaar gedoken met opengesperde ogen verbijsterd toekeek.

Ze werd zwanger, en hij sloeg haar net zo lang tot ze een miskraam kreeg; ze kwam onder de luizen te zitten en kreeg bulten op haar huid, die openbarstten en vocht afscheidden, en Kiel smeet handenvol zout over haar heen; hij knipte haar kaal en brandmerkte haar achterhoofd, en terwijl hij zich in haar ramde, brulde hij: 'Jude! Jude! Jude!'

Dat gebeurde dag na dag, week na week, maand na maand, jaar na jaar leek het wel, en door deze martelingen en verkrachtingen vertroebelden haar herinneringen aan Polen, aan Jozef Kolzac, aan Łódź en Tomaszów, aan alles wat ze vóór Oświęcim was geweest, had bezeten en geloofd. Ze werden naar de achtergrond verdreven. Ze werd een niemand, voedde haar zoon met kruimeltjes uitgedroogd brood, zoog vocht uit versleten karpet waarin het regenwater door de kale houten vloer heen terecht was gekomen, en verpleegde haar wonden, haar schande en haar ontering. Ze beschouwde zichzelf niet langer als een menselijk wezen, en hoewel ze vaker dan ze zich kon herinneren hardop haar twijfels aan de rechtvaardigheid en billijkheid van God had uitgeschreeuwd, besefte ze op die momenten met absolute zekerheid dat er geen God kon bestaan. Haar geestkracht was gebroken; de vrijheid die ze eens met Jozef had gezocht, was nu onherstelbaar kapotgemaakt. Ze ademde alleen nog omdat ze er niet mee kon stoppen. Ze sliep omdat haar lichaam niet langer overeind wilde blijven, en elk uur, elke minuut, elke seconde overleefde ze uitsluitend voor haar zoon.

Elena verdroeg haar schande en angsten in stilte, en was niet meer dan een omhulsel van wat ze ooit was geweest. Ze keek toe wanneer haar medejoden en landgenoten naar Birkenau werden afgevoerd, of naar Treblinka, of Sobibor, en als haar zoon er niet was geweest, dan zou ze misschien, heel misschien, naar hen toe zijn gerend, zich vol wanhoop aan hen hebben vastgeklampt, en hun hebben gesmeekt haar in die vrachtwagens te hijsen, naar iets wat alleen maar beter kon zijn dan dit hier. Dan zou er tenminste stilte zijn geweest, zonder kwellingen, een vacuüm van pijn.

Maar haar zoon hield haar in leven. Ze zag hem groter worden, zag hoe zijn ogen dieper in hun kassen kwamen te liggen, hol werden, en de enige toekomst die ze nog kon zien was hem hier weghalen, al was het maar tot buiten de hekken, het draad en de wachttorens, mee naar de bossen en de akkers die zich zo ver het oog reikte, uitstrekten. Ergens daarbuiten was een wereld, een wereld die zij was kwijtgeraakt, waaruit ze was weggerukt, haar stem verscheurd door pijn, haar hart bonkend van de angst en een diepgaand onbegrip. Soms geloofde ze dat ze was gestorven en dat ze voor haar zonden met Jozef voorgoed naar de hel was verbannen, maar dwars door die duistere pijn en vernedering heen herinnerde ze zich zijn ogen, zijn genie, zijn verbeeldingskracht, en ze begreep dat een liefde als de zijne haar nooit tot zo'n straf had kunnen veroordelen.

Kiel sprak niet met haar; hij blafte tegen haar, hij beval haar op haar knieën te gaan liggen, op haar rug, op haar buik. Hij sleurde haar mee aan haar haar en trok vaak plukken uit haar hoofd waar het weer over het brandmerk heen was aangegroeid, en bedreef voor de zoveelste keer sodomie met haar, waarbij hij zijn vingernagels in haar borsten begroef en zijn tanden op elkaar klemde en haar zoveel pijn deed dat ze er op het laatst niets meer van voelde.

In april 1945 trokken de geallieerden Berlijn binnen; de Amerikanen en

Russen stootten bij Torgau aan de Elbe op elkaar, en troepentransporten en tanks rolden tot diep in het hart van het Derde Rijk. Daarop volgde de bevrijding van Bergen-Belsen, Dachau, Buchenwald, en het volle besef van wat daar had plaatsgevonden. De stemming onder de soldaten – zegevierend en opgefokt – verstilde geschokt toen ze kotsmisselijk tussen de rijen gevangenen door reden en een berg ontklede dode vrouwen van honderdvijftig meter lang, vijftig meter breed en een meter hoog in het oog kregen. In Bergen-Belsen zaten veertigduizend gevangenen, maar voor de meesten kwam alle hulp te laat – ze waren broodmager, hadden tyfus en tbc, en waren uitgehongerd. In de daaropvolgende dagen moesten ondanks alle inspanningen van de geallieerden meer dan zeshonderd mensen per dag worden begraven. Tegen de hemel stond een verrolbaar schavot afgetekend waaraan een tiental in elkaar geslagen en gebroken lichamen bungelde. De lucht was verstikkend door de stank van lijken, ziekte en verhongering, vergassing en afslachting.

Soldaten van soms nog geen en soms net twintig bevrijdden Auschwitz. Soldaten die met ogen van mannen die drie keer zo oud waren tussen de doden door liepen. Bergen menselijke as, onverbrande botten, haar, afgeschoren hoofdhaar van de laatste doden, speeltjes die van kinderen waren afgepakt toen ze in de 'douches' werden geduwd – de gaskamers waarin mannen, vrouwen en kinderen met duizenden tegelijk naar binnen waren gedreven – en de 'geluidsapparatuur', aangebracht om het gruwelijke gekrijs te maskeren. De geallieerden hadden de *Endlösung* ontdekt waarmee een compleet ras moest worden uitgeroeid.

Elena Kruszwica zag de soldaten enkeldiep in de modder van het tuintje achter Wilhelm Kiels barak staan; ze zag hen samen met haar zoon, die inmiddels zeven was, en zich aan haar been vastklemde, en vroeg wie die mensen waren. Ze viel op haar knieën toen ze het geschreeuw en de protesten hoorde van de SS'ers die naar het middenplein van het kamp werden gedreven om zich aan de Amerikanen over te geven. Kiel was er ook bij, zonder zijn uniform – en zijn rang – omdat hij hoopte op die manier met de rest van zijn manschappen te worden afgevoerd. Elena rende naar hem toe, dwars door de Amerikaanse soldaten heen, die probeerden haar tegen te houden, en haalde naar hem uit toen hij zich laf op zijn knieën liet vallen. Met haar handen klauwde ze naar zijn gezicht, en ze probeerde zijn ogen uit te rukken, net zo lang tot zijn hele gezicht onder het bloed zat.

De Amerikanen deden niets, ze keken alleen vol ontzetting en ongeloof toe, en toen ze zich omdraaide en een van hen aanstaarde en met een dwingende blik in haar ogen en een vuil en grimmig maar vastbesloten gezicht haar hand uitstak, bleef de soldaat niets anders over dan zijn revolver te ontkoppelen en die aan haar te geven.

Elena Kruszwica hield de revolver tegen Kiels gezicht, en Kiel schreeuwde tegen haar, smeekte om genade, bad om zijn leven tot hij schor was – en verviel in geschokt stilzwijgen toen ze naar hem spuwde, en vervolgens de trekker overhaalde.

Deze soldaten, deze jonge mannen – zo dapper, zo zegevierend – werden in Auschwitz I verwelkomd door een vrouw van hun eigen leeftijd die twintig jaar ouder leek, een vrouw met het woord JUDE op haar achterhoofd en op haar borsten in haar huid gebrand.

Elena draaide zich om toen er vrachtwagens door de hekken binnenkwamen en de aarde onder haar voeten begon te trillen, en toen zag ze haar zoon, haar Haim, op haar af rennen, recht voor de wielen van een jeep. Gillend schoot ze op hem af. Ze gleed uit in de modder, haar stem kwam nauwelijks boven het lawaai van de motoren uit, en ze bereikte hem nog net op tijd om hem voor de wielen van de jeep weg te rukken. En op dat moment wist ze het: ze wist dat het moment voor haar bereidheid om voor hem te sterven was gekomen, want de jeep schoot opzij om de jongen te ontwijken en raakte haar. Als ze sterk en gezond was geweest, als ze niet vier jaar lang geestelijk en lichamelijk door een nazi gemarteld was, zou ze het misschien hebben overleefd. Maar ze was niet sterk; ze was uitgemergeld en zwak, haar geestkracht gebroken, haar lichaam mishandeld, en ze was meteen dood toen het voertuig haar raakte. Ze stierf met haar ogen open, nadat ze had gezien dat een sergeant van het Amerikaanse leger haar zoon had opgepakt en hem dicht tegen zich aan had gedrukt. Ze stierf met iets van een glimlach op haar gezicht omdat ze wist dat de jongen toch de velden, de bossen en de wereld buiten het prikkeldraad zou zien die zij zich van voor de dood van zijn vader en de verkrachting van haar vaderland herinnerde.

De militair die de jongen tegen zich aan hield, was zelf een jood. Hij heette Daniel Rosen, en de jeep die de moeder van de jongen had doodgereden, was zijn jeep, bestuurd door zijn adjudant. Geschokt en ontzet trok hij de jongen nog dichter tegen zich aan, terwijl hij toekeek hoe andere militairen het lichaam van de vrouw oppakten, haar naar de laadbak van een vrachtwagen droegen en haar in een deken wikkelden. Rosen liep met het kind rond. Hij hield hem voorzichtig vast, luisterde naar zijn adem, begreep dat er niets kon worden gezegd wat zijn ziel zou bereiken, en bleef samen met het kind bij de achterkant van de vrachtwagen staan. Rosen tilde een hoekje van de deken op en onthulde daarmee de bijna engelachtige uitdrukking op het gezicht van Elena Kruszwica. Het kind, met zijn opengesperde en vertrokken ogen, zijn ingevallen wangen, zijn hoge voorhoofd en zulk dun haar dat zijn bijna doorschijnende schedel erdoorheen te zien was, zei niets; hij stak alleen zijn hand uit en raakte het met modder bespatte gezicht van zijn moeder aan. Er werd verteld dat Daniel Rosen om het kind had moeten huilen, maar niemand wist dat honderd procent zeker.

Rosen, die een infanterie-eenheid aanvoerde, deed wat hij kon voordat de medische troepen arriveerden, voordat de artsen en verpleegsters uit de vrachtwagens stapten en aangelengde melk uitdeelden, en penicilline, en sulfaatpreparaten om het immuunsysteem aan te sterken – alles wat maar voorhanden was om het aanhoudende sterven tot staan te brengen dat nog tot weken na de bevrijding doorging.

Begin juni vertrok Rosen. Hij nam het kind met zich mee. Hoewel ze geen moment met elkaar hadden gesproken en Rosen alleen in het Hebreeuws tegen het kind had gefluisterd, en het kind hem met diezelfde lege uitdrukking in zijn opengesperde ogen bleef aankijken, hadden ze ergens een eenheid weten te vormen, een stille band die praten overbodig maakte. Misschien voelde Rosen zich verantwoordelijk voor de dood van de moeder van het kind, misschien voelde hij zich verplicht een van die gekwelde zielen te redden nadat hij de afgrijselijkheden van Auschwitz had aanschouwd, in dat Poolse stadje waar duizenden en nog eens duizenden mensenlevens waren uitgewist.

Zijn eenheid keerde terug naar Berlijn, en Rosen smokkelde het kind in een versleten deken gewikkeld langs grenspatrouilles en controleposten, en verborg hem zelfs een keer onder de stoel van een jeep terwijl Russische soldaten het voertuig onderzochten. Duitsers probeerden naar Tsjecho-Slowakije te vluchten, naar de Karpaten, naar Silezië en de bergen van het Sudetenland; de Russen joegen hen op, doodden hen, en vaak werd er gemarteld. Sommige Duitse vrouwen wisten dat en hadden zich om de hekken van de kampen verzameld en smeekten de geallieerden hen gevangen te nemen voordat de sovjets kwamen. Deze jonge vrouwen pleitten wanhopig en radeloos voor hun leven, maar de geallieerden konden hen niet gevangennemen omdat ze veel te druk waren met die allesomvattende bevrijdingsoperatie en het redden van de levens van de duizenden joden die het hadden overleefd.

Vanuit Berlijn nam Rosen het kind mee naar de vliegbasis van de Verenigde Staten in Potsdam, en vandaar uit vlogen ze via Maagdenburg, Eisenach en Mannheim over de Franse grens naar Straatsburg. Daarna reden ze 's nachts naar Parijs, naar de Europese bevrijdingsfeesten, en daar nam Rosen een hotelkamer en bleef er zeven weken om het kind bij te voeren, sterker te maken, te kleden en door de straten, de boulevards en de parken terug naar het leven te voeren. Ze zaten in de zon voor cafés – en hij zei niets, sloeg hem gade, en wisselde uiteindelijk een paar woorden met hem in een vreemde mengeling van Duits, Hebreeuws en Pools. Haim Kruszwica begon Engels te leren en de eerste vraag die hij Rosen probeerde te stellen was: 'Waar is mijn vader?' Rosen, die dacht dat Haims vader een van de vele duizenden was die in het kamp waren vermoord, vroeg verder en kwam tot het ongewilde en ongewenste besef dat het kind het over een lange blonde man in uniform had die het bed met zijn moeder had gedeeld. Rosen had gezien hoe de vrouw de militair doodde en begreep dat die man een officier moest zijn geweest die uit angst voor de consequenties als ze het zouden ontdekken zijn rang had verzwegen. Hij vertelde het kind dat die man niet zijn vader was, dat hij niet wist waar zijn vader was, en het kind vroeg of Rosen nu zijn vader wilde zijn. Met tranen in de ogen zei Rosen dat hij zijn best zou doen. Het kind glimlachte, voor het eerst in achttien weken glimlachte hij, en Rosen, met zijn gezicht in zijn handen verborgen, huilde nu openlijk op het terrasje van een café, waar hij door passanten werd aangestaard, die naar zijn uniform keken, naar het kind bij hem, en begrepen dat de oorlog vooral de ziel verscheurt en een enorme, onpeilbare pijn blootlegt.

Begin september, drie weken na de achtste verjaardag van Haim Kruszwica, voeren sergeant Daniel Rosen en hij de haven van Calais uit, op weg naar New York. Ze arriveerden half oktober, met honderden andere terugkerende soldaten, te midden van de overwinningsfeesten die nog steeds in de hele vrije wereld werden gevierd.

Daniel Rosen, zesenveertig en vrijgezel, bracht het kind naar zijn zus, die weduwe was, een vrome jodin, vriendelijk en wereldwijs; hij hoorde gelaten de protesten aan die het tegendeel leken te bewijzen, wist haar te kalmeren en praatte meer dan een uur op haar in, terwijl Haim door de huishoudster werd gebaad en aangekleed en daarna mee naar de keuken werd genomen, waar hij krachtige kippenbouillon en zelfgebakken brood te eten kreeg. Rebecca McCready, Rosens zus, die in de jaren dertig uit Palestina was vertrokken en ondanks de dreiging van de familie haar te verloochenen met een Amerikaan van Ierse afkomst was getrouwd, stond in de deuropening en keek zwijgend naar het magere kind, dat niet meer dan een schim leek: zijn grote amandelvormige ogen die alles in zich opzogen, zijn oren die hunkerden naar het geluid van andere stemmen, van de muziek die in de zitkamer werd gespeeld, de muizenhapjes waarmee hij de kruimels van een kapje brood pikte en erop kauwde alsof het biefstuk was.

'Ja,' zei ze uiteindelijk tegen haar broer, die naast haar stond. 'Ik zal hem bij me nemen.'

Haim Kruszwica werd Haim Rosen, Rebecca's meisjesnaam, en hoewel hij Pools was, hoewel hij niets van het joodse geloof wist, werd hij meegenomen over de East River, mee naar Brooklyn, naar de synagoge van de Rosens, en werd daar als een kind van zijn familie aan God voorgesteld.

Ze bouwden een relatie op die rustig was, afgemeten, stabiel. Daniel leerde het kind het alfabet, leerde hem lezen, en leerde hem schrijven, allereerst zijn eigen naam. Hij stuurde hem naar school en hielp het kind geduldig urenlang bij zijn huiswerk. Haim vroeg, Daniel antwoordde zo goed mogelijk, en hoewel hij zich nooit tot het vaderschap aangetrokken had gevoeld, ging het hem een stuk gemakkelijker af dan hij had durven hopen. Het kind pakte hem bij de hand onder het lopen, knuffelde hem voordat hij naar school ging, rende op zaterdag met hem door het park, en op de zondagavonden, in de warme veilige haven van het huis van de Rosens, bracht Haim Daniel zijn kranten en sigaretten, en ging met zijn kleurboeken en potloden aan zijn voeten zitten. Rebecca, die hen gadesloeg, verbaasde zich onophoudelijk over de veerkracht en de compassie van de menselijke ziel. Die kon niet worden afgemeten of gepeild, of ook maar echt begrepen. Ze geloofde dat zoiets een afspiegeling van God was, en alleen God zou de woorden weten waarmee die kon worden beschreven.

Daniel Rosen werd in juni van het jaar daarop gedemobiliseerd. Zijn leven bestond uit Haim naar school brengen, en op een dag zat hij meer dan een uur naar het kind te kijken dat lachend over de speelplaats rende, en zijn hart zwol en zijn ogen vulden zich met tranen, en toen hij terugliep, geloofde hij dat als hij alleen geboren was om deze daad te verrichten, het de moeite waard was geweest.

In augustus 1951 kreeg Daniel een attaque, waardoor hij linkszijdig verlamd raakte. Hij lag acht weken in bed in het appartement van zijn zus in Manhattans Lower East Side, met het kind dat zwijgend naast hem zat en alleen zijn hand vasthield, en soms de man voorlas die hem uit de hel had gehaald en naar Amerika had gebracht. Haim Rosen was inmiddels veertien, en hoewel hij met Daniel over zijn moeder had gepraat, hoewel hij had beschreven wat hij in Auschwitz had gezien, leek het nog steeds of hij de dood niet kon bevatten. In elk geval niet als iets wat uiteindelijk iedereen overkwam.

Op 9 november 1951 stierf Daniel Elias Rosen, sergeant, en tweemaal gedecoreerd wegens betoonde moed. Haim was erbij toen hij stierf: hij bleef drieënhalf uur naast hem zitten terwijl het lichaam afkoelde en de ogen verglaasden en stil werden, en zo vond Rebecca hem. Ze herinnerde zich nog dat ze de kamer binnenkwam, dat ze naar het bed liep, dat ze zonder Haim iets te vragen of iets tegen hem te zeggen begreep wat er gebeurd was, en dat Haim toen hij haar had gehoord zich had omgedraaid en had geglimlacht – engelachtig, wist ze nog, met zo'n vredig en sereen gezicht – en in steenkolenhebreeuws had gezegd: 'Ik begrijp hoe slecht de wereld kan zijn, mama. Ik zie dat ons leven voor God niets betekent. Ik geef mijn geloof terug, want wat kan het geloof nu tegen God doen? Ik geef mijn geloof en mijn vertrouwen terug, en ik zal mijn leven verder zonder Hem leiden.'

Ze herinnerde zich dat ze niets had gezegd, ze herinnerde zich dat ze de woorden had gehoord en pas veel later het belang ervan had begrepen, maar tegen die tijd was Haim Rosen – eens Haim Kruszwica, en nog eerder Kolzac, zoon van de bastaardraspoetin uit de Karpaten – het product van een verwarde geest geworden, amoreel en gevoelloos.

Haim Rosen, inmiddels nog minder joods dan hij ooit was geweest, verliet Manhattans Lower East Side in juli 1952, vijftien jaar oud, en stak de East River over naar Queens. Rebecca McCready zag hem nooit meer terug, maar toen ze in de zomer van 1968 overleed, waren de laatste woorden een bede voor haar geadopteerde zoon. Tegen die tijd was hij, zestien jaar na zijn vertrek, iets geworden wat ze nooit zou hebben herkend.

En misschien had ze dat ook nooit gewild.

Sullivan sloeg de laatste pagina om en leunde achterover. 'Tjonge,' zei hij met een zucht, 'dat is nou niet bepaald *Groene eieren met ham*, hè?'

Annie bleef een tijdje stil, een tikje verontrust door de gevoelens en beelden die de tekst bij haar hadden opgeroepen. Ze keek naar buiten, waar de wind tegen het raam sloeg, en draaide zich toen om naar Sullivan.

'Misschien zou je toch mee moeten komen,' zei ze. 'Naar de winkel, maandagavond...'

Sullivan knikte. 'Dat lijkt mij ook.'

3

Vrijdagochtend ontwaakte Annie O'Neill zwetend in het koele schemerlicht. Aan de rand van haar bewustzijn zweefde een droom, iets wat ze zich maar half herinnerde. En Sullivans stem was erbij geweest, traag, mat, bijna sussend.

'Er waren drie soorten mensen in Vietnam,' had Sullivan gezegd. 'Degenen die veel moesten nadenken over de reden waarom ze niemand wilden doden; dan degenen die eerst schoten en pas daarna nadachten; en tot slot degenen die gewoon zo veel mogelijk mensen doodschoten en er geen seconde over nadachten. Dat waren de bange knullen, onderwijzers uit het Midwesten, of moordlustige maniakken.'

Ze kon zich zelfs nog herinneren hoe zijn gezicht eruit had gezien toen hij haar dat had verteld: het gezicht van een man die heel wat geesten met zich meedroeg.

Annie draaide zich om en begroef haar gezicht in het kussen. Het kon nog geen vijf uur in de ochtend zijn. Het was kil in de kamer, en ze zag haar eigen adem in de koude lucht. Ze rilde, kroop nog een beetje dieper weg onder de dekens, maar hoe ze zich er ook tegen verzette, ze was klaarwakker, en na een minuut of tien stond ze op en zette de thermostaat hoger.

Ze trok een sweatshirt en een broek aan en zette koffie in de keuken. Toen ze eindelijk met haar handen om de mok aan tafel ging zitten, deed ze even haar ogen dicht en vroeg zich af wat haar hoofd met zulke dreigende beelden had gevuld. Ze dacht aan het manuscript dat Forrester had meegebracht, en wierp als vanzelf een blik op de plek waar het op het aanrecht lag. De beelden kwamen terug, en met die beelden een gevoel van paniek en ongerustheid.

Ze hoorde Sullivans stem in haar hoofd.

'Er lagen rijen lijkzakken op de helikopters te wachten die ze zouden komen halen. Een groep knullen die de doden ophaalden. Gesneuveld tijdens de strijd. Het Reisbureau, zo noemden we ze... En geloof het of niet, ze bespoten die zakken vaak met Old Spice. De stank van verrotting bleef je in je strot steken... de stank van oorlog, en boven alles uit de overweldigende geur van Old Spice... Je werd er kotsmisselijk van, Annie, kotsmisselijk.'

Ze dacht aan Daniel Rosen, een man net als Sullivan die in Zuidoost-Azië had meegevochten. Sergeant Daniel Rosen, die getuige was geweest van de bevrijding van Auschwitz en een kind had meegenomen naar Amerika alsof hij daarmee de zonden van anderen goed kon maken. En wat was er van dat kind geworden? Wat was hij geworden waardoor zijn pleegmoeder hem niet herkend zou hebben? En wie schreef al die dingen, en voor wie waren ze geschreven?

Ze dacht aan Forrester en vroeg zich heel even af of er ook maar enige kans bestond dat...

Waarom was hij gekomen? Wat wilde hij? Waarom wilde hij dat zij deze dingen las? En vooral: wat had dit alles met haar vader van doen?

Annie schudde haar hoofd en stond van tafel op. Ze liep op blote voeten naar de badkamer, trok haar kleren uit en bleef een paar minuten onder de striemende hete stralen van de douche staan. Maar het gevoel ging niet weg. Het gevoel dat er iets kwaadaardigs in haar was gedrongen en dat er geen schijn van kans was dat het zou verdwijnen zonder zich heftig te verzetten... Maar uiteindelijk verdween het toch, en toen ze zich afdroogde en aankleedde, geloofde ze dat de spanning van de nachtmerrie en de gedachten die daarna door haar hoofd hadden gespeeld van voorbijgaande aard waren geweest. Ze was opgelucht. Ze leidde een simpel leventje, te simpel misschien, maar vol genoeg om geen ruimte te hebben voor de gruwelen waarover ze had gelezen. Misschien zou ze Forrester vertellen dat ze toch niet met zijn leesclub wilde meedoen, dat het fijn was geweest hem te leren kennen, dat ze blij was de brief te hebben gekregen die hij haar had gegeven, maar dat ze niets met zijn manuscript of de dingen die erin stonden te maken wilde hebben. Het enige wat ze graag wilde weten was wat hij zich nog van haar vader herinnerde. Dat was belangrijk, misschien wel het allerbelangrijkste ter wereld, maar ze zou vragen of hij al het andere dat hij met zich meedroeg maar liever buiten de deur wilde laten.

Ze leek vastbesloten, maakte haar ontbijt en luisterde daarna naar Sinatra. En toen de zon eindelijk de schaduwen in haar appartement deed verdwijnen, voelde ze zich tenminste weer een beetje beter.

Voordat ze naar de winkel ging, keek ze even bij Sullivan om de deur, zag dat hij als een dode op zijn bank lag te slapen, en boog zich voorover om zijn peper-en-zoutkleurige haar aan te raken. Ze rook zelfs nu nog de drank, en ze vroeg zich af hoe een man zoveel kon drinken zonder dat zijn lever het begaf. Ze glimlachte, trok de deur achter zich dicht en liep de trap af om haar wandeling van een kwartier naar The Reader's Rest op Lincoln bij West 107th te maken.

John Damianka bracht haar even na twaalven een sandwich, en vertelde dat zijn eerste college pas om kwart over een was.

'Het zal een wonder zijn als er meer dan tien mensen komen opdagen,' zei hij, en ze hoorde de verbittering in zijn woorden doorklinken.

'Hoe staat het met het vriendinnetjesproject?' vroeg Annie.

'Ik had afgelopen dinsdag een afspraakje,' zei John. Hij lachte breeduit, als een kind dat wel eens even zou laten zien wie het mooiste van huis had meegenomen. Een heuse salamander. Een echt brokje van de maan, eerlijk waar, met de hand op mijn hart.

'Ging het echt zo goed?'

'Ja zeker,' zei John. 'Ik ben met haar naar die Italiaan op Park gegaan, vlak bij het Drake Swissôtel.'

'Hoe heet ze?' vroeg Annie terwijl ze zich over de toonbank boog.

'Elizabeth... Elizabeth Farbolin.'

'En wat doet ze?'

John schudde zijn hoofd. 'Iets bij het International Center of Photography, research of iets dergelijks.'

'John, ik heb je al vaker gezegd... Je moet zo veel mogelijk aan de weet zien te komen. Daarmee verdwijnt het mysterie heus niet. Je moet luisteren. Als jij wilt dat iemand zich voor jou gaat interesseren, dan zul je naar haar wel en wee moeten vragen, en verder je mond moeten houden.'

John haalde zijn schouders op. 'Dat weet ik wel, Annie, maar...'

Annie schudde haar hoofd. 'Niks maar, John. Ik zal je vertellen dat de interessantste vent met wie ik ooit uit ben geweest me bijna twee uur lang over mezelf heeft laten praten, en aan het eind van de avond vond ik dat hij de boeiendste man was die ik ooit had leren kennen.'

John keek een beetje schaapachtig naar zijn schoenen.

'Wanneer zie je haar weer?'

'Volgende week maandag... We gaan naar iets op Broadway.'

Annie stompte over de toonbank heen tegen Johns schouder.

'Zo ken ik je weer. En deze keer luister je naar haar... Stel een stuk of wat vragen en laat haar praten; dan kan ze je nooit laten vallen.'

John knikte, pakte een bruin broodje met ham en kaas, schoof de zak met Annies stokbrood naar haar toe en praatte een beetje over een voetbalwedstrijd die hij in het weekend wilde gaan zien.

Hij vertrok een kwartiertje later en zei dat hij een college over negentiende-eeuwse dramatische werken zou geven, met name over *Faust* van Goethe en de invloed daarvan op het melodrama van de Europese televisie van de twintigste eeuw.

Annie fronste haar voorhoofd, glimlachte en zei: 'Laat ze een poepie ruiken, John. Laat ze een poepie ruiken!'

Hij kwam binnen toen ze halverwege haar stokbroodje was, mayonaise op haar wang had en haar handen plakkerig waren van de olie.

Hij kwam langzaam binnen, behoedzaam bijna, en toen hij in de straal licht bleef staan die door het stoffige etalageraam naar binnen viel, geloofde ze heel even dat het Forrester was. Op dat moment draaide hij zich om en keek haar recht aan, en hoewel hij niet glimlachte en haar strak en zonder te knipperen aankeek, had zijn stilzwijgen niets bedreigends of verontrustends.

Hij liep naar haar toe, tussen de stapels haveloze boeken door, om de middelste rij planken die tot aan het plafond reikten en zonder hulp van een trap nooit hun bovenste schatten zouden prijsgeven. Hij leek verdwaald, alsof hij per ongeluk The Reader's Rest was binnengekomen en op het punt stond haar de weg te vragen, of hem te helpen iets te vinden waarnaar hij op zoek was.

Maar dat deed hij niet. Hij bleef gewoon staan, glimlachte en zei: 'Hallo.'

Annie lachte terug. 'Hallo,' zei ze.

'Wat veel boeken,' zei hij.

Annie haalde haar schouders op. 'Dit is een boekwinkel.'

Hij keek haar heel even aan, hief zijn hoofd en stak toen zijn hand omhoog om zijn wang aan te raken.

'Mayonaise,' zei hij.

Annie keek hem fronsend aan.

'Op je gezicht... Daar.'

Annie lachte een beetje beschaamd. 'O,' zei ze; ze pakte het servetje, veegde de mayonaise weg en legde haar stokbroodje opzij. Ze veegde haar vettige vingers aan het servetje af en liet het in de prullenbak onder de toonbank vallen.

De man keek langzaam de winkel rond en draaide zich toen weer om naar Annie. 'Alles staat toch wel op alfabetische volgorde, hè?'

Annie schudde haar hoofd. 'Nee, eigenlijk niet.'

'Eigenlijk niet?' zei hij fronsend.

Ze lachte een beetje, een hol geluidje in de leegte. 'Soms staan bepaalde onderwerpen op alfabet, en soms niet.'

'Hoe moet je dan iets bepaalds vinden?'

Ze schokschouderde. 'Loop wat rond en kijk maar, neem er de tijd voor... Als je je echt geen raad weet, zal ik de inventarislijst nakijken, en als we het in voorraad hebben gaan we samen zoeken, of anders vind ik het zelf en kom jij morgen terug.'

'En dat werkt?' vroeg hij.

'Goed genoeg,' antwoordde ze. 'Dit is een boekwinkel voor mensen die gewoon van lezen houden, mensen die niet naar iets bepaalds op zoek zijn, naar een bepaalde schrijver of naar een bepaald genre. We hebben vaste klanten, eigenlijk aardig wat, en om de twee weken komt er een nieuwe voorraad en die leg ik dan op een stapel bij de voordeur. Als ze binnenkomen, kijken ze eerst de nieuwe boeken door voordat ik ze ergens anders neerzet.'

'Nou ja, als het maar werkt,' zei de man.

Annie lachte. Ze nam hem eens wat aandachtiger op. Ze schatte hem rond de vijfendertig. Hij was ongeveer een meter vijfenzeventig, redelijk gebouwd, had zandkleurig haar en grijsblauwe ogen. Hij had gemakkelijke kleren aan: een spijkerbroek, een versleten suède jack en daaronder een blauw overhemd, dat bij de hals openstond. Maar het waren wel dure kleren en hij droeg ze alsof ze voor hem op maat waren gemaakt.

'Ben je naar iets bepaalds op zoek?' vroeg Annie.

Hij lachte. 'Iets om te lezen.'

Ze knikte. 'Ach, iets om te lezen. Nou, daar kunnen we wel iets aan doen.' Ze wachtte tot hij weer iets zou zeggen, maar hij bleef zwijgend staan terwijl hij de half en half georganiseerde chaos om hem heen bekeek.

'Wat lees je graag?' drong ze aan. 'En zeg niet "boeken", oké?'

De man lachte, en het klonk veelzeggend. Het klonk alsof hij had geleerd te lachen omdat het moest, omdat hij had beseft dat het helend werkte.

'Eigenlijk alles wel,' zei hij, 'behalve sciencefiction... Daar ben ik niet kapot van.'

'Wat heb je het laatst gelezen?' vroeg Annie.

'*The Weight Of Water* van Anita Shreve, in het vliegtuig,' zei hij. 'Daar heb ik van genoten.'

'Een vliegtuig? Waarvandaan?'

'Van de Northwest Territories in Canada.'

De man leek zich wat te ontspannen. Hij stak zijn handen in de zakken van zijn jack en zette een stapje in de richting van de toonbank.

'Kom je daarvandaan?'

Hij schudde zijn hoofd. 'Nee, ik kom hiervandaan... Oorspronkelijk tenminste. Ik ben een maand of zo geleden in deze buurt komen wonen, maar ik ben weg geweest voor mijn werk.'

Annie weerstond de neiging om te vragen wat hij deed. Ze geloofde dat ze daar wel het recht toe had – een vreemde gedachte, maar evengoed dacht ze het. Ze bracht enige tijd met hem door, en het was meer dan waarschijnlijk dat hij vaker zou komen rondsnuffelen zonder ooit iets te kopen, dus vond ze dat ze dan toch in elk geval iets meer over hemzelf te weten mocht komen. Maar ze vroeg niet wat hij deed. In plaats daarvan vroeg ze waar hij vandaan kwam.

'De East Village,' zei hij. 'Ik ben geboren in de East Village. Mijn werk heeft me overal gebracht, maar dit is altijd mijn thuis geweest.'

'En ben je nu je nieuwe buurt aan het verkennen?'

De man knikte glimlachend. 'Ja, ik ben mijn nieuwe buurt aan het verkennen,' antwoordde hij. Toen deed hij nog een stapje naar voren en stak zijn hand uit. 'David,' zei hij. 'David Quinn.'

Instinctief veegde Annie haar hand aan haar broek af voordat ze die uitstak. 'Annie O'Neill,' zei ze.

'En is dit jouw winkel?'

Ze knikte. 'Eerst van mijn vader... en nu van mij.'

David Quinn nam even de tijd om weer eens om zich heen te kijken en zei: 'Een verrekt fijn plekje, Annie O'Neill... Een verrekt fijn plekje.'

Hij bleef bijna een uur. Hij kocht drie boeken. *Provinces of Night* van William Gay, *A Confederacy of Dunces* van John Kennedy Toole, en *Cathedral* van Raymond Carver. Het totaalbedrag bedroeg dertien dollar. Hij gaf Annie een briefje van twintig en zei dat ze het wisselgeld mocht houden.

'Zal ik je eens wat vertellen?' zei hij toen hij naar de deur liep.

Annie keek op.

'Kennelijk gaat het gemiddelde boek tijdens zijn leven door twintig verschillende handen.'

Annie schudde haar hoofd. 'Dat wist ik niet.'

David Quinn hield de tas met zijn drie boeken omhoog. 'In deze tas komen zestig levens bij elkaar... Dat zet je toch aan het denken.'

Hij lachte, knikte, draaide zich om en liep de deur uit.

Annie kwam achter de toonbank vandaan, liep tussen de stapels ingebonden boeken door en was nog net op tijd bij het raam om Quinn bij de kruising om de hoek te zien verdwijnen.

Ze schudde zuchtend haar hoofd. Ze dacht aan al die mensen die door de jaren heen The Reader's Rest binnen waren komen lopen, al die mensen die hadden lopen snuffelen, om hulp hadden gevraagd, of misschien alleen maar iemand hadden gezocht met wie ze een stukje van hun leven konden doorbrengen voordat ze weer verder moesten. Ze had hen allemaal laten gaan, stuk voor stuk, en had zich nooit ook maar één keer afgevraagd of het haar ook iets kon opleveren. Ze had haar eigen eenzaamheid geschapen, en op Sullivan na konden er weken voorbijgaan waarin ze niets met een echt menselijk wezen deelde behalve een stukje tijd of de prijs van een tweedehands pocket.

Waarom toch, vroeg ze zich af terwijl ze van het raam wegliep en naar achteren ging om koffie te zetten. Waar ben ik nu eigenlijk bang voor? Dat ik iets zou krijgen wat me toch weer zou ontglippen? Maar is het niet beter om lief te hebben en het te verliezen dan om nooit lief te hebben?

Ze glimlachte om haar eigen clichégedachten en richtte haar aandacht op de percolator.

Ze deed de winkel iets voor vijven dicht. Na David Quinn waren er nog twee klanten geweest – de ene had een verfomfaaid exemplaar vol ezelsoren van Jerzy Kosinski's *Of Being There* gekocht, en de ander had gevraagd of ze een vroege uitgave van Washington Irving had. Die had ze niet.

Ze legde snel de weg af. De wind was koud en ze was om kwart over vijf al thuis. Jack was uit; die zou wel met een paar kerels in zijn kroeg zitten schaken. Zodra ze binnen was, bereidde ze een salade, besprenkelde wat koude kip met vinaigrette, en ging in de keuken zitten met een glas wijn en Frank die in de voorkamer zong. 'Chicago, Chicago...'

Ze glimlachte, dacht aan haar vader, aan Forrester, en bij de gedachte aan hem vereenzelvigde ze hem weer even vluchtig met haar vader. Ze schudde haar hoofd. Dat was uitgesloten... Dat kon toch echt niet. Ze zette die gedachte van zich af en dacht aan de afgelopen middag, nadat David Quinn was vertrokken.

Maandag zie ik Robert Franklin Forrester terug, dacht ze. En Jack kan meekomen om me te beschermen...

Halverwege hield ze abrupt op.

Beschermen? Waartegen dan? Tegen een oude man in een versleten overjas die zijn eigen eenzaamheid verdraaglijk wil maken door verhalen te lezen en brieven van mijn vader mee te brengen?

En daaruit voortvloeiend overwoog ze de mogelijkheid dat Forrester misschien weer een brief zou meebrengen... dat hij iets van haar leven zou blootleggen door haar een beetje over dat van haar vader te vertellen. Daarmee was de zaak beklonken. Wat voor aarzelingen en onzekerheden haar in het weekend ook zouden overvallen, ze wilde absoluut dat Forrester maandag kwam, en dan zou ze met hem over het manuscript praten, en hem met vragen bestoken om meer over haar vader te weten te komen, en te kijken wat dat opleverde. Ze móést het doen, al was het alleen maar om de herinnering aan haar vader levend te houden. Haar ouders waren haar verleden, en in zekere zin waren ze ook haar leven. Hij verdiende dat. Op zijn minst.

Leef een beetje, Annie O'Neill, vermaande ze zichzelf. Leef een beetje voordat je doodgaat.

4

*V*anuit haar slaapkamer kon ze de Cathedral Parkway zien, en het Nicholas Roerick Museum, en daarachter Hudson River Park, en nog verder het water. 's Avonds laat, wanneer ze rusteloos was en misschien op zoek naar het gevoel dat ze met de wereld verbonden was, stond ze vaak met haar neus tegen het koele glas gedrukt te wachten tot haar ogen aan het donker gewend waren. Pas dan kreeg ze de weerspiegeling van de lichtjes van het vasteland tegen de hemel te zien. Ze haalde zich het beeld van die lichtjes voor ogen – honderdduizend huizen, talloze straatlantaarns, samen met het licht van winkels, warenhuizen en hotels. Dan hoorde ze ook de schepen die moeiteloos uit het 79th Street-haven-bekken gleden en vroeg ze zich af waar ze naartoe gingen en waarom. Zo-veel ingewikkelde levenspatronen, en midden in dat alles de zes schei-dingstrappen: de theorie dat iedereen, niemand uitgezonderd, op de een of andere manier met iemand verbonden is, en die weer met iemand an-ders enzovoort, enzovoort zesvoudig, net zo lang tot je op een kaart een lijn tussen al die mensen kon trekken en je kon nagaan hoe ze met elkaar verwant waren. Maar volgens Annie vielen sommigen buiten de boot. De uitzondering die de regel bevestigde. De uitgeslotene. Zoals zijzelf. Dat geloofde ze tenminste. Soms.

Die gedachten speelden haar in de vroege uurtjes van zaterdagochtend door haar hoofd, en na een tijdje, nadat ze weer naar bed was gegaan en onrustig had geslapen, werd ze toen de dageraad de hemel kleurde op-nieuw wakker. Ze ging onder de douche, ontbeet en ging de deur uit. Ze nam niet haar gebruikelijke route en ze liep ook niet in de richting van The Reader's Rest. Normaalgesproken kon je de klok gelijkzetten op Annie O'Neill, en god mocht weten hoe lang het geleden was dat de winkel op zaterdag niet tussen negen uur 's ochtends en een uur 's middags open was, maar deze ochtend liep ze de andere kant op – mis-schien alleen omdat het haar noodzakelijk leek. Ze liep Cathedral Park-way af, sloeg Amsterdam in en ging de kant van de Columbia University en de St. John's Cathedral op. Ze liep langzamer dan normaal, een beetje aarzelend eigenlijk, en als je haar had gezien, als je haar op straat was ge-passeerd, zou je niet meer dan een aantrekkelijke brunette hebben gezien, *petite*, haar scherpgesneden gezicht bijna volmaakt, maar met heldere, nieuwsgierige en zoekende ogen. Het leek of ze naar iets op zoek was. Of naar iemand.

Na een tijdje bleef Annie staan, liep naar een lunchroom en bestelde een koffie. Ze ging buiten aan een tafeltje zitten en keek naar de wereld die langskwam. Sommige mensen waren nog versuft van de slaap, anderen zagen er doelbewust en gericht uit, maar de meesten leken afwezig en doelloos, een beetje als zijzelf. Het was lekkere, sterke koffie, en voor het eerst in jaren – voorzover ze zich herinnerde – snakte ze naar een sigaret. Ze was een eeuwigheid geleden gestopt met roken en was vast van plan geweest er nooit meer aan te beginnen, en toch leek het nog steeds iets romantisch te hebben. De mannen die langsliepen zouden wel geloven dat de brunette aan het tafeltje voor de lunchroom, met haar jas hoog tegen de hals opgetrokken tegen de bitterkoude wind, vast en zeker op iemand zat te wachten. Dat kon niet anders. Een rendez-vous. Het begin van een verhouding. Hij is laat. Zij is koppig en zeker genoeg van zichzelf om het zich niet aan te trekken dat hij te laat is. Ze is zo zelfverzekerd dat ze zich met haar eigen gedachten kan vermaken, en als hij komt... Nou, als hij komt, dan komt hij, en als hij dat niet doet, dan zal er altijd wel iemand anders zijn die haar een tijdje kan amuseren. Precies Marlene. Precies Ingrid.

En pure fantasie, dacht Annie, en ze moest er inwendig om lachen.

'Annie O'Neill,' zei iemand.

Ze werd uit haar dagdromen losgerukt en keek op. Met de zon in de rug deed hij een stapje naar haar toe. David Quinn stond nog geen twee meter bij haar vandaan. Glimlachend. Glimlachend als een kind dat een vriendje van vroeger had teruggevonden.

'David?' zei ze. De verbazing was duidelijk in haar stem te horen.

Hij aarzelde geen moment en ging tegenover haar aan het tafeltje zitten. 'Wat doe jij hier?' vroeg hij.

Een tikje ongemakkelijk haalde ze haar schouders op. 'Ik was een eindje gaan wandelen.'

'Doe je op zaterdag de winkel niet open?'

'Jawel,' zei ze. 'Maar vandaag... Nou ja, vandaag had ik er gewoon geen zin in.'

De gedachte aan toeval kwam in haar op, maar voordat die volledig vorm had gekregen herinnerde ze zich dat hij had gezegd dat hij naar de andere kant van Morningside Park was verhuisd. Van de East Village naar de noordwestelijke grens met Harlem.

'Sigaret?' vroeg hij.

Ze lachte. 'Ik ben er een hele tijd geleden mee gestopt,' zei ze.
'Mag ik?'
Ze wuifde onverschillig. 'Neem ook een kop koffie,' stelde ze voor.

Hij lachte, en leek zich zo goed op zijn gemak te voelen alsof ze inderdaad vrienden waren die elkaar heel lang geleden uit het oog waren verloren. En elkaar na al die tijd toevallig tegen het lijf waren gelopen.

Hoe gaat het?

Goed... Heel goed. En met jou?

Prima. Het is hard werken.

En wat doe je tegenwoordig... Ik meen me te herinneren dat je altijd architect wilde worden.

Dat ben ik ook, en feitelijk ben ik deze kant op gekomen om een plan uit te werken om een paar van deze flatgebouwen neer te halen en er een godvergeten monoliet voor in de plaats te zetten...

Annie moest inwendig lachen, en David Quinn stond op en ging naar binnen om koffie te halen.

Hij kwam met twee bekers terug, zette er een voor Annie neer en ging toen weer zitten. Hij zweeg even terwijl hij er koffieroom bij schonk en een sigaret opstak.

'Moet je ergens naartoe?' vroeg ze.

Hij schudde zijn hoofd, en zijn hand lag om zijn beker alsof hij zich eraan wilde warmen. 'Niets speciaals,' zei hij. 'Ik wilde boodschappen doen.'

Ze reageerde er niet op, en een tijdlang was het stil tussen hen beiden. Ze voelde zich gek genoeg op haar gemak. Ze nam slokjes koffie, haar derde die dag. Je leeft op het randje, Annie, dacht ze, en toen: ach, nou ja, je weet toch wat ze zeggen? Als je niet op het randje leeft, neem je te veel ruimte in beslag.

En meteen daarop vroeg ze: 'Vind je het erg als ik vraag wat je eigenlijk doet?'

'Helemaal niet,' zei David. 'Ik werk bij een verzekeringsmaatschappij voor de scheepvaart.'

Ze fronste haar voorhoofd. 'Schepen en zo?'

Hij knikte en glimlachte, en dat trage lachje had iets warms dat haar onmiddellijk aantrok. Je kon hem niet echt een knappe man noemen, niet in de klassieke zin van het woord, maar zijn gezicht had iets doorleefds, net zoals de uitdrukking die Jack Sullivan al zijn hele leven meedroeg.

'Schepen en zo,' zei hij. 'En dan vooral de en zo's.'

Annie lachte. Hij bezat een droge humor, een tikje bijtend. 'Wat houdt zo'n verzekeringsmaatschappij dan precies in?' vroeg ze.

'Voornamelijk commercieel, vrachtschepen, veerboten dat soort dingen...

Wij verzekeren ze, en wanneer ze zinken of aan de grond lopen, ga ik er-naartoe om het te onderzoeken, zodat we zeker weten dat er geen opzet in het spel was om het verzekeringsgeld te kunnen claimen.'

'En moest je daarvoor naar Canada?'

Hij knikte. 'In de Golf van Amundsen was een ijsbreker aan de grond ge-lopen, een schip dat rondjes vaart tussen Sachs Harbor, Cape Prince Alfred en omlaag naar de Prince of Wales Strait. De kiel was openge-scheurd en het schip is als een baksteen gezonken.'

'Je duikt toch niet?'

'Daar? Bij drieduizend graden onder nul? Goeie god, nee! Als het contract er de ruimte voor laat, zullen ze haar ophijsen. Als het er geen ruimte voor laat, sturen we onderwatercamera's omlaag.'

'En de ijsbreker?' vroeg ze.

'Die werd opzettelijk aan de grond gezet, of in elk geval wees alles daarop.'

Annie vroeg fronsend: 'Hoe kun je dat zo zeker weten?'

David lachte. 'Op dezelfde manier waarop jij na de eerste alinea vast en zeker kunt zeggen of een boek goed is. Er zijn talloze aanwijzingen waar je naar uitkijkt.' Hij zweeg even om koffie te drinken. 'Maar genoeg over het werk... Wat ga jij vandaag doen?'

Annie schudde haar hoofd. 'Niks bijzonders eigenlijk.'

'Laten we dan een eindje gaan lopen, iets gaan bekijken, en samen lun-chen.'

Annie O'Neill keek naar de man die tegenover haar zat, naar David Quinn, inspecteur van een verzekeringsmaatschappij voor de scheepvaart, en ze herinnerde zich met welke gedachten ze wakker was geworden... De uitzondering die de regel bevestigde, die ene die buiten de boot viel. Mis-schien was de boot veiliger geworden, maar ze had nog steeds de keus: aan boord blijven of overboord gaan.

Wat had ze te verliezen? Een paar uurtjes, dat was misschien alles.

'Oké,' zei ze kalm.

'Pardon?' vroeg hij.

'Oké,' zei ze. 'Oké, laten we dat maar doen.'

Later – diezelfde avond in feite – toen ze na de wandeling, het praten, de rustigere momenten waarop geen van beiden veel te zeggen had, afscheid van hem had genomen, herinnerde ze zich een klein voorval. Het ging al-tijd om iets kleins. In dit geval was het de manier waarop hij af en toe stil-stond en met zijn rechterhand zijn nek masseerde, alsof daar iets van span-ning zat, iets psychosomatisch, iets wat niets met het lijf of de spieren te maken had, maar toch even reëel was als pijn. Hij had het een paar keer gedaan, ook toen ze in een bistrootje in de buurt van Riverside Drive zaten te lunchen, en ze had hem willen vragen of hij pijn had, of zij misschien kon helpen. Maar nee, zover had ze niet willen gaan, want als ze dat deed, zou ze uit balans zijn geraakt, en een afwijzing zou reden voor een val kunnen zijn geweest. Ze wilde niet vallen, niet deze keer, eigenlijk nooit meer, en voorkomen was altijd beter dan genezen. Dat zou haar moeder hebben gezegd. Nou ja, haar moeder had vaak van dat soort dingen gezegd.

Ze had zich afgevraagd of ze altijd iemand zou zijn die er niet bij hoorde, de buitenstaander, de vreemde eend in de bijt, de literaire kluizenaar die haar leven in een boekwinkel sleet.

Tot die zaterdagmiddag. Want die middag, tijdens het wandelen en praten met de vreemdeling die David Quinn heette, en terwijl hij lachte en haar aan het lachen maakte, en haar dingen in de buurt liet zien die ze nog nooit eerder had opgemerkt, besefte ze dat er misschien nog hoop was. Niet per se met David, want David leek compleet... Dat woord was spontaan bij haar opgekomen om hem mee te omschrijven. Hij leek een compleet mens, iemand zonder aanhangsels, zonder al die emotionele complexe bagage die zoveel mannen met zich mee leken te slepen, alsof dat hun enige levensdoel was. David was het type man dat de trein van zes over halfzes naar Two Harbors zou nemen, dat aan de voet van de Sawtooth Mountains lag genesteld, waar je op een heldere dag bijna met je hand de Apostle Islands en Thunder Bay kon aanraken, en als er mensen waren die met hem mee wilden, zou hij dat goedvinden. En degenen die niet wilden... nou, die zou hij op het perron laten staan en hij zou nooit meer één enkele gedachte aan hen wijden. Ze zouden hem misschien uitwuiven en toekijken hoe hij geluidloos in de verre nevelen van de herinnering verdween. Hij leek inderdaad alleen te reizen, en alleen het nodige te pakken, maar zich niet te belasten met dingen die zwaar wogen, zoals verloren liefdes, vergeten dromen, jaloezieën, frustraties en haat. Hij droeg mooiere dingen met zich mee. Dingen die je kon delen. Dingen die zo goed als niets wogen, maar die van de grootste betekenis waren. Die dingen droeg hij met zich mee, en in zekere zin werd hij door die dingen gedragen.

Ze had waardering voor zijn onafhankelijkheid, de manier waarop hij de zaken in evenwicht hield of afwikkelde, en wanneer hij het over zichzelf had, deed hij dat ingetogen, alsof hij niets bijzonders te verbergen had. Hij was niet pretentieus, niet ijdel, en drong zich niet op de voorgrond. Hij leek niet bezitterig, niet jaloers of snel geneigd iemand de les te lezen. Hij kon goed luisteren, en ze had gemerkt dat hij wist te zwijgen en een luisterend oor had wanneer zij aan het woord was. Hij was er – en dat was genoeg.

Even na vieren namen ze afscheid. Hij vertrok in noordelijke richting, naar de andere kant van het park, en zij ging zuidwaarts, naar huis. Ze hadden elkaar de hand geschud, dat was alles, maar hoewel dat enerzijds niet passend leek, was het anderzijds toch goed zo. Ze waren nog geen vrienden, hooguit kennissen, en als je iets meer in hun ontmoeting zou zien zou dat alleen op fantasie berusten.

Hij had gezegd dat hij misschien nog wel eens langskwam, voor de boeken, en zij had glimlachend geknikt en gezegd dat hij altijd welkom was. Dus toen de zaterdag zich ten einde spoedde rondom het nachtvolk dat de straten van New York bevolkte – de theaterbezoekers, de clubbezoekers, de drinkers, de hoeren – keek ze net als de avond ervoor door hetzelfde raam naar buiten, maar voor één keer was het rustig in haar hoofd. Voor één keer waren haar gedachten verstild. Sullivan was ergens naartoe, die zat buiten in een van die zes scheidingstrappen. Ze wilde maar dat hij thuis was. Ze wilde iemand bij zich hebben. Ze wilde maar dat haar vader hier was. Vroeger had ze zulke ogenblikken altijd met haar moeder gedeeld, maar nu, na het bezoek van Forrester, nu haar herinneringen waren gewekt, was ze zich acuut bewust van zijn afwezigheid. Haar moeder was er zoveel langer geweest. Ze hadden samen gepraat en gelachen en gehuild. Ze bezat een koffer vol herinneringen aan haar moeder, maar van haar vader had ze niets. En dat deed nog het meest pijn. Ze bleef niet lang aan hem denken, wat dan kreeg ze weer dat wankele gevoel van verlies dat daarbij opkwam. Hij was er niet meer, hij was voorgoed weg, en in zekere zin had ze dat kunnen aanvaarden.

En toen ging Annie slapen, niet onrustig of rusteloos, niet nerveus, en toen ze wakker werd was het zondag, en bij alles wat ze voelde was ook een stille zekerheid, alsof de wereld haar een klein stukje had teruggegeven van wat ze had verloren: het geloof in de mens, en misschien ook wel het geloof dat die wereld ergens toch zin had, en dat ze niet langer de enige was die dat niet begreep.

5

Zondagochtend wilde Annie niet alleen zijn. Dat was een tikje vreemd, maar ze verzette zich er niet tegen, wat ze normaalgesproken wel zou hebben gedaan. Ze stak de hal over en zei tegen Jack Sullivan dat hij bij haar moest komen ontbijten, en omdat hij nooit een gratis maal afsloeg, deed hij dat gewillig.

Ze bakte eieren met aardappeltjes en spek en champignons, en zette een pot verse koffie. Ze liet Sullivan een stuk of tien sinaasappels uitpersen en zette de kan in de vriezer, zodat die koel kon worden terwijl zij met het ontbijt bezig was, en toen gingen ze samen aan tafel en deden zich zwijgend te goed.

'Er is iets veranderd,' zei Sullivan behoedzaam bij een kopje koffie. Hij fronste zijn wenkbrauwen en liet zijn hoofd naar rechts zakken. 'Ben je soms uit geweest en met iemand het nest in gedoken, Annie?'

Ze lachte hardop. 'Nee Jack, ik ben met niemand uit geweest en het bed in gedoken.'

'Dan ben je thuisgebleven en heb je het hier gedaan.'

Ze schudde haar hoofd. 'Ik ben niet thuisgebleven.'

'Nou, vertel op.' Hij schoof zijn bord opzij, zette zijn ellebogen op tafel, legde zijn kin op zijn tegen elkaar gelegde vingertoppen en keek haar langs zijn neus heen aan. 'Vertel het dokter Sullivan maar... Vertel me je geheimpje maar.'

Annie zweeg even. 'Ik heb zitten nadenken,' begon ze, maar toen maakte ze een ontkennend gebaartje. 'Niet heel diep, wees maar niet bang,' voegde ze eraan toe. 'Ik heb gewoon zitten denken over wat ik eigenlijk wil.'

'En wat wil je dan?' vroeg Sullivan. 'Je hebt de winkel, je hebt dit appartement, en je hebt mij... Wat kan een mooie, New Yorkse vrijgezel van dertig nou verdomme nog meer willen?'

'Een relatie.'

Sullivan sloot zijn ogen en blies zijn adem uit. 'O shit,' zei hij rustig.

Annie lachte. 'O shit. Weet je niet meer te zeggen? Jezus, Jack, je dacht toch niet dat ik de rest van mijn leven alleen wilde blijven?'

'Verdorie, nee, ik hoopte dat je stapelgek op mij zou worden, Annie.'

Annie legde haar hand op die van Jack. 'Jij zult altijd belangrijk voor me zijn, ouwe ijzervreter.'

Sullivan deed zijn ogen open en lachte naar haar. 'Vertel me dan maar hoe hij heet.'

'Waarom denk je dat er iemand is?'

'Zijn naam,' zei Sullivan nog eens.

Annie keek naar het raam. 'Het heeft niets te betekenen,' zei ze. 'Er is helemaal niets gebeurd.'

'Is hij getrouwd?'

Annie schudde haar hoofd. 'Nee... Dat wil zeggen, ik geloof van niet.'

'En hoe heet hij dan?'

'Quinn... David Quinn.'

'En waar heb je hem ontmoet?'

'Hij kwam vrijdag in de winkel,' antwoordde Annie.

'En hij kocht een boek...'

'Drie,' onderbrak Annie hem.

'Wel goddorie, Annie... trouw met die vent.'

Ze lachte. Het voelde fijn om met een echt mens over echte dingen te praten. Hij was misschien wel de echtste mens die ze ooit had gekend.

'En toen?'

'En gisterochtend werd ik wakker en dacht: wat kan het mij ook verdommen? Ik ben niet naar de winkel gegaan. Ik ben naar de andere kant van het park gelopen, en daar zat ik voor een lunchroom koffie te drinken, en ineens stond hij voor me. Zomaar.'

Sullivan schudde zijn hoofd. 'Geloof je in toeval?'

'Tuurlijk,' zei ze.

Sullivan bleef zijn hoofd schudden. 'Toeval is gelul.'

'Gelul?' vroeg Annie onverschillig.

'Jouw gedachten zijn vrijwel uitsluitend verantwoordelijk voor de situatie waarin jij verzeild raakt.'

'Mijn gedachten?'

Sullivan knikte.

Annie zei fronsend: 'Ik kan je niet volgen.'

'Oké,' zei hij. 'Vraag jezelf eens het volgende af... Je staat op en je voelt je klote, zo'n dag waarop alles tegenzit, waarop helemaal niks goed gaat. Snap je?'

'Ja,' zei Annie schokschouderend.

'Je zit dus niet lekker in je vel, en je vindt dat je er beroerd uitziet. Nou, vanuit dat perspectief zul je een negatief beeld van jezelf hebben. En dat zal te horen zijn in wat je zegt en hoe je het zegt... Lichaamstaal, weet je wel?'

'Oké.'

'Dus hoe beoordelen mensen andere mensen... tegenwoordig zo'n beetje al bij de eerste oogopslag? Nou, hun eerste indruk zal zijn dat ze iemand zien die geen hoge dunk van zichzelf heeft, iemand die gereserveerd is, in zichzelf gekeerd. Dat zal dan weer hun reactie op jou beïnvloeden – wat ze zeggen, en hoe ze het zeggen. Er gaat iets bepaalds van jou uit, of het nu positief of negatief is, en de mensen merken dat. Stel dat iemand met een idee komt, en het graag aan iemand wil vertellen... Wie gaat hij het dan vertellen, denk je? Aan iemand van wie hij het gevoel heeft dat die er ontvankelijk voor is. Kun je me nog volgen?'

Annie knikte.

'Die vent komt dus naar de winkel, koopt een stuk of wat boeken, en jullie wisselen een paar woorden. Jij moet zodanig op hem hebben gereageerd dat hij het gevoel kreeg dat hij je kon aanspreken toen hij je voor de lunchroom koffie zag drinken. Als je kil en afstandelijk was geweest, zou hij misschien hebben gedaan alsof hij je niet had gezien.'

'Oké,' zei Annie, 'en na de lunch gaan we het over de honger in de wereld en over de aids-crisis hebben.'

'Steek er maar de draak mee,' zei Sullivan zogenaamd verontwaardigd. 'Maar wat ik zei is waar... Wat je ook hebt gezegd en hoe je het hebt gezegd heeft hem het idee gegeven dat hij je veilig kon aanspreken.'

'En wat nu?'

Sullivan fronste zijn voorhoofd. 'Wat bedoel je?'

'Wat doe ik nu verder?'

'Wel verdomme, Annie, bel die vent op, vraag hem hier, geef hem te eten, neem hem mee naar bed en laat hem alle hoeken van de kamer zien.'

Annie lachte een tikje verlegen. Ze sloeg haar hand voor haar mond en deed haar ogen dicht.

'Je begrijpt toch wel wat ik daarmee bedoel?' vroeg Sullivan.

'Beter dan me lief is,' zei ze, en ze stond op en begon de borden af te ruimen.

Sullivan pakte haar hand en trok net zo lang tot ze weer ging zitten.

'Luister,' zei hij rustig. 'Het is niet helemaal als grapje bedoeld, Annie. Ik zie je elke dag komen en gaan, ik zie de winkel, ik zie dat je helemaal in jezelf opgaat, ik zie wat je voelt, en daar maak ik me zorgen om. Je moet eruit, je moet onder de mensen... en dat is natuurlijk lang niet altijd gemakkelijk. Zo is het leven nu eenmaal, maar...'

Annie O'Neill wist niets terug te zeggen. Hij had gelijk, waardoor er geen enkel antwoord bij haar opkwam. Ze keek hem aan. Ze haatte hem, maar tegelijkertijd gaf ze meer om hem dan om wie ook. Ze stak haar hand uit en legde die tegen zijn gezicht.

'En jij kunt ophouden met zoveel te drinken,' zei ze.

Sullivan knikte. 'Ik ben taaier dan je denkt.'

'Dat weet ik wel, Jack, maar...'

'We spreken iets af,' zei hij. 'Oké?'

Annie knikte aarzelend.

'Jij zorgt dat je een vent krijgt, dan hou ik op met drinken.'

'Hoe bedoel je dat ik een vent krijg.'

Sullivan lachte. 'De nacht dat ik niet kan slapen omdat jij tegen het hoofd-eind van je bed ligt te bonken en als een gek ligt te kreunen hou ik op met drinken.'

'Dat is grof,' zei Annie. 'En dat is nergens voor nodig.'

'Zorg jij nu maar dat je iemand krijgt om wie je kunt geven. Maak er iets van, kijk of je een relatie tot stand kunt brengen; dan hou ik voorgoed op met drinken. Dat is de afspraak. Ja of nee?'

Annie schudde haar hoofd. 'Ik wil dat je ophoudt met drinken omdat het je dood zal worden, Jack...'

Sullivan hief zijn hand en Annie hield haar mond.

'En ik wil dat jij iemand vindt omdat eenzaamheid jouw dood zal wor-den.'

De dag verliep verder geruisloos en onopvallend. Na het ontbijt was Sul-livan naar zijn vrienden gegaan. Annie bleef thuis, keek tv, en deed het een en ander dat weinig of niets te betekenen had, en toen de avond over de trottoirs kroop en tussen de gebouwen fluisterde, ging ze een tijdje lezen. Zoals iemand die een kroeg heeft meestal zo weinig drinkt dat het niet de moeite van het vermelden waard is, zo las Annie tegenwoordig ook met grote tussenpozen. Ze dacht een beetje over Forrester na, over Jack Sulli-van, en dat ze op de een of andere manier allebei deel waren gaan uitma-ken van wat haar vader had kunnen zijn. Maar ze dacht het meest aan David Quinn en of ze hem ooit nog zou zien.

Met die gedachte in haar hoofd draaide ze zich half om op de bank, trok haar knieën tegen haar borst, en luisterde naar de stilte in het apparte-ment, de ongrijpbare geest van de wind buiten de muren die ergens iets troostends had, en deed haar ogen dicht. Ze soesde weg en begon te dro-men.

Ze zit aan tafel. Sullivan tegenover haar. Hij heeft één oog dicht, en vanuit het andere komt een dun sliertje rook. Dat glipt tussen zijn oogleden door en klinkt alsof het wordt uitgeademd, en wanneer hij dat doet, vervormt de rook tot krullen en kronkels. Ze kijkt er woordeloos naar en op de een of andere manier hebben de patronen een betoverende uitwerking.

'Operaties Malheur, Hickory en Rolling Thunder,' zegt Sullivan, met zijn ene oog dicht en het andere dat dunne grijze rook uitademt. 'Dragon Head... en Cedar Falls, toen de Yanks en de ARVN, het republikeinse leger van Vietnam, twintig kilometer ten noorden van Saigon de IJzeren Driehoek verwoestten. En dan was er nog Operatie Junction City... En wist je dat er alleen al tijdens het Tet-offensief twaalfduizend burgers werden gedood?'

'Dat wist ik niet,' hoort Annie zichzelf zeggen, maar haar lippen hebben zich niet bewogen en het geluid komt niet uit haar hoofd, maar van daarbuiten.

'Nog iets,' zegt Sullivan. 'Van januari '68 tot januari '69 waren er vijftienduizend gewonden... Van '69 tot '70 steeg dat aantal met een grote sprong naar negentigduizend, maar we bleven in Khe Sanh, Gio Linh en Con Thien die communistische hufters maar op hun donder geven...'

'Waarom zijn we hier, Jack?' vraagt Annie. Ze snakt naar een sigaret.

'We hebben een afspraak, of niet soms?'

'Een afspraak?'

Jack Sullivan lacht. Hij opent zijn rokende oog, en er zit een spiegeltje in, en wanneer ze daarnaar kijkt ziet ze het gezicht van haar moeder. Haar moeder huilt en zegt woordeloos iets.

Annie kijkt nog wat beter.

Chance, zegt de mond. Chance... Chance...

'Ja... We hebben een afspraak, Annie O'Neill... En hoe luidt die afspraak?'

'Ik moet met iemand gaan neuken en dan hou jij ermee op jezelf dood te drinken.'

'Dames en heren, geef dit meisje een Kewpie Doll!' roept Sullivan.

'Woorden als "neuken" gebruik ik niet,' zegt Annie.

'Misschien zou je dat dan eens moeten gaan doen,' antwoordt Sullivan. 'Misschien zou het je af en toe eens overkomen als je dat woord gebruikt.'

Annie steekt haar hand uit, raakt hem aan; haar hand glijdt dwars door hem heen, en terwijl Sullivan zich in de krullen en kronkels van rook oplost, hoort ze hem fluisteren: 'Niet alles is wat het lijkt, Annie O'Neill...'

Toen werd ze wakker, en heel even wist ze niet waar ze was. Haar knieën waren tegen haar borst gedrukt, haar gezicht tegen de rugleuning van de bank, en ze kon nauwelijks lucht krijgen. Claustrofobisch en ineens gespannen en bang begon Annie zwaar te ademen. Ze draaide zich om en ging op de rand van de bank zitten, zette haar voeten stevig op de vloer alsof ze zich ervan wilde overtuigen dat het hier en nu echt bestond, en sloot vervolgens haar ogen. Ze wist zich te heroriënteren en ademde weer wat rustiger. Ze wilde een sigaret, een kop thee, wat dan ook.

Ze slaagde erin naar de keuken te komen en zette thee, maar toen ze water in de kop schonk verloor ze het houvast en brandde zich.

'Fuck!' zei ze op bittere, scherpe toon. Het klonk bijna als iemand anders. Ze bleef fronsend staan. 'Fuck?' vroeg ze bij zichzelf, en toen besefte ze dat dit een woord was dat ze nooit in de mond nam.

Ze haalde haar schouders op, draaide de kraan open en hield haar verbrande hand onder de koude straal.

'Fuck,' zei ze nog eens, en op het moment dat het woord haar uit de mond vloog, wist ze dat ze iets losliet. Of dat iets haar losliet.

'Fuck, fuck, fuck,' zei ze nadrukkelijk achter elkaar, en ze pakte de handdoek om haar hand af te drogen.

Een tijdje later, toen ze aan dezelfde tafel zat waar ze met Sullivan had ontbeten, dacht ze aan David Quinn, aan Robert Forrester, en aan de leesclub die ze de volgende avond zou bijwonen. Er was iets veranderd, en als Sullivan gelijk had kwam het allemaal door haar. Misschien had ze – eindelijk – besloten het leven de hand te reiken, en had ze met dat besluit gemerkt dat het leven haar een hand reikte. Ze wist het niet precies; ze was een beetje bang, maar wat had Sullivan ook weer gezegd?

Als je niet echt leeft zul je uiteindelijk verbitterder en verknipter worden dan wanneer je een paar keer je kop stoot. Ze glimlachte, en op hetzelfde ogenblik vervloekte ze Jack Sullivan. Tot nu toe was alles prima geweest. Haar leven was écht prima geweest. Ja toch?

Ze sloot haar ogen, voelde de warmte van de kop in haar handen door haar vingers en haar polsen langs haar armen omhoogkruipen, en ze wenste... Eigenlijk wenste ze dat ze haar vader om raad kon vragen.

6

Maandagochtend regende het hard. Het regent pijpenstelen, zou Annies moeder hebben gezegd, en daarbij zou ze dat typische lachje hebben gelachen, een lachje dat meer over de vrouw zei dan woorden ooit zouden kunnen. Annies moeder had na de dood van haar man geprobeerd een eigen leven op te bouwen. Ze had er veel moeite voor gedaan, heel veel moeite. Maar al was ze nog zo taai, op de een of andere manier bleek het leven taaier, en het gezicht dat ze de wereld had getoond was een grimmig, vastberaden gezicht, waarover niet meer dan een schaduw van tevredenheid lag. Je hoefde niet goed te kijken om de echte Madeline O'Neill te zien; je hoefde echt niet goed te kijken.

Annie zette de wekker uit en bleef lekker tussen de quilts liggen die ze om zich heen had gevlijd, en genoot van die paar minuutjes waarin ze nog heerlijk slaperig was – de nacht nog niet helemaal ten einde, en de ochtend nog niet aangebroken. In de smalle kloof tussen die twee voelde ze zich misschien wel het veiligst van alles. Het was nog vroeg, niet nodig om snel op te staan, en ergens leek het ook niet belangrijk om naar de winkel te gaan, te kijken of alles in orde was, en dat het bordje op het juiste tijdstip werd omgedraaid. Op dat moment leken een heleboel dingen niet zo belangrijk, maar later – toen ze onder de douche stond en het water enthousiast over haar huid stroomde – kon ze niet met zekerheid zeggen wat die verandering in perspectief tot stand had gebracht. Was het de brief van Forrester geweest? Het stapeltje papieren dat ze met Sullivan had gelezen? De woorden die ze met David Quinn had gewisseld? Hun toevallige ontmoeting voor de lunchroom? Een droom die ze zich maar vaag herinnerde en die duizend levens achter haar leek te liggen?

Misschien waren het al die dingen. En misschien ook niet.

Ze maakte ontbijt – koffie, toast van bruinbrood met bittere gemberjam – kleedde zich vervolgens warm aan tegen de regen, pakte het stapeltje papieren dat Forrester haar had gegeven, en verliet het appartement.

Toen ze bij de winkel kwam, stond David Quinn daar. Hij probeerde zo goed mogelijk onder het afdakje boven de deur te schuilen. Hij was drijfnat; zijn haar zat in sliertjes op zijn voorhoofd geplakt en daar vanaf droop het water over zijn neus en wangen.

'David?' vroeg ze, alsof ze zeker wilde weten wie hij was.

'De enige echte,' zei hij. 'En jij bent te laat.'

Ze keek op haar horloge. Haar vaders horloge. Het was zeven minuten over negen.

'Zeven minuten,' zei ze, terwijl ze naar de deur liep en die van het slot deed. Ze voelde even iets van ergernis.

'Ik klaagde niet,' zei David Quinn.

Annie deed de deur open en liep de winkel in. Ze trok haar jas uit en liet die in een treurig nat hoopje achter de deur vallen. David liep achter haar aan, maar trok zijn doorweekte overjas niet uit.

'Doe die jas uit,' zei ze.

'Wil je niet weten waarom ik hier ben?'

Annie bleef staan en keek naar de vloer. Ze hield niet van spelletjes. Mensen speelden spelletjes omdat ze niets beter te doen hadden, of anders waren ze gewoon een beetje gek. Ze vroeg zich af wat op David Quinn van toepassing was.

'Waarom ben je gekomen, David?' vroeg ze.

'Omdat ik een beetje gek ben,' zei hij, en toen moest hij lachen – een wat nerveus geluid, waaraan te horen was dat hij op dit moment kwetsbaar was.

Annie moest inwendig lachen. Hij was in elk geval niet gekomen omdat hij niets beters te doen had. Ze keek hem fronsend aan en meteen verdween haar ergernis. Hij zag er wat treurig uit, een tikje eenzaam, en ze had medelijden met hem.

'Een béétje gek?' zei ze.

'Nou, erg gek dan,' antwoordde David.

'Niet zeggen,' zei Annie. 'Je hebt alle boeken gelezen die je hebt gekocht en nu wil je een paar nieuwe.'

David schudde zijn hoofd. 'Ik wilde praten,' antwoordde hij.

'Praten? Waarover?'

Hij haalde zijn schouders op. 'Over van alles en nog wat... Of over niks.'

Annie liep naar de keuken achterin, waar ze een handdoek voor dit soort dagen bewaarde. 'Nu klink je echt alsof je goed gek bent,' zei ze. Aan het eind van de winkel draaide ze zich om. Hij stond nog steeds bij de winkeldeur, zijn ogen op haar gericht, en meteen daarop liet hij zijn blik langs de planken en stapels boeken glijden. Voelde ze zich bedreigd? Was dat wat ze voelde? Ze wist het niet, want zo'n gevoel overkwam haar maar zelden.

'Wat is er?' vroeg ze.

Hij haalde weer zijn schouders op, bracht zijn hand omhoog en begon zijn nek te masseren. 'Ik ben geloof ik de weg kwijt,' zei hij. 'Ik weet niet waarom ik hierheen ben gekomen... Misschien...' Hij keek haar recht aan. 'Misschien zou het beter zijn als ik maar weer ging.'

Hij draaide zich om en wilde de deurknop pakken.

Annie deed een paar stapjes naar voren en stak haar hand op. 'Niet doen...' begon ze.

David bleef staan, maar draaide zich niet naar haar om.

'Ga niet weg,' zei ze, wat zachter. 'Vertel eens wat je bedoelt.'

'Wat ik bedoel?'

'Toen je zei dat je de weg kwijt was... Wat bedoelde je daarmee?'

David sloeg zijn blik neer. Zijn haar zat nog steeds tegen zijn voorhoofd geplakt. Hij zag eruit als een kind dat in de regen had gevoetbald en het liefst naar huis wilde.

'Hierheen verhuizen... Dat verandert alles, begrijp je dat?' Hij draaide zich toen pas om en keek Annie aan. Hij bracht opnieuw zijn hand omhoog om zijn nek te masseren. 'Ik woonde naar mijn zin... Dat dacht ik tenminste, en toen besloot ik dat er verandering in moest komen... Ik weet niet eens waarom.'

Hij glimlachte, en daarna volgde weer dat zenuwachtige lachje – een afgebeten, droog geluid.

'Misschien was ik wel naar iets op zoek... of ben ik ergens voor op de vlucht geslagen,' zei hij half vragend – een vraag die hij zichzelf stelde, niemand anders.

'Dus heb je niemand om mee te praten,' zei Annie, en ze deed nog een paar stapjes naar voren. Het bemoedigde haar, want het was bekend terrein waarop iemand hulp kwam zoeken.

'Dat klinkt nogal zielig, hè?'

Annie schudde haar hoofd. 'Helemaal niet. Het leven bestaat uit mensen. Van begin tot eind zijn er alleen maar mensen. Je slijt je leven niet in je eentje.'

'Jij lijkt het best te redden,' zei hij.

'Je kent me niet,' zei Annie, maar het klonk niet afwerend. 'Weet jij veel of ik niet midden in het leven sta en elke dag tot drie uur in de nacht feestvier?'

'Dat zou kunnen,' zei David, 'maar ergens geloof ik dat niet.'

Ze glimlachte. 'Wil je koffie?'

'Daar zou ik een moord voor doen,' zei hij.

'Dan is het zeker niet te veel gevraagd om de mokken om te wassen?'

Hij glimlachte. Een warme glimlach, een menselijke glimlach, en ineens was het allemaal goed!

'Kom,' zei ze, en ze draaide zich om en liep naar de keuken.

David Quinn knikte, liep achter haar aan en trok ondertussen zijn jas uit.

Ze zaten bijna twee uur lang te praten. Er waren geen klanten, en pas toen Annie bij de lunchroom aan de overkant sandwiches ging halen, besefte ze dat ze het bordje niet had omgedraaid. Dat was ook voor het eerst. Voor het allereerst.

Ze praatten over zijn leven, over dat zijn familie vroeger als een schot hagel vanuit New York over Connecticut, Rhode Island en Pennsylvania was verspreid, en dat hij kort na zijn tiende wees was geworden. Brand in huis. Snel. Gruwelijk. Hij had zijn ouders en een jongere broer verloren. Er waren nog twee oudere broers; de ene had hij sinds 1992 niet meer gezien, de andere niet meer sinds 1989. Hij had zijn vader en moeder tegelijk verloren. Hij was naar school, had in een handjevol uren de namen van de presidenten geleerd, en de scheikundige formules voor water en zout, was toen naar huis gegaan en was tot de ontdekking gekomen dat alles onherstelbaar veranderd was. Daarna was de rest van het gezin uit elkaar geraakt; hun wegen hadden zich gescheiden, alsof er wonden zouden worden opengemaakt wanneer ze weer bij elkaar kwamen, ook al wisten ze dat die wonden nooit zouden helen. Hij had tot zijn tienerjaren bij een tante gewoond en was toen weggelopen. Hij was voor het verleden weggelopen en had nooit meer achteromgekeken. Hij sprak zonder woede, eigenlijk zonder enige emotie, maar omdat het er zo bot uit kwam, begreep Annie dat het diep begraven had gezeten. Haar hart ging naar hem uit. Er was iets wat hen in zeker opzicht met elkaar verbond, en al was dat iets nog zo gruwelijk, ze was er toch dankbaar voor. En Annie vertelde over haar leven, een wat kneuterig leven: de dood van haar ouders, de steeds enger wordende spiraal van haar bestaan.

'Wat wilde je eigenlijk?' vroeg hij.

'Wat ik wilde?'

'Als kind, en toen je groter werd. Je weet wel. Waar droomde jij over?'

Ze lachte even kort. 'Bedoel je weglopen en bij het circus gaan of zoiets?'

'Maakt niet uit,' zei David.

Ze zweeg een tijdje peinzend, dacht terug aan de gebeurtenissen en de mensen, de namen en gezichten en plaatsen, en soms liepen de grenzen door elkaar en leken ze naadloos in elkaar over te gaan.

'Ik wilde schrijven,' zei ze uiteindelijk. 'Ik meen me te herinneren dat ik wilde schrijven... De grote Amerikaanse roman of iets dergelijks.'

Ze keek op en merkte dat David haar gadesloeg. Hij keek niet naar haar, hij sloeg haar gade. Ze raakte er even door gealarmeerd, zelfs een beetje van streek. Er lag een gespannenheid in zijn ogen, een hartstocht zelfs, die ze verontrustend vond.

'Wat is er?' vroeg ze, ineens verlegen.

Hij schudde glimlachend zijn hoofd. 'Niets.'

'Wat!' wilde ze weten.

Hij leek het pijnlijk te vinden en was uit zijn evenwicht gebracht. 'Alleen maar... Alleen maar dat...'

'Wat dan?'

'Je bent echt buitengewoon mooi, Annie O'Neill.'

Ze was met stomheid geslagen. Hoe moest je in vredesnaam op zo'n opmerking reageren? Ze kon zich niet herinneren dat iemand ooit zoiets tegen haar had gezegd. Ze maakte een nonchalant, afwijzend gebaar.

'Ik meen het,' zei hij. 'Een beetje als Madeline Stowe, een beetje van Winona Ryder...'

'Zo is het wel genoeg,' zei Annie scherp en onverzoenlijk. Ze wilde geen complimentjes; ze vond dat onnodig en ongepast.

'Het spijt me als ik...'

Annie onderbrak hem met nog een handgebaar. 'Vergeet het maar,' zei ze, en hoewel ze wist dat zij het niet zou vergeten, en hij evenmin, was er iets naar buiten gekomen. Hij had de grens overschreden, en had wat een eerlijke en oprechte vriendschap had kunnen worden in iets anders omgezet, iets wat met seks en lijfelijkheid en vleselijke lusten te maken had. Waarom deden mannen dat toch altijd? Waarom konden ze het niet gewoon laten zoals het was zonder er iets vervelends en onbeholpens bij te halen? Hormonen? Noodzaak?

Annie draaide zich naar het raam om. Ze wilde dat hij buiten stond, ze wilde dat dit de eerste keer was dat ze hem zag. Ze wilde dat alles wat ze had gezegd en gedaan om hem het idee te geven dat ze toegankelijk was kon worden teruggedraaid en ingepakt, en keurig netjes opgeborgen bij al die andere zo vertrouwde had-gekunds en wie-weets die haar leven bevolkten.

'Ik heb je van streek gemaakt,' zei hij. 'Ik heb je in een vervelende situatie gebracht... Dat spijt me.'

Ze schudde haar hoofd, maar toen bedacht ze zich. Het was zo gemakkelijk om het allemaal af te wijzen en weg te werpen. Wie had ook weer gezegd dat je uiteindelijk zou bezwijken onder alle problemen die je niet onder ogen wilde zien?

'Waarom?' vroeg ze, zich bewust van de toon waarop ze het zei en de emoties die ze voelde. Het was een nieuw gevoel, iets wat dichter bij boosheid dan bij ergernis lag. 'Waarom moest je nou zoiets zeggen? We kunnen goed met elkaar opschieten, we zitten gewoon te praten... Nou ja...'

'Het was niet mijn bedoeling...'

'Wat was niet je bedoeling? Was het niet je bedoeling om me in verlegenheid te brengen? Nou, David Quinn, dat heb je wel gedaan... Zo simpel ligt het. Hoe komt het toch dat mannen altijd dingen in de ring smijten die daar niet thuishoren?'

Hij leek wat ontstemd en keek haar fronsend aan. 'Wat is er?' vroeg hij. 'Waar ben je zo bang voor?'

Nu was ze pas echt kwaad. Hoe durfde hij! 'Bang? Jij hebt het lef mij te vragen waar ik bang voor ben?' snauwde ze.

'Ik zei alleen dat je mooi was... Heeft dan nooit iemand dat tegen je gezegd?'

Ze keek hem aan, recht in de ogen, en op dat moment zag ze daarin zoveel eerlijkheid en zo'n oprecht vragende blik dat haar woede op slag in het niets oploste. Net zo snel en onverwacht als hij was komen opzetten. Ze schudde haar hoofd. 'Ik geloof niet dat iemand...' Ze zweeg, en haar woorden verdwaalden in het ondefinieerbare gebied om haar hart.

David stak zijn hand uit en raakte de hare aan.

Ze trok hem instinctief terug.

Hij liet zijn hand liggen, met de handpalm omhoog, net zo lang tot ze de hare enigszins aarzelend liet zakken en die op de zijne legde. Hij vouwde zijn vingers eromheen en ze voelde de warmte van zijn huid.

'Het spijt me,' zei hij bijna fluisterend. 'Het spijt me als ik je heb beledigd of je een onaangenaam gevoel heb bezorgd, of je in verlegenheid heb gebracht...'

'Het is al goed,' hoorde ze zichzelf zeggen. Haar stem klonk alsof die niet uit haarzelf kwam, maar van ergens anders uit het vertrek. Het was bijna alsof ze naar zichzelf stond te kijken. De harde kanten die ze had gevoeld werden wat bijgeslepen en leken in elkaar over te vloeien, en ze had het idee dat als ze in staat zou zijn uit zichzelf te treden, ze achterom zou kijken en iets vaags en vertroebelds langs de randen zou hebben gezien.

'We doen een stapje terug,' zei hij. 'We zetten de klok een halfuur terug en beginnen opnieuw. Goed?'

Ze knikte instemmend, maar wist dat wat was gezegd nog steeds in de lucht hing. Hij had gezegd dat ze mooi was, en het had geklonken alsof hij het meende, en dat had iets wat ze nooit, nooit zou vergeten. Zoiets kon toch nooit zijn betekenis verliezen?

'We hadden het over jouw familie,' zei hij, 'en toen hadden we het over de grote Amerikaanse roman die je wilde gaan schrijven.'

Ze glimlachte toen ze het zich weer herinnerde.

'Hoe oud was je toen?' vroeg hij.

'Twaalf, dertien – ik weet het niet meer precies,' zei ze schokschouderend. 'En waarom wilde je gaan schrijven?'

'Ik denk omdat ik de mensen dingen wilde laten voelen... Ze gevoelens wilde laten ervaren die nieuw waren, en dingen wilde laten denken die ze nog niet eerder hadden gedacht.'

Hij knikte; hij begreep het, dat was in zijn ogen te lezen. 'Wat is het belangrijkste boek dat je ooit hebt gelezen?'

Ze glimlachte. 'Het belangrijkste boek dat ik ooit heb gelezen? Hoe kan ik daar nu antwoord op geven?' zei ze, en toen schoot het haar zomaar ineens te binnen. Ze begon breeduit te glimlachen, haar gezicht verzachtte en alle spanning verdween volledig.

'Welke?' drong hij aan.

'Het heet *Breathing Space*,' zei ze. 'Mijn vader heeft het me nagelaten... een van de weinige dingen die hij me heeft nagelaten.' Ze raakte het glas van het polshorloge aan en op dat moment kwam haar ineens een beeld van haar vader voor ogen, al was het vaag en onduidelijk. Hij stond in de hal van hun huis. Het had toen ook geregend. Ze kon zich nog het geluid van de regendruppels op de veranda achter de keuken herinneren, en het rook naar kaneel en nog iets, wat ze niet thuis kon brengen. Hij ging weg. Het leek of hij altijd wegging. Ze kon niet ouder dan een jaar of vijf zijn geweest, en had ze toen geweten dat hij niet langer dan zo'n twee jaar zou blijven leven, dan zou ze naar hem toe zijn gerend, haar armen om hem heen hebben geslagen, hem hebben verteld dat ze van hem hield en dat ze niet wilde dat hij weer wegging. Ze probeerde het beeld vast te houden, zich erop te focussen, maar het was niet meer dan een gevoel.

Ze voelde haar borst verkrampen en haar keel trok samen, en toen ze met haar ogen knipperde waren die vochtig.

David gaf een kneepje in haar hand, en pas toen drong het tot haar door dat hij haar geen moment had losgelaten. Een reddingslijn. Zwak, dun, maar toch een reddingslijn. Waarvoor wist ze niet, en op dat moment deed het er ook niet toe. Ze was niet alleen. Dat was het voornaamste, en daar was ze blij om.

'Gaat het?' vroeg hij op sympathieke, vriendelijke toon.

'Prima,' zei ze, maar het klonk wat gereserveerd, zodat hij wist dat ze zich helemaal niet zo prima voelde.

'Wat deed hij?' vroeg David.

'Wie?'

'Je vader... Wat deed hij?'

Annie gaf niet meteen antwoord. Ze probeerde zich iets te herinneren. Ze probeerde zich hem bij het weggaan voor te stellen met een tas, of een reistas of zo, of een uniform. Ze kon zich er absoluut niets van herinneren.

'Ik weet het niet,' zei ze. 'Ik weet eerlijk niet wat hij deed.' In haar stem was de onzekerheid te horen, en de verwarring. Ze kon maar moeilijk geloven dat die vraag nooit eerder bij haar was opgekomen.

'Heeft je moeder het je nooit verteld?' wilde David weten.

Annie schudde haar hoofd.

'En heb jij het nooit gevraagd?'

Annie was even stil. 'Dat moet haast wel,' zei ze rustig. 'Ik moet het haar hebben gevraagd... en zij moet het me hebben verteld.'

Het werd stil tussen hen beiden, alsof dit moment een geheim verborgen hield dat aan het licht moest worden gebracht, iets wat, terwijl ze er nog over nadacht, een potentieel gevaar in zich leek te hebben. Hoe bestond het dat ze dertig was geworden en geen flauw idee had wat voor werk haar vader had gedaan?

'Misschien was hij wel spion,' zei David glimlachend, en daarmee was de spanning gebroken.

'Wie weet,' antwoordde ze, en ze probeerde die toon vast te houden. Het lukte enigszins, maar dat waas van geheimzinnigheid bleef hangen.

'De mysterieuze meneer O'Neill,' zei David.

Ze zat even heel ergens anders met haar gedachten, en toen ze weer opkeek zag ze dat David opnieuw zijn nek masseerde. Het leek een zenuwtrek waarover hij geen controle had.

'Gaat het wel?' vroeg ze.

Hij knikte. 'Tuurlijk... Hoezo?'

'Je nek,' zei ze. 'Je masseert telkens je nek.'

'Die doet soms pijn,' zei hij. 'Een beetje.'

Annie keek op haar horloge. Het was al over tweeën. Er waren geen klanten geweest, niet eentje, ondanks het feit dat ze het bordje had omgedraaid toen ze sandwiches was gaan halen. Misschien bleven ze door de regen weg. Of wellicht kwam het door de onuitgesproken gedachte dat ze op dit moment niet wenste te worden gestoord. Sullivan zou het laatste hebben beweerd.

'Hoef je niet te werken?' vroeg ze.

'Nee,' zei David. 'Ik heb verlof. Het werk is onvoorspelbaar, en soms zijn we weken achtereen weg. Ze geven ons graag zo nu en dan wat ruimte om op adem te komen.'

Om op adem te komen, dacht ze – *Breathing Space,* maar ze zei het niet hardop. De stemming was veranderd, en Annie had het gevoel dat ze zich vlak langs iets bedrieglijk simpels bewoog, wat tegelijkertijd toch ook enorm ingewikkeld was. Later, toen ze er haar gedachten nog eens over liet gaan, bleek het feit dat ze niets, maar dan ook helemaal niets over haar vader wist als een kerkklok in de koele, heldere lucht op een stille zondagochtend de boventoon voeren. Door zo'n eenvoudige vraag – Wat deed je vader? – was ze in een heleboel halfafgemaakte beelden verzeild geraakt die niets met de werkelijkheid van doen hadden.

Toen zei David: 'Ik moet eens gaan.' En meteen stond hij op. Een tijdje terug had hij haar hand losgelaten zonder dat ze het had gemerkt. De reddingslijn verdween.

'Heb je later iets te doen?' vroeg hij.

Ze knikte. 'Ik krijg iemand op bezoek,' zei ze.

'Een afspraakje?' vroeg hij, maar zijn vraag klonk niet suggestief.

'Nee,' zei ze glimlachend. 'Daar lijkt het niet op. Vanavond heb ik mijn leesclub.'

'Een leesclub?'

'Ja, een leesclub, die vanavond voor het eerst bijeenkomt.'

'Kan iedereen komen?'

'Nee, niet iedereen... Een heel select groepje ingewijden, alleen de allerbesten. Begrijp je?'

David knikte wat afwezig. 'Een andere keer dan,' zei hij.

'Ja... een andere keer. Je weet waar je me kunt vinden.'

'Dat klopt,' zei hij, 'en het spijt me nog wat ik daarstraks zei.'

Annie glimlachte. 'Mij niet... Niet meer.'

Hij leek zich enigszins te ontspannen. 'Een andere keer dan?'

Annie aarzelde even.

'Wat is er?' vroeg hij.

'Morgen?' Het ontsnapte haar voordat ze het kon tegenhouden.

'Een etentje,' zei hij nuchter. 'Zullen we morgen samen gaan eten?'

'Om zeven uur hier,' zei Annie. 'Kom maar tegen zevenen.'

David glimlachte. Zo te zien was hij aangenaam getroffen. 'Dan zie ik je morgen,' zei hij, en hij liep naar de deur.

Ze liep achter hem aan, eerst langzaam, en toen hij op het trottoir kwam keek ze hem door het raam na en zag hem weglopen. Hij keek niet om, en om de een of andere reden maakte dat haar blij. Ze wilde niet wanhopig of eenzaam lijken – of hoopvol. Hoop was een woord dat veel te hoog werd aangeslagen.

Ze dacht aan de mogelijkheid dat er misschien iets uit zou voortkomen, en heel even kwam ze in de greep van een vraag-en-antwoordspelletje met zichzelf.

Zou ik? Misschien wel, misschien niet.

Durf ik? Ik denk van wel.

Wil ik? Dat... Dat hoop ik.

En toen hoorde ze Sullivans stem. Toeval is gelul... Je gedachten zijn vrijwel uitsluitend verantwoordelijk voor de situaties waarin je verzeild raakt. David Quinn verdween aan het eind van de straat uit het zicht, en Annie draaide zich om en keek in de winkel om zich heen. Voor het eerst leken de muren op haar af te komen; het leek hier zo klein, met zoveel schaduwen, en zo weinig ruimte.

Ze schudde haar hoofd en liep naar de toonbank. En daar lag de stapel papier die Forrester de dag ervoor had achtergelaten. Ze pakte de telefoon en belde Jack Sullivan, praatte even met hem en hielp hem er toen aan herinneren dat hij hier om zes uur zou zijn, voordat Forrester kwam. Hij zei dat hij dat zou doen, hij bezwoer haar dat hij niet te veel zou drinken en het dan zou vergeten, en daarna verbrak ze de verbinding.

De winkel was tot barstens toe gevuld met stilte. Het was opgehouden met regenen, en behalve het geluid van haar eigen zachte ademhaling was er niets. Helemaal niets.

7

orrester was stipt op tijd. Sullivan zat al in de keuken, uit het zicht. Hij was niet dronken, hij was het niet vergeten, en hij was zelfs aan de vroege kant gekomen. Annie was hem er dankbaar voor, dankbaarder dan hij bij zijn binnenkomst uit de nuchtere begroeting kon opmaken.

'Goeie dag gehad?' vroeg hij.

'Rustig,' zei ze, want ze had al voor zijn komst besloten niets over David Quinn te zeggen. Ongeacht de twijfels die ze zelf over David had, was Annie O'Neill attent genoeg om rekening te houden met Sullivans gevoelens. Hoewel er nooit sprake kon zijn van een relatie tussen haar en Sullivan, wist ze dat ze veel voor hem betekende. Hij gedroeg zich als een oom, als een vader bijna, en als ze haar levenspatroon te snel zou veranderen, zou hij zich zorgen gaan maken. Het feit dat hij er voor Forresters komst was, alleen al dat hij was gekomen, zei meer dan genoeg over de mate waarin hij zich om haar welzijn bekommerde.

'De geheimzinnige man komt dus om zeven uur,' had Sullivan opgemerkt toen hij langs de toonbank naar de keuken liep. 'Ik blijf hier achter, uit het zicht, en als er problemen komen spring ik tevoorschijn en sla ik hem tegen de vlakte.'

Annie had gelachen. 'Die man is minstens zeventig, Jack... Ik geloof echt niet dat er problemen zullen komen.'

'Charlie Chaplin heeft zijn laatste kind verwekt toen hij tweeëntachtig was... Zelfs op ons doodsbed zijn we daar nog toe in staat.'

Annie had hem weggewuifd, en hoewel ze oprecht geloofde dat Forrester geen enkele bedreiging vormde, voelde ze zich met Sullivan achter de hand toch een stuk veiliger.

En toen kwam Robert Forrester, met dezelfde overjas aan en een eender pakje onder zijn arm, en hoewel hij alleen maar glimlachend naar haar knikte toen hij binnenkwam, voelde Annie heel even iets van onrust in zich opkomen.

Had ze iets gedroomd? Iets over haarzelf en Sullivan en een kind? Ze kon het zich niet herinneren, maar toen ze de oude man zag, met zijn doorleefde gezicht en zijn witte haar, voelde ze dat de beelden van de dingen

71

die ze had gelezen weer aan kwamen golven. De gruwelen van Auschwitz, het afgrijselijke doden van honderdduizenden mensen in een desolaat en godvergeten oord...

'Mevrouw O'Neill,' zei Forrester. 'Fijn u weer te zien.'

'Dat geldt ook voor u, meneer Forrester,' antwoordde ze glimlachend, maar de lach die ze opplakte leek zonder meer de meest onnatuurlijke uitdrukking die ze zich ooit had aangemeten.

Hij liep naar haar toe, legde het pakje op de toonbank, en vroeg toen of ze ergens konden gaan zitten.

'Natuurlijk,' zei ze, en ze wees Forrester op een klaptafeltje dat ze rechtsachter in de hoek van de winkel had neergezet, hetzelfde tafeltje waaraan ze eens per maand tot laat in de avond de inventaris bijwerkte en haar dromen droomde.

De deur van de keuken was nog geen drie meter links van haar, en hoewel ze Sullivan niet kon zien, wist ze dat hij er was, en wist ze dat hij in elk geval alles zou kunnen verstaan wat door haar en Forrester tijdens dit uiterst onbehaaglijke en vreemde rendez-vous werd gezegd.

Forrester legde het pakje op de tafel, trok zijn overjas uit, hing die over de rugleuning van de stoel en ging zelf met een vermoeide zucht zitten.

'Wilt u iets te drinken?' vroeg ze.

'Een glas water misschien,' zei hij, en hij haalde een pochet uit zijn borstzakje. Hij veegde zijn gezicht, zijn voorhoofd en zijn mond af, en terwijl hij het doekje tussen zijn vingers ineendraaide sloot hij even zijn ogen en liet zijn hoofd zakken.

'Gaat het wel, meneer Forrester?'

Hij glimlachte zonder zijn ogen te openen. 'Ja,' zei hij kalm. 'Soms raak ik een beetje buiten adem van het lopen. Ik heb een latere trein genomen en moest me wat haasten om op tijd hier te zijn.'

'U had zich niet hoeven haasten,' zei Annie. 'Ik was echt niet weggegaan.'

Hij deed zijn ogen open. 'We waren nooit te laat,' zei hij. 'Dat was een van de voornaamste regels van het lidmaatschap: nooit te laat komen. Als je te laat zou komen, ging je helemaal niet. Beter nooit dan te laat, zou je kunnen zeggen. Uw vader was zeer gesteld op stiptheid en professioneel gedrag.'

Annie ging zitten. 'Ik wilde u iets vragen...' begon ze.

Forrester knikte. 'Zou ik eerst wat water mogen hebben, mijn beste?'

'Ja, natuurlijk... Neem me niet kwalijk,' zei ze. Ze liep naar de keuken, pakte een fles Evian uit de koelkast, schonk een glas vol, knipoogde lachend naar Sullivan en liep terug naar de voorkant.

Forrester pakte het glas aan en dronk het in één teug bijna helemaal leeg.

'Een vraag?' vroeg hij.

'Ja,' zei Annie, terwijl ze weer plaatsnam. 'Mijn vader... Wat deed hij eigenlijk?'

Forrester fronste zijn voorhoofd, maar lachte tegelijkertijd. 'Wat hij deed? Weet u dat niet?'

Annie voelde zich even ongemakkelijk. 'Ik vind dat ik het zou moeten weten,' zei ze. 'Ik kan gewoon niet geloven dat ik niet wist wat hij deed toen hij nog leefde, of dat mijn moeder het me na zijn dood nooit heeft verteld, maar ik kan me er met de beste wil van de wereld niets meer van herinneren.'

'Uw vader was in de eerste plaats een constructeur, een plannenmaker. Zijn carrière omvatte een paar behoorlijk belangrijke werken die tijdens de jaren vijftig en zestig in New York werden uitgevoerd. Hij was een nauwgezet man, een perfectionist, en hij werd door zeer invloedrijke organisaties in deze staat in dienst genomen. Als hij niet was overleden, dan zou hij denk ik nog wat heel opmerkelijke dingen tot stand hebben gebracht.'

'Een constructeur,' zei Annie.

'Iets in die geest,' antwoordde hij, en hij bracht zijn glas naar zijn mond om het leeg te drinken.

'Wilt u nog meer water?' vroeg ze.

Forrester maakte een ontkennend gebaar. 'Nee, het gaat nu wel weer,' antwoordde hij. Hij nam het pakje van de tafel en haalde er weer een enkel velletje uit.

'Nog een brief voor u,' zei hij. 'Ik heb er ergens nog twee of drie, maar het kost tijd om ze terug te vinden.'

Hij reikte haar het velletje aan en toen ze het aanpakte, voelde ze weer die druk in haar borst. Was dit alles wat ze ooit van haar vader zou hebben: een paar woorden van een vreemdeling, een handjevol nogal verwarrende brieven?

Ook deze keer stond boven aan het vel het logo *Vanuit het Cicero Hotel*.

'U zei dat dit hotel is afgebroken,' zei Annie. 'Was dat ook iets waaraan hij werkte?'

Op Forresters gezicht verscheen een half lachje – een vreemde uitdrukking. 'In zekere zin,' zei hij. 'Zo zou je het in zekere zin wel kunnen zeggen.'

Annie wachtte of hij het nader zou uitleggen, maar er kwam verder niets.

Forrester maakte weer dat vreemde gebaar en wees naar de brief.

Annie keek ernaar.

Mijn hartje,

Je zult allerlei dingen te horen krijgen. Dat weet ik zeker. Sommige daarvan zullen waar zijn. Sommige niet. Geloof niet alles, en als je ooit twijfelt zou ik je willen vragen terug te denken aan de meest bijzondere momenten die je je van mij herinnert, en daarna pas een oordeel te vellen. Wat anderen zullen zeggen kan nooit de plaats innemen van wat jij in je hart voelt. Zo simpel is het, dat geloof ik stellig. Zorg voor onze dochter. Vergeet niet haar te vertellen hoeveel ze voor me betekende, hoeveel ik van haar hield. En vergeet dat zelf ook niet, want jij was alles voor me – en dat zul je altijd blijven.

Chance

De tranen welden in Annies ogen op. Er ging zoiets krachtigs van die woorden uit, en al zou ze nooit in staat zijn geweest het uit te legen, ze hadden iets wat haar dieper raakte dan ze ooit voor mogelijk had gehouden.

'Wat bedoelt hij met "Geloof niet alles"?' vroeg ze. 'Wat moet ze niet geloven?'

Forrester glimlachte. 'Ik weet niet zeker of ik die vraag zo nauwkeurig kan beantwoorden als u wel zou willen, mevrouw O'Neill.'

Annie schudde haar hoofd. 'Heeft hij iets gedaan? Zeiden ze dat hij iets had gedaan?'

'Hij was een goed mens,' zei Forrester. 'Een heel goed mens, en hoewel er mensen zijn die kwaad van hem spraken, waren er veel meer die in zekere zin hun leven aan hem dankten.'

'Hun leven?' vroeg Annie, die haar best deed niet te gaan huilen. 'Wiens leven? En wie waren die mensen die kwaad van hem spraken?'

Forrester knikte. 'Hij zette zich in voor de mensen. Degenen die hem uitdaagden, maakte hij het leven moeilijk. Wanneer je eenmaal zijn vriendschap had verdiend, kon die nooit meer worden weggenomen... en ik kan vol trots zeggen dat ik zijn vriendschap en zijn vertrouwen heb verdiend, en hij de mijne. Vanaf de dag dat we elkaar ontmoetten, heb ik nooit een ander mens gekend die zoveel recht op respect had.'

Annie keek nog eens naar de brief. Hij was in een vloeiend handschrift geschreven, bijna elegant, en ze dacht erover een specialist te raadplegen om het te laten analyseren en te kijken wat ze uit dit kleine stukje realiteit nog meer over haar vader kon leren. Ze legde de brief opzij.

'En hebt u gelezen wat ik bij u heb achtergelaten?' vroeg Forrester.

Annie knikte. 'Ik heb het gelezen... Het ligt op de toonbank.'

'Vertel dan maar.'

'Wat moet ik vertellen?' vroeg Annie.

'Wat u ervan vond... Wat u erbij voelde.'

'Angst... Angst dat een mens zoiets kon worden aangedaan,' zei ze zonder nadenken en zonder enige schroom. 'En dat mensen niet begrijpen wat liefde is...'

'Elena en Jozef,' zei Forrester. 'Een verbond dat in de hemel tot stand kwam en in de hel moest branden.'

'Elena en Jozef,' zei Annie hem na, waarna ze een tijdje stil was omdat haar hoofd bijna leeg leek.

'En wat dacht u verder nog?'

'Ik vroeg me af of het waar was... een waar gebeurd verhaal,' zei ze.

Forrester schudde zijn hoofd. 'Dat weet ik niet zeker... en ik weet ook niet of iemand dat ooit zal weten.'

'U hebt nog meer,' zei ze.

'Ik heb nog meer. Ik heb nog twee delen voor u meegebracht,' zei hij, en hij wees naar het stapeltje papier op de tafel, 'maar ik geloof niet dat het ooit is afgemaakt.'

'Hoeveel is er nog?' vroeg ze.

'Nog drie of vier hoofdstukken, denk ik.'

'En hebt u die allemaal in uw bezit?'

Hij knikte. 'Alles wat is geschreven, denk ik. Ik wilde het liefst dat u het stukje bij beetje zou lezen,' zei hij. 'Dat zou dan meteen een reden zijn om onze gesprekken voort te zetten.'

Eenzaamheid, vroeg Annie zich af. Doet hij dit omdat hij eenzaam is?

'Kunt u me wat meer over de man vertellen die dit heeft geschreven? Heeft hij mijn vader gekend?'

Forrester schudde zijn hoofd. 'Niet zo goed, geloof ik. Hij was gewoon een van de mensen die er destijds ook bij waren, zoals ik al eerder zei. Ik wist heel weinig van hem af, echt heel weinig.'

'Hij beschrijft iemands leven alsof het het zijne was,' zei Annie.

Forrester knikte. 'Dat is waar, maar u moet verder lezen... U moet alles lezen; dan zult u de man die dit schreef misschien beter begrijpen dan ik u over hem kan vertellen.'

'En laat u nu deze twee hoofdstukken bij me achter?' vroeg ze hoopvol, want op de een of andere manier en zomaar ineens was het belangrijk geworden om te weten hoe het met Haim Rosen was gegaan nadat hij in 1952 de Lower East Side had verlaten en over de rivier naar Queens was gegaan. Wat was hij geworden dat Rebecca McCready nooit zou hebben herkend? Misschien, dacht ze achteraf, stond er iets op deze pagina's wat haar zou laten zien met wat voor soort mensen haar vader was omgegaan. 'Ja,' zei hij. 'Ik zal deze nu bij u achterlaten, en dan zien we elkaar volgende week maandag om dezelfde tijd weer.'

Forrester zei het gedecideerd en zonder enige aarzeling. Er klonk geen enkele onzekerheid door in zijn stem. Hij zou de volgende maandag om zeven uur terugkomen en Annie twijfelde er geen moment aan dat ze er zelf ook zou zijn.

Hij wilde opstaan.

'Blijft u niet nog even?' vroeg ze, want haar hoofd zat vol met vragen over haar vader die gesteld moesten worden. Toch kon ze zichzelf er niet toe brengen om ze te stellen. Forrester leek bij alles wat hij deed zorgvuldig het tempo te bepalen, en ze wilde in geen geval het risico lopen hem te ergeren. Want dat zou betekenen dat ze zijn vertrouwen verloor, en als ze dat kwijtraakte zou de enige schakel met haar vader verdwijnen.

Forrester schudde zijn hoofd. 'Het waren nooit lange bijeenkomsten,' zei hij, en hij begon zijn jas aan te trekken.

Annie stond op.

'Bedankt dat u wilde komen,' zei ze. 'Bedankt voor de brief... Ik waardeer het echt, meneer Forrester.'

'En ik waardeer het dat je het een oude, eenzame man naar de zin wilt maken,' antwoordde hij. Hij glimlachte, en knikte nog eens op die beleefde, Europese manier. 'Tot volgende week dan?'

Annie stak haar hand uit. 'Tot volgende week.'

Forrester pakte vriendelijk haar hand en keek haar daarbij recht aan, en hoewel zijn mond niet meer lachte, lag er zo'n warme gloed in zijn ogen dat Annie hem wel om de hals kon vallen. Maar zoiets deed je niet. Tenminste niet als je Annie O'Neill heette.

Forrester liep naar de deur, wachtte tot Annie die voor hem had geopend, draaide zich nog een keer om en liet zijn blik nog eens door de winkel gaan. Hij herinnerde zich iets. Dat zag ze aan zijn blik.

'We leefden toen in een andere wereld,' zei hij. 'De mensen hadden meer tijd. Het was nog niet zo belangrijk om ergens te zijn. De mensen kleedden zich nog voor het diner; we dronken cocktails en likeurtjes, rookten na afloop een sigaar, en we hadden altijd tijd om te praten...'

Forrester keek nog een keer rond en draaide zich toen om naar de deuropening.

'Pas goed op uzelf, mevrouw O'Neill,' zei hij, en hij liep vervolgens naar buiten.

Annie deed de deur achter hem dicht en Sullivan kwam uit de keuken naar haar toe. Samen keken ze zwijgend naar de oude man die in de richting van de kruising van Duke Ellington en West 107th liep. Hij zou mijn vader kunnen zijn. Hij zou degene kunnen zijn die daar wegloopt, dacht Annie, en opnieuw raakte ze van die trage, koele nostalgie en dat gevoel van verlies bevangen waarvan dergelijke gedachten altijd vergezeld gingen. De wind kreeg vat op Forresters haar en zijn jaspanden, en even leek het erop alsof hij door een windvlaag omhoog zou worden gejaagd. Hij verdween om de hoek en Annie draaide zich naar Sullivan om.

'Laten we het thuis lezen,' zei ze.

Sullivan knikte en pakte zijn jas.

8

merika 1952: een totaal andere wereld. De oorlog was voorbij, al zeven jaar. Truman was president, maar zou die functie nog maar tot november vervullen, want dan zou Eisenhower zoveel stemmen verzamelen dat het alleen door Roosevelts overwinning in 1936 werd overtroffen. De verkiezing bracht ook twee jonge politici in de publieke belangstelling. Daar was senator Richard Milhous Nixon, negenendertig, die de jongste vice-president ooit zou worden. Hij was het best bekend om zijn toegewijde en 'patriottistische' ondersteuning voor McCarthy's heksenjacht op de communisten, maar Nixon zou pas een paar jaar later de aandacht van het grote publiek trekken. En dat was om heel andere redenen. Misschien is het perverse waarzeggerij, maar in september 1962, vier maanden voordat Eisenhower en Nixon in functie traden, zou Eisenhower al de reputatie en het plichtsgevoel van zijn vice-president moeten verdedigen. Nixon, die was beschuldigd van het misbruik van 18.000 dollar uit een politiek fonds, zou publiekelijk worden vrijgesproken, en Eisenhower vond 'niet alleen dat hij volledig in zijn recht als man van eer was hersteld, maar, wat mij betreft, een groter mens is dan ooit tevoren'. Eisenhower stierf in maart 1969 en maakte niet meer mee dat Nixon op spectaculaire wijze van de troon werd gestoten, dus hoefde hij zich niet voor zijn vertrouwen in de man te verontschuldigen. Aan het front van de Democraten bracht een jongeman genaamd John Fitzgerald Kennedy iedereen van streek door ten koste van de Republikein Henry Cabot Lodge de senaatszetel van Massachusetts te veroveren. John Foster Dulles was minister van Binnenlandse Zaken, de man die de massaproductie van atoomwapens aanmoedigde. Maar zijn relatie met zijn broer Allen Welsh Dulles, van 1953 tot 1961 directeur van de CIA, was misschien wel zijn kwalijkste kenmerk. Dit waren de mannen die er geen been in zagen in november van dat jaar het complete eiland Eniwetok in de Stille Oceaan bij een proef met een waterstofbom te verwoesten: dit waren de mannen die in Amerika de leiding hadden.

Dit was het Amerika, vertelde Haim Rosen me, dat hij onbeheerd en vol verwachting aantrof toen hij in juli in Queens aankwam. Vijftien jaar, de ogen wijd opengesperd en een en al hunkering, begon hij zijn stempel te zetten op een kleine gemeenschap die voornamelijk leek te bestaan uit brutale arbeiders met genoeg geld op zak, en met echtgenotes met suikers- pinkapsels, een slechte huid en een grote mond. In deze wirwar van gelui- den, geuren en kleuren wist hij snel en rustig op te gaan. Hij veranderde zijn naam in Harry Rose, werd koerier voor een illegale goktent en bracht tickets en handenvol contanten tussen de waardeloze verliezers en hun bookmakers heen en weer. Hij werkte op hun niveau met hen samen, leerde hun taalgebruik en hun tekens, en iedereen die hij niet met zijn krachtige persoonlijkheid omver wist te krijgen, praatte hij met humor en charme om. Hij zag het geld dat erin omging, de tientallen, honderden dollars die met niet meer dan een knikje of een wetend glimlachje van eigenaar verwisselden. Hij hield bij hoeveel geld er per dag, per week en per maand tussen de gokkers en de bookmakers omging, en hij zag wat je daarmee allemaal kon kopen. Hij zag de auto's en de madams, de steek- penningen en het smeergeld. Hij zat er als een havik bovenop, en absor- beerde alles om hem heen als een spons. Daarnaast deed hij zelf iets in het kleine bokscircuit, verdiende hier en daar een paar dollar, huurde een ver- waarloosd tweekamerappartement op Charles Street en zorgde ervoor dat hij nooit te ver ging, dat hij altijd op tijd was, en dat de bedragen altijd tot op de cent klopten.

Het leverde hem vertrouwen op, en dat verdiende hij ook. En toen een van de oudere bookmakers in de lente van 1953 een beroerte kreeg, stapte Harry Rose vol zelfvertrouwen in de schoenen van de oude man, en nie- mand had ook maar iets te klagen. Hij betaalde meteen hun winst uit, troostte hen bij verlies, en stuurde aan het eind van elke maand een kwart- fles goedkope whisky naar zijn klanten, vergezeld van een kaartje: *Er komt altijd weer een race. Veel geluk. Harry Rose.* Ze waardeerden de whisky, ze waardeerden Harry's eerlijkheid, en hoewel hij pas vijftien was werd hij als een gelijke behandeld, als een leeftijdgenoot, een vertrouweling. Hij wist wie hoeveel verloor, hoe vaak, en waarom. Hij wist welke echtgenote van welke gokker met welk hulpje van de bookmaker het nest in dook. Hij had zijn ogen op de bal en zijn oor op het trottoir, en zette zijn hart op miljoenen.

Een maand na zijn zestiende verjaardag zette hij alles wat hij bezat op de gok dat Rocky Marciano tegen Roland LaStarza zijn wereldtitel zwaarge- wicht zou behouden. Hij incasseerde de winst die hij daarmee maakte en zette die op het spel door het hele bedrag erop te zetten dat Carl Olson de wereldtitel middengewicht tegen Randy Turpin zou winnen. Harry Rose haalde handenvol binnen. Het leverde hem meer dan zevenduizend dollar in contanten op, en met dat geld huurde hij een vijfkamerappartement op

St. Luke. Hij was de koning, een wonderkind, en zijn reputatie van eerlijk zakendoen en meer kans voor dan tegen op de favorieten bieden deed al snel in heel Queens en de omliggende districten opgeld. Honest Harry Rose, noemden ze hem, Eerlijke Harry Rose, en niemand leek zich er zorgen om te maken dat hij pas zestien was en een onschuldig en jeugdig gezicht had, want als ze in zijn ogen keken zagen ze een man van veertig die al twee decennia in het vak zat.

Terwijl Marilyn Monroe in januari 1954 met Joe DiMaggio trouwde, nam Harry Rose – een vrijwel onbekende joodse knul van de Lower East Side, een knul die zijn verleden met succes wist te verbergen voor iedereen die wat meer had willen weten – Alice Raguzzi, een hoer, mee naar zijn appartement in St. Luke, waar zij hem leerde man te zijn. Alice was een meisje zonder achtergrond. Ze was tweeëntwintig, een brunette, brutaal en onbeschaamd als het zonlicht. Haar moeder was een hoer geweest, haar vader een souteneur, en als ze een jongen was geweest zou ze vast en zeker in de voetsporen van haar vader zijn getreden. Maar dat was ze niet, dus volgde ze die van haar moeder, en haar moeder leerde haar alles wat ze wist. En Alice wist heel wat. Ze kon met de hand op haar versteende hart voor God en vaderland zweren dat nog niet één man onvoldaan uit haar armen was weggegaan. Zo'n meid kon het chroom van de trekhaak van een oplegger zuigen, vertelde Harry me, en een vent van negentig een keiharde stijve bezorgen, en wanneer ze zich in het zweet werkte zou ze nooit vergeten een vent een paar keer bij zijn naam te noemen. Ze maakte het tot iets persoonlijks, ze maakte dat het iets voor hem betekende, want ze huldigde de niet-aflatende filosofie dat je, wat je ook deed, het altijd professioneel moest doen. Dat was Alice Raguzzi, en ze bleef twee dagen bij Harry, en toen ze vertrok had ze driehonderd dollar op zak en was haar hart een heel klein beetje opengegaan. Harry zou het later over haar hebben, en dan verscheen dat wrange, sardonische lachje om zijn mond dat zonder ook maar een woord te zeggen alles zei.

'Zo'n meid,' zei hij dan, 'zo'n meid zou dit land moeten leiden. Zij weet beter hoe de mensen in elkaar steken dan alle politici of zakenlui die ik ken bij elkaar.'

Dat maakte me een heleboel duidelijk over Harry Rose: dat hij boven alles een echt mens was. Waar ik vandaan kwam waren mannen maar drie dingen: ze waren zo stom als een dag lang was; zet ze in een rookstoel, geef ze een blikje bier in de hand, voer ze drie keer per dag iets van vlees en stuur ze dan naar buiten om de plaats aan te vegen, dan zullen ze daar innig tevreden mee zijn. Het tweede soort is het type kerel dat nooit volwassen wordt. Die was en is en zou altijd kind blijven. Grote onschuldige ogen, geloven dat de hele wereld aan hun kant stond, en wanneer ze stront aan de knikker kregen keken ze je vreselijk verslagen aan, maar daarna zouden ze zichzelf ervan overtuigen dat het alleen maar een product van hun eigen verbeelding was en dat er toch echt niks mis was met de wereld. En dan had je kerels als Harry Rose en ikzelf. Wij begaven ons wel op het scherp van de snede, wij overschreden de grenzen wel. Wij leefden om te leven. Waar andere mannen een of twee dingetjes wilden, wilden mensen als wij er minstens vijf. Een stuk of vijf meiden, een stuk of vijf auto's, een stuk of vijf lonen, ook al hadden anderen die verdiend. Het leven was niet goedkoop, begrijp me niet verkeerd, maar het leven – net als alles in de wereld – kon worden verhandeld.

Harry zag in Alice Raguzzi iets van zichzelf. Ze was een levend, echt menselijk wezen, en wanneer zij aan het woord was luisterde Harry, en wanneer zij luisterde opende Harry zijn mond, zijn hart en zijn hoofd. Er was iets tussen hen, iets anders dan het konkelfoezen tussen de lakens van zijn overvolle kleine bed. Er was de wetenschap dat als je iets wilde – dat wil zeggen, als er iets was wat mensen als Harry en Alice wilden – je er dan zelf op uit moest gaan om het te krijgen. Zo werkte dat in hun wereld, en wat hen betrof was dat de enige wereld die er was.

En Alice? Zij vond Harry Rose, die tiener, onweerstaanbaar charmant, een tikje verknipt wat betrof zijn kijk op de wereld, maar toch hartverwarmend, vriendelijk en eerbiedig. Geen enkele zwendelaar had haar tot nu toe *madam* genoemd; ze vond het wel leuk. Het gaf haar het gevoel dat ze voor broodnodige openbare dienstverlening zorgde in plaats van een paar piek voor bewezen diensten aan te pakken.

Haar moeder zou haar hebben gezegd dat ze voor zo'n soort jongeman goed moest zorgen. Zulk soort jongemannen hadden beslist uithoudingsvermogen, en hij zou nooit vergeten wie hem ondanks zijn leeftijd serieus had genomen. Wanneer zijn ster rees, nou, dan zou dat ook op haar afstralen, en het zat dan ook allang in Alices achterhoofd dat ze ervoor zou zorgen hem nog eens te zien. Eén ding kon je over haar beroep zeggen: het was steeds weer hetzelfde. Je wist niet waarom de ballen van een vent zich steeds maar weer vulden, maar hoe vaak je ze ook leegde, je kon er donder op zeggen dat ze weer volliepen. Dat soort gedachten maakte haar aan het lachen, en wanneer ze lachte zag ze er fantastisch uit. Er moest alleen wat aan haar kapsel worden gedaan, en er was een beetje dure make-up nodig, meer niet, en dan zou Alice Raguzzi zich met al die Hollywood-lievelingen kunnen meten. Maar Alice was veel slimmer. Alice kende de straten en ze wist alles over mensen, en bij mensen – echte mensen zoals Harry Rose – vond je het echte leven.

Twee uur nadat Alice Raguzzi uit dat appartement aan St. Luke was vertrokken werd ze van haar driehonderd dollar beroofd. Degene die haar geld pakte, pakte ook het grootste deel van haar schoonheid, want hij sloeg haar met een stuk hout in het gezicht tot ze vrijwel onherkenbaar was. Ze zou nooit meer werken, dat wist ze, en een week later – nog steeds aan bed gekluisterd in het St. Mary Mercy Hospital op de hoek van Van Horne en Wiltsey – brak ze een spiegeltje en sneed haar polsen door. Ze werd twee uur later dood aangetroffen door Freddie Trebor, een ziekenbroeder. Freddie was een gokker; hij had van Harry Rose gehoord, en hoewel hij Alice had bezworen dat hij nooit de naam bekend zou maken die ze had genoemd toen ze werd opgenomen, werd hij door zo'n golf van ontzetting overspoeld door wat er was gebeurd dat hij Harry opzocht en hem vertelde wat Alice over haar aanvaller had gezegd. Hij gaf Harry een naam: Weber Olson. Harry kende Olson, hij had op de renbanen vaak met hem van doen gehad. Hij zei tegen Freddie Trebor dat hij alles wat hij had gezien en gehoord moest vergeten, en toen hij Freddie honderd dollar in de hand drukte, begreep Freddie precies wat hij vroeg, en Freddie zag iets in Harry Roses ogen wat beslist niet de uitdrukking van een zestienjarige kon zijn – en dat ook nooit kon zijn geweest. Freddie, zo zenuwachtig als de boekhouder van Capone, gaf hem zijn woord, zwoer op het doodsbed van zijn moeder, legde een gelofte af aan de Vader, de Zoon en de Heilige Geest dat hij nooit van Alice Rugazzi, Weber Olson of Harry Rose had gehoord, en vertrok met het hart in zijn keel uit het appartement aan St. Luke. Hij zei inderdaad helemaal niets, zelfs niet toen de politie een kleine week later navraag deed over de verdwijning van Weber Olson, en ook niet toen ze Olson met zijn afgesneden penis in zijn mond en zijn ogen in zijn jaszakken in een ongebruikt souterrain onder een flat in Young Street vonden. Freddie Trebor wist van niets, en twee maanden later trok hij uit Queens weg en ging naar Brooklyn voor het geval Harry Rose zich ooit zorgen zou maken dat Freddy een keer zijn mond voorbij zou praten.

Harry vertelde me later over die nacht, nadat we over een heleboel van dat soort dingen hadden gepraat en elkaar waren gaan vertrouwen. Hij vertelde me alsof hij het moest, alsof ik zijn biechtvader was en hij een zondaar. Ik nam hem gewillig de biecht af, en het feit dat we zoiets deelden maakte het belangrijk en bracht ons dichter bij elkaar.

'Ik vond hem in een bar,' had Harry gezegd. 'Ik vond hem in een bar in de bovenstad, zo'n opgefokte tent waar ze schalen pinda's en pretzels bij je drankje zetten. Hij zat daar alsof hij verdomme de sjah van Perzië was, en zodra ik hem met zijn dikke kont op die barkruk zag zitten, wist ik dat ik hem om zeep moest brengen. Het zou niet hebben uitgemaakt als hij verdomme de president van de Verenigde Staten was geweest. Ik zag zijn vette bakkes, en hoe hij met zijn mond wijd open en vol halfvermalen rotzooi zat te lachen, en meteen wist ik dat dat hoerenjong voor het einde van de nacht dood zou zijn.

Ik ging naar hem toe, nam de kruk naast hem en bleef daar een tijdje zitten zonder me met anderen te bemoeien. 'Een verrekt mooi polshorloge heb je daar,' zei ik tegen hem. 'Dat lijkt me een duur ding.' Die vette rotzak glimlachte alsof er een stuk van vijftig dollar op zijn lul zat te zuigen, en hij draaide zijn pols zo om dat ik de enorme gouden wijzerplaat kon zien, met op de plek van de twaalf een diamant. 'Zwitsers,' zei hij met zijn mond vol met god mag weten wat. 'Door en door vierentwintig karaats.' Ik wilde die hufter het liefst dat smakeloze, lelijke prul afpakken en ervoor zorgen dat hij het doorslikte. En er een schaal pretzels achteraan proppen en toekijken hoe die klootzak stikte. Maar ik bleef beleefd. Ik complimenteerde hem met zijn sieraad, en toen bood ik hem iets te drinken aan. Die vette kloot nam het aan, en daarna nog twee of drie, en voordat ik binnenkwam moet hij al een paar uur druk aan het werk zijn geweest, want tegen die tijd praatte hij alsof hij onder water zat, en ik wist dat ik hem naar buiten kon loodsen zonder dat er ook maar een wenkbrauw zou worden opgetrokken.

Ik vertelde hem dat ik een goeie tent op Young Street kende. 'Met mooie meiden,' zei ik. 'Verdomd mooie meiden... Heb je er wel eens van gehoord?' Die klootzak was straalbezopen. Hij liep gewoon als een jong hondje achter me aan, en ik liep samen met hem die bar uit, twee straten, tot aan Young Street. Het was laat, er waren al wat straatlantaarns uit en niemand zag ons... en verdomd: als dat wel zo was geweest, zouden ze er niks bij hebben gedacht. We waren gewoon twee dronken zakkenwassers die naar huis zwalkten, grapjes maakten, en het prima naar hun zin hadden. Halverwege de straat bleef ik boven aan een stenen trap staan die langs de zijkant van een gebouw omlaagliep, en vandaar uit naar de achterplaats. Olson wist bij god niet waar hij was, dus vertelde ik hem dat hij die trap af moest lopen. Ik liep achter hem aan, ik bleef de hele tijd achter hem, zodat hij geen schijn van kans had om te ontsnappen. Onderaan links zat een kapotte deur. Ik kwam achter die vette zak aan en gaf hem een verrekt harde duw. De deur begaf het onder zijn gewicht, en Olson viel languit in al die rattenstront en god weet wat nog meer voor zwijnenzooi. Hij was zo dronken dat hij nog steeds lachte, en ik liet hem lachen, ik deed met hem mee, en die vette moordlustige rotzak bleef maar lachen, net zo lang tot ik hem een allemachtig harde trap tegen de zijkant van zijn hoofd gaf. Ik voelde het door de neus van mijn schoen heen, ik voelde zijn tanden afbreken, en toen lag hij op handen en knieën moord en brand te schreeuwen. Hij brulde als een brandweersirene, en het bloed en de tanden spoten als een opengedraaide kraan schuimend uit zijn mond.

Ik moest hem de mond snoeren, dus tilde ik mijn voet op en stampte uit alle macht op zijn achterhoofd. Ik dacht even dat ik hem al hartstikke kapot had gemaakt, en ik ging op mijn knieën liggen en drukte mijn oor tegen zijn borstkas. Hij ademde nog steeds, en zijn hart denderde als een trein, en ik bedacht dat hij over een paar uur wel eens op kon staan en weglopen en naar mij op zoek gaan.

Ik nam aan dat hij me niet zou herkennen als hij me tegen het lijf liep, maar toen kreeg ik het idee om hem de ogen uit te steken. En zodra ik hem op zijn rug had, met mijn knieën op zijn borstkas en een hand om zijn keel, zodat hij zich niet kon bewegen... Zodra ik mijn mes tevoorschijn had gehaald en dat lemmet onder zijn oogbal stak en het voelde meegeven, bedacht ik dat hij hetzelfde moest ondergaan als wat hij Alice had aangedaan.

Twee, drie keer moest ik hem met het heft van mijn mes een knal tegen de zijkant van zijn kop geven. Die vette zak bleef maar worstelen en schreeuwen, maar ik stond op een gegeven moment op en gaf hem weer een trap tegen de kop, en toen lag hij stil, als een dooie, en ik maakte het zaakje af. En toen sneed ik zijn broek open, trok zijn onderbroek omlaag en hakte een tijdje op zijn kruis in tot zijn jongeheer eraf was en goddorie zo in mijn hand viel.

Daarna ging ik naast zijn lijk op de grond zitten. Ik keek naar mijn kleren, naar het bloed dat op mijn broekspijpen was gespat, en het was net alsof ik iemand anders was geworden. Ik keek naar die vette zak die daar lag te liggen en het was bijna alsof ik het iemand anders had zien doen. Alsof ik in een zwart gat was gevallen waar niks ook maar iets waard was, waar zelfs een mensenleven niks waard was, en dat hij al dood was toen ik uit dat gat kwam. Ik kon geen verband leggen tussen mij en wat ik had gedaan, en dat bleef zo een tijdje... maar niet erg lang. Dat was het eind van Weber Olson, en ik had het gedaan. Ik liet hem achter met zijn ogen in zijn zakken en zijn lul in zijn mond. Zo te zien zou hij nooit meer hoeren naaien... Zo te zien zou hij nooit meer wie dan ook naaien, die vette, nutteloze zak die voor geen meter deugde.'

En dat was dus Harry Rose, zestien jaar, die de bloeddoop had ondergaan en klaarstond om zijn stempel op de wereld te drukken.

De mensen kenden Harry Rose, en ze wisten dat een kind dat zoiets kon doen omwille van een goedkope slet die geen knip voor de neus waard was knettergek moest zijn of reusachtig loyaal. Hij had Olson uit principe vermoord. Niets meer of minder.

Het verhaal ging van mond tot mond, en iedereen die er wel iets in zag, nam via koeriers en consorten contact op met Harry. Harry Rose zat op de plek waar het grote geld was, waar de gokkers meer dan een paar duizend konden inzetten, die konden worden vastgehouden en drie keer bij drie verschillende gevechten konden meelopen, en nooit was er ook maar enige vertraging bij de uitbetaling. En dan waren er de pokerspelen – dikke, zwetende mannen met stinkstokken van een stuiver in rokerige achterkamertjes achter de bars en de clubs, waar het wedden bij tweehonderd begon en er geen limiet was. Al die dingen, en nog veel meer als iemand zin in een gokje had en er zijn leven voor over had. Dat deden ze dan ook, en Harry Rose liet hen, en zag hoe ze hun leven verspeelden terwijl ze de kaarten door hun handen lieten gaan, en hoewel hij altijd bereid was zijn schulden te betalen, was hij net zo nauwgezet bij het incasseren. En incasseren deed hij, handenvol smerig geld, gebruikte en schone biljetten, en hij zette nooit een cent op de bank maar bewaarde zijn verdiensten in dozen onder de vloerplanken in zijn kamers. Sommigen zeiden dat het duizenden moeten zijn geweest, anderen hebben het over miljoenen, maar alleen Harry kende de waarheid.

In september 1954 versloeg Rocky Marciano Edzard Charles voor de zevenenveertigste opeenvolgende keer. In oktober werd Harry zeventien, en op de avond van zijn verjaardag gaf hij een feest zoals maar zelden in Queens was vertoond. Het gerucht ging dat er meer dan tweehonderd mensen waren, en toen de politie er een eind aan maakte, vonden ze daar meer drank dan tijdens de Drooglegging, en ze arresteerden Harry Rose die te jong was en de alcoholwet had overtreden. Dat was Harry's eerste confrontatie met de wet, maar de wet luisterde, en begreep hem, en ze namen een handjevol dollars aan en lieten hem gaan. Ze brachten hem zelfs terug naar zijn appartement aan St. Luke en zeiden dat hij altijd kon bellen als er problemen waren. Harry zei dat hij dat zou doen, en hij leerde een goeie les: iedereen was een hoer. Iedereen was bereid een ander te naaien als het geld opleverde. Zolang de regels maar begrepen werden, was iedereen te koop. Terwijl andere knullen naar college gingen en allemaal tienen haalden, bezat Harry Rose – nog steeds met dat jeugdige, frisse gezicht – honderddertigduizend in contanten en hij sloot meer weddenschappen af dan alle bookmakers van Queens bij elkaar.

Tot aan het moment waarop een Italiaans lijnvliegtuig in december '54 neerstortte handelde hij vanuit Idlewild in sigaretten en zijden kousen. De bewaking werd als schoenveters aangesnoerd en Harry, die beter dan wie ook de regels begreep, maakte een eind aan de onderneming en opende een bar. Die ene bar werden er drie, en toen zes, daarna acht, en terwijl de naar dope smachtende feestvierders hun stevige stickies rookten en H en C door stijf opgerolde briefjes van tien opsnoven, terwijl de hoeren op het trottoir naar klanten hengelden, en terwijl de zuiplappen elkaar zoveel ontfutselden als ze maar konden, leefde Harry het grote leven.

Honest Harry Rose was De Man. Zijn naam telde. Hij zat altijd aan het einde van zakelijke onderhandelingen, en de zaken leken hem altijd te vinden.

Er werd gezegd dat er lichtjes in zijn ogen brandden die duivels leken. Maar de meeste mensen kletsten natuurlijk als een kip zonder kop. De waarheid was dat Harry een zakenman was, een geboren ondernemer. Als anderen een obstakel zagen, zag Harry er een stapsteen in naar iets hogers, groters, beters, en snellers. Naar mijn idee zag hij alles als een uitdaging, en één verhaaltje illustreert misschien precies hoe hij te werk ging.

Nadat Idlewild dicht was gegaan en nadat de wet echt geïnteresseerd was geraakt in alles wat daar probleemloos was binnengehaald en afgevoerd, had Harry ineens even zo weinig te doen als een botenbouwer in Texas. Helemaal niks dus. Een ander had dat misschien als een terugslag beschouwd, maar niet Harry Rose. 'De een zijn ongeluk is de ander zijn toeval,' zei hij altijd, en dan lachte hij en ontstak de duivel een vonkje in zijn ogen. Hij pakte al het geld dat hij had, liep met zijn zakken volgepropt de stad in en bleef bij de eerste de beste bar staan die hij op East 26th vond. Hij liep naar binnen alsof de tent al van hem was, vroeg de eigenaar te spreken, een inteelt Pools-Amerikaanse, slonzige goochemerd met een grote bek en een naam die uit allemaal z's en w's bestond.

'Ik heb een troep,' zei Harry Rose tegen hem. 'Een troep Ieren en Italianen, bij elkaar een stuk of dertig, en dan zijn er ook nog al die neven en nichten en broers en zussen als je die ook mee wilt tellen. Nou, mijn troep en ik hebben ons oog op jouw etablissementje laten vallen en we willen er een bod op doen.'

'Niet te koop,' zei de goochemerd.

Harry glimlachte, en misschien knipoogde hij er ook nog wel bij, en zei tegen die vent: 'Ik begrijp best dat het op dit moment niet te koop is, maar je moet me even laten uitpraten. Een goeie zakenman luistert altijd naar een voorstel, of hij er nou wel of niet om heeft gevraagd, snap je?'

De goochemerd knikte lachend, alsof hij het verschil wist tussen een zakenman en een platvis.

'Dus dit is mijn bod. Ik heb wat contanten op zak, een aardig bundeltje, en ik heb die dollars in stapeltjes van duizend bij elkaar gebonden.'

Harry stak zijn hand in zijn binnenzak en haalde er een vuistvol biljetten uit. Hij legde ze vlak voor de goochemerd op tafel.

'Dit is duizend dollar, en er mankeert niks aan dat geld, en nou gaan wij het volgende doen: we gaan hier zitten en ik leg er duizend bij, en dan nog eens, en wanneer jij denkt dat het genoeg is om deze tent te kunnen kopen maak je er een eind aan.'

Harry zweeg even om de goochemerd aan te kijken.

'Feit is wel dat ik er op een gegeven ogenblik mee ophou, en dan ga ik niet verder. Je weet niet hoeveel duizend ik op tafel ga leggen, en dat ga ik je ook niet vertellen. Als we op dat punt belanden en jij bent niet bereid te verkopen, ga ik gewoon weg. En dan komt mijn troep Ieren en Italianen vanavond, of misschien morgenavond, of over een week, en gaan ze een molotovfeestje vieren, en dan branden we deze tent plat met jou erin.'

De goochemerd begon te lachen. Hij stond op en stak zijn wijsvinger uit naar de tiener met het frisse gezicht, en hij bleef lachen en wijzen totdat Harry een .38 uit zijn zak haalde en die op de buik van de vent richtte.

'Dit,' zei Harry, 'is mijn vriendje Maurice. Maurice is een gemene kleine rotzak die gemakkelijk kwaad wordt en lood naar mensen gaat spugen die overal een geintje van maken. En nou ga je op je dikke kont zitten en speel je het spelletje mee, smerig, stinkend stuk ongeluk.'

De Poolse vent plofte als een zak cement neer en keek toe terwijl Harry Rose langzaam het tweede bundeltje bankbiljetten uit zijn jaszak haalde.

De goochemerd zat te kronkelen als een klem zittend varken. Nog voordat Harry bij de vijfduizend was, zweette hij al peentjes.

Het handeltje werd op zesduizend afgesloten. Zesduizend dollar voor de hele handel. Bar en stoelen en flessen en snookertafels, de jukebox, de koelkasten, de vriescellen en de plee. Zesduizend dollar.

De goochemerd gaf het op omdat hij dat duivelse licht in de ogen van de knul zag, omdat hij niet had geweten tot hoever de knul zou gaan, en hij er geen flauw benul van had dat er helemaal geen Ieren en Italianen zouden komen om zijn kroeg plat te branden.

Hij smeerde hem met zesduizend dollar en zijn leven, en dat was wat hem betrof het meeste wat hij eruit had kunnen halen. Bij wie had hij om hulp kunnen vragen? De politie? De maffia? Naar Polen bellen en zijn grote broer vragen om hier te komen en dat knulletje alle hoeken van de kamer te laten zien? Zo werkte dat niet, verdomme. Hij wist dat het hem zijn leven had kunnen kosten. Een bar kon je altijd weer beginnen, maar met je leven lag dat wel even anders.

Dat was nu precies wat Harry Roze zo bijzonder maakte: hij kon iedereen overbluffen, en wanneer hij je iets zei was er niks anders in zijn ogen te zien dan dat hij de waarheid en niks dan de waarheid sprak. Dat was zijn magie, daarom dacht iedereen dat hij eerlijk was, maar Honest Harry Rose was helemaal niet eerlijk. Honest Harry Rose kon leugens vertellen die de duivel konden doen blozen van schaamte.

Destijds, nog steeds in zijn tienerjaren en terwijl de hele wereld voor hem openlag, leek dat een zegen, maar later, toen er een heleboel bloederig water onder een hele bende brandende bruggen door was gestroomd, werd het misschien wel zijn noodlot.

9

S ullivan sloeg de laatste pagina om en leunde achterover. 'Jezus christus,' zei hij. 'Godallemachtig.'

Hij keek naar Annie. Ze keek met een lege, vage blik terug. 'Niet meer,' zei ze bijna fluisterend. 'Ik geloof niet dat ik op dit moment nog meer wil lezen.'

Sullivan knikte. 'Een andere keer,' antwoordde hij. Hij pakte het stapeltje papier, legde het recht en boven op de andere vellen die nog ongelezen waren.

'Wat een verhaal,' zei hij. 'Vanaf de geschiedenis van Polen en de bevrijding van Auschwitz naar Goodfellas.' Annie knikte fronsend en veranderde toen resoluut van onderwerp.

'Blijf,' zei ze. 'Blijf nog een tijdje, dan bestel ik Chinees en laat het bezorgen. Oké?'

Ze wachtte zijn antwoord niet af en liep naar de telefoon om eten te bestellen.

Ze was geschokt en vreselijk emotioneel. Ze was niet van streek door de gebeurtenissen in het verhaal, maar eerder door het feit dat ze nu stellig geloofde dat het verhaal over een bestaande man ging, een levend wezen, en dat hij in de eerste zestien of zeventien jaar van zijn leven meer had meegemaakt dan tien anderen samen. Later, toen ze de dozen met de restanten dichtdeed en ze in de koelkast zette, keek ze vanuit de keuken naar de duisternis achter het glas en ving haar eigen spiegelbeeld op. Net een geest, dacht ze. Ik zou hier mijn hele leven kunnen slijten en een van die anonieme New Yorkse doden kunnen worden van wie niemand weet dat ze dood zijn totdat de buren over de stank gaan klagen, en niemand zou zich er iets van aantrekken. Hoeveel mensen zouden naar mijn begrafenis komen? Sullivan, David Quinn misschien, John Damianka en zijn nieuwe vriendinnetje? En wat zou de priester zeggen? Dat ze een boekwinkel bezat. Dat ze een aardige vrouw was. Ze dacht er ooit over een zwerfkat te nemen, maar besloot toen toch maar van niet.

Annie schudde haar hoofd. Het was geen leven om trots op te zijn. Als ze eerlijk was, moest ze zeggen dat haar leven nooit veel om het lijf had gehad.

Sullivan bleef een tijdje praten – over onbenullige dingen – waarna hij haar welterusten wenste, al nodigde hij haar wel zoals altijd uit met hem mee te gaan en bij Kintyre's op Schaeffer en 105th een spelletje kaart te spelen en een drankje met zijn vrienden te drinken. Annie wees die uitnodiging altijd zonder erover na te denken van de hand, maar deze keer was haar weigering een bewuste keus. Ze wilde alleen zijn, en zat in de vertrouwde schaduwen en stilte van haar vierkamerappartement naar de wind te luisteren die vanaf de kust regen naar het westen bracht, regen die de stad met zijn eigen onbestemde patronen zou kleuren.

Ze dacht aan Robert Forrester, en aan Harry Rose; ze dacht aan David Quinn en Jack Sullivan; ze dacht aan Elena Kruszwica en Jozef Kolzac... en de een leek al net zo reëel als de ander, en allemaal leken ze een beetje reëler dan zijzelf – een verontrustende gedachte.

En toen dacht ze aan haar vader, aan de constructeur Frank O'Neill, een man die brieven schreef die gevoelens opriepen en herinneringen tot leven wekten, een man die haar het leven had geschonken en na zeven jaar uit beeld was verdwenen. Waarom? Waarom maar zo kort? En waarom had haar moeder haar zo weinig verteld over de man van wie ze zo hartstochtelijk had gehouden, de man die haar hart had gebroken? Dat waren nieuwe vragen, en daarmee kwamen als schaduwen nieuwe gevoelens: verdriet, verlies, hartzeer, nostalgie, passie, hoop. En verlangen? Verlangen om echt te leven? Verlangen om iets te voelen... of iemand?

Soms was ze er na aan toe geweest. Natuurlijk was dat wel voorgekomen. Ze was dertig, ze was niet helemaal een onbeschreven blad wat mannen betrof. Op de middelbare school was er Tom Parselle geweest, een studiehoofd, die haar gedichten had voorgelezen en zijn uiterste best had gedaan haar het hof te maken, maar Tom bezat niet de hartstocht of het lef haar te verleiden en met haar te slapen. Hun relatie had zeventien maanden geduurd, en ze hadden nooit zelfs maar het eerste honk bereikt.

Toen ze achttien was, met een hoofd vol literatuur, was ze ondersteboven geraakt van Ben Leonhardt, in elk opzicht de tegenpool van Tom. Ben was een buitenstaander geweest, eigenlijk net als zijzelf, en misschien had dat gevoel van isolement en individualiteit hen wel in elkaar aangetrokken. Zo had ze het zelf gevoeld: aangetrokken. Ben kwam uit een rijke, vooraanstaande familie; zijn vader was financier, zijn moeder was continu bezig met het organiseren van liefdadigheidsfeesten en themadiners, en Ben had zich heftig afgezet tegen de waarden en het dunne laagje vernis van zijn achtergrond. Binnen een week na hun eerste ontmoeting had hij haar verleid, met haar geslapen, haar stormenderhand veroverd; ze waren twee jaar bij elkaar gebleven, en toch had ze altijd het gevoel gehad dat er iets ontbrak. Dat vermoeden werd bevestigd toen Ben naar Harvard ging, halsoverkop in de diepe onderstroming was gestort van wat er van hem werd verwacht, en rechten ging studeren. Voorzover ze wist zat hij nu midden in het financiële district: pakken van Hugo Boss, stropdassen van Armani, overhemden van Brooks Brothers, alles op maat natuurlijk, handgemaakte kalfsleren instappers en weekends in de Hamptons.

Na Ben was er tot haar drieëntwintigste niemand meer geweest, en toen was Richard Lorentzen op een dag uit het niets komen opdagen en had hij haar ervan weten te overtuigen dat hij de ware was. Dat was hij niet, maar het kostte Annie bijna een heel jaar om die simpele maar onweerlegbare waarheid onder ogen te zien. Richard was gespannen als een strak opgewonden veer uit een Zwitsers horloge. Alles had betekenis, en hoewel ze eerst in zijn aandacht voor het detail had geloofd, bleken de eindeloze vragen, de schema's en agenda's en een scherpomlijnd organisatietalent meer met zijn eigen onzekerheid dan met iets anders van doen te hebben, en het drong al snel tot haar door dat Richard Lorentzen door jaloezie werd verteerd. Waar was ze geweest? Bij wie? Een vriendin? Hoe heette die dan? Wat hadden ze gedaan? Ze had het zo lang mogelijk uitgehouden, maar toen had ze hem gezegd dat ze haar leven wel beter kon besteden dan elk kwartier verslag te moeten uitbrengen. Als ze zo'n soort leven wilde, zou ze wel bij het leger gaan. Hij liet haar echter niet los, en vijf maanden lang achtervolgde hij haar, dook op in haar straat, kende haar routine op zijn duimpje en volgde die nauwgezet. Ze deed een poging haar schema te veranderen, op wisselende tijden weg te gaan, een andere route te zoeken. Uiteindelijk vertelde ze hem op de hoek van Columbus en West 99th dat als hij haar niet met rust liet, ze met de politie zou gaan praten. Hij liet haar met rust. Hij vond iemand anders. Ze zag hen een maand of zo later samen, en het arme meisje had de opgejaagde blik van een misbruikt kind. Het duurde twee jaar voor ze weer een relatie wilde hebben, ook om de gedachte van zich af te zetten dat alle mannen op een ondefinieerbare manier die zich onophoudelijk manifesteerde knettergek waren, en toen stortte ze zich met open ogen en een open hart in een relatie met Michael Duggan. Michael had een heleboel goeds en maar weinig kwaads. Hij was docent Engels aan Barnard, zodat ze meteen al iets gemeen hadden. Michael was schrijver, een goede, en hoewel zijn werk nog nooit was gepubliceerd en tot op de dag van vandaag nog nooit in druk was verschenen, geloofde ze stellig dat hij het op zekere dag zou maken. Hun relatie duurde nog geen jaar, en ook al geloofde Annie dat het niet aan haar had gelegen, en niet aan haar eigen falen, toch had Michael met zijn rusteloze geest geen weerstand kunnen bieden aan een van zijn studenten. Michael was drieëndertig; de studente – een brutale en ongewoon zelfverzekerde meid van negentien die Samantha Wheland heette – had Michael kennelijk gepijpt in zijn kantoor. Dat maakte ze tenminste op uit wat hij via een heleboel omwegen had proberen uit te leggen toen hij Annie de bons had gegeven.

Dat fiasco had Annie aan het denken gezet. Ze was zevenentwintig, haar moeder was al zeven jaar dood, en haar vader bijna twintig, en ze was opnieuw alleen. Ze had nooit seks met iemand gehad op de plek waar hij werkte, ze was nooit vreemdgegaan en had het nooit met iemand in een lift gedaan. Pijpen wel, en ze had het zelfs als de eerste de beste hoer op zijn hondjes gedaan, maar ze was altijd van mening geweest dat dit soort dingen uitsluitend werden gedaan met een vent die wat meer voor je betekende dan een vluggertje op zaterdagavond. Misschien was dát wel het probleem. Ze had misschien iets minder van het type 'licht uit' moeten zijn; wie weet of ze dan niet een van die mannen die uit haar leven waren verdwenen had weten vast te houden. Maar achteraf bezien zou ze zich blijven afvragen of een van die mannen ook maar goed genoeg was geweest, of er ook maar eentje in de buurt was gekomen van wat zij van een man verlangde. Behalve Michael waren ze allemaal mijlenver uit de buurt gebleven, en Michael had zijn ware gezicht getoond toen Samantha Wheland ten tonele was verschenen. En dan kinderen. Kinderen waren de crux, ja toch? Je wist toch pas of je echt van een man hield wanneer je de mogelijkheid overwoog kinderen van hem te hebben? Seks was er maar een deel van, al was het geen onbelangrijk deel, maar het was absoluut niet zo fantastisch of indringend als haar vriendinnen op college hadden beweerd.

Ze herinnerde zich avonden die ze met een paar van die vriendinnen had doorgebracht, en dat ze over filmsterren en hartenbrekers hadden gepraat – over Kevin Costner en Robert Redford en Jon Bon Jovi en consorten. Wat zij met hen zouden doen. Wat zij graag met hen zouden willen doen. Carrie-Ann Schaeffer had Annie gevraagd wie zij het liefst wilde, met wie zij graag een nacht zou willen doorbrengen, en Annie had – kalm en een tikje gereserveerd – gezegd: met Frank Sinatra. 'Maar die is... Die is toch oud?!' had Carrie-Ann schril uitgeroepen, en Annie had geglimlacht en gezegd dat ze met hem zou willen praten – alleen maar praten, verder niets. 'Alleen maar praten?' had Carrie-Ann met een vertrokken en verward gezicht gevraagd. 'Alleen maar praten,' had Annie geantwoord, niet meer en niet minder. 'Raar hoor,' had Carrie-Ann opgemerkt, en toen had ze tegen Grace Sonnenberg gezegd dat Antonio Banderas haar van achteren mocht nemen als hij dat per se wilde.

Opnieuw kwamen er beelden op van David Quinn, de woorden die hij in de leegte had losgelaten... een man die haar mooi vond. Een man die – misschien, heel misschien – het soort man kon zijn die ze als de vader van haar kinderen kon zien...

Kort voor middernacht kleedde ze zich uit en toen ze naakt in bed lag stelde ze zich voor dat er iemand naast haar lag – een naamloos wezen zonder gezicht; ze beeldde zich in dat iemand haar vasthield, haar aanraakte, haar misschien zelfs kuste. Ze deed haar ogen dicht en dacht aan Tom Parselle, aan Ben Leonhardt, aan Richard Lorentzen en Michael Duggan, en voor het eerst van haar leven geloofde ze dat de helft van de problemen wel eens bij haar had kunnen liggen. Ze hadden haar willen hebben, maar had zij hen net zo graag willen hebben? Waren de vragen van Richard Lorentzen voortgekomen uit jaloezie, zoals ze stellig had geweten, of had al dat gevraag op niets anders berust dan zijn behoefte iets terug te krijgen? Hij had alles gegeven, en zij was erin geslaagd hem op afstand te houden. Annie O'Neill deed haar ogen open. Ze wist dat ze niet zou kunnen slapen, stapte uit haar warme bed, liep op blote voeten naar de keuken en bleef daar even in de halfdonkere stilte staan. Ze trok de koelkast open en toen ze naar links keek, ving ze in de spiegel die op de muur naast de slaapkamerdeur hing haar naakte spiegelbeeld op. Ze draaide zich om en bekeek zichzelf; haar lichaam stond in het halfduister afgetekend; ze wist de aanvankelijke verlegenheid te overwinnen, bracht haar handen omhoog en trok haar haar achter haar hoofd bijeen. Ze keek naar haar gezicht, haar borsten, naar de hoek waarin haar ribben naar haar middel gingen, en naar het donkere driehoekje schaamhaar. Met haar rechterhand raakte ze om beurten haar borsten aan, en ze trok met gestrekte vingers kringetjes boven aan haar dijen. Ze rilde, deed haar ogen dicht en luisterde heel even alleen naar haar eigen ademhaling.

Annie deed haar ogen open, keek nog even naar haar spiegelbeeld, en deed toen de deur van de koelkast dicht. De keuken werd door de duisternis opgeslokt. Annie liet zich gewillig, stil en overspoeld door een gevoel van eenzaamheid dat al het andere uitwiste, in die duisternis wegzakken. Ze wilde nu het liefst van alles met David Quinn praten. Dat kon niet, zelfs al had ze het gedurfd, want ze wist niet hoe ze hem kon bereiken of waar ze hem kon vinden, en dat was misschien nog wel het eenzaamste van alles.

Ze slaakte een diepe zucht die haar alle kracht ontnam, liep terug naar bed en bleef een tijdje liggen luisteren naar de regen die door de stad spookte en alle geluid, alle kleur en alle beelden dempte. Er waren daar mensen – honderden, duizenden, miljoenen – en ze geloofde dat ze in wezen allemaal hetzelfde zochten: iemand die luisterde, iemand die hen begreep, iemand die het fijn vond dat ze echt bestonden. Want allemaal waren ze diep vanbinnen zo iemand, alleen leek niemand dat tegenwoordig nog op te merken.

Ze deed haar ogen dicht, viel in slaap en droomde niet.

Misschien had ze wel niets meer om over te dromen.

10

De winkel ging dinsdagochtend laat open en sloot vroeg. Woensdag regende het nog erger, en aan de horizon hing een onweersbui die New York met donderkoppen en duisternis bedreigde. Annie bleef thuis, trok een joggingbroek en een wijd T-shirt aan, en luisterde naar Sinatra en Barry White. Ze at het restantje Chinees van maandagavond, koude mie en kip onder een laagje citroenhoninggelei. Ze las ook wat, stukjes en beetjes uit een stapel boeken van Steinbeck en Hemingway, Francine Prose en Adriana Trigiani. Ze las gedichten van Walt Whitman en William Carlos Williams, en liep heen en weer tussen de keuken en haar slaapkamer. Vervolgens ging ze op zoek naar *Breathing Space* van Nathaniel Levitt. Ze trok met haar vingers de gegevens op de binnenkant van het schutblad na: *Gedrukt in 1836 door Hollister & Sons, Jersey City. Gebonden door Hoopers, Camden.* En daaronder – in hetzelfde handschrift van de brieven die Forrester had meegebracht: *Annie, voor wanneer de tijd daar is. Pap. 2 juni 1979.* Ze las het boek weer door, en hoewel ze het al minstens tien keer had gelezen, hadden het tempo en het ritme van het proza en de eenvoud van het verhaal iets wat haar meer raakte dan eerder het geval was geweest. Over een liefde die verloren ging en werd teruggewonnen. Zoals Sullivan altijd zei was het beter om te beminnen en die liefde te verliezen dan om nooit te beminnen. Ze hield het boek dicht bij haar gezicht en kon de ouderdom van de pagina's ruiken, het leer van het omslag op haar huid voelen, en ze wilde het liefst even huilen. Voor wanneer de tijd daar is... Wat had hij daarmee bedoeld? Welke tijd? En wanneer zou die komen?

Een paar keer kwam Sullivan even kijken; hij zag aan haar gezicht dat ze graag alleen wilde zijn en maakte met niet meer dan een glimlach en een knikje kenbaar dat hij er was wanneer ze hem nodig had. Dat was niet zo. Ze wilde een tijdje helemaal niemand. Ze wilde met rust worden gelaten, iets binnen in haarzelf vinden wat duidelijk zou maken waarom de afgelopen dertig jaar zo hol en onbetekenend leken te zijn geweest.

Donderdag ging ze weer naar de winkel, aan de vroege kant zelfs. Ze was er even na halfnegen, en toen ze koffiezette, haar jas uittrok en naar de toonbank liep, bleef ze midden tussen haar boeken staan, haar duizenden verfomfaaide boeken, en vroeg zich af of er echt nog iets anders bestond dan dit. Ze was gedesoriënteerd, ze voelde zich als een kind dat haar ouders in de drukte kwijt was geraakt, en toen David Quinn in de deuropening verscheen en zijn bekende silhouet in het licht bleef staan dat vanuit de straat naar binnen viel, wist ze bijna zeker dat ze haar hele leven nog nooit zo blij was geweest iemand te zien.

Ze kwam achter de toonbank vandaan. 'David?'

Hij kwam glimlachend naar haar toe. 'Alles in orde?' vroeg hij.

'Tuurlijk wel... Waarom vraag je dat?'

'Ik was gisteren hier en de winkel was dicht... Ik dacht dat je misschien ziek was.'

'Ik heb een dagje vrij genomen,' zei ze. 'Voor het eerst in jaren.'

'Maar gaat het goed?' vroeg hij opnieuw.

'Het is...' begon ze, en toen, zonder dat de gedachte kans kreeg zich in haar hoofd te vormen, en bijna alsof haar lippen ongewild de controle over haar woorden namen, voegde ze eraan toe: '... beter nu jij er bent.'

Hij had dezelfde kleren aan; dezelfde als de laatste keer, en de keer ervoor. Er ging iets troostends van zijn uiterlijk uit, van de uitdrukking op zijn gezicht toen hij naar haar toe kwam, en toen hij tegen de toonbank leunde en naar haar lachte wilde ze het liefst haar hand uitsteken en hem aanraken, als om zeker te weten dat hij er was, dat hij echt was.

'Neem nog een dagje vrij,' zei hij rustig. 'Laten we wat spullen gaan kopen, wat geld over de balk smijten. Ik heb sinds eind vorige week dezelfde kleren gedragen, en om eerlijk te zijn heb ik het grootste deel van mijn spullen nog niet eens uitgepakt.'

'Laten we dat dan gaan doen,' zei ze. 'Ik kan je helpen om je het gevoel te geven dat je er thuis bent.'

'In mijn appartement?' vroeg hij, een tikje verbaasd.

'Nee, in de supermarkt, David... Waar dacht jij dan, verdorie?'

'Wil je me komen helpen met uitpakken?'

Ze knikte. 'Ik wil je helpen... Ik wil iets anders doen dan hier de hele dag zitten wachten tot er iemand een boek komt kopen.'

David knikte traag. De gedachten vlogen zo snel door zijn hoofd dat hij ze niet te pakken kon krijgen, en toen keek hij op. Hij keek Annie recht aan en zei: 'Oké, laten we dat dan gaan doen... Waarom ook niet, verdorie?'

Ze draaide het bordje om en deed de deur op slot, waarna ze op de hoek van West 107th een taxi naar de andere kant van Morningside Park namen. Hij liep voor haar uit de straat af naar een hoger liggende ingang van een hoog zandstenen gebouw. Twee trappen op, de gang door, aan het eind rechtsaf naar de enige deur aan het eind van de gang.

'Thuis,' zei hij, en hij haalde zijn sleutels tevoorschijn. Hij deed de deur van het slot, stapte naar binnen en wachtte tot ze meekwam.

Annie liep langzaam naar binnen – met grote ogen, vermoedde ze – en hoewel ze opgewonden en vol verwachting was, was er ook haar aangeboren behoedzaamheid, dat gevoel van op eieren lopen dat zich in haar bewustzijn binnendrong. Wat deed ze hier? Ze kende die man amper. Een aardige vent of een seriemoordenaar? Charmant of levensgevaarlijk? Ze deed nog een stapje naar voren en zag de deur achter haar bijna in slowmotion dichtgaan. De grendel viel luid op zijn plaats, en dat deed haar vanbinnen opschrikken. Wat deed ze hier in godsnaam?

'Doe je jas uit,' zei hij. 'Dan ga ik koffiezetten.'

Ze stond in een groot, vrijwel leeg vertrek. Er stond maar één stoel bij de ramen, die tot aan het plafond reikten en de hele wand besloegen. Dit zou voor een kunstschilder de hemel op aarde zijn geweest. Het licht stroomde naar binnen en deed de hele ruimte baden in een sfeervolle gele gloed. Rechts tegen de muur aan de overkant stonden een stuk of wat dozen, ervoor lag een opgerold tapijt, en ernaast stonden een houten kast en een kleine koffer met de labels van de vliegmaatschappij er nog aan.

Het rook er een beetje muf, onbewoond. Ze liep door de kamer naar de ramen, bleef bij de stoel staan en keek omlaag. De boeken die hij bij haar had gekocht zaten nog steeds in de plastic zak die ze hem had gegeven, en toen ze zich bukte om die van dichterbij te bekijken, zag ze dat de kassabon er nog in zat. Hij had ze mee hierheen genomen en ze neergezet, en naar alle waarschijnlijkheid waren ze geen moment van hun plaats gekomen.

'Ik lees niet zoveel.'

Ze draaide zich abrupt om, opgeschrikt door Davids stem. Opnieuw werd ze door die vage angst bevangen.

'Ik wil lezen, ik ben steeds van plan te gaan lezen, maar op de een of andere manier kom ik er niet toe.' Hij liep met twee mokken in de hand haar kant op, zette ze op de vloer en stak zijn hand uit.

'Je jas?' zei hij.

Ze lachte een beetje verlegen, knikte, trok de jas uit en gaf die aan hem. Hij liep naar de andere kant en legde de jas boven op de dozen achter het kleed. Hij pakte een vouwstoel die naast de dozen stond, kwam naar haar terug en zette die neer.

'Ga zitten,' zei hij, en dat deed ze. Heel even was er iets van een spanning die nieuw voor haar was. Het was allemaal nieuw voor haar. Hier zat ze dan, met een man die ze nauwelijks kende, en er was iets zo heimelijks aan hem dat ze er zenuwachtig van werd.

'Deze spullen,' zei hij, wijzend naar de dozen tegen de muur, 'staan daar al vanaf dat ik ben verhuisd.' Hij keek naar rechts, naar een deur in de muur. 'Daarachter ligt de slaapkamer, de deur daarginds is van de badkamer, en de keuken is deze kant uit.' Hij gebaarde met zijn hoofd naar achteren, naar waar hij met de mokken vandaan was gekomen. 'Ik heb wat lakens uitgepakt, een quilt, mijn wekker, wat kleren, en daar eindigde het... De relatie die ik met mijn bezittingen heb, bedoel ik. Volgens mij heeft het iets met mijn hotelmentaliteit te maken.'

Annie keek hem fronsend aan. 'Je wat?'

Hij glimlachte. 'Mijn hotelmentaliteit. Ik heb zoveel tijd in hotels doorgebracht dat ik ben vergeten hoe ik voor mezelf moet zorgen.'

Annie pakte haar mok en nam een slokje. Het was sterke koffie – lekker. Ze snoof genietend de geur op en voelde de warmte in haar vingers trekken. Over de rand van de mok heen keek ze naar David Quinn, die zijn ogen over zijn lege woonruimte liet gaan.

Misschien, dacht ze, is deze man net zo eenzaam als ik, maar toch anders. 'Wanneer moet je weer aan het werk?' vroeg ze.

Hij haalde zijn schouders op. 'Ik zit op een oproep te wachten. Zodra ze bellen, moet ik weg. Dat kan overal naartoe zijn. Newfoundland, Alaska, ergens aan de kust van de Stille Oceaan. Het verst was naar Southampton in Engeland.'

'Ben je in Engeland geweest?'

'Niet zo lang,' zei hij.

'Hoe is het daar?'

'Goed... De mensen zijn aardig, anders.' Hij zweeg even, alsof hij zich beelden en geluiden voor de geest haalde. 'Het is er donker, bijna claustrofobisch, en het regent er vaak. Ze zijn taai, die Engelsen; het is echt een taai volk. Ze zijn verre van grillig of onbeduidend. Ze weten wat ze willen en ze hebben er alles voor over om dat te krijgen. Ze hebben doorzettingsvermogen, en ze accepteren geen gelul van buitenlanders.'

Annie lachte. Ze mocht deze man wel, deze David Quinn. Hij leek echt, pretentieloos. Hij leek het soort man die hardop zei wat hij dacht. Een man die op de waarheid gesteld was.

'Waarom ben je hiernaartoe verhuisd?' vroeg Annie. 'Waarom ben je niet in de East Village gebleven?'

David dronk schokschouderend zijn kop koffie leeg en zette die vervolgens op de vloer. Uit zijn jaszak haalde hij een pakje sigaretten, stak er een aan en gebruikte vervolgens de lege mok als asbak. 'Ik denk dat ik behoefte had aan verandering, maar ik ben te conservatief om tot het uiterste te gaan en naar een andere staat te verhuizen. Ik wilde in de buurt van

Central Park blijven, en op een dag nam ik een taxi deze kant uit, en dit gebouw leek een bepaalde sfeer uit te stralen, iets geleerds, iets wetenschappelijks, en dat sprak me aan. Waar ik ook keek, zag ik bistro's met studenten die brioches zaten te eten en cappuccino's dronken en Whitman en William Carlos Williams lazen...'

Annie keek op, getroffen door de coïncidentie van wat hij zojuist had gezegd.

'... en ik kreeg een vreemd gevoel... Alsof je jaren weg bent geweest en dan weer thuiskomt.'

'Heb je ooit eerder in deze buurt gewoond?'

David schudde zijn hoofd. 'Nee, altijd en eeuwig in de East Village.'

'Bevalt het je hier?'

'Ja,' zei hij. 'Het geeft me het gevoel dat ik iets beteken. De mensen kijken me aan en volgens mij denken ze dan dat ik docent aan Barnard ben, of dat ik een semester aan Columbia volg.'

'Heb je ooit overwogen weer naar school te gaan of iets anders te gaan doen?'

'Dat is inderdaad wel eens bij me opgekomen,' zei David, en hij klonk wat verbaasd, alsof hij niet goed begreep waarom iemand zoiets zou vragen. 'Ik heb er inderdaad over nagedacht, maar daar is het bij gebleven. Ik moet misschien een injectie met een beetje goed Engels bloed hebben.' Hij glimlachte en nam een trek van zijn sigaret, en een tijdlang hielden ze allebei hun mond.

Later, toen Annie weer alleen was, vroeg ze zich af waarom ze die stilte met een vraag had doorbroken. Ze had zich misschien niet helemaal op haar gemak gevoeld, of was zich bewust geworden van de enorme leegte om haar heen en had die met iets willen vullen. Ze wist de reden niet en zou misschien haar eigen motieven nooit begrijpen, maar de vraag werd gesteld.

'David?'

Hij keek haar aan.

'Ben jij wel eens eenzaam?'

Daar was weer dat warme, oprechte lachje, dat meer over hem zei dan woorden konden doen. 'Onophoudelijk,' zei hij kalm en bijna fluisterend.

'En waarom ga je dan niet uit en begeef je je niet onder de mensen? Hoe komt het dat je geen vriendin of zoiets hebt?'

'Zoiets?' vroeg hij. 'Wat voor iets zou dat dan moeten zijn?'

'Je weet wel wat ik bedoel,' zei Annie.

Hij knikte. 'Ik weet wat je bedoelt. Je met humor verdedigen, hè?'

'Nou, hoe komt dat?'

Hij haalde zijn schouders op. 'Angst?'

'Angst?' zei ze hem na.

'Ja, angst,' antwoordde hij. 'Misschien is bezorgdheid een beter woord, maar dat is eigenlijk hetzelfde als angst, vind je ook niet?'

'Angst waarvoor?'

'Angst voor het feit je er uiteindelijk beroerder aan toe zult zijn dan toen je niets had. Angst voor afwijzing, angst voor het verliezen van wat je zou kunnen vinden, angst voor de mening van anderen, angst voor ontdekking...'

'Ontdekking?'

'Dat iemand ontdekt dat je niet de ideale persoon bent die ze dachten dat je was... Dat je slechte dagen hebt, dat je vervelende gewoontes en eigenschappen bezit.'

'Maar die dingen horen er toch allemaal bij? Die geven juist inhoud aan een relatie of vriendschap.'

'Dat is helemaal waar,' zei hij, 'maar het zijn precies die dingen waarvoor je het bangst bent wanneer je je blindelings in een relatie stort.'

'Je zult er toch van uit moeten gaan dat degene met wie je een relatie hebt dezelfde twijfels heeft, hetzelfde voorbehoud, en dat het een kwestie van geven en nemen is.'

'Natuurlijk,' zei hij, 'maar die angsten zijn er altijd als je iets begint, toch? In die eerste dagen, in die eerste uren zelfs, wanneer er alleen maar gedachten door je hoofd spoken over wat de ander van jou kan denken.'

'Is dat niet een beetje egocentrisch?'

Hij schudde zijn hoofd. 'Dat geloof ik niet... Het heeft eerder te maken met de hoop dat iemand jou net zo aardig vindt als jij die ander, en de hoop dat je niet iets gaat zeggen of doen wat hen wegjaagt. We hebben allemaal onze eigen hebbelijkheden, en soms springen die zonder voorafgaande waarschuwing uit de band.'

'Volgens mij heb je ergens je vertrouwen in de mens verloren.'

Hij schudde weer zijn hoofd. 'Nee, ik denk dat we allemaal ergens bang zijn voor het onbekende, voor de onzekerheid wanneer je nieuwe mensen leert kennen, omdat je moet raden hoe ze zijn en of je ze al dan niet kunt vertrouwen.'

'Vertrouw jij de mensen niet?'

'Jij wel dan?' vroeg hij.

'Ik geloof van wel,' zei Annie.

'Geloof je dat?'

'Ja,' zei ze weer, 'ik geloof van wel.'

'Vertrouw je mij?'

Annie keek David Quinn recht in de ogen. 'Ik ken je niet goed genoeg om daar antwoord op te geven.'

'Dat is nu precies wat ik bedoel,' zei hij. 'Dat is nu precies waar ik het over heb. Dit zou wel eens het begin van een vriendschap kunnen worden, toch?'

Annie knikte. 'Dat zou kunnen.'

'Dus we trekken af en toe met elkaar op om elkaar te leren kennen, om vragen te stellen, om antwoord te krijgen... Niet alleen de woorden die worden gezegd, maar wat ze zouden kunnen betekenen, en daarna vellen we een oordeel. Je moet me toch een beetje hebben vertrouwd om voor te stellen met me mee naar mijn huis te gaan, ben je dat met me eens?'

'Daar ben ik het mee eens,' zei Annie.

'Je moet me dus vertrouwd hebben.'

'Oké,' zei ze. 'Ik vertrouw je.'

'In hoeverre?'

'In hoeverre ik je vertrouw? Dat weet ik niet... Hoe kun je zoiets afmeten?'

David leunde achterover. 'Zou je een experimentje willen doen?'

'Wat voor experiment?'

'Een experiment om jouw vertrouwen af te meten.'

Annie fronste haar voorhoofd.

David stond op, liep naar de andere kant van de kamer en verdween door de deur naar de slaapkamer. Even later kwam hij met een sjaal in de hand terug.

'Leun achterover,' zei hij. 'Ontspan je en doe je ogen dicht.'

Annie ging onbehaaglijk verzitten.

David boog zich naar haar toe en keek haar strak aan. 'Vertrouw me,' zei hij.

'O, je bent dus arts, hè?'

Hij lachte. 'Je beleefdheid komt in het gedrang, Annie O'Neill.'

Ze leunde achterover, deed haar ogen dicht en begreep absoluut niet wat ze aan het doen was en waarom.

David ging achter haar staan, streek het haar van haar voorhoofd, legde de sjaal over haar ogen en knoopte die aan de achterkant luchtig dicht.

'Wat doe je nou?' vroeg Annie.

'Ik blinddoek je,' zei David Quinn, en toen voelde Annie zijn handen op haar schouders. Ze verstijfde, en vanbinnen schreeuwde ze tegen zichzelf: wat doe je nou, verdomme? Wat wordt hier voor rottig spelletje gespeeld?

'Moet dit het experiment verbeelden?' vroeg ze, en ze kon zelf de verwarring en vrees in haar eigen stem horen. Ze wilde het liefst de sjaal van haar gezicht trekken, maar hij had haar op zo'n simpele manier in zijn spelletje weten te vangen dat ze er toch mee wilde doorgaan.

Als hij je nu eens vermoordt? Veronderstel eens dat hij echt een verknipte sociopaat is? Wie weet dat je hier bent? Weet iemand eigenlijk wel waar je bent?

'Je moet een minuut lang blijven zitten,' zei David. 'Ik neem de tijd op, precies een minuut, en in die tijd mag je je niet bewegen en geen woord zeggen, oké?'

'En wat ga jij doen?' vroeg ze.

'Dat zeg ik niet.'

'Dat zeg je niet?'

'Nee, dat zeg ik niet... Je zult me moeten vertrouwen. Oké?'

Annie was even stil.

'Oké?' vroeg hij nog eens.

Ze knikte. 'Oké.'

'Dan gaat die minuut nu in,' zei hij. 'Drie, twee, een, nu.'

Annie wilde zich meteen bewegen, maar ze deed het niet. Ze bleef dood-stil zitten, alle spieren strak gespannen. Ze probeerde te begrijpen wat haar had bezield om überhaupt voor te stellen met hem mee naar huis te gaan, en wat haar er in godsnaam toe had bewogen dit belachelijke spelle-tje mee te spelen.

En toen dacht ze aan David. Ze wist dat hij achter haar had gestaan toen hij die sjaal vastbond, maar waar was hij nu?

Stond hij nog steeds achter haar, of was hij ergens anders?

Een paar seconden lang hield ze haar adem in in de hoop dat ze zijn adem-haling zou horen en op die manier zou kunnen vaststellen waar hij was, maar er was niets, alleen de lege uitgestrektheid van het vertrek en de ze-kerheid dat ze bij het raam zat. Alleen, in het appartement van een onbe-kende, geblinddoekt...

Er moest toch al een minuut zijn verstreken, dacht ze. Wat doet hij nu? En waar is hij eigenlijk?

Ze draaide haar hoofd opzij en probeerde het verschil in licht tussen het raam en de muren te onderscheiden. Ze kon geen barst zien. Het was stik-donker.

Hoeveel seconden zijn er nog te gaan, vroeg ze zich af, maar ze had geen flauw idee. Ze had kunnen gaan tellen toen hij haar die blinddoek had omgebonden. Verdorie, waarom heb ik dat niet eerder bedacht?

Er was misschien al een minuut verstreken, misschien zelfs wel twee, en hij liet haar hier in de stilte zitten om haar zenuwachtig te maken.

Ze glimlachte. Dat zou hij nooit doen... toch? Hoe kon ze daar nu verdo-rie zo zeker van zijn? Dit ging te ver; dit ging goddorie veel te ver!

Ze wilde iets zeggen, wat dan ook. Ze begon haar lippen te bewegen, maar hield er toen weer mee op. Als het nou eens niet meer dan een huiskamer-spelletje bleek te zijn? Als er nog maar een halve minuut voorbij was, en zij gaf het nu al op? Was dit soms een manier om haar vastberadenheid op de proef te stellen? Of had David een andere reden dan wat hij haar had ver-teld?

Ze kon er niets aan doen dat de spanning zich in haar borst opbouwde tot ze nauwelijks meer lucht kreeg. Ze wilde schreeuwen, ze wilde iets zeggen, ze wilde iets horen... wat dan ook.

'Da... David?'

Ze hoorde het geluid van haar eigen stem, de stem van een verdwaald en bang kind. En dat was het enige wat ze hoorde.

'David?'

Hoorde ze daar iets?

Ze hield haar hoofd iets naar rechts en voelde de blinddoek trekken.

Hoorde ze daar ademhalen?

Was hij dichterbij gekomen... Kwam hij op haar af?

Toen werd ze kwaad, en werd ze beslopen door het gevoel dat ze mis-bruikt werd en belachelijk werd gemaakt. Maar er was ook nog steeds dat knagende gevoel van onbehagen dat langs haar rug omhoog leek te kruipen en zich onder aan haar nek leek te nestelen.

'David!' snauwde ze.

Opnieuw was er stilte, niets wat er ook maar enigszins op wees waar hij was. Als hij er al was.

Het prikte als een handjevol spelden, maar het was koud, en het ver-plaatste zich voortdurend, waardoor haar huid naar boven leek te kruipen. Ze voelde de spieren in haar schouders en haar nek verstijven, en ze merkte dat ze misselijk werd.

'David!' snauwde ze nog eens, maar de angst was in haar stem te horen.

'David... Waar ben je verdorie?'

Stilte.

Ondoordringbare, duistere stilte.

Ze stak haar hand op en rukte de sjaal weg.

David Quinn zat tegenover haar, precies waar hij had gezeten toen ze met elkaar hadden gepraat.

'Zevenendertig seconden,' zei hij met zijn ogen nog steeds op zijn pols-horloge.

'Dat bestaat niet!' zei ze. 'Het bestaat niet dat het maar zevenendertig seconden waren.'

'Precies zevenendertig,' zei hij.

Ze verfrommelde de sjaal en smeet hem op de grond.

'Wat dacht je?' vroeg hij.

Ze schudde haar hoofd. 'Niks bijzonders...'

'Vertel,' zei hij. 'Dat hoort bij het spelletje... Je moet me vertellen wat er in je hoofd omging.'

'Ik weet het niet, antwoordde ze, ineens een tikje gegeneerd.

'Was je bang?'

'Ik was bang,' gaf ze toe.

'Waarvoor?'

'Voor wat jij me kon aandoen.'

'Dat ik je zou wurgen of je ineens met een mes in je borst zou steken?'

'Zoiets... Wel verdorie David, ik vind dit niet leuk, het is niet grappig.'

David glimlachte. 'Het spijt me...'

'Dat wordt een gewoonte,' zei ze.

'Wat?'

'Dat je je verontschuldigt.'

Hij knikte. 'Je hebt gelijk, het was niet eerlijk. Het was cru om je op die manier iets duidelijk te willen maken.'

'En wat mag dat dan wel zijn?'

'Dat we allemaal het ergste verwachten,' zei hij. 'Het heeft er alle schijn van dat de mens altijd het ergste verwacht. Ik denk dat het door de media, de films, en de tv komt... dat we gaan geloven dat om elk donker hoekje iemand met kwade bedoelingen op de loer kan liggen.'

Annie fronste haar voorhoofd.

'Hoe oud ben je?' vroeg David. 'Zevenentwintig, achtentwintig?'

'Dertig,' zei Annie, blij dat hij haar iets jonger had geschat.

'Heb je altijd in New York gewoond?'

'Ja,' zei ze.

'Dus dertig jaar New York, een stad die volgens zeggen een van de gevaarlijkste steden ter wereld is, toch?'

Annie knikte.

'En hoe vaak ben jij in de afgelopen dertig jaar zelf getuige geweest van geweld, van iemand die werd vermoord, of iemand die werd overvallen?'

Annie dacht even na en begon toen te lachen.

'Wat lach je nou?' vroeg David, met haar meelachend.

'Vroeger, toen ik nog jonger was, nog een tiener, een jaar of vijftien, zestien, liepen mijn moeder en ik een keer door Central Park en daar zat een knul gitaar te spelen. Hij bemoeide zich alleen met zijn eigen zaken, speelde gitaar en zong wat liedjes, en de mensen bleven even staan luisteren en gooiden kleingeld in zijn gitaarkoffer. Ineens komt er een andere vent aan, een vent in een driedelig pak nota bene, en

hij grijpt die gitaar van die knul af en begint hem ermee af te ranselen.'
Annie zag het weer voor zich en begon te lachen; ze kon er niks aan doen. Een vent in een driedelig pak die een arme zwerver met zijn eigen gitaar te lijf ging.

David lachte ook.

'Dus die vent blijft die knul maar met de gitaar slaan, en elke keer dat hij raak slaat hoor je de snaren. *Woe-aaang! Woe-aaang!*'

Annie begon nog harder te lachen, enigszins onbeheerst, en het duurde maar even voordat David Quinn en zij de slappe lach hadden en de tranen over hun gezicht stroomden.

'En toen?' vroeg David uiteindelijk.

'Die arme knul neemt gewoon de benen, en laat zijn jas, zijn geld en zijn gitaar achter, en die vent in het driedelige pak laat de gitaar gewoon op de grond vallen, trekt zijn vest en zijn colbertje recht en loopt ook weg. Hij loopt langs ons heen, mijn moeder kijkt hem geschokt aan, en die vent draait zich naar haar om en zegt: "Naar de hel met de Beatles!", en dan loopt hij gewoon het pad af en verdwijnt uit het zicht.'

'Naar de hel met de Beatles?' vroeg David.

'"Naar de hel met de Beatles", dat zei hij.'

Annie moest nog steeds lachen, maar kwam toen wat tot bedaren, keek vervolgens op naar David en dacht dat er misschien toch niets was om bang voor te zijn, niets dan wat ze zichzelf had verbeeld.

'En dat is alles wat je uit de eerste hand aan geweld hebt meegemaakt?' vroeg David.

Ze knikte. 'Dat klopt.'

'Niet zo verrekte veel als je bedenkt dat dit een van de gevaarlijkste steden ter wereld is, toch?'

Ze haalde haar schouders op. 'Dat zal wel niet.'

'Snap je nu wat ik bedoel? We zijn voornamelijk bang voor wat we vrezen, voor wat er volgens ons zou kunnen gebeuren als we echt diep in het duister kijken.'

Annie sloeg David gade terwijl hij zat te praten. Hij praatte tegen háár, niet tegen zichzelf, zoals zoveel mannen deden. Hij sprak niet zo hartstochtelijk omdat hij van mening was dat hij iets belangrijks te vertellen had, en ook niet omdat hij zichzelf graag hoorde praten. Hij sprak over iets waarin hij geloofde, en er waren tegenwoordig nog maar zo weinig mensen die sterk in iets geloofden wat ze het op de een of andere manier bewonderenswaardig vond.

'Dus wat jij dacht dat ik zou kunnen doen terwijl jij geblinddoekt was...' begon David.

'Zat drie centimeter achter mijn voorhoofd, hè?' onderbrak Annie hem. David knikte. 'Precies.'

Ze keek hem aan, keek naar het intens gespannen gezicht, en in de stilte die zich ontvouwde voelde ze de spanning om hem heen, maar waar ze eerder verwarring en vrees had gevoeld, was er nu iets merkwaardigs... iets onmiskenbaar seksueels?

Ze voelde dat ze een kleur kreeg.

'Gaat het?' vroeg hij.

'Prima,' zei ze. 'Ik heb het alleen een beetje warm.'

'Doe je trui dan uit.'

Annie probeerde zich te herinneren wat ze er ook weer onder droeg. Een T-shirt? Een blouse? Nee, een T-shirt, een katoenen T-shirt met lange mouwen, maar terwijl ze haar trui over haar hoofd trok, kon ze zich alleen maar afvragen of het wel schoon was.

Ze had de trui uit, vouwde hem netjes op en legde hem op de grond. Ze keek omlaag, trok haar T-shirt recht en controleerde meteen of ze er fatsoenlijk uitzag.

'Wil je nog een kop koffie?' vroeg David.

Ze schudde haar hoofd. 'Nee, dank je.'

Opnieuw vielen ze even stil, en ze doorbrak die stilte door te vragen: 'Goed, wanneer gaan we je spullen nu uitpakken? Gaan we dat eigenlijk wel doen?'

David glimlachte. 'Wil je dat graag?'

Ze lachte terug. 'Nee, niet echt.'

Hij boog zich wat naar haar toe. 'Wat wil je dan wél doen, Annie O'Neill?'

Ze voelde zich weer blozen en schudde haar hoofd.

'Vertel het maar,' drong hij aan. 'Wat zou je op dit moment echt graag doen?'

Ze keek hem weer aan. 'Ik zou willen... Ik zou willen dat jij...'

'Wat doe? Wat wil je dat ik doe?'

'Ik wil dat je me kust, David Quinn. Dat wil ik.'

Hij sloot heel even zijn ogen, een fractie van een seconde, niet meer, maar in die korte tijd bonkten alle gedachten en gevoelens, alle emoties en verlangens, alles wat ze ooit had ervaren, als een goederentrein door haar lijf. Hij stond op, liet zich met open ogen op zijn knieën zakken en stak zijn rechterhand uit om haar gezicht aan te raken.

Annie deed haar ogen dicht. Ze zuchtte. Menselijk contact.

Ze voelde de warmte van zijn huid, de druk van zijn vingers tegen haar wang, en toen bewoog zijn hand zich teder langs de zijkant van haar gezicht en over haar oor. Zijn vingers gleden in haar haar, en ze voelde een heel lichte druk toen hij haar langzaam naar voren trok. Ze hield haar ogen dicht, maar ze voelde zijn gezicht dichterbij komen, en toen raakte het puntje van zijn neus haar wang, en heel even was het alsof hij haar inademde, alsof hij haar met huid en haar inademde. Ze kon hem ruiken, een mengeling van leer en sigarettenrook, en daaronder iets warms en aangenaams en muskusachtigs.

Zijn lippen gleden over de hare, en ze huiverde. Om de een of andere reden wilde ze huilen, maar toen voelde ze de druk van zijn mond op de hare. Eerst verzette ze zich een beetje, weifelde, maar toen ontspande ze zich, opende haar mond een fractie en voelde het puntje van zijn tong langs haar onderlip glijden. Ze deed haar mond nog iets verder open, en toen voelde ze hem dicht tegen zich aan, haar borsten tegen zijn borst drukken, en daarna zijn linkerhand om haar middel. Ze voelde zich in zoiets overweldigends opgenomen dat ze gemakkelijk had kunnen vergeten adem te halen.

Ze kuste hem. Ze kuste David Quinn, haar tong vond de zijne, haar mond gaf mee, en hij kuste haar zo teder en gevoelig, en toch ook hartstochtelijk, dat ze het idee had dat ze volkomen uit evenwicht dreigde te raken en op de hardhouten vloer zou vallen. Maar hij lag daar al, op zijn knieën onder haar, en ze hief haar handen en sloot ze om zijn gezicht, trok hem naar zich toe, zo stevig als ze kon, en toen ze van de stoel op haar knieën gleed, was het alsof alles ineens vertraagd werd. De geluiden, de geuren, de kleuren achter haar gesloten oogleden... en ze kon zich niet herinneren dat ze zich ooit zo dicht bij iemand had gevoeld.

Uiteindelijk, en tegen haar zin in, liet hij haar los. Hij leunde achterover, en ze stelde zich voor dat zij aan de andere kant van de kamer zou staan en naar die twee mensen keek die daar op hun knieën lagen, de ogen open, de monden stil, terwijl ze naar elkaar keken en niet wisten wat ze moesten zeggen.

Uiteindelijk zei zij iets.

'Dank je.'

Hij glimlachte, trok haar tegen zich aan, en in een stilte die eeuwig duurde hield hij haar gewoon vast.

Annie O'Neill geloofde dat ze zich nog nooit van haar leven zo veilig had gevoeld.

II

*L*ater, toen ze weer alleen was, kon ze niet begrijpen dat de daaropvolgende twee of drie uur zo snel waren verstreken. Ze hadden
gepraat – dat wist ze nog wel – maar toen ze in haar eigen appartement in bad lag, het warme water haar omsloot en haar een gevoel van
veiligheid gaf, kon ze zich niet herinneren welke woorden ze hadden gebruikt, of welke onderwerpen ze hadden besproken, of hoe de minuten
waren verstreken. Hij had haar niet verder onder druk gezet, hij had
haar niet kalm mee naar zijn slaapkamer genomen, en hoewel ze gewillig
en zonder verzet met hem mee zou zijn gegaan, had ze ook het gevoel dat
het ergens goed was dat hij haar verzoek om een kus had ingewilligd en het
daarbij had gelaten. Hij had een simpele wens van haar vervuld, en daarvoor was ze hem dankbaar.

Als Sullivan thuis was geweest, zou ze hem misschien over het verloop van
haar dag hebben verteld. Dat ze met David Quinn naar zijn appartement
was gegaan, dat hij haar had gezoend. Maar Sullivan was uit, en dat was
ergens een opluchting. Sommige zaken kon je misschien maar beter
voor jezelf houden.

Toen het tijd werd om bij David weg te gaan, had hij met zijn mobieltje
een taxi gebeld. Hij was met haar de straat uit gelopen, was even blijven
staan om haar zonder iets te zeggen aan te kijken, had vervolgens het portier van de taxi geopend en dat achter haar gesloten. Ze zag hem in de bui-
tenspiegel op het trottoir staan en had weerstand geboden aan de verleiding om te kijken, hem na te kijken tot hij uit het zicht was – en hij was
geduldig blijven staan totdat de taxi de hoek omsloeg, en toen had ze zich
zuchtend tegen de rugleuning laten zakken.

Bij thuiskomst was het donker, het was even na achten, en ze liet meteen
het bad vollopen en kleedde zich uit. Ze bond haar haar naar achteren en
keek een tijdje in de spiegel boven de wastafel naar haar gezicht. Ze voelde
zich naakt, niet alleen ongekleed, maar echt naakt! Haar gezicht, haar
ogen, haar neus, haar mond – alles was zo gemakkelijk te lezen. Niet alleen de details van de afgelopen twee uur – haar verlangens, haar wensen,
haar angsten en het gevoel dat ze zich op het randje van iets onbestemds
had begeven, in een diepe kloof had gekeken en toen langzaam naar ach-

teren was gestapt... Nee, haar hele leven leek een open boek te zijn. Had David dat bedoeld toen hij het over de angst voor ontdekking had? Hij had iets in haar ontdekt, en om eerlijk te zijn had zij ook iets in zichzelf ontdekt: ze was eenzaam, ze snakte naar iets, en op het moment dat hij zijn hand had uitgestoken en contact had gemaakt, had ze meer van zichzelf gegeven dan ze voorzover zij zich herinnerde in tien jaar had gedaan. Ze had zichzelf versteld doen staan door haar openheid, door haar bereidheid zich te laten leiden, maar alleen tot een bepaalde grens: tot aan de rand, en dan weer terug. Verleiding en hartstocht waren opgeborreld, maar ze had een stil voorbehoud weten vast te houden waardoor ze niet meer dan een bepaald aantal stappen kon zetten voordat ze met ingehouden adem het moment beoordeelde en dan terugstapte. Was dit liefde? Was het dan toch waar dat zij opsteeg naar de liefde?

Ze moest om dat idee glimlachen, en keek naar de kraaienpootjes en lachrimpeltjes om haar ogen en mond toen de uitdrukking op haar gezicht veranderde, en ze wilde maar dat haar vader er was.

Hoe gaat het, Annie?

Het gaat goed, pap... Hoe gaat het met jou?

Ach, weet je, ik mag niet mopperen. Maar laten we het over jou hebben... Hoe was je dag?

Ik heb een man leren kennen, pap, een man voor wie ik zou kunnen vallen.

Echt waar? Vertel me eens wat over hem.

Wat valt er te vertellen...? Hij is hartstochtelijk, intelligent, gevoelig denk ik ook, maar zijn ogen hebben iets wat me zegt dat je hem niet kwaad moet maken.

Zulke mensen heb ik ook gekend.

Vertel eens, pap... Vertel me wat over je leven, over wat je deed, wat je was, en waarom je zo plotseling bent weggegaan.

Dat kan ik niet, lieverd... Ik wilde dat ik het kon, maar ik kan het niet.

Waarom niet?

Vanwege de regels, schat, vanwege de regels.

Regels? Wat voor regels?

De doden vertellen nooit iets over de doden... Zo simpel is het.

Annie O'Neill zag haar glimlach vervagen. Ze keerde zich om en draaide de badkranen dicht. Ze deed haar badjas uit en liet zich in het water zakken. Ze leunde achterover en sloot haar ogen, maar hoe ze ook haar best deed, ze zag almaar het gezicht van David Quinn. Vanachter haar oogleden keek hij haar aan. Zijn glimlach. De manier waarop hij zijn nek masseerde. En ze kon hem ruiken toen hij dichterbij kwam – de muskusgeur, de koffie, de tabak, allemaal verpakt in een warme wolk mannelijkheid. En nog iets anders: een stille vleug angst misschien, de vraag wat zijn motieven en zijn bedoelingen met haar waren. Wat wilde hij?

Annie zuchtte. Het was diep water. Ze wilde daar blijven. Ze zette die gedachten schokschouderend van zich af. Het waren gedachten zonder enige substantie. Ze zou zichzelf er deze keer niet uit praten. Deze keer zou ze voorwaarts gaan, en als David Quinn verkoos met haar mee te lopen, nou, goed dan. Ze voelde zich veilig, beschut. Er was iemand die haar wilde!

Ze bleef net zo lang liggen tot ze genoeg honger kreeg om uit bad te stappen en naar de keuken te gaan. Ze droogde zich af en wikkelde een handdoek om haar haar. Ze trok een broekje aan en voor de rest naakt liep ze naar de keuken, begon een salade klaar te maken, zette de oven aan om een stokbrood op te warmen, en pakte kaas en ham uit de koelkast.

Ze stond naast het aanrecht met het raam rechts van haar toen ze vanuit haar ooghoek iets opving. Ze keek naar buiten en zag licht branden op de etage tegenover de hare. Daar had wekenlang geen licht gebrand. Het appartement was door een projectontwikkelaar die het hele blok had opgekocht en de etages een voor een wilde renoveren voor werkzaamheden ontruimd. Misschien waren ze er al mee begonnen. Maar zo laat nog?

Nieuwsgierig geworden keek ze wat aandachtiger, en ze zag iemand, een man, maar vanaf die afstand was hij nauwelijks te onderscheiden. Hij keek niet haar kant op, zijn aandacht was gericht op wat hij aan het doen was, en even bleef Annie staan kijken en was haar hele naakte bovenlijf zichtbaar. Haar aandacht werd even afgeleid – door een gedachte of zo – en ze wendde haar blik af, maar toen keek ze weer naar de bovenste ramen van het blok tegenover het hare.

De man was blijven staan.

Hij stond bij het raam.

Hij keek naar haar.

Zijn blik was op haar gericht.

Hij ging iets naar links en veegde met de rug van zijn hand zijn voorhoofd af. Annie kon gewoon voelen dat hij met toegeknepen ogen naar haar keek. Misschien kon hij niet geloven wat hij zag. Er stond op nog geen vijftig meter bij hem vandaan een naakte vrouw, en ze bewoog zich niet eens.

Annie, die zich ineens bewust werd van haar naaktheid, werd knalrood en geneerde zich dood. Ze stapte naar links, deed drie stapjes terug en knipte het licht uit. Ze liep snel naar de slaapkamer, bijna niet in staat de vernedering te verdragen, trok een trui en een broek aan, rukte de handdoek van haar hoofd, klemde die tegen haar borst en bleef even doodstil staan. Ze haalde zwaar adem, en de kleur van schaamte trok nu pas langzaam weg. Waar had ze met haar gedachten gezeten? Wat had ze gedaan? Vol angst liep ze terug naar de keuken en bleef rechts van het raam staan. Ze keek behoedzaam naar buiten, ervan overtuigd dat de man haar niet kon zien, en tuurde door het raam aan de overkant naar binnen. Hij was er nog steeds. Schudde hij nu net zijn hoofd? Kon hij zijn geluk niet geloven, of dacht hij dat hij had gehallucineerd?

Annie kromp weer ineen en deed een stapje terug, maar vervolgens bleef ze staan. Voelde ze zich echt zo vernederd? Was ze in werkelijkheid heimelijk een exhibitionist? Ze moest er zelf om lachen, en overwoog Sullivan alles te vertellen – over haar rendez-vous met David, dat ze naakt voor het keukenraam had gestaan en de een of andere vent even wat opwinding had bezorgd. En wat zou Sullivan dan zeggen?

Ga ervoor, lieverd... Ik heb je altijd al gezegd dat je een beetje losser moet worden.

En dan zou hij schor lachen en met het idee komen om een baantje te vragen bij degene die aan de overkant aan het werk was.

Annie deed de deur van de koelkast open, liet die op een kier staan, bereidde de rest van haar maaltijd in het zwakke licht van de koelkast, en nam haar eten mee naar de voorkamer.

Ze ging aan tafel zitten, de tafel waaraan ze voorzover ze zich kon herinneren alleen met Jack Sullivan had gezeten, en vroeg zich af of ze David Quinn kon uitnodigen hier op bezoek te komen. Wilde ze deze man wel in haar leven? Was hij de ware?

Kon hij echt de ware zijn?

En wat zou hij hebben gedacht als zij hem vertelde dat ze met haar blote borsten voor een vent aan de overkant van de straat had lopen pronken? Ze lachte inwendig, at haar salade en constateerde dat het haar eerlijk gezegd geen barst kon schelen.

Een uurtje later of zo hoorde ze een heel zacht klopje op haar deur. Ze stond op en liep ernaartoe om open te doen, maar voordat ze de knop had kunnen pakken draaide die al om. Sullivan verscheen met een rood aangelopen gezicht op de drempel en bleef even zwijgend staan.

'Alles oké?' vroeg hij toen.

'Tuurlijk,' zei Annie, en ze overwoog nog eens hem te vertellen dat ze naakt voor het raam had gestaan en dat een vent aan de overkant het had gezien. 'Behoefte aan gezelschap?'

Annie knikte. 'Altijd, Jack... Kom binnen.'

'Ik wilde tv gaan kijken, maar toen bedacht ik dat we misschien de rest konden gaan lezen van wat die oude vent heeft gebracht. Je weet wel, het tweede deel.'

Annie aarzelde. De tijd die ze met David had doorgebracht had haar het boek doen vergeten, en nu, op hetzelfde moment dat ze er weer aan dacht, kreeg ze het gevoel dat er aan de rand van haar bewustzijn een zwarte wolk dreigde. Ze wilde 'nee' tegen Sullivan zeggen, zeggen dat ze een fijne dag had gehad, een van de fijnste in heel lange tijd, en dat ze die niet wilde bederven door terug te keren naar iets wat nu zo duister en gruwelijk leek. Maar het lezen over zulke vreselijke dingen had toch ook iets fascinerends, bijna iets hypnotiserends, en hoewel ze 'nee' dacht hoorde ze zichzelf zeggen: 'Ja, oké... Kom bij me zitten, dan gaan we het samen lezen.'

Er kwam toen nog iets bij haar op: dat ze er op deze manier voor zorgde dat Sullivan zich niet buitengesloten voelde. Zou ze hetzelfde hebben gevoeld als haar vader was gekomen, als hij serieuze zaken met haar had willen bespreken terwijl zij er niet voor in de stemming was? Was dit de manier waarop je je tegenover mensen gedroeg om wie je werkelijk gaf? Dat je tijd voor hen vrijmaakte, dat je hun tegemoet kwam?

Ja, dacht ze. Zo zou mijn moeder het hebben gedaan. Geef net zoveel als je neemt, zou ze hebben gezegd, en ze zou absoluut gelijk hebben gehad. Genoeg om van mijn vader te houden. Genoeg om tijd vrij te maken voor degenen om wie ze gaf, zelfs als het betekende dat ze er haar eigen leven mee ondersteboven gooide.

Sullivan kwam binnen. Hij bood aan thee te zetten en Annie liet hem zijn gang gaan. Hij bracht de thee binnen, waarna ze naast elkaar op de bank gingen zitten. Annie leunde met haar hoofd tegen zijn brede schouder, alsof hij een anker naar de werkelijke wereld was.

Ze had de vellen papier van de rand van de tafel gepakt en legde die naast haar neer, en zodra Sullivan was gaan zitten, stak ze er haar hand naar uit, sloeg de bladzijden een voor een om en keek ze vluchtig door, alsof ze zich weer voor de geest moest halen wat er allemaal was verteld, en op het laatst kwam ze bij het begin van het tweede deel dat Forrester bij zijn laatste bezoek had meegebracht.

'Ben je er klaar voor?' vroeg ze Sullivan.

'Voorzover mogelijk,' zei hij kalm, en eensgezind richtten ze hun ogen op de pagina en begonnen te lezen.

12

egin 1955 ontmoette ik Harry Rose voor het eerst. Ik ging toen
als Johnnie Redbird door het leven, en hoewel ik van Staten
Island was en in elk opzicht een vreemde eend in de bijt, had
ik iets wat Harry Rose eens extra deed kijken. Ik zat op het bordes van
een goktent in een achterstraatje en bemoeide me met niemand; ik
meen me nog te herinneren dat ik het handjevol dollars telde dat ik bij
een wedren had gewonnen. Die knul komt langs, en hoewel hij minstens
een kop kleiner was dan ik, straalde hij iets uit waardoor hij groter leek. Ik
zou het niet anders weten te omschrijven. Hij had een maatpak aan, een
handgenaaide boord om, jawel; haar dat aan de achterkant kort was geknipt en aan de voorkant tot aan zijn wenkbrauwen op zijn voorhoofd
hing. Hij keek me aan, knikte terloops om zonder woorden aan te geven
dat hij me gezien had, en liep de trap op naar het huis. Zijn ogen hadden
iets, iets stils en broedends en bijna melancholieks, wat me het gevoel gaf
dat hij meer pijn met zich meedroeg dan bij zijn leeftijd paste.
Toen hij weer naar beneden liep, kan dat nog geen kwartier of twintig minuten later zijn geweest, en hij knikte nog eens. Hij bleef onder aan de
trap staan, vlak naast me, en toen zei hij: 'Zo gewonnen, zo geronnen,
of niet?'
Ik had mijn sigaretten in de hand en wilde er net eentje opsteken, dus
bood ik die knul een sigaret aan, die hij aanpakte. Ik weet nog dat hij
niet wegkeek toen ik hem een vuurtje gaf. Oogcontact, de hele tijd oogcontact, en de blik in zijn ogen gaf mij – Johnnie Redbird – een beetje een
onrustig gevoel. Ik had een verleden, ik had er een paar in hun koelkisten
te slapen gelegd, ik verblikte of verbloosde niet wanneer ik de vingers van
een gokker afhakte die me vijfendertig ballen schuldig was. Dat deed ik
met een hakmes: zeven vingers, vijf dollar per stuk. Maar toen ik daar in
mijn zwarte pak stond, compleet met wit overhemd, een zijden das, een
.38 tussen de broekband en een gezicht alsof iemand me uit Arizona-
zandsteen had gehouwen... ik, Johnnie Redbird, van wie je een foto bij
je hebt om je kinderen bang te maken zodat ze hun groente eten en op
tijd naar bed gaan – wel, ik mag hangen als ik niet het gevoel had dat dit
iemand was die me het leven zuur kon maken.

'Let op de kleintjes,' zei een oude vriend van me altijd. 'Let op de kleintjes die eruitzien als een straaltje pis in een pak. Die zijn snel. Die hebben uithoudingsvermogen. Die zijn vanbinnen helemaal opgedraaid, en als je een schakelaar kon omzetten zouden ze als een vuurpijl de lucht in gaan. Kijk uit voor dat soort kerels, want de kleintjes hebben altijd harder moeten vechten om serieus te worden genomen.'

'Een paar dollar verloren?' vroeg ik die knul.

Hij lachte. 'Winnen, verliezen – het blijft om het even.'

'Zet je in of ben je koerier?'

'Een beetje van allebei,' zei hij, en toen nam hij een trek van zijn sigaret en keek de straat af.

'Blijf je op je eigen terrein of waag je je ook wel eens daarbuiten?'

'Flexibiliteit,' zei de knul, en toen draaide hij zich om en lachte naar me, een raar soort lachje dat zijn mond deed vertrekken maar zich niet in zijn ogen weerspiegelde. 'Het geheim van succes is flexibiliteit.'

Ik knikte. 'O, ja?'

'Zeker weten,' zei hij, en hij nam toen weer een trekje.

'Werk je in je eentje, of heb je mensen in dienst?'

De knul draaide zich om. Hij keek me schuins aan met zijn vijfenzestig-jarige-ik-heb-alles-al-eens-meegemaakt-loop-naar-de-hel-ogen. 'Heb je een hele koffer vol vragen, of heb je niemand om tegen te praten?'

Ik deed een stapje opzij en voelde de druk van de .38 in mijn broekband. 'Ik wilde gewoon een praatje maken,' zei ik, 'dat is alles.' Ik ging ervan uit dat ik die knul ter plekke neer kon schieten voor hij zelfs maar wist uit welke hoek de wind waaide.

De knul haalde zijn schouders op. 'Volgens mij brengen de mensen tegenwoordig wel erg veel tijd door met praten, tijd die ze beter zouden kunnen besteden aan dingen die heel wat nuttiger zijn.'

'Zoals?'

'Zoals poen verdienen, begrijp je wel?'

Ik knikte. Dat moest ik wel met hem eens zijn.

'En, verdien jij genoeg poen?' vroeg hij.

Ik lachte. 'Bestaat er zoiets als genoeg?'

De knul lachte ook. 'Harry Rose,' zei hij. 'Misschien heb je wel eens van me gehoord.'

Ik schudde mijn hoofd. 'Niet meer dan van je zus.'

De knul fronste zijn voorhoofd. 'Ik heb geen zus.'

'Nou weet je dus precies hoeveel ik over jou heb gehoord.'

De knul nam er geen aanstoot aan dat ik hem voor gek had gezet. 'Je wilde dus weten of ik personeel had?' vroeg hij.

'Dat klopt,' zei ik. 'Ik vroeg of je in je eentje werkte of met een ploeg.'
'Soms een beetje van allebei, maar ik ben het type dat gelooft dat er heel wat handeltjes zijn die beter met twee hoofden verlopen dan met eentje. En jij?'
'Ik ben op zoek naar een partner,' zei ik. 'Kijken of ik deze buurt een beetje op stelten kan zetten, ze een beetje wakker kan schudden, begrijp je wel?'
Harry Rose knikte, en vervolgens draaide hij zich om en keek me met die gekwelde oude ogen weer recht aan. 'Zoals ik het zie, kunnen we een stevige neut gaan drinken en kijken of we iets kunnen vinden wat voor ons allebei wat oplevert.'
Die knul leek me wel oké. Hij had ballen. Ik knikte. 'Dat lijkt me wel wat.'
'We gaan een paar straten lopen, zoeken een tent, en gaan eens praten, oké?'
'Oké,' zei ik, en ik liep het bordes af.
Die knul had de hele tijd zijn hand in zijn zak gehad, en toen we wegliepen haalde hij hem eruit, met een grote stiletto erin! Hij klikte het lemmet terug en stak het mes weer in de zak.
'Voor je zelfs maar in de buurt van de .38 was geweest had dit in je oog gezeten,' zei hij kalm, en ook al dacht ik dat hij zichzelf voor de gek hield, ook al dacht ik dat de wens de vader van de gedachte was, hij liet toch wel zien dat hij zoveel lef had dat ik onder de indruk raakte.
We liepen een stuk. Johnnie Redbird, een meter tachtig, een kleerkast van een vent, zwarte haren, twee keer aan zijn gezicht geholpen, en Harry Rose, bijna een kop kleiner, blond haar, naar achteren gekamd en stijf tegen zijn schedel geplakt, met aan de voorkant een pony. Wel knap als je hem niet recht aankeek. We vormden een circusact van uitersten, fraai in het pak, chique schoenen, een kwaadaardig hart en een kwaadaardig brein, en vanbinnen zo zwart dat alles erop weerkaatste. We liepen drie straten en gingen in een bar zitten, en we praatten alsof we maar weinig tijd hadden, barstensvol ideeën, boze plannen, gekonkel en gedraai, extra opgestookt door de drank en bereid om alle anderen verrot te trappen als dat nodig was om te krijgen wat we wilden. We vulden elkaar aan alsof we broers waren, en op dezelfde manier waarop er iets onverwoords en ondefinieerbaars tussen Harry Rose en Alice Raguzzi was geweest, was er iets tussen mij en die tiener die uit het niets was komen opduiken.
En ik? Nou, ik had ook wel het een en ander te vertellen. Ik was tweeëntwintig en van Staten Island gekomen, maar daar was ik niet geboren. Mijn moeder was een prostituee uit Cabarrus County, North Carolina,

115

het soort hoer dat een metertje onder haar rok had tikken. Mijn vader was een naamloos en voorgoed onbekend trucje dat mijn moeder vaak als 'niet beter dan hondenkots' betitelde, en de kamer waarin ik was opgegroeid was er een in een naar zweet stinkende, met afbladderend behang beplakt bordeel met een vochtige plankenvloer, waar hoerenwippers en junkies de spanningen van de hele wereld kwamen verlichten door een hoer in elkaar te rammen en haar daarna van achteren te naaien. Hoe vaak heb ik mijn moeder niet horen schreeuwen! Ik ben de tel kwijtgeraakt. Misschien leek mijn eigen jeugd in bepaalde opzichten op die van Harry Rose. Toegegeven, mijn kamer bevond zich niet in Auschwitz, en mijn moeder deed wat ze deed voor geld, niet uit angst voor haar eigen leven of dat van haar zoon, maar ze kwamen genoeg met elkaar overeen om ons allebei een verknipte, uit het lood geslagen visie op de wereld te geven. Mensen gebruikten mensen. Iedereen was een hoer, bereid om de ander voor geld te naaien. Misschien geloofde ik zelfs dat het zo hoorde. Ik weet het niet, en het kan me nu ook geen barst meer schelen. Mijn moeder stierf toen ik twaalf was, en dat was dan dat.

Drie maanden na haar dood belandde ik door de politie van Cabaruss County in de bak omdat ik wieldoppen uit een garage had gejat. Om eerlijk te zijn vond ik ze er mooi uitzien. En om eerlijk te zijn heb ik geen flauw idee waarom ik ze jatte, maar ik had het wel gedaan en ik kreeg voor de moeite een pak slaag. Dat was het begin van een langdurige en veelbetekenende relatie met de wet. Ik wist waar zij op uit waren, en zij wisten waar ik vandaan kwam, en dus ging ik weg. Ik smeerde hem als de sodemieter uit North Carolina en kwam in New York terecht. Waarom Staten Island? Omdat de trein waarop ik was gesprongen niet verderging. Ik reisde met vagebonden en landlopers, en terwijl de trein zich slingerend naar de duisternis van een onbekende toekomst spoedde, zag ik dat ze hun eigen reisgenoten beroofden terwijl die sliepen, hun ingeblikte rotzooi dronken, op de kale planken sliepen, en de spoorwegpolitie ontdoken die naar hen op zoek was. Ik reed naar die toekomst zonder ook maar iets te weten, met grote ogen en net zo hunkerend als Harry Rose, en geloofde dat het Amerika dat op me wachtte alleen maar beter kon zijn dan het Amerika dat ik had achtergelaten.

Er waren dagen dat ik niks te eten had. Nog geen hap. Er waren dagen dat ik meer eten stal dan ik mee kon zeulen en mezelf misselijk at. En dan was er die dag dat ik een man voor zeventien ballen en wat losse centen in een smal achterstraatje bij Woodroffe's Poker Emperium om zeep bracht. Zeventien dollar en wat wisselgeld was een hoop poen, en leek reden genoeg om een man te vermoorden, en bovendien was hij dik en stonk hij, en leek hij op die goochemerds met hun mooie praatjes die naar het bordeel kwamen om met mijn moeder te wippen. Ik vermoordde hem met een bandenlichter; ik sloeg zijn schedel tot pulp. Wat er uit zijn hoofd kwam, schopte ik de hele steeg door, en ik geloofde echt dat er geen lekkerder gevoel in de hele wereld bestond. Later, toen Harry me over Weber Olson vertelde, leek er veel overeenkomst te zijn in wat we hadden gevoeld, en ik denk dat dat een band tussen ons schiep. Het ging er niet om dat het leven niks waard was, had Harry gezegd, maar dat een leven altijd kon worden verhandeld. Destijds had dat leven me zeventien dollar en wat wisselgeld opgeleverd. Voor Harry ging het bij het leven van Weber Olson om trots en eer en doen wat goed was. We zagen de dingen zoals ze waren. Harry Rose zag ze als een doodsbang kind met grote ogen wiens moeder door een klotenazi in elkaar werd geslagen en gemarteld. Ik zag ze in een heel ander licht, maar dat licht kwam van hetzelfde spectrum en wierp dezelfde schaduwen. En ik rende uit dat achterstraatje weg alsof de duivel me op de hielen zat. Ik rende weg en verstopte me. Ik wist dat er vragen zouden worden gesteld, ik wist dat de politie zou komen; ik kende de politie, en zij kenden mij en mijn soort, en dus ging ik over de Bayonne Bridge naar Jersey City, en sliep een week lang onder de blote hemel in Liberty State Park. Ik kwam niet verder dan Hoboken, waar ik werd betrapt toen ik een krantenverkoper op Bergenline Avenue beroofde. Ik werd naar de jeugdgevangenis gestuurd. Klote-oord. Duizend krankzinnige kinderen die een kongsi vormden met een stelletje pedofiele uitzuigers. Ik hield het er drie weken uit en smeerde hem toen. Ik kon al die ellende die ze elkaar aandeden niet meer aanzien. De gevangenis bestond uit verspreid liggende laagbouw met een hoog prikkeldraadhek eromheen, met schijnwerpers en wachttorens en god mag weten wat nog meer. Die uitzuigers droegen geen wapens – verrek, we waren nog maar kinderen – maar ze wisten wel met knuppels om te gaan, en oefenden op iedereen die werd opgesloten. Zonder er zelfs maar bij na te denken konden ze met zo'n knuppel zo goed mikken dat ze er een weglopend kind mee tegen de vlakte smeten. Ik kwam daar met grote ogen binnen. Binnen een paar dagen wist ik waar de ontsnappingskansen lagen. Ze deden ons enkelboeien om die aan elkaar vastzaten, en deelden ons in in werkploegen van tien of twaalf. We liepen elke ochtend om vijf uur van het terrein, werden zo'n drie kilometer verderop gedumpt, en daar kregen we water te drinken voordat we aan het werk moesten. Ze lieten ons losse keien en grind van het asfalt verwijderen voordat de wegenbouwers kwamen om een nieuwe laag aan te brengen. Het walmde erger dan in de Hades; de struiken en bosjes vlogen in brand wanneer zij die troep erop smeerden, en wij moesten er met emmers water naartoe rennen om de boel te blussen voordat het helemaal uit de hand liep en de National Guard erbij moest komen. Het was hard werken, en je zweette als een machinist van een stoomlocomotief, maar op dat punt moesten ze de enkelboeien afdoen. Ik weet nog dat ik daar aan de zijkant van de weg stond, en dat de hel losbrak toen er een boom begon te branden. Die uitzuigers brulden als gekken, de weg ging schuil onder rook en rotzooi, en we gingen er alle tien of twaalf met veel geschreeuw en emmers vol water op af om het vuur te blussen. Het duurde ruim een uur om de zaak weer onder controle te krijgen, en ik was inmiddels van top tot teen zwart van het roet, en voordat ze de kans kregen ons weer aan elkaar te klinken en ons te tellen, vloog er een tweede boom aan de overkant van de weg in de fik, en ging iedereen er als een haas vandoor. Ik liet me op de grond vallen terwijl alle anderen van mijn kant van de weg verdwenen, en toen pakte ik handenvol as en begon me ermee in te smeren: mijn huid, mijn kleren, mijn handen, mijn gezicht en mijn schoenen. Ik liet me in de struiken langs de weg zakken en bleef daar staan als een indiaan voor een tabakswinkel. Ik kon nauwelijks lucht krijgen, niet alleen omdat ik geen geluid wilde maken, maar ook omdat die rotzooi in mijn ogen, mijn neus en mijn mond zat. Ik viel bijna flauw van de hitte en omdat alle poriën verstopt zaten, dacht ik even dat ik ter plekke zou uitdrogen en dat ik daar als een standbeeld zou blijven staan tot ze terugkwamen en zouden ontdekken dat ik staande was gestikt.

Ze konden het vuur niet onder controle krijgen, en in de chaos greep ik de kans om hem te smeren. Ik kon me nog bewegen – het was hard werken, maar hoe verder ik kwam, hoe harder ik liep. Ik waadde door een rivier en wist een hoop van die troep van me af te spoelen, en ik rende en rende maar, naar de toekomst en een nieuw leven.

Ik stak de North River over naar Manhattan en verstopte me in een ver-vallen flatgebouw op een steenworp afstand van het Yankee-stadion bij Webster en Tremont. 's Avonds laat kon ik de mensenmenigte horen brul-len. Ik wist wat het was om alleen te zijn. Iedereen die het geluid van een-zaamheid kent, kan ik recht in de ogen kijken. Met iedereen die de pijn van honger kent, van drie dagen lang zo'n honger hebben dat je eraan ka-pot lijkt te gaan – met zo'n man kan ik praten om weer enigszins bij mijn verstand te komen. Misschien waren het ook die dingen, die kleine din-gen, die maakten dat Harry Rose en ik zoveel jaar later op dezelfde golf-lengte bleken te zitten.

Ik ging uit stelen, bedroog en bezwendelde wie ik maar kon en wist op die manier te overleven. Ik kwam regelmatig met de politie in aanraking, dat hoorde erbij, en toen ik dan eindelijk Harry leerde kennen, had ik een strafblad zo lang als de grondwet en een reputatie die niet veel anderen konden evenaren. Ik deugde niet. Maar dat was mooi. Ik had iets bereikt. Ik had mijn stempel gezet. Ik was gevaarlijk. Mijn reputatie – dat ik bereid was altijd net even verder te gaan – ging me vooruit, en ik ging ervan uit dat een vent die mij dwars durfde te zitten toch minstens roestvrijstalen ballen moest hebben. Maar roestvrijstalen ballen zijn zwaar, en wanneer die vallen, vallen ze met een donderklap.

Dat soort dingen vertelde ik Harry, en Harry vertelde het zijne. We hadden iets gemeen. We pasten bij elkaar als twee helften van een rotte appel. We hadden broers kunnen zijn. Een tweeling zelfs. We dachten dat we alles konden zijn wat we maar wilden, en we wilden verdomde veel.

Zoals ik al zei was het begin '55, een tijd die je naar je hoofd steeg, een tijd van voorspoed. De oorlog was voorbij, iedereen die het had overleefd was weer thuis, en Amerika wist zichzelf ervan te overtuigen dat het intellectueel was, en rijk, en beschaafd, en fantastisch. Wij zagen Amerika als een weduwe die te dik was, spataderen had en aan drankzucht leed, en die bereid was haar benen te spreiden voor iedere jonge dekhengst die ook maar een beetje belangstelling voor haar toonde. Wij hadden genoeg belangstelling, wij waren bereid iedereen te naaien als het geld goed genoeg was, en Amerika leek er helemaal klaar voor.

Harry nam een vriendinnetje, een centerfoldschatje dat in een illegale kroeg aan Vine werkte, een meid die er hemels uitzag maar absoluut geen wijs kon houden, en met ons drieën woonden we in het appartement op St. Luke en maakten er onze thuisbasis van. Ik werd Harry's beschermer, en dat deed ik goed, als een echte prof, en wanneer de jongens te weinig dokten, wanneer het geld niet klopte, zorgde ik ervoor dat ze in alle hoeken werden getrapt totdat de zaken weer op orde waren. Harry vroeg nooit om details, en ik vertelde hem die ook nooit. In al die jaren dat we samenwoonden en samenwerkten, zou Harry nooit iets over mijn werkwijze te horen krijgen – iets wat jij misschien wel graag zou willen weten, en misschien vertel ik het je nog wel een keer. Dat zijn dingen waarover ik onder vier ogen wil praten, want als ik ze opschreef zou je je misschien van me afwenden. Ik schrijf alleen die dingen op waarvan ik het gevoel heb dat je ze moet weten, en ik vind het noodzakelijk dat je alles over Harry Rose te weten komt. Hou het nog even met me uit, dat is het enige wat ik van je vraag.

Harry's vriendin, een zangeres, heette Carol Kurtz. 'Indigo Carol' voor de vaste klanten die op kroegentocht gingen om een gemakkelijke wip te vinden en even lekker te kunnen lachen. Ze kwam uit New Jersey, was drie jaar eerder van huis vertrokken om naar Californië te gaan, kwam tot New

York en zette geen stap meer. Als het lot ervoor had gezorgd dat Harry Rose op een andere avond in een andere bar was beland, had ze het misschien gered, maar Harry zag haar, Harry kreeg wat hij wilde, en wat hij wilde was Carol Kurtz. Sommigen deed ze aan Marilyn denken, anderen eerder aan Veronica Lake. In haar goedkope nylonkousen en met haar nepbont was ze voor Harry het paradijs. Hij haalde haar uit het leven, gaf haar geld en vrijheid, gaf haar een naam en een gezicht en het gevoel dat ze ergens bijhoorde. Ze hoorde bij Harry Rose, en iedere man die ook maar een paar keer haar kant uit keek, had zich tegenover mij en een .38 met stompe neus te verantwoorden. Ik dacht dat Carol Harry's manier was om Alice Raguzzi terug te krijgen. Uiterlijk hadden ze niet meer kunnen verschillen, maar in de geest had het een tweeling kunnen zijn. Ze was een slimme meid, ze wist aan welke kant haar boterham was belegd en ze behandelde Harry met het respect dat hij verdiende. Hij behandelde haar als een mens, iemand met een hart en een hoofd en gevoelens. Ze wist net zo snel als hij te ontdekken wat rotzooi was, en dat beviel hem wel. Ze kon beter dan alle mannen die ik kende een gore mop vertellen, en als ze het in haar hoofd haalde je onder tafel te drinken, wist ze van geen ophouden. Ik heb nog nooit een meid gezien die zoveel drank naar binnen kon gooien en toch haar mond stijf op slot wist te houden.

Ik gaf ook om Carol, maar niet in de bijbelse betekenis van het woord. Carol was Harry's meisje, van begin tot eind, en soms als ik ze samen zag kreeg ik door dat ik het vijfde wiel aan de wagen was. Ik hoorde bij de zaken, Carol bij het plezier, maar dat maakte haar niet minder familie. Zij wist haar plaats, ik de mijne. Harry vond het prima geregeld, en ik was niet van plan dat te verzieken.

Het ging ons goed – Harry, Carol en mij. Het ging ons zelfs uitstekend; we stroopten de trottoirs en straten van Queens af, lieten het geld rollen alsof we onze eigen persen hadden, alsof we de schatkist van het rijk in onze zak hadden en de wereld ons warenhuis was. We reden in limousines en Cadillacs, aten bij De Montfort en Gustav, waar de piccolo's *garçons* werden genoemd en de Rothschild veertig dollar per fles kostte en rijkelijk vloeide. Dit was het goeie leven, zo was het altijd bedoeld, en geen moment werd er ook maar iets gezegd over het verleden van Harry Rose, over de jaren ervoor, de gruwelen waarvan hij als kind getuige was geweest, en welke kleur zijn hart vanbinnen had.

En toen werd alles anders. In 1955 ging Charlie Parker dood; in een godvergeten afgrijselijk gat dat ze Saigon noemden, brak een burgeroorlog uit; Ike was zeven weken uit de running na een hartaanval, en James Dean, vierentwintig jaar oud, pleegde zelfmoord door zich met zijn auto te pletter te rijden. Sugar Ray haalde in december zijn titel in het middelgewicht terug, en ineens was het weer Kerstmis. Het was een koude winter, bitter, gemeen, en Harry en ik verplaatsten ons werk een paar dagen naar een ander deel van de stad om daar het geld te innen dat iedereen die had gedacht dat Carl Olsen zijn wereldtitel zou behouden ons schuldig was. We waren nog geen week van huis, vijf dagen om precies te zijn, maar toen we terugkwamen – zeventigduizend dollar rijker – was Carol Kurtz weg.

Ik werd erop uitgestuurd, was drie dagen weg, en toen ik met het nieuws naar huis ging, was dat met een bezwaard hart en een duister hoofd. Ik was degene die Carol Kurtz' verkrachte en gewurgde lichaam in het stedelijk mortuarium had moeten identificeren, en ik was degene die een paar tongen losmaakte om wat namen en de waarheid boven water te brengen. Karl Olson, de broer van Weber, een crimineel uit Zuid-Brooklyn, een harde noot om te kraken als het om het betalen van schulden ging en die daarom geen vrienden in Harry Roses wereldje had, werd door wraakgevoelens gedreven. Als je op wraak uit bent, graaf dan twee graven, zeggen de Sicilianen, een voor je slachtoffer en een voor jezelf. Harry Rose en ik gingen naar Brooklyn in een onopgesmukte sedan, onopvallend gekleed en onopvallend in ons gedrag, en ontdekten al snel waar Karl Olson zich verschool.

In de nacht van 23 december 1955, terwijl de regen de trottoirs striemde en de bliksem de nacht aan flarden scheurde, braken we in via de kelderramen van het Chesney Street Hotel aan de zuidkant van Brooklyn. We hadden een touw, hamers en een schroevendraaier bij ons. We sloegen twee sterke jongens van Olson neer, maakten hem wakker en bonden hem op een stoel vast. We propten hem zijn eigen onderbroek in de mond, waarna we zijn tenen een voor een met een hamer bewerkten, en Harry Rose boorde met zijn schroevendraaier gaten in de handen van die vent. Wanneer hij flauwviel brachten we hem weer bij, en dan martelden we hem nog een beetje meer tot hij weer flauwviel. Uiteindelijk begaf zijn hart het, maar Olson was een grote kerel, een beer van een vent, en hij had het bijna twee uur volgehouden voordat de pijn hem de baas werd.

Rose en ik pleegden moord in de eerste graad, uit wraak, ja. Maar evengoed was het moord, en hoewel Olson nooit over de brug kwam als hij aan de winnaars moest uitbetalen, was hij zo gehoorzaam als een schooljuffrouw wanneer het de politie betrof. Die kerels die tegen mij hadden gepraat, zongen hetzelfde liedje voor de politie, en op kerstavond, toen er sneeuw op het dak van het appartement aan St. Luke viel, ramde de politie de deuren in en nam ons allebei mee. Afgezien van omkoping kon er weinig voor mij of Harry gedaan worden; het gokken, de drank, de bokswedstrijden en de hoeren, de illegale kroegen en de jukeboxdanslokalen, de sneeuw en de stickies die onder de tafels vol bierkringen in achterafeethuisjes van hand tot hand gingen – die dingen konden voor een extra honderdje per maand aan het weduwen- en wezenfonds wel over het hoofd worden gezien, maar moord niet. Moord was moord, en als iets anders kon je het niet zien.

Dus nam ik de schuld op me, niet uit vrije wil maar eigenlijk als een soort vergelding voor mijn verleden. De politie was er snel achter wie ik was. Er was sprake van andere dingen, dingen uit mijn verleden, en het zag er nu naar uit dat die dingen me hadden ingehaald. Wel verdomme, ze hadden nog altijd een opsporingsbevel van toen ik uit de jeugdgevangenis was ontsnapt, en dat wilden ze maar al te graag rechtzetten. Harry had hun regelmatig wat in het handje gestopt – niet Johnnie Redbird – en toen ze moesten kiezen of ze Harry of mij de schuld moesten geven, was dat niet zo moeilijk. Ze wilden mijn kop, ze wilden hun Johnnie de Doper, en verdomd, die kregen ze. Harry stopte meer handjes dan ooit, en met de goeie advocaat en een omgekochte rechter werden ze het eens over doodslag. Ik ontsnapte aan de stoel en kreeg levenslang. Ze stuurden me naar Rikers Island en daar mocht ik in een kooi van tweeënhalf in het vierkant oud en grijs worden. En Harry Rose ruimde St. Luke uit, verkocht de lease op zijn bars en danslokalen, en vertrok met zijn hele handel naar het zuiden; hij bleef een aantal jaren onzichtbaar en deed wat hij kon om me te helpen overleven door middel van bezoekjes, dollars en gunsten die hij nog te goed had. Loyaliteit was zijn sterkste punt, en was in zeker opzicht ook zijn ondergang geworden, maar Harry Rose zou zich altijd de man herinneren die terecht had gestaan, de eed had afgelegd en zijn hoofd had gebogen toen het vonnis werd geveld.

Op 25 april 1956 trok Rocky Marciano zich ongeslagen terug. Negenenveertig overwinningen van de negenenveertig gevechten, en maar vijf procent van de tegenstanders had de laatste bel gehoord. Rocky Marciano wist wanneer iets goeds was afgelopen, dus trok hij zich uit zichzelf terug. Eigenlijk net als Harry Rose, een kleine knul uit een oord dat de Hel werd genoemd, en die eigenlijk alleen maar vrij had willen zijn. Toen we elkaar vonden hadden we allebei zo goed als niks, en toen we uit elkaar gingen, was het eigenlijk weer net zo.

'Zo gewonnen, zo geronnen,' zou Harry Rose hebben gezegd, maar met Harry kon je zoals gewoonlijk nooit zeker weten hoeveel daarvan waar was.

Het was een tijdje stil toen ze alles hadden gelezen. Annie had haar hoofd de hele tijd tegen Sullivans schouder laten liggen, en pas toen hij de laatste pagina omsloeg besefte hij dat zijn schouder stijf was.

Annie kwam langzaam in beweging en liet hem opstaan. Hij stond daar even zonder iets te zeggen, en toen glimlachte hij.

'Waarom denk jij dat die oude vent wil dat we dit lezen?' vroeg hij.

Annie haalde haar schouders op. 'Dat weet ik niet, Jack. Ik heb erover nagedacht, maar wat ik dacht stond me niet aan.'

Sullivan reageerde niet.

Annie schudde haar hoofd. 'Toen hij voor het eerst kwam, had hij iets verontrustends... Net of hij naar me keek alsof hij me kende.'

'Denk jij...'

Annie onderbrak hem. 'Laat nu maar, Jack... Ik wil niet eens weten wat je wilde zeggen. Ik weet alleen wel dat we er vanavond niet over doorgaan, oké?'

'Oké, Annie,' zei Sullivan rustig. 'Oké.'

Sullivan bleef tot na middernacht. Later, toen Annie in haar bed lag, hoorde ze hem door de muur heen in zichzelf praten. Het duurde even voordat ze besefte dat het de tv was. Dat luchtte haar op; ze zat er nu echt niet op te wachten dat Sullivan ineens zijn verstand verloor.

Een halfuurtje of zo geleden was het weer gaan regenen, en van onder de warme duisternis onder haar quilt had ze liggen luisteren hoe de regen zijn voetstappen over het dak boven haar hoofd strooide. Dat geluid had iets heel geruststellends, iets tijdloos en unieks. Ze vroeg zich af of ze zoiets ooit in haar jeugd had gehoord, en of ze er toen net zo over had gedacht. Ze herinnerde zich maar weinig van die jaren, van het handjevol waarin ze haar vader nog had gehad. Hij moest 's avonds naar haar toe zijn gekomen – dat deden immers alle vaders? En hij moest haar hebben ingestopt, en haar misschien een verhaaltje hebben voorgelezen, en daarna, wanneer hij het licht uitdeed, moest hij zich over haar heen hebben gebogen en haar een kusje op het voorhoofd hebben gedrukt.

Welterusten, Annie.

Welterusten, papa.

Slaap lekker... Zorg ervoor dat het zandmannetje geen zand in je ogen strooit.

Daar zorg ik voor, papa... Daar zorg ik voor...

En dan zou de slaap zijn gekomen, en ze zou zich het veilige gevoel hebben herinnerd dat hij haar gaf. Misschien had hij net als David Quinn geroken: leer en koffie en tabak, een vleugje muskus, maar vaderlijk, weldadig zelfs.

Al die herinneringen moeten nog ergens zijn, dacht ze terwijl ze in slaap zakte... maar om de een of andere reden kan ik me er niet één van herinneren...

13

*W*eer een verandering in het vaste patroon. Anderen zou het niet zijn opgevallen, maar ergens veranderde het Annies hele leven. Ze werd op de gewone tijd wakker, en hoewel ze had verwacht dat ze meteen weer zou moeten denken aan wat ze de avond ervoor met Sullivan had gelezen, kwamen die beelden pas terug toen ze onder de douche stond. Vreemd genoeg waren ze lang niet zo indringend en riepen ze minder emoties op dan tevoren. Raakte ze afgestompt door alles wat ze te lezen kreeg? In plaats van onrust en onbehagen begon ze over die mannen na te denken, over Harry Rose en Johnnie Redbird, en zich af te vragen hoe het allemaal zo had kunnen lopen. Een leven dat overliep van alle mogelijke menselijke emoties, goed en slecht, zo angstaanjagend en opwindend dat er geen ruimte voor zorgen en verwarring meer was. Het leven zou zo snel verlopen dat je je er gewoon door moest laten meesleuren omdat je er anders door verpletterd zou worden.

Ze vertrok die vrijdagochtend op de gewone tijd, maar volgde een andere route en liep gewoon, zonder opzet of doel, over Cathedral Parkway naar Amsterdam, ging vervolgens helemaal naar West 97th en sloeg toen links af Columbus in. De winkel lag nu vier straten achter haar, en haar appartement een straat of zeven, acht. Ze dacht aan John Damianka, die met de lunch met een stokbroodje met veel mayonaise zou komen opdagen, door de gesloten deur van The Reader's Rest zou turen en zich zou afvragen of Annie ziek was. Dit was niets voor Annie, het paste absoluut niet bij haar. Ze betrapte zichzelf erop dat ze bij die gedachte moest glimlachen en liep door. Bij 96th besloot ze de ondergrondse te nemen, die van de 59th Street/Columbus Circle-route, en toen ze instapte zag ze dat de trein zo goed als leeg was. Normaliter zou ze uit de buurt van de andere passagiers zijn gaan zitten, maar deze keer nam ze zonder nadenken plaats, keek de wagon door toen de trein zich in beweging zette, en zag een jonge priester tegenover haar. Hij droeg een zwarte broek, een zwart overhemd en een wit priesterboord, met daaroverheen een afgedragen leren jack. Om zijn schouder hing een suède tas met kwastjes aan de onderkant, en bovenaan stak er een bundel opgevouwen paperassen en agenda's uit. Hij zat iets te lezen. Annie gluurde er zo onopvallend mogelijk naar en herkende het omslag van *The Human Stain* van Philip Roth. Ze fronste lichtelijk verbaasd haar voorhoofd en tikte zichzelf toen meteen op de vingers om haar vooroordelen, want waarom zou een priester zo'n boek niet lezen? Niet dat ze het zelf had gelezen, maar omdat hij iets anders las dan de bijbel of *Opmerkingen over het boek van de Heilige Lucas, deel een.*

Ze keek op. De jonge priester zat naar haar te kijken. Hij glimlachte, een warm, oprecht lachje, en ze lachte meteen terug. Hij kon hooguit twee- of drieëntwintig zijn, had zwart haar, en een krachtig en goedgevormd gezicht. Zijn ogen waren verrassend blauw, en door zijn hele houding en gedrag zag hij eruit alsof hij het type man was dat zorgvuldig op zijn lijf lette door zich twee of drie keer in de week in de sportzaal in het zweet te werken, misschien een beetje basketbal te spelen, of quarterback voor het klooster...

Hij was knap, dat stond vast, en Annie vroeg zich af hoe zo'n jongeman met zijn hormonen zou omgaan.

Ze kreeg een kleur bij die gedachte, en sprak zichzelf bestraffend toe omdat ze seksuele gedachten over een priester had.

'Heb jij dit gelezen?' vroeg hij ineens.

Annie keek hem zichtbaar verbaasd aan.

'Eh... Nee, nee, ik heb het niet gelezen,' antwoordde ze.

'Het is me nogal wat,' zei de priester.

'O ja?' zei ze, terwijl ze zich ondertussen afvroeg wat voor gesprek ze met deze priester te verduren zou krijgen.

'Het gaat over een man van eenenzeventig die een verhouding met een werkster heeft die maar half zo oud is. Hij ziet haar op een dag in het postkantoor de vloer dweilen, en het eindigt ermee dat hij een relatie met haar krijgt. Wat zeg je me daarvan?'

Annie haalde haar schouders op. Wilde hij weten wat ze van het leeftijdsverschil vond, of hoe ze tegenover die relatie stond? Ze koos de veiligste weg en zei: 'Ik heb het niet gelezen... Ik zou het dus echt niet weten.'

De jonge, knappe priester wilde er kennelijk over doorpraten, want hij zei glimlachend: 'Ik heb het niet per se over het boek, ik heb het meer over het idee dat een vent van eenenzeventig een vrouw van vierendertig neukt.'

Annies mond zakte letterlijk open. Had ze hem goed verstaan? Zei hij echt neuken?

'Het... Het zal denk ik allemaal wel neerkomen op individuele behoeftes en verlangens.'

De priester knipoogde naar Annie. 'De zonden des vlezes,' zei hij op zwaarwichtige, serieuze toon. 'En waarom verdorie ook niet? Je leeft maar één keer, en als je het goed doet ga je naar de hemel, hoewel ik erbij moet zeggen dat ik niet weet hoe je het altijd maar goed kunt doen. Als je het verziekt, word je voor de eeuwigheid in een gat vol zwavel gestort. Wat heb je te verliezen? Ik stap over twee haltes uit en jij zult me nooit meer zien.'

De jonge priester lachte, schoof zijn suède tas met kwastjes van zijn schoot en boog zich voorover. 'Dus wat denk je zelf?' vroeg hij. 'Zou jij het kunnen aanleggen met een vent die twee keer zo oud is?'

Annie dacht aan Jack Sullivan, en ineens kreeg ze vluchtig het beeld van Robert Forrester voor ogen... Ze dacht niet verder, niet omdat zijn leeftijd een belemmering zou zijn, maar omdat de gedachte alleen al haar bijna incestueus voorkwam! Net alsof je seks met je oom zou hebben... of met je vader? En toen zei ze hardop: 'Ik denk dat het ervan afhangt wie het is en of je hem wel of niet aantrekkelijk vindt.'

'Een prachtig antwoord,' zei de priester met een zegevierend lachje, en hij liet zich achteroverzakken.

'Mag ik ook iets vragen?' zei Annie, nu met wat meer zelfvertrouwen, en een beetje opgelucht dat dit gesprek nog maar een paar minuten zou duren.

'Laat maar horen,' zei de priester.

'Praat je met mij over seks omdat je zelf nooit seks zult hebben?'

De priester glimlachte en begon toen luidkeels te lachen, en het geluid van die lach leek het hele rijtuig te vullen en het lawaai van de wielen op de rails onder hen te overstemmen.

'Natuurlijk kan ik wel seks hebben,' zei hij. 'In feite had ik vanochtend nog seks... Verrekt goede seks, mag ik wel zeggen. Ik denk dat ik met haar ga trouwen... een schitterende meid die wilde seks met een priester kan hebben en niet losbarst in moreel gelul vol schuldgevoelens waaronder zoveel anderen kennelijk te lijden hebben.'

Annie schudde haar hoofd. Dit gesprek kon niet waar zijn. Dit kon onmogelijk een echte priester zijn. Wat was dat toch met het boek? Wat had die suède tas met die kwastjes eigenlijk te betekenen? Moest een priester nu echt zoveel aantekeningen maken en met zich meezeulen dat er een schoudertas voor nodig was? En wat voor aantekeningen eigenlijk?

Ik moet niet vergeten intens provocerende gesprekken met ongetrouwde jonge vrouwen in de trein te voeren. Ik moet niet vergeten te zeggen dat ik niet alleen seks kan hebben, maar dat ik verrekte goede seks kan hebben met een meisje dat niet stikt van de schuldgevoelens. Bid vier weesgegroetjes en drie keer het onzevader, waarna ik me in de badkamer van de kapel aftrek. Een liter melk, twaalf eieren, een tube glijmiddel en drie pakjes condooms. O ja, en vergeet niet vader O'Reilly te vertellen dat zuster Martha een vibrator bezit.

Annie lachte zwakjes, wist niets te zeggen, draaide haar hoofd even naar links om naar buiten te kijken, en wilde het liefst dat de priester weg zou gaan.

'Neem me niet kwalijk,' zei hij. 'Heb ik je in verlegenheid gebracht?'

Ze schudde haar hoofd. 'Nee, maar je hebt me er wel mee overvallen.'

De priester zuchtte. 'Weet je, ik word voortdurend op de vingers getikt voor mijn uitgesproken mening.'

Annie ging iets naar achteren zitten. Ze wilde hem niet aankijken. Ze maakte zich allerlei voorstellingen over wat voor wilde seks hij die ochtend nog zou hebben gehad voordat hij zijn overhemd en priesterboord aandeed, zijn leren jack aantrok, de schoudertas omhing en naar de trein liep. Maar wie was zij om te durven oordelen? Gisteravond nog had ze naakt voor het keukenraam gestaan en een man aan de overkant van de straat gezien die haar stond aan te gapen. Misschien, dacht ze, zou ze dat de priester moeten vertellen.

Vergeef me, Vader, want ik heb gezondigd. Ik ben nog nooit van mijn leven gaan biechten, maar ik vond dat ik nu maar eens moest komen omdat ik gisteravond naakt voor mijn raam heb gestaan en een volslagen vreemde naar mijn borsten heb laten staren. Eerst schaamde ik me en geneerde ik me ervoor, maar om eerlijk te zijn vond ik het een openbaring, een bevrijding zelfs, zoals Paulus onderweg naar Damascus. O, en dan nog wat. Toen je de eerste keer naar me keek, kon ik je in de sportzaal zien zweten, en ik dacht feitelijk dat je onder die boord en dat kruis aardig goed in vorm moet zijn...

Beter van niet.

De priester keek nog eens naar zijn boek en zei: 'Als je dit leest, moet je gewoon aan alle kerels van zeventig denken die je kent, en dan lijkt het alleen maar krankzinnig dat je op die leeftijd nog steeds zin kunt hebben.'

'Charlie Chaplin heeft zijn laatste kind verwekt toen hij in de tachtig was,' zei Annie.

De priester knikte. 'Dat is waar, je hebt helemaal gelijk...' zei hij. En toen de trein vaart minderde: 'Mijn halte. Pas goed op jezelf,' zei hij nog terwijl hij opstond en langs haar heen liep. 'Vergeet niet dat het alleen maar een zonde is als je er iemand mee kwetst, oké?'

Annie keek op. Weer dat zegevierende lachje. Die verrassend blauwe ogen. Onder het overhemd en het priesterboord een lichaam dat zich in de sportzaal in het zweet werkte. De dag beginnen met wilde seks met een meisje dat niet onder schuldgevoelens gebukt ging. Ze glimlachte zwakjes.

'Ik zal eraan denken,' zei ze, en ze verweet zichzelf ondertussen in stilte haar zondige gedachten.

De trein reed weg. Ze deed haar ogen dicht. Ze dacht aan David Quinn en vroeg zich af of er iemand zou worden gekwetst, of ze alleen maar haar leventje leefde of dat ze een beetje te hard probeerde haar grenzen te verleggen. Wat zou ze doen als er een intiemere relatie met David Quinn zou ontstaan? Als hij een poging deed iets meer dan een vriendschap tot stand te brengen? Ja, ze had hem gezoend, maar ze had al eerder mannen gezoend, ze had die mannen meer dan eens gezoend, en dat was verdergegaan. Dat wilde ze nu ook, want ze had gemerkt dat David niet zou aarzelen, of anders had ze het volkomen verkeerd ingeschat. Als ze wilde, kon ze het alle kanten uit laten gaan. Wilde ze terugdeinzen? Wilde ze heel beleefd zijn attenties afweren? Of zou ze de kans waarnemen? Ze dacht dat ze die vraag niet kon beantwoorden voordat het moment daar was, áls het al ooit kwam, en alleen al bij die gedachte kreeg ze vlinders in haar buik. De vrees – nee, de angst was er, maar was dat niet dezelfde angst die ervoor had gezorgd dat ze nooit had gekregen wat ze wilde? En hoe kon je zo'n angst overwinnen? Door te leven misschien? Door precies datgene te doen waarvoor je zo bang was? Ze geloofde van wel. Ze geloofde dat dat heel goed mogelijk was. En toen vroeg ze zich af waarom ze deze trein had genomen, waarom ze tegenover die priester had gezeten, en hoe het kwam dat hij zich in zijn hoofd had gehaald dat ze over zo'n onderwerp met hem had willen praten.

Jouw gedachten zijn vrijwel uitsluitend verantwoordelijk voor de situatie waarin je jezelf manoeuvreert, zou Sullivan haar hebben voorgehouden.

Maar daaraan wilde ze niet worden herinnerd. Het was vrijdag, ze wilde dat de week ten einde was, zodat ze zich wat minder schuldig voelde over het feit dat ze de winkel dicht had gelaten. Ze wilde wat tijd en ruimte voor zichzelf. Dat was het: een beetje tijd en ruimte voor zichzelf, om haar systeem weer op orde te krijgen, en enig begrip van wat er met haar aan de hand was. Er was iets veranderd, en ze had zo'n idee dat het door verscheidene factoren was veroorzaakt, ook al kon ze niet precies zeggen op welk punt die verandering had plaatsgevonden. Haar zorgen om Sullivan en de afspraak die ze hadden gemaakt. David Quinn natuurlijk, en dan was er ook nog Forrester. Hij zou maandagavond terugkomen, en misschien wel weer een brief meebrengen, en een vierde hoofdstuk van het boek, en dat verhaal had haar geïntrigeerd. Haim Rosen, ook wel Harry Rose genoemd, een jongeman die nog voor hij maar twintig was al handenvol van het leven leek te hebben gepakt en die met huid en haar had verslonden. Ze vroeg zich af hoe het hem zou vergaan, hoe het zijn vriend Johnnie Redbird zou vergaan – al zat die nu voor de rest van zijn leven achter de tralies vanwege een moord, maar dat leek volkomen terecht. Er was iemand gekweld. Er was iemand doodgegaan. Was dat terecht geweest? Ze vroeg zich af wat de priester daarover zou hebben gezegd. Had Elena Kruszwica er verkeerd aan gedaan die SS-officier dood te schieten? Was dat een moord die te rechtvaardigen viel? Was een moord in orde als dat de weegschaal van onrechtvaardigheid weer in balans bracht, of het verlies van meer levens voorkwam? Misschien, dacht ze, zou God voor zoiets wel begrip hebben. Johnnie Redbird en Harry Rose hadden Karl Olson vermoord omdat Olson Carol Kurtz op wrede wijze had vermoord, en toen had Johnnie de schuld voor hen beiden op zich genomen, en dus had Harry zijn leven aan Johnnie te danken. Wat zou er met die mensen gebeuren? Ze wilde maar dat het om fictieve hoofdpersonen ging, die toch op de een of andere manier representatief waren voor alles wat met het menszijn te maken had. Liefde en verlies, geloof en hartstocht, jaloezie, woede, haat, en uiteindelijk de dood. Dat waren heftige en meeslepende thema's, en die bleven haar door haar hoofd spelen terwijl de trein dwars door het theaterdistrict richting Chelsea snelde. Ze dacht dat ze maar in Greenwich Village moest uitstappen en daar een paar uurtjes doelloos moest gaan ronddwalen, en op dit punt in haar leven, op dit uur van de dag, leek dat het meest doelbewuste wat ze kon doen.

NYU Books, Barnes & Noble op Broadway, in noordoostelijke richting naar het antiquairdistrict, terug over 5th langs het huis van Mark Twain richting Washington Square... Ergens bij haar ronddwalingen loste de dag op, en toen de avond zich om haar dichtte, toen haar voeten pijn begonnen te doen, liep ze terug naar de ondergrondse en ging naar huis.

De geuren en geluiden van het blok hadden iets heel vertrouwds toen ze de trap opliep. Dit was thuis, en thuis was uiteindelijk de plek waar je hart lag. Jaren geleden, nog in haar kinderjaren, moest ze hetzelfde hebben gevoeld wanneer ze van school kwam. Dat moest wel. Ze kon het zich niet herinneren. Ze had al die herinneringen om onbekende redenen keurig netjes ingepakt en op zolder opgeborgen en er nooit meer naar omgekeken. Waarom had ze het willen vergeten? Was er toen iets gebeurd wat haar zo bang had gemaakt dat het verstandiger was geweest om alles in één klap te verdringen? Ze wist het niet, en op dat moment kon het haar ook niet veel schelen. Haar hoofd en haar lijf waren moe, en het enige wat ze nog wilde was stilte en warmte, en misschien een uurtje of zo het gezelschap van Jack Sullivan voordat ze ging slapen.

Ze klopte op zijn deur, maar er kwam geen reactie. Hij was stomdronken of anders was hij uit. Als hij wakker werd of thuiskwam, zou ze hem horen, en hem vragen of hij naar haar toe wilde komen, maar wel later – na een kop koffie en een beetje tv, nadat ze tijd had gehad om helemaal nergens aan te denken.

Ze trok de deur van haar appartement achter zich dicht, draaide hem op slot, schoof de grendel ervoor en gooide haar jas en sjaal over de rugleuning van de dichtstbijzijnde stoel. Vanuit de keuken kon ze het licht aan de overkant van de straat zien. Er waren daar een paar mensen. Misschien had die vent een paar vrienden uitgenodigd en bier en pizza's voor hen gekocht om te komen kijken of de brunette met de handdoek om haar hoofd weer haar kleren zou uittrekken.

Ze glimlachte inwendig, zette de koffiepercolator aan en liep terug naar de voorkamer.

14

*A*nnie?

Ze hoorde iemand ademen, en toen kreeg ze de zwakke geur van alcohol en sigaretten in haar neus.

'Papa?' murmelde ze. 'Papa?'

'Annie... Word eens wakker...'

Ze voelde een hand op haar schouder, en hoewel iets haar ferm maar teder in een diepere slaap wilde trekken, verzette ze zich ertegen, deed haar best om haar ogen te openen, en zag toen dat Sullivan lachend over haar heen gebogen stond en zijn mond opendeed om nog iets te zeggen.

Ze stak haar hand op om hem tot zwijgen te brengen. 'Geef me even,' fluisterde ze.

Ze draaide zich wat onhandig om op de bank en ging rechtop zitten. Ze keek naar Sullivan zonder hem goed te kunnen zien – ze had een zure kopersmaak in haar mond – deed haar ogen weer dicht en haalde nog eens diep adem.

'Koffie?' vroeg hij.

Ze knikte. 'Graag, Jack.'

Hij bleef een paar minuten weg, en terwijl hij in de keuken bezig was, slaagde zij erin weer helemaal bij te komen.

'Hoe laat is het?' riep ze.

'Even voor tienen,' antwoordde Jack, die met een dienblaadje met kopjes, suiker en koffieroom in de deuropening verscheen.

Hij zette het op de tafel. 'Wil jij het zwart?'

Ze schudde haar hoofd. 'Een beetje room, alsjeblieft.'

Hij trok een stoel bij, ging tegenover haar zitten en gaf haar haar kop koffie, die ze even tussen haar handen hield voordat ze er een slok van nam.

'Gaat het?' vroeg hij, en daar was die toon weer: die vaderlijke toon die hij zich soms aanmat wanneer zijn bezorgdheid voor haar welzijn boven simpele vriendschap uitsteeg.

Ze knikte. 'Prima,' zei ze. 'Misschien een beetje moe.'

'Dat is te zien. Was de winkel vandaag open?'

'Nee, vandaag niet.'

'Waar ben je geweest?' vroeg hij.

'In Greenwich Village.'

'Een bepaalde reden?'

'Nee, helemaal niet.'

Jack glimlachte. 'En dat is soms de beste reden, hè?'

'Absoluut... De allerbeste.'

Jack boog zich naar voren. 'Heb je liever dat ik wegga? Wil je alleen zijn?'

Ze schudde haar hoofd. 'Nee. Vertel me maar eens een verhaaltje.'

'Een verhaaltje?'

'Ja, een verhaaltje, maar niets akeligs... Vanavond kan ik geen akeligheid verdragen.'

'Oké,' zei hij, 'even denken.'

Annie liet zich tegen de rugleuning zakken, trok haar knieën tegen haar borst, hield het koffiekopje vlak onder haar gezicht om van de warmte en het aroma te kunnen genieten, en deed haar ogen dicht. Ze stelde zich voor dat ze klein was, dat het buiten sneeuwde, en dat de wind huilend over de voorveranda joeg als een boze geest die wilde worden binnengelaten. Haar vader was bij haar en zorgde dat ze veilig was. Hij hield haar dicht tegen zich aan, en hij vertelde haar een verhaaltje voor het slapengaan. Er kwam een nieuwe gedachte op, klein maar veelbetekenend: ze kon haar vader ruiken, en op dat moment kon ze ook zijn gezicht zien, het gezicht van Robert Forrester. Ze duwde die gedachte weg, maar die was vasthoudend en wist niet van opgeven. Ze dwong zichzelf zich op het geluid van Sullivans stem te concentreren en al het andere buiten te sluiten, en dat geluid slaagde erin haar aandacht erbij te houden.

'Maart 1969,' zei Sullivan. 'Het was maart '69, vier maanden na mijn terugkomst uit Vietnam, toen ik naar Haïti ging. Haïti is een republiek in West-Indië, tegen de Dominicaanse Republiek aan. Vroeger maakte het deel uit van de Spaanse kolonie Santo Domingo; daarna kwamen de Fransen, die Afrikaanse slaven meebrachten, die ze op de suikerplantages in het noorden aan het werk zetten. Tot aan de opstand in de jaren tachtig van de achttiende eeuw waren ze de grootste koffie- en suikerproducenten van de wereld. Toen bemoeiden de Engelsen en de Fransen zich ermee; er kwam oorlog tussen de zwarten, de mulatten en de blanke Haïtianen, en pas in 1804 wisten de zwarten hun vrijheid te herwinnen en werden ze onderdeel van de beide Amerika's. Ze werden grootgebracht op een dieet van katholicisme, maar voodoo was nooit ver weg. Achter elk onderdeel van de sociale en culturele bouwsels zat de geest van voodoo. Ze praktiseerden *obeah* – magie – een mengeling van katholiek symbolisme en de magie en betoveringen van de sjamanen die met de Fransen mee uit Afrika waren gekomen. De religies uit Afrika werden Gine genoemd, en de

Haïtianen geloofden dat geesten die Iwa werden genoemd met de sjamanen waren meegereisd, en dat de Iwa bezit konden nemen van iemands lichaam en via dat lichaam konden communiceren. Er waren mensen die de Medsen Fey werden genoemd, de bladerdokters, en die geloofden dat ze met de geesten van planten konden praten.

We kwamen aan in Port-au-Prince. Ik was nog lang niet de oude, en nog steeds herstellende van de dingen die ik in Vietnam had gehoord en gezien, en er was een oudere man in ons gezelschap, een journalist uit Engeland, ene Len Sutton. Len was op elke plek geweest die je je maar kunt voorstellen, hij was denk ik een jaar of vijftig, vijfenvijftig, en hij had iets, alsof er iets in zijn borst zat waardoor zijn hele lijf verkrampte en hij ervan begon te hoesten. Hij was bij alle mogelijke artsen geweest, ook bij die uit Harley Street in Londen, maar volgens de heren medici was er niks met hem aan de hand. Soms zag je hem dubbelslaan; dan zag hij eruit alsof hij een hartaanval had, maar niemand kon iets voor hem doen.'

Annie ging iets verzitten, trok haar knieën weer op en liet haar hoofd op haar over elkaar geslagen armen zakken.

'We namen onze intrek in een hotel aan de rand van Port-au-Prince,' ging Sullivan door. 'Len was er ook, we hadden samen een kamer, en in de vier of vijf dagen dat we daar waren zag ik hem twee keer zo'n aanval krijgen. Het duurde dan tien minuten tot een halfuur of zo, en dan lag hij gewoon te creperen van de pijn, kon niks zeggen, kon zich nauwelijks bewegen, en dan ineens was het voorbij, even plotseling als het was komen opzetten. Ik zei er terloops iets over tegen een van die kerels beneden, een zwarte Haïtiaan die François L'Ouverture heette, en die zei dat hij zijn zus zou bellen. "Is je zus dan arts?" vroeg ik, en François begint breeduit te lachen, en dan vertelt hij me dat zijn tak van de familie helemaal teruggaat tot aan Toussaint L'Ouverture, de man die de slavenopstand in het begin van de negentiende eeuw leidde en de zwarten wist te bevrijden. "Onze tak van de familie is machtig," zei hij tegen me. "We zijn Medsen Fey." "Wat?" zei ik. "Medsen Fey," zegt hij. "De bladerdokters. En wij kunnen jouw Engelsman genezen als zijn geest open staat voor obeah."

Ik vertelde Len over die vent en wat hij had gezegd, en Len zei dat hij voor alles openstond, als het hem maar van die pijn af kon helpen. Dus sprak ik François weer aan; hij ging naar zijn zus, en toen kwam er dat kleine meisje. François noemt haar LouLou Mambo – ze was hoogstens twaalf of dertien, maar ze had iets, er was iets in haar ogen wat me het gevoel gaf dat ik met iemand van tachtig praatte die alles heeft gezien wat er maar te zien valt. Ze zegt tegen Len en mij dat ze Iwa van de familie hebben, *zanset yo*' noemt ze die, en dat het voorouderlijke geesten zijn die hun tak van de familie vanuit Afrika is gevolgd. Ze vertelt ons dat de voorouders menselijke pijn begrijpen omdat ze vroeger zelf mensen zijn geweest, en dat ze zijn aangeraakt door de macht van de Iwa en mensen via de Medsen Fey kunnen genezen.

Het kleine meisje gaat naast Len Sutton zitten. Ze raakt met haar hand zijn voorhoofd aan, en dan zegt ze tegen hem dat er een boze geest in hem zit. Het is een van je eigen voorouders, zegt ze. Een van je voorouders werd door een kogel in de borst gedood. Len Suttons mond zakt open. Zijn ogen worden zo groot als schoteltjes. "Mijn grootvader," zegt hij. "Mijn grootvader werd in de oorlog in de borst geschoten. In 1901, in de Boerenoorlog. Mijn vader was dertien toen zijn vader stierf," zegt hij. En dan vertelt dat kleine meisje Len Sutton de naam van zijn grootvader en hoe hij stierf, en ze zegt dat hij een goede soldaat was, maar dat hij om de verkeerde redenen vocht, en omdat hij geloofde dat hij om die redenen moest vechten, ging hij dood. Hij voelde zich schuldig, zegt het kleine meisje, en daardoor haalde hij zich zijn eigen dood op de hals. "Wat kan ik er dan aan doen?" vraagt Len Sutton haar. Het kleine meisje glimlacht. "Doen?" zegt ze. "Wat jij kunt doen? Het gaat er niet om wat jij kunt doen, Engelsman, het gaat erom wie je bent. Jij bent hier om de verkeerde redenen, en binnen in jou zit de angst dat je je hele leven dingen om de verkeerde redenen hebt gedaan, en wanneer je die waarheid accepteert en je leven om de juiste redenen gaat leven, zal je pijn verdwijnen."

Len ziet eruit alsof iemand hem een klap in zijn gezicht heeft gegeven. François komt dichterbij, en hij vertelt ons dat zijn zus een machtige Medsen Fey is, en dat ze de waarheid spreekt, dat haar meester van het hoofd de verantwoordelijkheid heeft haar van haar geboorte tot aan haar dood te leiden. Hij vertelt ons dat iedere Medsen Fey als kind van een bepaalde Iwa wordt geboren, en dat de Iwa in het bloed leeft en hun gids en beschermer is. Hij zegt dat haar Iwa veel mensen weer gezond heeft gemaakt en hen voor krankzinnigheid heeft behoed, en dat als de Engelsman geen pijn meer wil hebben, hij LouLou Mambo's raad moet opvolgen.

Ik zie het helemaal zitten, ik geloof elk woord dat er is gezegd, maar Len weet het nog zo net niet. Hij is journalist, is dat zijn hele leven geweest, en dan vertelt dit kleine meisje hem dat hij zijn leven moet opgeven en moet doen wat goed is, en dat zijn pijn dan zal verdwijnen. François gaat vervolgens weg en neemt zijn zus mee, en Len zegt me dat hij denkt dat het allemaal krankzinnig gelul is, en hij heeft de woorden nog niet uit zijn mond of hij krijgt weer een aanval, zo erg dat hij van het bed op de vloer rolt. Hij ligt brullend van de pijn op de grond, en ik sta daar maar, als een stomme idioot, op het punt in mijn broek te pissen, en ik weet niet wat ik moet zeggen of doen. Ik denk aan wat dat kleine meisje heeft gezegd, en dan buig ik me over Len en roep: "Geef het op!" brul ik. "Geef je baan op! Bel de krant en zeg ze dat je ermee ophoudt!" "Oké!" schreeuwt hij terug... "Oké, ik hou ermee op." En hij heeft die woorden nog niet gezegd of de pijn houdt op. Zomaar ineens, en Len Sutton spert zijn ogen wijd open en begint te huilen.

Later vroeg ik hem waarom hij journalist was geworden. Hij zegt dat hij het niet weet, het ook nooit heeft begrepen, omdat hij het werk eigenlijk haatte. Ik vroeg hem wat hij met zijn leven wilde gaan doen, wat hem gelukkig zou kunnen maken, en hij zei dat hij altijd graag met dieren had willen werken, honden en paarden trainen of zo... of een boerderij in Engeland kopen en gewassen kweken. Ik zei dat hij dat vooral moest doen, dat hij moest doen wat LouLou Mambo hem verteld had, en hij zei dat hij dat ook ging doen.

Drie dagen later vertrok hij. Hij ging terug naar Engeland, en ik heb nooit meer iets van hem gehoord.'

Annie glimlachte met haar ogen nog steeds dicht en haar knieën nog steeds tegen haar borst getrokken.

'Maar,' fluisterde Jack Sullivan, 'ik weet zeker dat hij daarna nog lang en gelukkig leefde.'

'Waar gebeurd?' vroeg Annie.

'Zo waar als het daglicht,' zei Sullivan.

'Je hebt me wel een leventje gehad, hè Jack?' zei Annie, maar het was meer een constatering dan een vraag.

'Gedeeltelijk,' antwoordde hij, 'maar niet helemaal zoals ik had gewild.'

Annie deed haar ogen open. Ze boog zich naar voren en strekte haar benen. 'Wat mis je dan?' vroeg ze. 'Wat had je dan nog graag willen hebben?'

'Een gezin,' zei Sullivan. 'Ik heb altijd een gezin willen hebben, maar het leek me niet eerlijk om het een gezin aan te doen dat ze nooit zeker zouden weten waar ik was en of alles wel goed met me was.'

'Maar je deed wat je deed omdat je het gevoel had dat het goed was.'

'Dat moet wel,' zei hij.

'Dat moet wel? Wat bedoel je daar nou weer mee?'

Sullivan leunde achterover en zuchtte. 'Op mijn leeftijd ga je terugkijken. Je kijkt naar wat je hebt gedaan en gezegd, en dan vraag je je af of je je prioriteiten wel juist gesteld hebt. Of je het anders had kunnen doen. Maar na een tijdje kom je tot de conclusie dat gedane zaken geen keer nemen en dat er, als je het al anders had kunnen doen, geen enkele kans is dat je terug kunt gaan om het alsnog te veranderen. Een soort filosofische berusting, zo je wilt. Je legt je er dus bij neer, en hoopt maar dat je op een keer een beetje wijzer terugkomt en een nieuwe kans krijgt.'

Annie glimlachte. 'Dat is een prettige gedachte.'

'En er is nog iets,' zei Sullivan.

Annie trok haar wenkbrauwen op.

'Ik kan eerlijk zeggen dat ik geen "wat als"-leven heb gehad.'

'Een "wat als"-leven?'

Hij knikte. 'Je weet vast wel wat ik bedoel. Het soort leven waarin je terugkijkt en je jezelf eindeloos afvraagt: wat als ik dat of dat had gedaan, wat als ik ja had gezegd in plaats van nee? En omdat ik veel tijd tussen mensen heb gezeten die doodgingen, kan ik je één ding vertellen dat absoluut waar is: wanneer mensen weten dat ze stervende zijn, weet je dan waarover ze het hebben?'

Annie schudde haar hoofd.

'Ze praten alleen over wat ze niet hebben gedaan, over al die dingen die ze niet hebben gedaan. Ze praten niet over wat ze wel hebben gedaan, of waar ze wel naartoe zijn geweest... Nee, ze praten over de plaatsen die ze niet hebben gezien, over het meisje met wie ze hadden moeten trouwen, en als je een twaalf- of dertienjarig Haïtiaans meisje dat LouLou Mambo heet mag geloven, dan is het enige wat de mensen echt pijn doet de dingen waarvan ze wisten dat die goed waren en die ze vervolgens hebben versjacherd.'

Sullivan keek haar ernstig aan. 'Zoals jij,' zei hij.

'Zoals ik?' vroeg Annie fronsend.

'Ik zei laatst iets, over een afspraak... Ik wil dat jij je daaraan houdt.'

'Dat jij met drinken ophoudt als ik serieus iets met iemand krijg?'

Sullivan schudde zijn hoofd. 'Ik heb het niet over serieus... Dat heeft wat mij betreft nooit gewerkt. Ik heb het over iets substantieels, iets wat voor jou van betekenis is.'

Annie glimlachte.

'Wat!' zei Sullivan. 'Die vent van die drie boeken?'

'De vent van die drie boeken,' antwoordde ze.

'Heb je hem weer gezien?

'Inderdaad.'

'En heb je... je weet wel?'

'Met hem geneukt?' vroeg Annie.

Sullivan begon te lachen. 'Jezus, Annie O'Neill. Ik kan me niet herinneren dat ik je dat woord ooit heb horen gebruiken.

'Dat is dan nu gebeurd. Luister goed. Neuken. Neuken en neuken en neuken. Maar om je vraag te beantwoorden: nee, dat heb ik niet gedaan... maar dat komt nog wel.'

Sullivan knikte goedkeurend. 'Goed zo,' zei hij.

'Dus koop maar geen flessen Crown Royal, oké? Ik denk dat je nog genoeg in voorraad hebt om er een tijdje op te teren.'

'Hou jij je aan de afspraak?'

Annie glimlachte. 'Het was jouw afspraak, Jack Sullivan... Jij bent degene die zich eraan moet houden.'

'Goed,' zei hij. 'Zorg jij nou maar dat het doorgaat, Annie. Zorg dat het werkt. Dan zal ik nooit meer een druppel drinken.'

Sullivan stak zijn hand uit. Annie pakte hem aan, hield hem even vast en begon toen te lachen.

'Je bent een goede vriend, Jack,' zei ze. 'De beste die ik ooit heb gehad.'

'Insgelijks,' zei Sullivan, en toen bracht hij zijn hand omhoog, raakte haar gezicht aan en legde zijn hand even tegen haar wang. 'En, wanneer zie je die man weer... Hoe heet hij ook weer?'

'David, David Quinn... En ik weet niet wanneer ik hem weer zie.'

'Heb je zijn telefoonnummer?'

Ze schudde haar hoofd. 'Nee.'

Sullivan fronste zijn voorhoofd. 'Dat is niet zo mooi.'

Annie lachte. Hij komt maandag of donderdag naar de winkel.'

'Als jij er dan ook maar bent.'

'Maandag ben ik er beslist... Ik heb die avond weer een bijeenkomst van de leesclub, weet je nog?'

'Klopt,' zei Sullivan. 'Weer een bijeenkomst. Verdorie, je krijgt het nog druk met al die afspraakjes.'

'Helemaal waar,' zei Annie. 'Ik volg alleen maar je raad op.'

'Wees voorzichtig, hè?'

'Ik ben geen klein meisje meer, Jack.'

Sullivan zweeg even en keek haar toen recht in de ogen. 'Soms wel,' zei hij, en hoewel er niets kritisch of beledigends in zijn stem lag, ergerde Annie zich er toch even aan.

'Ik kan wel op mezelf passen,' zei ze een tikje scherp.

'Dat weet ik wel,' antwoordde Sullivan. 'Maar ik wil er zeker van zijn dat iemand anders dat ook doet.'

'Er overkomt me heus niets, Jack.'

Sullivan glimlachte. 'Ik ben er als je me nodig hebt... Ik sta altijd voor je klaar, Annie.'

'Dat weet ik toch, Jack Sullivan... mijn voorouderlijke gidsengeest, mijn Iwa.'

'Jouw Iwa,' zei hij lachend. 'Hoe dan ook, ik ben vlakbij... met nog een stuk of zes flessen te drinken voordat je gepakt wordt.'

Annie trok een kussen achter zich weg en gooide dat naar hem toen hij al bij de deur was. Hij dook weg, deed de deur open en trok hem lachend achter zich dicht.

'Je moet flink tekeergaan, dan weet ik wanneer ik moet stoppen met drinken,' riep hij van de overkant van de gang.

'Eikel!' riep ze terug, maar Jacks deur was al met een klap dichtgevallen.

15

Annie deed zaterdagochtend de winkel open. Wel laat, maar ze deed hem tenminste open. Ze ging niet omdat ze zich verplicht voelde, of omdat ze het zo graag wilde, maar in de hoop dat David zou komen. Ze liep naar binnen en zag een blanco witte envelop op de mat liggen. Ze deed de deur achter zich dicht, pakte hem op, draaide hem om, en daar stond in een keurig handschrift: *Annie.*
Al voordat ze hem opende wist ze wat erin zou staan.

Vrijdag de 30e

Lieve Annie,

Kreeg een telefoontje. Moet weg. Voor een paar dagen, denk ik. Moet begin volgende week weer terug zijn. Pas op jezelf.

Liefs,
David

Ze las het briefje nog eens door, en haar ogen bleven op de laatste twee woorden rusten: *Liefs, David.*
Was dat niet meer dan een gewoontegroet die je aan het eind van zoveel informele briefjes aantrof... of hield het iets anders in?
Liefs, David.
Maakte het eigenlijk iets uit? Dat was een moeilijke vraag, een vraag voor het hart, of misschien voor de ziel. Deed het er voor haar echt toe?
De vraag werd gesteld, het antwoord kwam snel. Het betekende echt iets voor haar; dat wil zeggen, ze wilde graag dat het iets te betekenen had. Volmaakte mensen bestonden niet, geen mannen en geen vrouwen, maar deze David Quinn had voor haar genoeg om haar het gevoel te geven dat er iets uit kon voortkomen. Was het niet altijd een risico? Was er niet altijd de kans dat je zou verliezen? Natuurlijk wel. Zo was het leven toch zeker? Ja toch?
Ze stopte het briefje weer in de envelop, hield die nog even in haar hand

en stopte hem toen in de zak van haar spijkerbroek. Ze had vandaag met een bepaald doel een spijkerbroek aangetrokken, een spijkerbroek en een blouse, met daaroverheen een fijngebreid vest. Vandaag zag je haar figuur, haar vorm, iets van een silhouet. Vandaag had ze geen vormloze trui en een wollen rok tot op haar kuiten aan. Ze voelde zich voor het eerst sinds lange tijd weer vrouw, en ze legde zich erbij neer dat ze dat gevoel in haar eentje moest verwerken.

Ze voerde de voorraad in en werkte haar inventarislijst bij, maar om de een of andere reden pauzeerde ze na elke haveloze pocket die ze oppakte, las de tekst op de binnenflap, en een paar keer zelfs de dankbetuigingen en opdrachten.

Dit boek is opgedragen aan Martha, die altijd voor me klaarstond.

Dit boek werd voor heel veel mensen geschreven, van wie ik er velen niet kan noemen, maar ik kan veilig zeggen dat ze allemaal hun eigen magie bezaten, en voor die magie ben ik hun veel meer verschuldigd dan ik ooit kan vergoeden.

Voor Daniel, Kelly en Frederick.

Voor mijn agente LeAnnie Hollander.

Voor Gerry Liebermann, mijn redacteur bij Huntseckers.

Vooral voor mijn vrouw Catherine, die me deed geloven dat ik het kon.

Annie liet haar vingers over de namen gaan en probeerde zich die mensen voor de geest te halen, wat ze hadden gezegd, hoe vaak ze hadden geluisterd, raad gegeven, kritiek geuit, geapplaudisseerd. Ze gaf hun een gezicht, hebbelijkheden, eigenaardige karaktertrekjes en een bepaalde geaardheid. Gerry van Huntseckers droeg sokken van Homer Simpson bij zijn pak van Brooks Brothers. Hij rookte stinkende sigaren, en hij wilde per se altijd het raam op zijn kantoor open hebben, ook al vroor het buiten dat het kraakte. Dit waren mensen met een leven, een echt leven, en hun leven was zo echt dat ze genoeg echtheid bezaten om die op andere levens te laten afstralen en ze te beïnvloeden. Ze hadden dromen, en ergens hadden David Quinn en Robert Franklin Forrester de poort naar haar eigen dromen geopend.

Deze keer was ze vast van plan ermee door te gaan, met opgeheven hoofd, de ogen wijd open, de tanden op elkaar, de vuisten gebald, en om te nemen wat er op haar weg kwam. Ze had te lang op de achtergrond gestaan, te lang in het halve duister kniezend zitten wachten tot iemand haar naam zou noemen en haar bij zich zou roepen. Als je wat wilde, moest je erop uitgaan. Zo was het toch? Zowel Harry Rose als Johnnie Redbird leek die gedachte tot persoonlijk credo te hebben gemaakt. Sullivan zou het met hen eens zijn geweest, al was het alleen maar wat dit betrof. Sullivan kwam misschien het dichtst in de buurt van een echte vriend. Als je je vrienden niet kon vertrouwen, wie dan wel? David had haar iets laten zien – met zijn experiment, zijn huiskamertrucje – maar het was in bepaald opzicht wel belangrijk geweest. En toen had ze hem gevraagd haar te zoenen, en dat had hij gedaan – niet meer, niet minder. Ze had hem vertrouwd, en hij had dat vertrouwen niet beschaamd. Het was niet veel, maar zo begon toch alles? Eerst klein, en daarna kon het groeien. En Forrester, was die te vertrouwen? Ze wist van geen van beiden ook maar iets, maar ieder op zich – David met woorden, Forrester met brieven van haar vader en een verhaal dat haar verbeelding in gang zette – had ervoor gezorgd dat iets van haar façade, van het gezicht dat ze zo lang als ze zich kon herinneren de wereld had getoond, af was gehaald. Het was niet haar eigen gezicht – het was een compositie van alles wat de mensen volgens haar graag wilden zien, een koffer, en afhankelijk van de omstandigheden was er altijd wel één identiteit in die koffer die ze voor de gelegenheid kon opzetten. Soms paste die bij haar, en soms niet.

Ze dacht over al die dingen na en over nog veel meer, en met elk voorbijglijdend silhouet langs haar deur wilde ze dat de bel zou gaan, dat iemand haar winkel zou betreden, haar leven, en een beetje van de buitenwereld zou meebrengen waarin zij ook mocht zijn.

Maar de ochtend verstreek zonder bezoekers, en ze vroeg zich af in hoeverre het haar eigen schuld was dat ze overal buiten stond.

Even voor enen deed Annie de winkel op slot en ging ze weer naar huis. Ze zat een tijdje naar een oude zwartwitfilm op tv te kijken, en werkte een halve liter cappuccino-ijs naar binnen, en toen dat gedaan was stak ze de gang over om naar Sullivan te gaan.

Hij was niet thuis en zat naar alle waarschijnlijkheid in een kroeg verderop in de straat. In de stilte van het gebouw stond ze op de overloop te overwegen of ze naar hem toe zou gaan.

Beneden zich hoorde ze iets. De voordeur ging open en sloeg met een knal dicht, en daarna waren er voetstappen op de trap.

Het waren niet de voetstappen van Sullivan. Sinds ze hier was komen wonen had ze elke dag een paar keer zijn voetstappen gehoord. Dit was iemand anders, en aangezien er maar twee appartementen op de bovenste etage waren – het hare en dat van Sullivan – moest degene die snel naar boven kwam een onbekende zijn.

Ze voelde de spanning langs haar rug naar haar nek kruipen. Ze keek naar rechts, naar de deur van haar eigen appartement, en wilde impulsief naar binnen snellen en de deur op slot doen en vergrendelen, maar tegelijkertijd dwong iets haar te blijven waar ze was.

Wat doe je daar, Annie?

De stem van haar moeder.

Ga naar binnen, kind, ga naar binnen... Zo vraag je om moeilijkheden... Je weet niet wie het is...

Onwillekeurig balde Annie haar vuisten.

Ze deed een stap terug, bijna alsof ze in de schaduwen boven aan de trap wilde verdwijnen. Ze ging nog een stapje naar achteren, en nog een, en stond toen met de rug tegen de muur. Die was koel en hard, en gaf niet mee.

Ze had dit al eerder meegemaakt. Het was niet voor het eerst dat ze zich zo voelde.

De voetstappen gingen sneller en werden luider, en algauw kon ze niets anders meer horen dan het geroffel van die voeten op de traptreden, en toen bereikte hij de laatste trap en kwam naar haar toe.

Er ontsnapte haar een kreetje.

Waar had ze zich eerder zo gevoeld?

En toen wist ze het ineens: in Davids appartement. Het trucje dat hij met haar had uitgehaald.

Ze keek naar haar deur en vervloekte zichzelf dat ze niet hard naar binnen was gelopen en de deur stevig achter zich dicht had gedaan.

Ze verstijfde en voelde zich koud worden. Weer was er die misselijkheid.

Ze begon oppervlakkig en snel te ademen, en toen ze haar ogen dicht-deed, zag ze diezelfde intense duisternis die ze met die blinddoek om had gezien.

Ze zag de schaduw van de binnendringer...

Misschien is het die vent van de overkant die komt kijken waar zijn ster-retje is gebleven...

Ze gleed langs de muur omlaag tot ze op haar hurken zat; haar knokkels waren wit, de vingernagels van haar rechterhand zaten in de huid van haar handpalm gedrukt.

Ze deed haar ogen dicht, hield haar adem in en wachtte tot de indringer zich bekend zou maken en datgene zou doen waarvoor hij gekomen was...

Het geluid van de voetstappen deed aan bange hartslagen denken... Haar eigen hart dat in haar borstkas op hol was geslagen en luider en luider klonk. Ze hoorde het bloed in haar oren suizen...

Dit was net als in Davids appartement... Precies zo, maar dan nog erger, want deze keer hoorde ze iemand op haar af komen, en deze keer kwamen ze haar halen...

Ze waren nog maar een paar seconden verwijderd, nog minder, nog niet een hartslag weg, die oorverdovend klonk...

143

'Annie?'

Het geluidje dat haar ontsnapte toen ze haar ogen opendeed werd bijna een kreet. Een geschokt, verbaasd geluidje. Het ontsnappen van opgehoopte emoties.

Ze keek op.

'Annie... wat doe je daar, verdorie?'

'David?'

Hij deed een stapje naar haar toe en bleef met uitgestrekte hand over haar heen gebogen staan.

Ze pakte hem aan. Haar ogen waren wijd opengesperd, de kleur was uit haar gezicht getrokken, en toen ze stond liet ze zich gewoon in zijn armen zakken en zich dicht tegen hem aan trekken.

'Wat doe jij hier?' vroeg ze. 'Wat doe je hier, David?' In haar trillende stem klonk angst door.

'Jeetje, je beeft helemaal,' zei hij. 'Zullen we naar binnen gaan, Annie?' En toen zweeg hij aarzelend en keek naar links en naar rechts.

'Deze hier,' zei ze, op haar appartement wijzend, en zonder aarzelen bracht hij haar snel naar binnen en deed de deur achter hen dicht.

'Ik heb je briefje gekregen,' zei ze, en ze probeerde het al pratend uit de zak van haar spijkerbroek te halen.

'Die klus ging niet door,' zei David. 'Ik denk dat ze iemand hadden die dichter in de buurt zat... Ik kreeg een telefoontje dat de klus niet doorging.'

Hij bleef even staan, zijn blik op Annie gericht, keek toen de kamer rond en knikte. 'Wat een verrekt mooi plekje heb je hier, Annie... Echt iets bijzonders. Heb je die kleuren en spullen zelf bij elkaar gezocht?'

Ze knikte verbaasd zonder te begrijpen dat hij zoiets ook maar zou opmerken, en vooral dat hij leek te zijn vergeten hoe erg ze van streek was.

Hij keek haar weer aan. 'Jezus,' zei hij. 'Ik heb je echt laten schrikken, hè?'

'Een beetje wel,' zei ze, en toen begon ze te lachen. Ze zweeg weer, fronste haar wenkbrauwen en liet haar hoofd iets opzij zakken. 'Hoe dan ook, hoe kom jij hier...? Hoe heb je ontdekt waar ik woon?' Heel even werd ze overvallen door iets van onrust, iets van bedreiging. Ze had deze man niet gekend toen ze met hem mee naar zijn appartement was gegaan, en nu was hij hier, hier in haar veilige vluchthaven, en om eerlijk te zijn kende ze hem nog geen haartje beter.

'Het telefoonboek,' antwoordde David. 'Jij bent de enige A. O'Neill die in deze buurt woont.'

Annie knikte. Ze was nog steeds geschrokken, dat was haar aan te zien.

144

'Ik kan wel weer gaan,' zei hij. 'Ik ben naar de winkel geweest om te kijken of jij daar nog was, maar die was al dicht. Als je wilt dat ik wegga, doe ik dat meteen. Het spijt me als...'

Annie stak haar hand op. 'Het is al goed... Ik weet niet wat me bezielde. Ik ging kijken of Sullivan er was en toen hoorde ik iemand naar boven komen, en om de een of andere reden bleef ik als een halve gare staan.'

'Sullivan?' vroeg David. 'Is dat... Is dat je kat of zo?'

Annie begon te lachen. 'Sullivan is beslist niet mijn kat, David... Sullivan is mijn buurman.'

'O, juist ja, je buurman... En waar is de kat dan?'

'De kat? Ik heb geen kat.'

David fronste zijn voorhoofd.

Annie lachte weer. 'Geen kat, David. Alleen een buurman. En die buurman heet Sullivan... Einde verhaal.'

David knikte, maar had nog steeds rimpels in zijn voorhoofd. 'Wil je dan niet dat ik wegga?'

'Nee, ik wil niet dat je weggaat.'

'Betekent dat dan dat je wilt dat ik blijf?'

Annie haalde haar schouders op. 'Ben je nu echt zo stom? Ja, ik zou graag willen dat je bleef. Doe je jas uit, ga zitten, maak het je gemakkelijk. Wil je thee of koffie?'

David deed zijn jas uit. 'Thee graag, dat zou lekker zijn.'

Hij legde zijn jas op de stoel vlak bij de voordeur, keek nog eens om zich heen en liep toen naar de andere kant. Hij ging aan de tafel zitten waaraan Annie en Sullivan zoveel uren hadden zitten kletsen en hun gedachten op een kalme manier met elkaar hadden gedeeld.

Annie bleef in de deuropening naar de keuken staan en verbaasde zich erover hoe anders de hele kamer eruitzag met een nieuw iemand erin.

David keek op. 'Wat is er?' vroeg hij.

Ze schudde glimlachend haar hoofd. 'Niets, David... Ontspan je, neem er maar je gemak van, oké?'

'Oké,' zei hij. 'Prima... ik zal me ontspannen. Gaat het weer?'

Ze knikte. 'Ik voel me prima. Echt prima.'

Annie liet hem tussen haar gecoördineerde kleuren en veelzeggende bezittingen achter en ging theezetten. Ze was maar een paar minuten weg, maar toen ze terugkwam zag ze dat hij bij haar cd-rek stond.

'Sinatra,' zei hij.

'Hou je van Sinatra?'

Hij draaide zich lachend op. 'Ik ben gek op Sinatra!'

Ze keek hem aan. Hij meende het. David Quinn hield van Frank Sinatra. 'Als je wilt, kun je er wel eentje opzetten.'

David pakte een cd uit het doosje en zette de tuner en versterker aan, en meteen was Frank bij hen in de kamer met zijn onnavolgbare vertolking van *I've Got You under My Skin*.

'Los Angeles, 30 april 1963,' zei David.

Annie ging fronsend aan tafel zitten. 'Hè?'

David liep door de kamer naar haar toe en ging tegenover haar zitten. 'Deze opname.'

Ze schudde haar hoofd. 'Weet jij dat? Wanneer en waar dit werd opgenomen?'

'Dat klopt,' antwoordde David. 'Zielig, hè?'

Ze glimlachte, en moest toen een beetje lachen. Ze was erdoor getroffen. Hij had haar iets verteld, iets van zichzelf. 'Vraag je me nu of ik denk dat het een beetje zielig is om te weten waar en wanneer dit nummer werd opgenomen?'

'Eh... eh... een beetje dan?'

Ze keek hem nu serieus aan. 'Het is vermoedelijk het zieligste wat ik ooit heb gehoord, David.'

Even was hij sprakeloos, maar toen begon Annie te lachen, en toen lachte David Quinn ook, en het leek alsof Frank op hen neerkeek en zong *I've got you deep in the heart of me...* alsof het speciaal voor dit moment was geschreven.

En toen was er niets meer te horen behalve Frank, en hoewel Annie O'Neill al bijna zeven jaar in dit appartement woonde, hoewel alles wat erin stond door haar persoonlijk was uitgekozen, hoewel elk kussen, elk gordijn, elke stoel en lamp pas na veel nadenken en overwegen was gekocht, was er nu ineens iets nieuws in haar omgeving binnengedrongen.

Ze keek naar David aan de andere kant van de tafel, een man die ze pas acht dagen geleden had leren kennen, en toch was het zo belangrijk dat juist hij hier was. Richard Lorentzen was hier geweest, en Michael Duggan, maar zij hadden haar nooit een ander gevoel in haar eigen huis gegeven. David Quinn was er nog geen vijf minuten, en nu al was er iets veranderd. Er was definitief iets veranderd.

'Dank je dat je bent gekomen,' zei ze. 'Ik vind het fijn dat je bent gekomen, al ben je nog zo zielig.'

David lachte en legde zijn hand op de hare. Hij boog zich voorover.

'Wil je dit zielige mannetje kussen, Annie?' fluisterde hij.

Het moment was aangebroken, het zat recht voor haar. Het was het moment waaraan ze in de trein had gedacht nadat de priester was uitgestapt. Het was het moment waarop ze een beslissing moest nemen, omdat ze deze keer kon kiezen: ermee instemmen of het voorbij laten gaan.

Ze keek naar David, keek naar zijn ogen, keek dwars door zijn ogen om te zien wat erachter leefde, en probeerde te horen wat er in zijn woorden lag, wat ermee bedoeld werd. Het lukte haar niet, en zo zou het altijd wel zijn, maar als ze zich nu afwendde, zou dat een van de 'wat als'-en worden waar Sullivan het over had gehad. Als ze later op dit moment terugkeek, zou ze er beslist spijt van hebben!

Ze had vlinders in haar buik. Haar handpalmen waren vochtig. Alle spieren in haar lijf spanden zich. Ze deed langzaam haar ogen dicht, sloeg ze weer open en haalde diep adem. Ze vroeg zich voor een laatste keer af of deze man een zegen of een bedreiging was... maar er kwam geen antwoord op, en ze wist dat het altijd stil zou blijven, al bleef ze een eeuwigheid wachten.

En toen boog Annie O'Neill zich naar voren, raakte zijn gezicht aan, legde haar hand tegen zijn wang, spreidde haar vingers, liet ze door zijn haar glijden, en trok hem toen naar zich toe.

Op de een of andere manier voelde het anders, maar ook net als eerder – die keer in zijn lege pakhuis. Deze keer waren ze in háár huis, tussen haar spullen. Juist omdat het hier was, leek het belangrijker, en toen haar lippen de zijne raakten, toen ze de druk van zijn gezicht tegen het hare voelde, toen ze de storm van emoties en gevoelens voelde die daarbij opkwamen, kon ze zich er maar nauwelijks van weerhouden zijn overhemd van zijn rug te scheuren en hem op de vloer te trekken.

Uiteindelijk – na een heel leven, of misschien wel twee – trok ze zich terug.

Hij bleef haar hand vasthouden, en toen zij opstond deed hij dat ook, en toen ze wegliep volgde hij haar zonder vragen, en toen ze hem mee langs de keuken naar de deur aan de andere kant van de kamer nam, verried zijn gezicht niet dat hij zijn twijfels had over wat ze aan het doen was, of waarom.

En zodra ze de deur door waren, met haar bed achter hen, schone kleren dwars over het voeteneinde en over de diepe leunstoel die ernaast stond, trok ze hem weer tegen zich aan, voelde de druk van haar borsten tegen zijn borstkas, het verlangen dat onder in haar buik opkwam, de spanning in haar keel...

Zijn handen lagen al om haar middel en zijn vingers drukten in haar huid, en toen duwde hij zijn bovenbeen tussen haar benen en klemde ze die eromheen. Ze leek naar achteren te zweven tot ze de rand van de matras tegen haar kuiten voelde, en met haar rechterhand veegde ze de kleren van het bed op de grond, waarna ze zich liet vallen.

Hij viel mee; ze kon zijn gewicht boven op haar voelen, en toch leek hij niets te wegen. Toen gleed zijn hand van haar middel naar de bovenkant van haar been, en met zijn vingers trok hij haar T-shirt uit de broekband, en toen dat gebeurd was leek hij het aan de achterkant omhoog te trekken, en met een snelle beweging voelde ze het T-shirt over haar hoofd glijden en verdwijnen. Ze vond de knoopjes van zijn overhemd en knoopte ze los, en toen hielp hij haar, en ze kon de warmte van zijn huid voelen, de ruwe haartjes op zijn borstkas...

Haar spijkerbroek, haar beha, zijn broek, de onderbroek eronder, zijn schoenen, zijn sokken, haar sokken, de schone kleren van de matras – daar midden tussen iets eigens, iets persoonlijks, heel even ademloos onder zijn gewicht, waarna het verdween en haar omsloot, de zwaarte van zijn hoofd op haar buik, zijn handen over haar borsten, haar tepels gezwollen, haar rug in een boog, en toen zijn tong die het dunne lijntje van haar navel omlaag volgde, omlaag...

Ze werd in een warme golf opgenomen, in een vloedgolf van iets onbeschrijflijks toen zijn mond haar aanraakte, toen zijn vingers haar streelden, hun weg naar binnen vonden, diep naar binnen...

Toen draaide ze de rollen om, en ze voelde de spieren in zijn bovenbenen verstrakken toen ze hem aanraakte, toen ze haar hand om hem heen sloot, toen ze zijn buik kuste, en zijn rug toen hij zich had omgedraaid, waarna ze rechtop ging zitten en haar mond om zijn tepel sloot, en ze voelde hem geluidloos zuchten, en toen nam ze hem in haar mond, en dat betekende iets, meer dan het ooit had gedaan, en ze had zich nog nooit zo met iemand verbonden gevoeld...

Hij draaide haar vanaf de rand van de matras op haar rug, en toen lag hij op haar, met zijn handen om haar heen. Hij greep haar bij haar middel, kwam iets overeind en drukte zich tegen haar been, gleed iets opzij en kwam in haar, en ze voelde hem diep vanbinnen, nog dieper, nog dieper, en de tranen sprongen haar in de ogen, en ze meende zich te herinneren dat ze had gelachen, en toen was er alleen nog beweging, en in dat bewegen zat iets wat alleen maar als liefde kon worden omschreven...

Ze geloofde in elk geval dat dit liefde was, want ze had nog nooit zoiets gevoeld... Ze kon zich tenminste niet herinneren dat ze ooit zoiets had gevoeld.

Het leek eeuwig te duren. Ze wilde ook niet dat er een eind aan kwam.

Liever dan wat ook ter wereld wilde ze dat er geen eind aan kwam.

Maar dat gebeurde toch, en toen was er behalve hun ademhaling alleen nog stilte, en buiten begon het te regenen.

Ze maakte geen enkel geluid, ze wilde de sfeer nu even niet verstoren. Ze sloot haar ogen, drukte haar gezicht tegen zijn borst, en bleef zwijgend liggen terwijl hij zijn vingers door haar haar liet gaan.

16

*H*et duurde een uur of misschien wel langer voordat ze in beweging kwam. Ze draaide zich iets om en keek omhoog naar
Davids gezicht. Zijn ogen waren dicht, zijn ademhaling was
diep en rustig. Hij sliep. Hij lag te slapen, midden tussen de middaggees-
ten van iets wat ze samen hadden beleefd.

Ze schoof bij hem weg, glipte uit bed, trok zijn overhemd aan en liep op
haar tenen naar de keuken om uit een fles in de koelkast een glas vruch-
tensap in te schenken. Ze stond voor het raam, de regen striemde tegen de
ruiten, en ze merkte dat er een lachje naar boven kroop en zich over haar
hele gezicht verspreidde.

Dit was nieuw, anders, geloofde ze, en hoewel ze spontaan, impulsief de
liefde hadden bedreven, had ze toch het gevoel dat ze nooit iets had gedaan wat zo goed was. Ze was niet verliefd, was niet zo naïef om dat ook
maar te denken, maar ze had echt het idee dat deze man genoeg had om
van hem te kunnen houden. Hij gaf haar het gevoel dat ze belangrijk was,
en ze geloofde eerlijk dat dat gevoel wederzijds was. Ze waren allebei bui-
tenbeentjes, anachronismen binnen hun eigen leven. Ze wist bijna niets
van hem, een heel klein beetje over zijn familie en wat voor werk hij
deed, maar verder vrijwel niets. Het maakte niet uit; zulke dingen kwamen later wel, want bij verliefd worden hoorde je in het heden iets op te
bouwen wat naar de toekomst reikte. Ja toch? Het verleden was gedaan.
Het verleden was weg, iets waar je niet meer aan moest denken, maar nu
geloofde ze wel dat het zijn nut had gehad: het had haar dit gegeven, en dit
was iets wat haar echt gelukkig kon maken.

Haar gedachten waren zo ver weg dat ze zich er nauwelijks van bewust was
dat ergens een deur open- en dichtging. Voetstappen op de trap. Sullivan,
onmiskenbaar. En toen hij op de overloop was, bleef hij even staan, en
toen – misschien omdat hij voelde dat Annie maar beter niet gestoord
kon worden – hoorde ze de deur van zijn appartement open- en dichtgaan. Ze sloot haar ogen en glimlachte weer.

Nog een geluidje. Achter haar.

Ze draaide zich met het glas sap in de hand om en zag David staan. Hij
was naakt, en voor het eerst zag ze zijn hele lijf en hoe hij er in het licht

van de namiddag uitzag. Ze merkte dat ze op zijn naaktheid reageerde, het gevoel vanbinnen dat ze diezelfde naaktheid nog eens dicht tegen zich aan wilde voelen.

'Neuk me,' fluisterde ze. 'Neuk me weer, David.'

Hij draaide zich om.

Annie zette het glas op het aanrecht, liep achter hem aan, knoopte haar overhemd – zijn overhemd – los en liet het op weg naar het bed vallen.

Deze keer was het anders. Hartstochtelijk. Verhit. Woest bijna.

Ze herinnerde zich dat ze haar nagels in zijn rug had gezet, en in zijn buik, dat ze ze in zijn dijen had begraven terwijl hij steeds weer in haar stootte. Ze herinnerde zich dat ze haar hoofd tegen het hoofdeinde had gestoten, maar dat kon haar niet schelen, absoluut niet, want de pijn die dat haar bezorgde werd overstemd door het geluid van haar eigen stem toen ze onder Davids gewicht lag te steunen. Op een gegeven ogenblik draaide hij haar op handen en knieën, kwam achter haar, vond met een hand haar borst en greep met de andere haar schouder vast, stootte in haar en ging door totdat ze het bijna begaf.

Het zweet stroomde over haar voorhoofd in haar ogen. Ze beet op haar lip tot ze bloed proefde. Ze balde haar vuisten tot ze haar vingernagels door haar eigen huid heen voelde dringen, en daarna was er dat geluid diep uit haar keel, als van een dier dat in de wildernis van zijn emoties en gevoelens was verdwaald.

En toen zakte ze toch in elkaar. David liet zich opzijrollen, hield haar nog steeds van achteren vast en bewoog zich traag in haar, zijn bovenbenen tegen haar billen gedrukt; het zweet op hun huid vermengde zich; zijn hand kwam tussen haar benen, wreef haar, masseerde haar; hij kuste haar nek, haar schouders; en zijn vingers vonden haar tepels en knepen erin totdat de pijn bijna onverdraaglijk werd. En toen kwam die warme verlossing vanbinnen, de spieren die zich allemaal spanden, alle zenuwen en pezen die onder stroom leken te staan, en toen hij steunde, steunde ze met hem mee, en het geluid klonk als één stem die tegen zichzelf weerkaatste en zich daarna in tweeën splitste.

'Goeie god, goeie god,' zei hij, naar adem snakkend. Toen hij zich op zijn rug liet rollen, gleed hij uit haar. Ze draaide zich naar hem om, pakte zijn hand, drukte die tussen haar benen en gebruikte zijn vingers om haar aan te raken, duwde ze in zich. Ze rolde op haar buik, kwam op haar knieën overeind, ging schrijlings op zijn borst zitten, boog zich voorover en kuste zijn gezicht terwijl ze handenvol van zijn vochtige, bezwete haar vasthield. Toen kwamen zijn handen om haar middel en trok hij haar naar voren. Ze hield haar eigen armen uitgestrekt tot ze het koele oppervlak van de muur achter het bed onder haar handpalmen voelde. Hij trok haar nog iets verder naar voren en liet zijn hoofd achteroverzakken, en toen voelde ze zijn gezicht tussen haar benen, zijn mond onder haar, zijn tong die de weg naar binnen vond. Ze keek omlaag en sloeg hem gade, met zijn ogen dicht en een intense uitdrukking op zijn gezicht, maar even later kon ze niet meer toekijken; ze was zich van niets anders meer bewust dan van het gevoel vanbinnen, de gewaarwording dat alles zich tussen haar benen vandaan naar buiten wilde stuwen. Ze schreeuwde vol vervoering toen het wachten in een orgasme eindigde. Hij ging door, zijn tong drong diep in haar, net zo lang tot ze het niet meer kon verdragen. Ze liet zich opzijrollen, viel naast hem neer, draaide zich om en nam zijn gezicht in haar handen. Zijn huid glinsterde van haar zweet, van haar hartstocht, van alles wat ze was, alles wat ze in deze ogenblikken was geworden.

Ze glimlachte en deed haar ogen dicht. Ze drukte haar lippen tegen de zijne. Zijn armen kwamen om haar heen en trokken haar tegen zich aan.

En ze vielen weer in slaap.

Toen Annie wakker werd, was het buiten donker.

Het was opgehouden met regenen, maar ze hoorde de wind nog steeds om het gebouw jagen en tegen de ramen slaan. Ze trok zich nog iets dichter tegen David aan. Hij verroerde zich, mompelde iets, ging een beetje verliggen, en ontspande zich toen. Hij werd niet wakker, waarvoor ze dankbaar was.

Zo liggend in het halve duister, in een warme kamer, met David die zacht naast haar in- en uitademde, vroeg ze zich af waarom ze zich zo lang afzijdig had gehouden van dit soort leven. Dit was echt, hier draaide het in het leven allemaal om: om de wetenschap dat er iemand was, iemand die jou net zo graag wilde als jij hem. Ze staarde naar zijn profiel en vroeg zich af of het alleen aan haar had gelegen dat hij die dag naar de winkel was gekomen, die dag ruim een week geleden. Als we allemaal voor onze eigen daden en voor de gebeurtenissen in ons leven verantwoordelijk zijn, dan was David net zo goed verantwoordelijk voor de zijne. Hij moest iets als dit net zo graag hebben gewild als zij. Die gedachte schonk troost: ze had niet alleen gestaan in haar lusten, haar verlangens en haar eenzaamheid. Nu er iemand was met wie ze van gedachten kon wisselen, haar gevoelens kon delen, en nu ze kon geloven dat dit begin – dit volkmaakte en tijdloze begin – de start van iets oneindigs moest zijn, deed ze haar ogen dicht.

Ze dacht aan Sullivan en glimlachte; ze hadden een afspraak, en ze zou zorgen dat hij zich eraan hield.

17

*H*et lawaai van de straat klonk nog net zo hard en wapperde nog steeds als een felgekleurde serpentine in de wind, en uit de roosters op het trottoir stegen rook en stoom als geesten uit de ondergrondse op. En toch leek het anders te klinken, en Annie, die met haar neus tegen het koude glas tegen het kozijn van haar slaapkamerraam leunde, keek naar de mensen die zich zo vroeg naar buiten waagden. Zondagochtend, de eerste dag van een nieuwe maand, wie weet zelfs van een nieuw leven. Ze draaide zich om toen David zich bewoog en ze zag hem uit een diepe slaap ontwaken. Zijn ogen gingen knipperend open, even met iets van aarzeling erin omdat hij niet meteen wist waar hij was, maar toen hij haar in het oog kreeg stak hij glimlachend zijn hand naar haar uit, deed zijn mond open en zei schor: 'Kom hier... Kom weer in bed, Annie.'

'Ontbijt,' zei ze. 'Ik zou een heel achterste van een eland op kunnen.'

'Jezus, Annie,' zei hij, op slag klaarwakker, 'dat is wel het smerigste wat ik ooit heb gehoord.'

Ze lachte. Ze was naakt en was zich er heel sterk van bewust, maar zonder enige verlegenheid, en toen liep ze de kamer door en ging op de rand van het bed naast hem zitten.

Hij liet zijn arm om haar middel glijden en probeerde haar naast zich te trekken, maar ze verzette zich.

'Ik meen het,' zei ze terwijl ze naar voren boog en hem kuste. 'Ik sterf van de honger.'

Ze liet haar vingers door zijn haar gaan, over zijn oor en zijn wang, en boog zich nog eens voorover om hem op zijn voorhoofd te kussen. Ze zei: 'Als je iets te eten wilt, zul je je lijf uit bed moeten zien te hijsen... Anders blijf je maar liggen en ga je dood van de honger.'

Annie stond op. David wist alleen de lucht achter haar te pakken te krijgen, en zij pakte van de stoel naast het bed haar onderbroekje en T-shirt, trok ze aan, liep de slaapkamer uit en ging naar de keuken.

Ze bakte eieren, vulde een kan met sinaasappelsap, schepte gemalen koffie in het filter, en hoorde een geluidje.

Ze liep terug naar de voorkamer en toen hoorde ze het weer: een geluid van glas tinkelend op glas. Het kwam uit de gang achter de voordeur. Ze liep de kamer door, deed de deur van het slot, trok hem op een kiertje, en zag op de deurmat drie flessen Crown Royal staan, twee vol en een voor eenderde leeg. Ze begon te lachen, hardop, en binnen de kortste keren was David bij haar met alleen zijn spijkerbroek aan. Hij legde zijn hand op haar schouder, keek omlaag en zag de flessen.

'Je melkboer?' vroeg hij. 'Verdorie, ik had naar deze buurt moeten verhuizen.'

'Sullivan,' zei ze.

'Laat hij altijd flessen drank op je deurmat voor je achter?'

Annie schudde haar hoofd. 'We hadden een afspraak.'

'Een afspraak?'

'Ik kan er niet over praten,' zei Annie terwijl ze de flessen oppakte en de voordeur achter zich dichtdeed.

'Waarover kun je niet praten?'

'Over de afspraak.'

'Vertrouwen,' zei David. 'Vertrouwen betekent: geen geheimen, Annie O'Neill.'

'Maar dit is privé...' begon ze.

'En wat er gisteren gebeurde niet soms?'

Hij plaagde haar, pestte haar een beetje, want ze wist dat hij niet verder zou aandringen als ze voet bij stuk zou houden.

'Goed dan,' zei ze, 'maar als je er ook maar één woord over tegen Sullivan loslaat, word ik echt des duivels.'

David knikte. 'Geen woord,' fluisterde hij, en hij drukte zijn vingers tegen zijn lippen.

'Hij drinkt te veel, veel te veel,' zei Annie. 'Sullivan was journalist – Vietnam, Haïti, Cambodja, El Salvador, al die oorden. Hij heeft vreselijke dingen gezien... Hij leeft met zijn geesten, begrijp je wat ik daarmee bedoel?'

David knikte en aan zijn ogen kon ze zien dat hij inderdaad begreep waar ze het over had.

'Hij drinkt dus te veel, en toen maakten we een afspraak...'

Annie keek David Quinn aan. Hij zag er aarzelend maar afwachtend uit.

'Geen woord,' hield ze hem nog eens voor.

Hij schudde zijn hoofd. 'Ik peins er niet over.'

'De afspraak was dat als ik... Je weet wel.'

David trok zijn wenkbrauwen op. 'Wat dan?'

'Nou, je weet wel... Wanneer ik...' Ze maakte een gebaar, alsof ze daarmee de zin kon aanvullen.

'Wanneer je wat...?'

'Jezus, David, wanneer ik een beurt kreeg, oké? Wanneer dat echt gebeurde, zou hij ophouden met drinken. Ben ik zo duidelijk genoeg?'

David glimlachte. 'Heel duidelijk, Annie, bijzonder duidelijk zelfs. Dus kennelijk heeft hij het idee dat wat hier gisteravond gebeurde goed genoeg was.'

'Kennelijk...' begon ze, en toen zei ze: 'O verdorie, de eieren!'

Ze duwde David opzij, rende de keuken in en zag dat die vol rook stond van de zwartgebakken eieren in de pan. Ze gooide het raam open en begon met een handdoek om zich heen te wapperen om de rook te verdrijven.

David kwam achter haar aan naar binnen. 'Ik heb genoeg aan koffie,' zei hij. 'Laten we de koffie mee naar bed nemen... Misschien kunnen we dan voldoende herrie maken om Sullivan zover te krijgen dat hij een heel krat stuurt.'

Annie zette de aangekoekte pan in de gootsteen en liet die vol water lopen. Ze schonk koffie in en gaf David een kop, waarna ze samen naar de slaapkamer teruggingen.

De koffie bleef staan. Die werd na een tijdje koud. Koffie was verdikkeme wel het laatste waaraan Annie die zondagochtend dacht.

Een uurtje later of zo lag ze naast David, met zijn arm om haar heen en haar gezicht op zijn schouder. Ze trok met haar vingers kringetjes in zijn borsthaar.

'Wanneer was het voor jou voor het laatst?' vroeg ze.

'Katherine Hellman,' zei hij. 'Afgelopen augustus twee jaar geleden, in New Jersey.'

'Dat is wel heel exact,' zei Annie, een beetje verbaasd.

'En voor jou?' vroeg hij.

'Ene Michael Duggan, ongeveer drie jaar geleden... Hier in feite, voorzover ik me herinner.'

'Wat voor iemand was hij?'

'Heel anders dan jij,' zei Annie. 'En wat voor iemand was Katherine Hellman?'

'Ze is dood.'

Met een bezorgd gezicht kwam Annie iets omhoog. 'Is ze dood?'

David knikte.

'Hoe is dat gebeurd...? Als je het tenminste niet erg vindt dat ik het vraag.'

'Het geeft niet. Ze stierf in oktober van datzelfde jaar... Ze viel van de buddyseat van een motor en werd door een auto geraakt.'

'O, jezus,' zei Annie. 'Toch niet jouw motor?'

'Nee, die van haar broer.'

'En reed haar broer?'

'Ja, hij reed.'

Annie was sprakeloos en wist niet wat ze moest zeggen.

'Denk er maar niet meer aan,' zei David.

'Waaraan niet?'

'Aan het beeld van iemand die van een motor valt en door een auto wordt geraakt.'

Ze kneep haar ogen stijf dicht en probeerde aan iets anders te denken, aan wat dan ook – een olifant, een gebrandschilderd raam – maar in haar achterhoofd bleef de verschrikking hangen.

'Vertel me eens wat over Michael Duggan,' zei David, terwijl hij zijn sigaretten pakte en er eentje opstak.

'Michael? Michael was docent Engels aan Barnard. We hebben een jaar een relatie gehad. Hij was drieëndertig, en onze relatie eindigde toen een van zijn studenten hem in zijn kantoor pijpte.'

David glimlachte en begon toen hardop te lachen.

'Wat is er zo grappig aan?' vroeg Annie, een tikje verbaasd om die reactie.

'Jezus, Annie... Dat is wel cliché, hè?'

'En jij bent wel érg fijngevoelig!'

'Sorry,' zei hij. 'Maar...'

'Het is inderdaad nogal cliché,' onderbrak ze hem. 'Hoe dan ook, hij was de laatste man in mijn leven, en op die manier is het geëindigd.'

'En wat wil je nu?'

'Wat ik nu wil? Hoe bedoel je?'

'Een relatie,' zei David. 'Wat verlang jij nu van een relatie?'

'Zomaar een relatie of deze relatie?'

'Oké, deze,' zei David. 'Ik wilde niet te aanmatigend zijn.'

'Je had er gisteren geen enkele moeite mee aanmatigend te zijn, David Quinn.'

Hij glimlachte, boog zich voorover en kuste haar. 'Vertel me dan maar eens wat jij van deze relatie verlangt.'

Ze zweeg een tijdje. Ze geloofde niet dat een man haar ooit die vraag had gesteld. Er lag diep water onder het gladde oppervlak, onderstromen vol overwegingen, en dat waardeerde ze. 'Voornamelijk een vriend... een bondgenoot, een vertrouweling. Ik wil vertrouwen en loyaliteit, ik wil iemand die serieus kan zijn wanneer dat nodig is, maar verder wil ik ook iemand die gemakkelijk in de omgang is, die zich weet te ontspannen, die dingen zomaar voor de lol kan doen. Begrijp je?'

'Ja,' zei hij.

'En jij?' vroeg ze. 'Wat wil jij?'

Hij zei even niets, draaide zich toen langzaam om, en terwijl hij haar met heldere ogen recht aankeek en zijn gezicht maar een paar centimeter van het hare verwijderd was, zei hij: 'Jou, Annie O'Neill... Ik wil jou.'

Hij boog zich naar haar toe en kuste haar, en ze wist dat zo'n vraag niet beter beantwoord had kunnen worden.

Ze wist niet waarom ze hem over Forrester vertelde. Het was vroeg in de avond, een uur of vijf, zes, en ze waren opgestaan, hadden zich aangekleed en zaten aan tafel koude kip en aardappelsalade te eten. Ze had een fles wijn opengetrokken. Er viel een stilte, een hiaat, en op dat moment bracht ze Robert Forrester ter sprake.

'Kwam hij zomaar naar de winkel?'

'Mm-mm,' zei ze. 'Hij dook op uit het niets en zei dat hij mijn vader jaren geleden had gekend.'

'Heeft je vader het nooit over hem gehad?'

'Ik was zeven toen hij stierf.'

'En je moeder dan?'

Annie schudde haar hoofd. 'Mijn moeder sprak nauwelijks over mijn vader, laat staan over mensen die hij gekend had.'

'En denk je dat hij eerlijk is?'

'Ja,' zei Annie. 'Ik weet niet waarom hij nu ineens is opgedoken... Hij had elk moment kunnen komen, dat zou geen enkel verschil hebben gemaakt. Volgens mij is hij gewoon een eenzame oude man die wat gezelschap zoekt.'

'En zei hij dat hij kortgeleden hierheen was verhuisd?'

'Hij zei niet dat hij verhuisd was, alleen dat hij hier een paar weken zou zijn, en misschien zelfs wel een paar maanden, en dat hij de traditie wilde doen herleven die hij met mijn vader was begonnen.'

'De leesclub?'

'Precies, de leesclub.'

'En hij bracht brieven van je vader mee.'

'Tot dusver twee, maar ik heb zo'n vermoeden dat hij er elke keer eentje mee zal brengen.'

'Hoe heeft hij brieven van je vader aan je moeder in handen gekregen?'

Annie schudde haar hoofd. 'Dat weet ik eigenlijk niet. Voorzover ik begreep hebben ze een tijdje samengewoond, en toen mijn vader stierf had Forrester ze nog.'

'Je vader heeft ze dus nooit kunnen versturen, anders zou Forrester ze niet kunnen hebben.'

Annie fronste haar voorhoofd. David had gelijk. 'Ik weet het niet,' zei ze. 'Ik weet niet hoe dat is gekomen.'

'Wanneer komt hij weer?'

'Morgenavond,' zei Annie.

'En wat lezen jullie dan?' vroeg David.

'Hij heeft een verhaal meegebracht... Nou ja, eigenlijk een paar hoofd-stukken van een verhaal... Hij zei dat het door een van de oorspronkelijke leden van de club was geschreven.'

'Is het een goed verhaal?'

Annie haalde glimlachend haar schouders op. 'Goed? Volgens mij kun je dit verhaal niet onder goed of slecht rangschikken. Het is een soort biogra-fie van een man die Harry Rose heet.'

'En wat doet die Harry Rose?'

'Hij was een immigrant. Hij kwam uit Auschwitz en werd meegenomen door een Amerikaanse militair. En toen die militair doodging werd hij een gangster.'

'Heb je het hier?'

Annie keek op.

'Het verhaal, bedoel ik,' zei David. 'Heb je die hoofdstukken hier?'

Ze knikte. 'Ja... Hoezo?'

'Zou ik ze mogen lezen?'

Annie zweeg even. Ze voelde zich onzeker, en misschien zelfs wel een beetje ongerust. De brieven waren zo persoonlijk dat ze niet zeker wist of ze die wel aan iemand anders kon laten zien, en misschien gold dat ook wel voor de hoofdstukken. Maar ze had ze toch ook door Sullivan la-ten lezen? Alleen kende ze Sullivan natuurlijk al vanaf dat ze hier was ko-men wonen.

'Als je het niet wilt, is het ook goed,' zei David toen hij haar aarzeling be-speurde.

Annie schudde haar hoofd en vroeg zich af waarover ze zich nu eigenlijk zorgen maakte. Haar nieuwe standpunt was toch dat ze mensen in haar leven moest toelaten en dat ze ermee moest ophouden zichzelf overal van uit te sluiten met het idee dat het leven in je eentje beter was? Zo was dat!

'Het is wel goed,' zei ze. 'Ik zou eigenlijk wel graag willen dat je ze las... Na het eten, oké?'

David knikte. 'Natuurlijk, als je het...'

'Ik weet het zeker,' zei ze. 'Je kunt ze na het eten lezen.'

En dat deed hij, op de bank met Annie naast zich, en ze las ze over zijn schouder voor de tweede keer. Hij vroeg niets, las snel, maar toen hij klaar was draaide hij zich naar haar om en zei: 'Wat een verhaal!' Hij schudde glimlachend zijn hoofd. 'Die Johnnie Redbird is me er eentje.'

Annie knikte. 'Ik heb de indruk dat hij een steeds grotere rol zal gaan spelen, maar dat zal ik moeten afwachten.'

David bladerde nog eens door de pagina's. 'Denk je dat het over bestaande personen gaat?' vroeg hij.

'Ja,' zei ze. 'Zo voelde het aan toen ik het las, maar aan de andere kant probeerde ik mezelf er misschien wel van te overtuigen dat het fictie was.'

'Jezelf ervan te overtuigen? Hoezo?' vroeg David.

Annie aarzelde, fronsend. 'Ik weet het niet,' zei ze. 'Misschien omdat ik er een onbehaaglijk gevoel van kreeg. Ik begon me af te vragen waarom Forrester wilde dat ik het zou lezen, en toen ik me dat eenmaal was gaan afvragen, vroeg ik me ook af of mijn vader soms iets met het verhaal van doen heeft. Of Johnnie Redbird misschien mijn vader was of zo.'

Annie keek David aan om te zien wat hij ervan vond. Dacht ze dat nu heus? Dat iemand die zo wreed was familie van haar kon zijn, haar eigen bloed? En dan was er nog die andere vraag, de vraag die was opgekomen toen Sullivan haar dat verhaaltje had verteld en zij zich had voorgesteld dat haar vader er was. Op dat moment had haar vader het gezicht van Robert Forrester gehad, en dat kon ze maar niet van zich af zetten. Ze raakte ervan in de war. Het leek ook nergens op te slaan, en toch had het iets fascinerends. Het ging er nu niet meer alleen om dat ze het verhaal interessant vond, maar ook had ze het idee dat ze gewoon móést weten wat er gebeurd was.

'Het was me anders het leventje wel,' zei David. 'Ook al was het nog zo afschuwelijk, ik ga toch denken dat ik heel wat meer met mijn leven had kunnen doen.'

Annie glimlachte inwendig. Ze kon zichzelf precies hetzelfde horen zeggen. Misschien was dat het; misschien was dat de echte waarheid: ze had geprobeerd zichzelf ervan te overtuigen dat het niet werkelijk was gebeurd omdat ze haar eigen leven dan oersaai zou vinden. Vergeleken met het verhaal was haar leven leeg geweest.

'Je ziet hem dus morgenavond weer?'

'Ja,' zei Annie. 'Ik wil weten hoe het verdergaat.'

'Mag ik dat dan ook lezen?'

'Natuurlijk... Maar dan zul je hierheen moeten komen.'

David glimlachte, legde zijn arm om haar schouder en trok haar dicht tegen zich aan. 'Het lijkt me dat ik voorlopig maar moest blijven,' zei hij. 'Hier blijven... terwijl ik werk?'

Hij schudde zijn hoofd. 'Dat was een grapje,' zei hij. 'Ik moet mijn appartement op orde zien te krijgen.'

'Blijf vanavond hier,' zei Annie. 'Dat kan toch wel?'

'Vanzelfsprekend. Ik wilde toch al blijven.'

'Ik ga naar de winkel, en misschien kun jij dan rond een uur of acht, negen komen. Dan kun je het volgende hoofdstuk lezen.'

'Afgesproken,' zei David. 'Ik zal wat te eten meebrengen. Waar hou je van? Chinees? Thais?'

'Chinees is prima,' zei Annie. 'Koe loe yuk en nasi goreng. En kijk of ze ribbetjes en zo hebben.'

'Vooral en zo's,' zei David.

'Zo is het: je mag nooit de en zo's vergeten,' antwoordde Annie.

Ze ordende de pagina's en legde ze op tafel.

'En wat nu?' vroeg David. 'Wil je een tijdje tv gaan kijken of zo?'

Annie schudde haar hoofd. 'Of zo lijkt me wel wat.'

'Nog een bepaald of zo?'

Annie stond van de bank op, pakte zijn hand en trok hem overeind. Ze sloeg haar armen om zijn middel en vlijde haar hoofd tegen zijn schouder.

David kwam ineens onverwacht in actie en voor ze het wist had hij haar opgetild en droeg hij haar naar de slaapkamer.

Ze begon te lachen, trok op zijn rug het overhemd uit zijn broek en probeerde toen zijn broekriem los te maken.

'Je bent een makkie,' fluisterde hij.

'Reken maar,' antwoordde Annie O'Neill.

18

Maandagochtend regende het weer. De lucht zag bijna zwart. Ze stonden op, David ging douchen, en toen ze zag dat hij zijn haar met een handdoek droogde, kreeg ze een idee.

Ze liep naar de slaapkamer, trok de onderste la van de commode open en haalde onder de kleren een boek vandaan. Ze zocht gehaast en bijna opgewonden naar een stuk papier, alsof ze op het punt stond iets te doen wat van veel groter belang was dan inpakken. Ze wikkelde het boek er zorgvuldig in en liep terug naar de voorkamer.

Ze belde een taxi voor David en toen hij klaar was om weg te gaan gaf ze hem het boek.

'Wat is dit?' vroeg hij.

'*Breathing Space*,' zei ze.

'Hè?'

'Het boek waarover ik je verteld heb... Het boek dat mijn vader me heeft nagelaten.'

David schudde glimlachend zijn hoofd. 'Ik kan het niet aannemen, Annie...'

'Alleen om te lezen,' zei ze. 'Niet om te houden. Ik wil dat je het leest.'

'Weet je het zeker?'

'Als ik er niet zeker van was zou ik het je niet geven... Maar pas er goed op, David, en vergeet niet het me terug te geven.'

'Dat spreekt toch vanzelf?' zei hij. 'Natuurlijk doe ik dat.'

Hij pakte het boek aan, boog zich toen naar haar toe en kuste haar. 'Dank je,' zei hij.

Toen vertrok hij, en nadat ze hem had nagekeken tot de taxi bij de kruising was afgeslagen, liep ze weer naar boven. Ze bleef een tijdje in de keuken staan nadenken over wat ze had gedaan. Ze had deze man haar misschien wel kostbaarste bezit gegeven. Het was in een impuls gebeurd, een plotse reactie op haar gevoelens, en ondanks de twijfel die haar even bekroop leek het haar achteraf toch dat ze er goed aan had gedaan. Het maakte deel uit van haar leven, deel van wat haar vader voor haar had kunnen betekenen, en op de een of andere vreemde manier was dit misschien ook haar manier om haar vader bij deze relatie te betrekken. Hoewel het boek en de inhoud op zich niet veel te betekenen hadden, maakte het toch deel van haar uit. En dat had ze nu gedeeld. Dit móést iets te betekenen hebben. Ze wist niet wat, maar het moest iets betekenen.

Annie zette thee en ging toen even bij Sullivan kijken. Hij lag te slapen en ze maakte hem niet wakker, maar ging terug naar haar appartement en maakte zich klaar om naar haar werk te gaan.

Een halfuurtje later nam ze nog eens een kijkje bij Sullivan en zag hem in een ochtendjas aan de keukentafel zitten.

Hij glimlachte naar haar – heel warm, en heel vergenoegd – en zei toen: 'Heb je mijn cadeautje gekregen?'

'Ja... en ik moet zeggen dat je een man van je woord bent, Jack Sullivan.'

'En jij, mevrouw O'Neill, kunt een enorme keel opzetten.'

Annie voelde dat ze een kleur kreeg.

'Het is goed zo, Annie. Verstop het niet. Ik ben heel blij voor je.'

'Ik ben ook blij voor mezelf.'

'Vertel eens: hoe is hij?'

Annie ging tegenover Sullivan zitten. Haar gezicht stond peinzend en haar woorden kwamen traag en afgemeten. 'Ik geloof... Ik geloof dat hij wel oké is, Jack. Begrijp je? Heel even voelde ik me een beetje bedreigd... Ach, ik weet niet, misschien is bedreigd een te sterk woord. Ik denk dat hij in zekere zin op jou lijkt.'

'Een zielige oude zuiplap...'

'Ik ben bloedserieus, dus hou daarmee op,' viel ze hem in de rede.

Jack Sullivan knikte en zei geen woord meer.

'Ik denk dat hij wat problemen heeft in de omgang met mensen... Die indruk krijg ik tenminste. Vanwege zijn werk heeft hij geen enkele stabiliteit.'

Sullivan trok zijn wenkbrauwen op.

'Hij is inspecteur voor scheepvaartverzekeringen... Dat werk brengt hem wekenlang naar woeste, verlaten plekken. Hij brengt veel tijd door in hotels. Dat soort dingen.' Annie fronste haar voorhoofd. 'Ik ben een paar dagen geleden naar zijn appartement geweest, vlak bij St. Nicholas en 129th. Volgens mij woont hij daar al een paar weken en toch ziet het eruit alsof het nog maar pas betrokken is. Alles zit in dozen die tegen de muur staan gestapeld. Hij heeft zijn beddengoed en een paar kledingstukken eruit gehaald, en de spullen die je nodig hebt om een kop koffie te zetten, je weet wel. Die dingen die je ook in een Holiday Inn vindt of zo.'

Sullivan knikte. 'Zulke mensen heb ik wel vaker ontmoet... Ach verrek, jarenlang ben ik zelf zo iemand geweest. Je trekt van hot naar her, je bent voortdurend op pad, en je wordt rusteloos als je niks te doen hebt of nergens naartoe hoeft. Sommige mensen leren dat nooit af.'

'Hij probeert het wel, denk ik,' zei Annie. 'Ik heb de indruk dat hij wel stabiliteit zoekt, iets om van weg te gaan en naar terug te keren.'

'En dat zou jij dan zijn?'

Annie haalde haar schouders op.

'Wil je dat jij dat wordt?'

'Ik weet het niet, Jack,' zei Annie glimlachend. 'Het is nog wat te vroeg om te weten of dit iets gaat worden.'

'Maar het voelt wel goed?'

'Ja,' antwoordde ze, 'het voelt wel goed.'

Jack Sullivan legde zijn hand op die van Annie. 'Ik wil heel graag dat het goed is,' zei hij. 'Soms heb ik het gevoel dat je mijn kind had moeten zijn, wist je dat? En als er narigheid van komt...'

Annie begon te lachen. 'Narigheid? Er komt geen narigheid van. Ik ben nu een grote meid, pa.'

'Laat me uitpraten,' zei Sullivan. 'Als zich problemen voordoen... Als je denkt dat er iets niet in orde is, vertel het me dan, oké?'

'Oké,' zei Annie. Ze glimlachte niet meer en in haar ogen verscheen even een flits van bezorgdheid.

'Vat het niet te zwaar op,' zei Sullivan, 'ik weet helemaal niks van die vent, en als ik me niet op jouw oordeel kan verlaten, dan weet ik het niet meer. Als het goed voelt, dan zegt dat mij genoeg. Vergeet het maar, oké?'

'Oké,' zei Annie nog eens. 'Oké.'

'Ga nu maar naar je werk, en hou in gedachten dat je weer eens wat geld moet verdienen.'

Annie stond op. Ze boog zich voorover en drukte een kus op Jack Sullivans voorhoofd.

'Pas goed op jezelf,' zei ze. 'En bedankt.'

Sullivan knikte. 'Ga nu maar,' zei hij.

Ze liep naar de deur en draaide zich om. 'Forrester komt vanavond. Wil je ook komen?'

'Verdorie, dat was ik vergeten... Ik heb met iemand anders afgesproken.'

'Het geeft niet. Hij is onschadelijk. Ik dacht trouwens toch niet dat het nodig was dat je zou komen.'

'Zeker weten?'

'Zeker weten,' antwoordde Annie. 'Zie ik je later vanavond?'

'Afgesproken.'

Annie glipte de deur uit en deed die achter zich dicht. Sullivan zag er iets beter uit, maar ze wist dat hij over een paar uur een moord zou doen voor een slok whisky. Toch kende ze hem goed genoeg om te weten dat hij er niet aan zou toegeven, want hij had het beloofd, en Sullivan zou net zo-min een belofte verbreken als naakt door een winkelcentrum lopen.

De route die ze nam was dezelfde als altijd, maar haar manier van lopen was wel veranderd. Er was licht aan het eind van de tunnel, en de donkere gang achter haar die naar de eenzaamheid voerde, leek zich razendsnel te sluiten. De mensen zagen er anders uit, ze klonken ook anders, en toen ze bij Starbucks naar binnen ging om een mochaccino te halen, had ze eigen-lijk helemaal geen zin om de warmte en al die mensen met hun menselijke geluiden te verlaten.

Eenmaal in The Reader's Rest begon ze de stapels gebonden boeken te verleggen. Ze had zich altijd aan die stapels geërgerd. Ze leken een auto-matische barrière te vormen voor iedereen die binnenkwam. Ze schoot lekker op, beter dan in weken het geval was geweest, en de winkel begon zelfs iets minder claustrofobisch aan te voelen. John Damianka kwam rond het middaguur langs en het verbaasde haar dat hij geen opmerking maakte over haar afwezigheid, maar ze begreep wel waarom niet toen hij haar vertelde dat het prima ging met Elizabeth Farbolin van het Interna-tional Center of Photography.

'We hebben vorige week bijna elke dag samen geluncht,' zei hij. 'En hoe meer tijd we samen doorbrengen, hoe vaker we elkaar willen zien, lijkt het wel.'

'Zo hoort het ook,' zei Annie.

'Zo is het nog nooit geweest,' antwoordde John.

'Je moet die ene zien te vinden,' zei ze. 'Misschien heb jij het geluk haar te vinden.'

'Het heeft niets met geluk te maken,' zei hij. 'Als je het mij vraagt, komt het alleen maar op doorzettingsvermogen aan.'

Ze knikte glimlachend en dacht aan David, en ze had zeker de helft van haar met mayonaise doordrenkte stokbroodje op dat John had meege-bracht voordat ze eindelijk haar verlies wilde toegeven.

De middag sleepte zich voort en toen de wijzers van de klok langzaam naar vijf uur waren gekropen, wilde ze maar dat de twee uur die nog rest-ten voordat Forrester zou komen voorbij waren.

Ze draaide het bordje om, maar liet het licht in de winkel aan, liep terug naar de keuken om verse koffie te zetten en ging daar zitten nadenken over waar de relatie met David toe zou leiden.

Kort na zessen hoorde ze iets in de winkel. Ze stond op om te kijken wie er was. Ze dacht dat het misschien wel David was, en ze merkte dat haar hart een slag oversloeg.

Zie je wel, dacht ze bij zichzelf, het moet echt 'opstijgen naar de liefde' zijn.

Maar het was David niet. Een jongeman met een donkerblauwe broek, een windjack en een honkbalpetje met een rood-wit logo stond voor de deur.

'Mevrouw O'Neill?' riep hij door de gesloten deur.

Ze knikte.

'Ik heb een pakje voor u.'

Ze deed fronsend open en nadat ze voor de envelop had getekend deed ze de deur voorbij de toonbank weer dicht en op slot.

Ze liep terug naar de toonbank, draaide de envelop om, en daar zag ze in vette letters haar naam en de naam van de winkel staan, en daaronder de datum.

Ze maakte de envelop open en hield hem op zijn kop. Er gleden een stapel papier en een met de hand geschreven briefje uit.

Mevrouw O'Neill, mijn excuses voor mijn afwezigheid. Moest voor zaken weg. Om u niet al te erg teleur te stellen stuur ik u het volgende deel van ons manuscript. Tot volgende week. Hoogachtend, Forrester

Ons manuscript, dacht ze. Sinds wanneer is het ineens ons manuscript?

Een tikje opgelucht dat ze niet nog een uur hoefde te wachten ordende ze het stapeltje papier en stopte het weer in de envelop, maar tegelijkertijd was ze een beetje teleurgesteld dat ze geen nieuwe brief van haar vader zou krijgen. En teleurgesteld omdat ze Forrester niet zou zien. Ze was hem aardig gaan vinden, omdat ze meende te weten dat hij zich graag betrokken wilde voelen, en was ergens blij dat hij haar had gekozen. Maar het was natuurlijk nooit een kwestie van kiezen geweest. Hij had haar vader gekend, en om onbekende redenen had hij besloten haar op te sporen en haar iets te vertellen waarvoor ze volgens hem dankbaar zou zijn. Deze man en haar vader hadden een leesclub opgericht, al vond ze wel dat ze bij de oprichting heel ongebruikelijk te werk waren gegaan.

Ze kwam in de verleiding meteen te gaan lezen, maar zag er toch van af. Ze haalde haar jas, haar sjaal en haar handschoenen uit de keuken, deed het licht uit en ging naar huis.

Het regende niet meer, maar de straten waren nog steeds nat. Enkele winkels waren hun etalages al aan het inrichten voor Thanksgiving. En dan zou het binnen de kortste keren Kerstmis zijn, en ze voelde zich enorm opgelucht dat ze die feestdagen dit jaar niet alleen hoefde door te brengen. Sullivan was uit, zo bleek uit de stilte en het feit dat er geen licht brandde in zijn appartement. Ze liet zichzelf binnen, gooide haar jas, sjaal en hand-schoenen op de stoel vlak achter de deur en zette thee voordat ze de in-houd van de envelop ging lezen.

Door het raam zag ze bewegende gestalten in het gebouw aan de overkant. Ze bedacht dat ze een gordijn zou moeten ophangen, en dacht toen: wat kan het mij ook verdommen, ik moet er alleen geen gewoonte van maken naakt rond te lopen.

Ze ging in de voorkamer aan tafel zitten, haalde de vellen papier uit de envelop en begon te lezen.

19

D us nadat ik naar Rikers was afgevoerd, vertrok Harry Rose uit Queens. Hij bleef een tijdje in Long Island City en verhuisde toen weer naar Astoria. Ondanks zijn geld en ondanks zijn voorgeschiedenis reisde zijn reputatie – hoe berucht die in Queens ook was geweest – hem niet vooruit. Harry merkte dat hij weer van voren af aan moest beginnen. Hij was achttien, en wat de dealers en valsspelers, de bookmakers en de koeriers betrof was hij het zoveelste goocheme jochie dat in de grotemensenwereld probeerde mee te spelen.

Astoria verschilde in veel opzichten van Queens. Het was er niet beter of slechter, alleen anders. Er leek meer geld om te gaan; vandaar dat het geld dat Harry had meegebracht hem geen extra invloed opleverde. Hij nam een appartement aan de Shore Boulevard met uitzicht op het Ralph Demarco Park, en wanneer hij zich 's avonds laat uit het raam van zijn slaapkamer aan de achterkant boog, kon hij de North en South Brother Islands zien, en hij wist dat hij, als hij nog een halve meter verder naar buiten had kunnen leunen, om de Bowery Bay heen tot aan Rikers had kunnen kijken, waar ik was opgesloten. De hele maand mei en juni en zelfs nog het eerste stuk van juli kon Harry er niet toe komen ernaartoe te gaan. Hij probeerde te bedenken op welke manier hij de weg terug naar de wereld kon vinden.

Hij was nu alleen, en hoewel dat nooit goed was, gaf het hem wel enige vrijheid. Hij kon gaan en staan waar hij wilde, en hij benutte die mogelijkheid ten volle. Hij begon met kaarten en het aannemen van weddenschappen, en startte een kleine onderneming op een bankje in het Ralph Demarco Park, waar iedereen zijn dollars aan weddenschappen kwijt kon. Hij betaalde prompt en op tijd, en hield zich altijd aan zijn woord, en hij kreeg de reputatie die hij op jongere leeftijd had weten op te bouwen weer terug – langzaam, maar hij kreeg hem terug, en binnen vijf of zes weken zette hij weer tien- of twintigduizend dollar per week om. Hij had er nog een schnabbel naast door de wat duurdere hoeren aan te bevelen, van wie hij commissie kreeg, en een *blow job* wanneer hij maar wilde. Hij werd een bekend gezicht, een gezicht met een naam, en de mensen begonnen hem te herkennen en hem als een medespeler te beschouwen.

Aan het begin van de zomer was Harry weer terug van weg geweest. Hij kocht een auto, en met die auto trok hij er verder op uit, en hij investeerde een deel van het geld dat hij verdiende in gokhuizen en bars. In de achterkamertjes liet hij de verslaafden hun stickies roken of spuiten, wat ze maar wilden; hij berekende huur per uur wanneer ze het van zich af wilden slapen, en hij zette een vent aan het begin van de steeg om te waarschuwen als de politie kwam patrouilleren. Hij was veilig, hij was rustig, hij hield woord en hield zijn mond, en pas toen hij het gevoel had dat hij weer helemaal op de oude toer was, begon hij aan mij te denken.

Hij maakte zichzelf wijs dat ik geen bezoek van hem wilde, maar hij wist dat dat niet waar was, en uiteindelijk kwam hij dan toch, zich schrap zettend tegen wat hij te zien zou krijgen. Ondanks de tijd van het jaar was het bitter koud. Vanaf de East River en over Hell Gate en toen hij aan boord van de veerpont stond sneed de wind hem als een orkaan van scheermesjes in het gezicht. Zijn hart lag als de vuist van een dode in zijn borstkas, zijn zenuwen waren aan flarden, zijn mond was kurkdroog.

Het lawaai en de stank in de gevangenis waren net zo erg als hij zich had voorgesteld. De bitterzoete geur van een goedkoop ontsmettingsmiddel en de doordringende stank van een heleboel mannen in kleine cellen die dicht op elkaar zaten. Harry rook angst, en daaronder frustratie, eindeloze verveling, haat en rancune, schuld en onschuld. Al die dingen waren samengebundeld en stroomden door het gebouw via het luidruchtige aircosysteem, dat vermoedelijk meer stof en infecties verspreidde dan frisse lucht.

Harry kwam naar de gemeenschappelijke bezoekersruimte: twee lange rijen van tafels, gescheiden door een kamerhoge plaat van gewapend glas. Een paar van die tafels waren bezet. Moedeloze gevangenen zaten te mompelen terwijl hun vrouwen zaten te kankeren en de kinderen zaten te draaien en te emmeren omdat ze weg wilden; een jongeman, waarschijnlijk niet ouder dan Harry zelf, zat zwaarmoedig ineengedoken terwijl een oudere vrouw – vermoedelijk zijn moeder – hem aan één stuk door aan zijn hoofd zeurde omdat er geen verwarming in haar appartement was, en dat alles een stuk beter zou zijn geweest als hij zich niet 'met dat soort' had ingelaten. Harry luisterde zonder ook maar iets te horen, vertelde hij me, en toen de deur aan het andere eind openging en ik in spijkerbroek en jack naar binnen kwam, met mijn handen met boeien aan een brede leren riem om mijn middel vastgemaakt, stond hij op en kreeg de neiging om dwars door die ruit naar me toe te komen, zijn armen om me heen te slaan, me te verzwelgen en me mee te nemen naar het echte leven. Hij probeerde me zo goed mogelijk uit te leggen dat hij er met zijn verstand niet bij kon, dat hij er gewoon gek van werd, maar ik wist dat het niets was vergeleken met wat ik voelde. Ik was mijn leven kwijt, en al begreep ik best dat het net zo goed mijn eigen schuld was als die van Harry dat ik in Rikers zat, er had zich diep vanbinnen toch een zaadje van rancune genesteld. Ik gaf het geen water, ik bemestte het niet, maar ik voelde dat het er zat, en dat het groeide.

We praatten een tijdje, maar de woorden waren hol. Ik was afgevallen, en aan de rechterkant van mijn gezicht had ik een blauwe plek die aan het verkleuren was. Harry vroeg ernaar, wilde weten hoe ik die had opgelopen, maar dat vertelde ik hem niet. Destijds had ik het gevoel dat Harry al genoeg was gekweld, en ik wilde het vuur van die hel niet extra aanwakkeren. Ik zei tegen Harry dat hij me geld kon brengen, zoveel als hij wilde, maar dat hij wel moest weten dat ik maar de helft zou krijgen van wat hij me bracht. De rest zou onder de bewakers en de cipiers worden verdeeld. Je hebt hier iets aan geld, zei ik. Met geld kun je een betere cel krijgen en een beetje selectiever zijn wat betreft je celgenoot; en iemand met geld op zak kon ook wat extraatjes te eten krijgen. Harry haalde uit de zak van zijn overjas een rol bankbiljetten van tien dollar en zei dat hij de volgende keer meer geld zou meebrengen. Het was tussen de drie- en vierhonderd dollar. Ik draaide me om en wenkte de bewaker, die op zijn dooie akkertje naar me toe kwam; we wisselden een paar woorden, de bewaker knikte naar Harry en liep weer weg. Wanneer je weggaat, neemt hij het in ontvangst, zei ik tegen Harry.

Voordat Harry de kans kreeg ook maar iets te zeggen van wat hij zich had voorgenomen was het halve uurtje van het bezoek alweer voorbij. Ik stond op, keek Harry met kille, emotieloze ogen aan en zei: 'Pas goed op jezelf, Harry Rose. Er komt een dag dat ik dit achter de rug heb, en ik wil dat je goed onthoudt wat ik voor jou heb gedaan, oké?'

Harry zei dat hij het niet zou vergeten, dat hij mij nooit zou vergeten. Toen draaide hij zich om en liep naar de deur.

Daar bleef Harry staan – roerloos en niet in staat om ook maar ergens aan te denken – en hoewel hij had gehoopt dat ik me zou omdraaien en achterom zou kijken toen ik door de deur liep, hoopte hij tegelijkertijd dat ik dat niet zou doen. Later vertelde hij me dat er een blik in mijn ogen had gelegen van een man die heel erg zijn best moest doen om zijn verstand bij elkaar te houden. Het was beslist geen blik van iemand die verslagen was. Ik liep zwijgend weg en draaide me niet om, en toen de deur dichtviel bleef Harry Rose alleen en verward achter in een onbekende ruimte vol met verloren levens en gebroken harten.

Hij kwam me de week daarop weer opzoeken. Hij bracht duizend dollar

mee, drie sloffen sigaretten en een fles bourbon. Die sigaretten en de whisky zie ik nooit terug, zei ik, maar het geld komt goed van pas. Laat het er
voorlopig maar bij. Blijf een maand of twee weg. Het ziet er beter uit. Ik
heb een betere cel gekregen, met een rustige vent die zich met zijn eigen
zaken bemoeit. Ik red me wel. Het had erger gekund.

Het kan nog een verrekt stuk beter, wilde Harry zeggen, maar hij zei niets.
Harry ging met de veerpont terug. De bitterkoude wind leek als ijspegels
dwars door hem heen te jagen. Hij stopte zijn handen diep in de zakken
van zijn overjas en vroeg zich af hoe vaak hij de oversteek kon maken. Het
leek net alsof hij elke keer dat hij kwam vanbinnen een beetje doodging.
We hadden samen Olson vermoord. We waren allebei schuldig. Harry
had het gevoel gehad dat hij in een bitter hol vol persoonlijke kwellingen
voor zijn zonden betaalde, maar mijn lot was veel erger: ik zou voor de rest
van mijn leven op Rikers zitten.

Dat dacht ik tenminste.

Ik kan nu over dingen praten waarvan ik me destijds niet bewust was, en
ook al was ik me er wel van bewust geweest, dan nog zou ik ze toch niet
wereldkundig hebben gemaakt. Doden staat in de tien geboden, maar doden is precies het gebod dat het merendeel van de mensheid nooit van
dichtbij zal meemaken. Hoe het is om iemand te doden? Ik zal je zeggen
hoe het is. Het is noodzakelijk. Dat is het. Soms gebeurt er iets waardoor
je klem komt te zitten in de schaduwen van je eigen hart waarvan je het
bestaan niet eens kende. Iemand gaat te ver, zo ver dat er geen sprake meer
kan zijn van vergiffenis. Wat Carol Kurtz werd aangedaan was zoiets. Het
is best mogelijk dat Harry en ik het op dezelfde manier ervoeren, alsof de
verkrachting van die arme meid aanvoelde alsof hij onze moeders had verkracht. Louter theorie, en psychologisch gelul waar de zielenknijpers gek
op zouden zijn. Keer op keer heb ik me het moment voor ogen gehaald
dat ik in het mortuarium naar dat meisje stond te kijken. Ze was naakt,
en ze hadden een naamkaartje aan haar teen gebonden. De grote teen
aan de rechtervoet. Op dat kaartje stond een nummer. Ze was toen niet
meer dan een nummer geworden. Een nummer. Maar voordat ze een
nummer werd, had ze een leven gehad. Een echt leven, begrijp je wel?
Ze had een naam en een hart, en een stem om mee te zingen; ze had ergens in niemandsland familie, ze was mooi en slim en grappig, en een
beetje gek; en verdomme nog aan toe, misschien zou ze nooit meer dan
Harry's meisje zijn geworden, maar dat zou al genoeg zijn geweest. In
elk geval voor haar. Misschien was dat wel wat ze altijd had gewild:
iemands meisje zijn. En toen was ze zelfs dat niet meer. Ze was het slachtoffer van een verkrachting, van moord, een lijk en een nummer. Die

klootzakken daar wisten niet eens hoe ze heette. Ik heb het hun ook niet verteld. Dat verdienden ze niet. Maar ik wist het wel. Dat was voor mij genoeg. Toen ik daar wegging, was ik ergens geraakt waar ik nog nooit eerder was geraakt. Die kerel die ik voor zeventien ballen en wat losse centen vermoordde kende ik niet. Die kende ik absoluut niet. Maar Carol kende ik wel. En toen ik erachter kwam wie dit met haar had gedaan, werd het noodzakelijk om te zorgen dat diegene net zo zouden eindigen. Blauw en koud en stijf en stil, met een kaartje met een nummer erop om zijn teen, de grote teen van de rechtervoet.

Het was gerechtigheid die klootzak dood te zien, een bevrijding, de weegschaal weer in balans. Zo simpel zat het met die moord.

Als je erop terugkijkt, en je kijkt terug vanuit de tweeënhalve vierkante meter op Rikers, dan heb je er geen spijt van dat je die man hebt vermoord. Nee, je hebt nooit spijt van de moord. Je vindt het alleen jammer dat je gepakt bent. Je weet toch wel hoe het elfde gebod luidt? Gij moogt zich nooit laten betrappen. Dat heb ik verziekt. Dat heb ik goed verziekt.

Ik wist het uit te houden, maar ook maar net. Je zet je verstand op nul, je gedachten, je gevoelens... Je doet en zegt wat je moet, en je blijft netjes binnen de lijnen. Als ze zeggen: 'Spring!' dan vraag jij beleefd: 'Hoe hoog, baas?' Anders smijten ze je in het kot. Zorg dat je niet in het kot komt, zeggen ze zodra je er binnenkomt. Dat zeggen die andere gevangenen. Een kot is zwart geverfd, er zitten geen ramen in, alleen een gat in de deur waar je eten door komt. Eén keer per dag iets te eten. Een emmer in de hoek om te poepen en te pissen. Je leeft een week lang in de stank van je eigen stront. Als je eruit komt, zie je niks meer. Het licht is fel, verrekte fel. Dat kunnen je ogen niet verdragen. Je komt er één keer in de week uit, en dan loop je een kwartier rond te strompelen als een knock-out geslagen bokser tot je alleen nog maar wilt dat ze het licht uitdoen, en dan duwen ze je er weer in. Tot de volgende dinsdag. Ik heb daar een keer gezeten. Drie dagen maar. Kort beurtje. Voor mij lang genoeg. Ik had mijn mond niet weten te houden tegen de baas. Zei dat ik zijn moeder met een matras op haar rug achter een troepentransport aan had zien jakkeren. Na die tijd was ik een modelburger. Geen rotopmerkingen meer tegen de baas. Ik heb Harry Rose er nooit iets over verteld, toen niet. Ik heb het hem later verteld, veel later. Ik klemde gewoon mijn kiezen op elkaar, balde mijn vuisten, spande mijn spieren en deed wat me gezegd werd. Als een brave knul. Mama's lieve jongetje.

De tijd verstreek pijnlijk langzaam.

In augustus '56 werd John Kennedy door Estes Kefauver in de race om de nominatie voor vice-president voor de Democraten verslagen. Eisenhower en Nixon werden door de Republikeinen genomineerd om te worden herverkozen. Harry Rose werkte vanuit zijn appartement op Shore Boulevard, nam weddenschappen aan, inde zijn tegoeden en betaalde zijn schulden net zo nauwgezet als altijd al zijn handelsmerk was geweest. Maar het was niet hetzelfde, en toen hij in september door ene Mike Royale werd benaderd – 'King Mike' voor iedereen die hem kende, zei hij – werd hem een voorstel gedaan dat hem uit Astoria haalde, weg van de stank van de Bowery Bay-waterzuivering en het spookbeeld van Rikers Island aan de overkant van het kanaal. Harry Rose, altijd op zoek naar belangrijker zaken, luisterde heel aandachtig naar wat de man te zeggen had. 'Hoeren,' vertelde King Mike hem, met een buik die uit zijn vest knapte en zo'n strakke boord om dat die hem gemakkelijk had kunnen wurgen. Hij had een breed gezicht, tanden als krijtbrokjes, haar glad naar achteren en onder de pommade, zodat het leek alsof het op zijn hoofd was geverfd. Alles aan hem was te dik, zelfs zijn stompe vingers, en aan die stompjes zaten ringen die vast en zeker de bloedtoevoer naar zijn vingertoppen helemaal afknepen. 'Daar zit het grote geld tegenwoordig,' zei hij een beetje ademloos, alsof zijn strot te veel was opgezet om de woorden er fatsoenlijk uit te krijgen. 'En ik heb het niet over jouw achterbuurthoertjes die hun klantjes voor vijf dollar afrukken en ondertussen een gezicht trekken als een strontlebberende buldog, o nee, meneertje. Ik heb het over chique, eersteklas dames die vanuit respectabele hotels werken, een manager hebben en een paar zware jongens die de kwaaie rakkers voor hun rekening nemen. Begrijp je nou waar ik het over heb? Over een plek waar jouw arbeiders, jouw Jan Publiek, een uurtje of zo het gezelschap van een meid kunnen krijgen die ze in hun eentje nooit zouden kunnen krijgen. We hebben een paar tenten op het oog en nou zijn we op zoek naar wat investeerders, als je begrijpt wat ik bedoel. Jij lijkt me een slimme knul en ik heb gehoord dat jij wel wat geld op zak hebt en altijd doet wat je zegt. Ik hoorde dat je een maandje of zo geleden een spelletje met Benny Schaeffer hebt gespeeld en dat je voor drie ruggen de boot in ging, en dat je keurig netjes bij hem op de drempel verscheen en hebt betaald. Dat je hem zelfs hebt bedankt dat hij zaken met je wilde doen en dat je hoopte dat snel nog eens te mogen doen. Is dat waar, knul?'

Harry zei dat het inderdaad waar was. Hij zei er niets over dat Benny Schaeffer een van de stomste gokkers was die hij ooit had ontmoet, en dat hij de afgelopen twee weken niet alleen de drie ruggen terug had verdiend, maar nog een paar erbovenop.

'We weten dus nu waar we het over hebben,' ging King Mike verder, 'en volgens mij ben jij een vent die we eens graag een van onze tenten willen laten zien die al draaien. Als het je bevalt, kunnen we je voor tien procent laten meedoen, oké?'

'En wat kost dat?' had Harry gevraagd.

'Echt een zakenmannetje,' zei King Mike. 'Dat mag ik wel. Zonder omhaal en recht voor zijn raap. Kom zelf maar kijken, en als je mee wilt doen, praten we wel verder. Afgesproken?'

'Afgesproken,' zei Harry, waarna ze elkaar de hand schudden.

De volgende dag stuurde King Mike een auto en maakten ze een ritje over de Triborough Bridge naar Manhattan.

Harry voelde zich bijna meteen thuis zodra hij voet op het trottoir had gezet. Franklin D. Roosevelt Drive, de Rockefeller University, het Cornell Medical Center, het Whitney Museum en het Jack Jay Park: namen die iets betekenden, plekken waarover hij eerder had gehoord. En toen ze een hoog bakstenen gebouw binnengingen, met in het raam een beschaafd bordje waarop stond GENTLEMAN'S HOTEL & BAR, vroeg Harry zich af of hij echt het geluk zou hebben bij iets betrokken te raken wat wat meer klasse had dan Benny Schaeffer en consorten.

Binnen gingen de wanden schuil achter veloursbehang, de vloeren waren van hout, en de leunstoelen en chaises longues leken zo uit een verhaal van F. Scott Fitzgerald te komen. Er stonden verse bloemen in kristallen vazen, een antieke grootvaderklok liet zijn zachte hartslag horen die door de gang weerklonk, en toen ze de hoek aan het eind omsloegen en de receptie binnenkwamen, hield Harry zijn adem in alsof het zijn allerlaatste ademteug was.

De meisjes kwamen zo uit *Harper's* en *Vogue*. Lang, blond, elegant, brunette, slank, olijfkleurige huid, roodkopjes, benen die tot aan hun middel leken te reiken, bovenlijfjes met mouwen of strapless, zijden kousen en jarretels...

King Mike kwam met een groep van vijf vrouwen naar Harry toe. Hij grinnikte en leek in zijn element, en toen hij Harry een klap op zijn schouder gaf en hem de hand schudde, had Harry het gevoel dat hij door Hasan bin Sabbah in eigen persoon in het paradijs was binnengelaten.

'Dit is een van de drie tenten die we hebben draaien,' zei King Mike tegen hem, 'maar het leek ons beter als je eerst de goederen keurt, zogezegd, voordat je verder gaat kijken. Ga de meisjes bekijken, maak een keus, neem er twee of drie als je wilt; dan bespreken we daarna wel of je mee wilt doen of niet.

Harry leerde de meisjes dus kennen – Cynthia, Mary-Rose, Jasmine,

Louella-May, Claudette, Tanya, en nog meer namen die hij zich niet meer kon herinneren. Maar die middag herinnerde hij zich wel; die zou hij zich zijn hele leven blijven herinneren, wat er verder ook gebeurde, en toen hij weer beneden kwam om in een kantoortje naast de receptie met King Mike te praten, kon hij alleen nog maar luisteren en bevestigend knikken en zeggen dat hij inderdaad heel erg in een investeringsplan geïnteresseerd was.

'De omzet van de hotels ligt tussen de vijftien- en twintigduizend ruggen per week,' vertelde King Mike hem. 'We hebben er momenteel drie, en hopen dat we er aan het eind van het jaar nog eens drie bij hebben. Dat betekent dus vijfenveertig- tot zestigduizend ruggen per week, en met een eerste investering van honderdduizend kunnen we jou voor de eerste twaalf maanden laten meedoen, en dan, afhankelijk van het aantal hotels dat dan draait, kunnen we bekijken of er in de toekomst nieuwe investeringen moeten komen en moeten we een nieuwe winstmarge uitwerken. Hoe vind je dat klinken? Winstmarge? We hebben zelfs een echte accountant en zo.'

Harry was verkocht, en de volgende dag kwam dezelfde chauffeur met dezelfde auto, en Harry ging met honderdduizend ballen in contanten naar het Gentleman's Hotel & Bar. Claudette pijpte hem terwijl King Mike de bankbiljetten telde, en toen ze allebei klaar waren, schudden ze elkaar de hand. 'De eerste betaling komt met een week,' zei King Mike. 'Maar kom gerust als je zin hebt in een feestje met deze dames. Investeerders hebben zeven dagen per week vrije toegang.'

'Hoef ik niks te tekenen?' vroeg Harry.

'Tekenen?' zei King Mike. 'Waarvoor zou je verdomme willen tekenen? Dit is een van de grootste ondernemingen in Manhattan, en hoe minder er op papier staat, hoe beter. Denk jij dat de maffiafamilies het op prijs stellen dat wij elk jaar bijna drie miljoen inpikken?'

Harry begreep het. Ze gaven elkaar nog eens de hand, en toen bracht de chauffeur hem over de Triborough Bridge weer naar huis.

Er verstreek een week. Er kwam niemand opdagen. Harry liet het nog twee dagen op zijn beloop, maar had er toen genoeg van. Hij ging ernaartoe, hij stak de rivier over naar Manhattan, en na een beetje ongewenst rondtoeren in het onderste deel van Yorkville vond hij de straat, het Gentleman's Hotel & Bar, de voordeur van slot, de hal leeg, en de receptie alleen nog een leeg omhulsel met mooi geverfde wanden en een opengebroken pakkist midden in het vertrek.

Hij schopte de deur naar het kantoortje open, waar Mike en hij zaken hadden gedaan, en vond daar precies hetzelfde: een leeg vertrek.

In paniek en met bonzend hart vloog hij de trap op, stormde alle zes de kamers op de eerste verdieping binnen, en vond uiteindelijk de kamer waar hij bij zijn eerste bezoek was beziggehouden – de enige die was ingericht. De rest stond leeg, zelfs geen tapijt op de vloer, en toen liet hij zich op de bovenste traptree zakken en begroef zijn gezicht in zijn handen.

Hij was door een dikke vent en een stuk of vijf hoeren voor honderdduizend ballen opgelicht.

Harry Rose was verpletterd, hij was er mentaal en emotioneel kapot van. Hij zat met zijn hoofd in zijn handen op de trap in dat huis en jankte – niet uit zelfmedelijden of verdriet, maar omdat hij zo stom was geweest. Stom omdat hij alleen nog maar oog voor die mooie meiden had gehad, en voor de manier waarop ze zijn tienerpikkie in de mond hadden genomen en die hadden leeggezogen. Voor de rest was hij blind geweest. Hij had met zijn ballen gedacht in plaats van met zijn hoofd, en dat was wel de allergrootste fout geweest. Hij dacht niet zozeer aan de honderdduizend dollar als wel aan de inspanning die het hem had gekost om die te verdienen. Hij dacht dat dat geld zijn toekomst veilig had moeten stellen, maar dat het nu niet meer dan een herinnering was. Als hij een zwak persoon was geweest, had hij zich misschien wel doodgedronken, of een .38 in zijn mond gestoken en de achterkant van zijn eigen kop weggeblazen. Maar hij was geen zwak persoon. Hij had Auschwitz overleefd, hij had toegezien dat zijn eigen moeder werd geslagen, gemarteld en verkracht, hij had een man met zijn blote handen gedood en het licht in zijn ogen gedoofd.

Harry Rose vond dat hij een lesje had geleerd. Manhattan was Queens niet, en al helemaal niet Astoria. Manhattan was de plek waar de grote jongens speelden. Als je aan deze kant van het park wilde spelen, dan kwam je met grof geschut en duidelijke bedoelingen. Het deed er geen ene moer toe wie je vroeger was geweest; het enige wat telde was wie je nú was. Deze keer was het King Mike Royale geweest, maar het had iedereen kunnen zijn. Harry was alles kwijt en hij was weer terug bij af. Hij was blut, maar dat was hij al vaker geweest en toch had hij er telkens weer bovenop weten te komen. Dat zou nu ook gebeuren. Als hij iets had geleerd, was het wel oplossingen te vinden, en de wil om alles wat hij op zijn weg vond te bestrijden en te overwinnen. Het bedrog van King Mike had hem sterker gemaakt, dat moest hij geloven, want als hij iets anders zou geloven, betekende dat dat hij het onderspit had gedolven vanwege het lot of het noodlot. Dat soort woorden kwamen in het woordenboek van Harry Rose niet voor. Je lot bepaalde je zelf, goed, slecht of onbeduidend, en op noodlot beriepen zich de zwakken wanneer alles goed misging.

Twee weken later verliet hij zijn appartement op Shore Boulevard. Hij kwam niet naar Rikers Island en vertelde me niet waar hij naartoe ging. Hij verdween gewoon. Hij had zevenduizend dollar bij zich – al het geld dat hij bezat – drie pakken, een paar instappers, een paar handgenaaide nette schoenen, twee witte overhemden, een verzameling stropdassen, en een .38 met een stompe neus en vier kogels die vroeger van mij was geweest. Hij deed een aanbetaling op een klein appartement midden in de stad en trok er diezelfde dag nog in. Hij ging met een kop kippensoep en een stuk of wat crackers als avondmaaltijd aan de haveloze keukentafel zitten en nam een besluit. Op een dag zou hij King Mike en zijn mooie meiden weten te vinden, en nadat hij korte metten met die dikke rotzak had gemaakt zou hij Claudette van achteren naaien en haar ondertussen met haar eigen zijden kousen wurgen. Zo zou het gaan, dat stond als een paal boven water.

Het werd november. Ike werd herkozen. Kerstmis was niet meer ver weg, net zomin als het nieuwe jaar 1957, het jaar waarin Humphrey Bogart dood zou gaan, het jaar van al die ellende in Arkansas toen gouverneur Faubus het leger te hulp riep om te voorkomen dat negen zwarte kindertjes naar school gingen, het jaar waarin Eisenhower door een beroerte werd getroffen en Elvis voor militaire dienst werd opgeroepen. Het jaar ook waarin Harry Rose de zaadjes van een imperium begon te begieten. In Manhattan had spierkracht geen flikker te betekenen. Spierkracht was goed voor Queens en Brooklyn, en zou misschien in Harlem van nut zijn geweest, maar hier waren het uitgekooktheid en snel denken, betere ideeën en de snelle vingertjes die de ruggen binnenhaalden en ervoor zorgden dat je de concurrentie een stap voorbleef.

Hij begon opnieuw met waar hij echt goed in was – met de gokkers en de bookmakers – en tegen de tijd dat Sugar Ray in maart 1958 voor de vijfde keer wereldkampioen middengewicht werd was Harry goed op dreef. Hij hield het kleine appartement aan, vertelde geen sterveling waar hij woonde, en vandaar uit zette hij de lijnen uit en veranderde wanneer het nodig was van richting. Hij had onderweg een paar maatjes bij de NYPD weten te krijgen die bereid waren voor niet meer dan twintig of dertig ballen per keer het een en ander door de vingers te zien. Manhattan was net zo smerig als andere oorden waar Harry was geweest, maar de corruptie in Manhattan had een bepaalde klasse; er lag een laagje vernis van elegantie over het doen en laten van wat in wezen niet meer dan een stelletje goedkope zwendelaars en armzalige zuiplappen waren. Harry was een maand of zes van zijn twintigste verjaardag verwijderd; hij liet een snor staan en zag eruit als vijfentwintig, en toen hij de kans kreeg een graantje mee te pikken van de grotere deals en transacties die door de joodse families werden afgewikkeld – en de paar Italiaanse families die dapper genoeg waren om zich buiten de Lower East Side te wagen – werd Harry serieus genomen. Harry Rose wist het vertrouwen en de reputatie terug te verdienen die hij in Queens had gehad. Harry was een goeie knul. Harry betaalde op tijd. Harry was een man met wie je kon samenwerken, maar je kon hem beter niet kwaad maken. Het gerucht ging dat hij een man had vermoord, en hoewel het gerucht nooit werd hardgemaakt kon je er veilig van uitgaan dat iemand met zo'n reputatie een zekere mate van respect van zijn collega's verdiende.

De honderdduizend dollar kreeg hij met hard werken terug; hij moest zich ervoor in het zweet werken en praten als Brugman. Hij handelde in hoeren en drugs, hij deed mee in het protectiecircuit en had een ploeg van zes zware jongens tot zijn beschikking die op de nachtclubs en bars in de wat ruwere buurten pasten. Hij pakte wat hem toekwam en hij manipuleerde bokswedstrijden en paardenrennen, kaartspellen en voetbalwedstrijden. Hij liet honderden dollars in het collegecircuit rollen, en zodra zijn zaken begonnen te lopen kreeg hij het geld met bloed, zweet en tranen terug. De tweede honderdduizend was veel gemakkelijker, en alles kwam weer in het gelid voor de jongeman die in een verwaarloosde flat op East 46th woonde, niet meer dan een paar stappen verwijderd van Broadway en Times Square. Harry had geknokt om zijn leven weer op de rails te krijgen, en dat was hem gelukt ook. Van de ene kerst tot de andere dacht hij niet één keer aan mij.

Ik daarentegen dacht heel veel aan Harry Rose. Ik koesterde geen wrok tegen hem, of rancune of verbittering. Ik had wel verwacht dat hij spoorloos zou verdwijnen, want ik zou hetzelfde hebben gedaan, en ik wist dat mijn oude maatje druk bezig was zijn slag te slaan en die ruggen met handenvol binnen te halen. Het enige wat ik hoefde te doen – het enige wat ik kón doen – was een manier vinden om uit Rikers weg te komen, en dan zou ik de wereld ook weer voor het grijpen hebben.

Toen het decennium naar zijn einde liep, was dat zo'n beetje het enige waar ik aan kon denken. Ik hoorde dat Ingemar Johansson Floyd Patterson in 1959 in het Yankee-stadion had verslagen. Door die wedstrijd kwam de wereldtitel zwaargewicht voor het eerst sinds Primo Carnera in 1934 weer in handen van een niet-Amerikaan. En als Harry Rose nog steeds dezelfde Harry was die ik zoveel jaar geleden had gekend, dan wist ik dat die wedstrijd hem god mocht weten hoeveel duizenden dollars extra had opgeleverd, en ik had recht op een behoorlijk percentage van dat bedrag – want ik had toch terechtgestaan, ik had mijn naam genoemd, en ik had de schuld voor ons allebei op me genomen... ja toch? Ik wist het, en Harry zou het ook weten. Er zou een tijd komen dat die schuld moest worden betaald, en Harry zou die betalen. Tuurlijk.

Die gedachte – vermoedelijk uitsluitend die gedachte – hield me op Rikers Island de volgende zeven jaar uit de problemen.

20

Terwijl Annie de laatste bladzijde omsloeg, speelde er een gedachte door haar hoofd waar ze net niet de vinger op kon leggen. Het had iets met Forrester van doen, of eigenlijk met David Quinn en Jack Sullivan. Ze wist het niet. Misschien had het niets te betekenen. Ze keek op haar horloge. Even na halfacht. Voorzover ze zich herinnerde zou David die avond tussen acht en negen komen. Ze keek nog eens op haar horloge en raakte de wijzerplaat met de vingers van haar rechterhand aan terwijl ze zich probeerde voor te stellen dat haar vader het droeg. Hij was al drieëntwintig jaar dood. Er was een tijd geweest dat hij op ditzelfde horloge had gekeken, misschien wel omdat hij te laat voor een afspraak was. Een afspraak waarvoor? Wellicht voor constructiewerkzaamheden. Wat voor werkzaamheden? Annie schudde zuchtend haar hoofd. Haar teleurstelling omdat Forrester die avond niet was komen opdagen had vast en zeker niet zozeer te maken met Forrester als wel met het feit dat er geen brief was geweest. Over wie haar vader was geweest, wat hij had gedaan, en hoe het met hem was verlopen waren geen vragen gesteld of antwoorden gegeven.

Annie fronste haar voorhoofd.

Jezus, dacht ze, wat weet ik maar weinig van hem. Mijn eigen vader, en ik weet vrijwel niets over hem...

Het verdriet dat haar overviel kwam langzaam, op kousenvoeten, bijna ongrijpbaar. Ze was zeven geweest, en toen was hij er niet meer. Ze kon zich niet eens herinneren dát ze zeven was geweest, laat staan de momenten, de uren, de dagen die ze met hem moest hebben doorgebracht. Of het gevoel dat ze moest hebben gehad wanneer ze wist dat hij thuis zou komen. Thanksgiving, Kerstmis, haar zesde verjaardag – dingen die ze zich zou móéten herinneren, maar hoe ze ook haar best deed om terug te denken, ze vond helemaal niets. Was er iets zo verschrikkelijks gebeurd dat ze het zich niet wílde herinneren?

Ik weet het niet, dacht ze, ik weet het gewoon niet.

En toen dacht ze: Sullivan.

Ze werd ineens bloedzenuwachtig, alsof haar zenuwen onder stroom stonden. De haartjes in haar nek kwamen overeind.

Sullivan zou iets kunnen ontdekken. Waarom heb ik daar niet eerder aan gedacht?

Omdat je het niet wilde weten, antwoordde een stemmetje.

Wel verdorie, natuurlijk wilde ik het wel weten.

Misschien nu wel, maar toen niet... niet voor...

Voor wat?

Voordat iemand je eraan herinnerde dat je misschien wel iets miste.

En wie mag dat dan wel zijn geweest?

Forrester natuurlijk, Robert Franklin Forrester. Hij heeft je de brieven gebracht. Hij vertelde je van de leesclub. Hij hielp je eraan herinneren dat Frank O'Neill destijds bestond, dat hij net als iedereen echt heeft geleefd, en dat jij niet oud genoeg was om er deel van uit te maken. Daarom. Hij heeft je eraan herinnerd dat je iemands dochter was...

Iemands dochter. Ik was iemands dochter.

Annie keek weer op haar horloge. Ze sloot haar ogen, met haar vingers nog steeds op het gladde koele oppervlak, en hield haar adem in zodat ze de secondewijzer kon horen tikken met de piepkleine beweginkjes van een metronoom, gevat in iets wat ooit om de pols van haar vader had gezeten.

Ze dacht dat ze ging huilen, maar dat was niet zo. Ze haalde diep adem, stond toen op en liep naar de gootsteen in de keuken, een uitkijkpost op de wereld buiten het raam. Ze vroeg zich af of er iets binnen haar gezichtsveld kon liggen wat haar vader had gebouwd. Als hij al ooit iets had gebouwd.

Als...

Ze besloot Sullivan te vragen informatie in te winnen. Misschien kende hij wel mensen die hij kon vragen overlijdensadvertenties na te kijken, en de burgerlijke stand... Misschien zou hij zelfs een foto kunnen vinden, zodat ze eindelijk zou zien hoeveel ze wel op haar vader leek...

Het idee joeg haar angst aan, maar wond haar tegelijkertijd op. Alsof je het laatste bochtje naar het hoogste punt van de achtbaan aflegde en je maag van angst een verkrampte spierbal was geworden; het gevoel dat je ontbijt voor je uit vloog, de ogen wijd open, de kiezen op elkaar geklemd, de vuisten gebald... Daar ga ik dan, ma... naar het hoogste puntje van de wereld!

Annie moest bij zichzelf glimlachen. Ze schakelde de waterkoker uit en zette thee. Ze wilde maar dat David kwam. Ze wilde dat hij het nieuwe hoofdstuk las. Ze wilde dat hij het net zo aanvoelde als zij. Dat Johnnie Redbird een bestaand mens was, dat hij op Rikers Island zat opgesloten terwijl Harry Rose zich in Manhattan uitleefde en deed alsof hij zijn leven niet aan iemand te danken had die dat nooit zou vergeten. Dit waren gevaarlijke mensen, die een gevaarlijk leven leidden. Moord, intriges, hartstocht, geld, schandaal – uit die ingrediënten bestond hun dagelijkse leven, en ze was ervan overtuigd dat die dingen hun uiteindelijk fataal zouden worden.

Ze liep van de keuken terug naar de bank, en net toen ze ging zitten hoorde ze de buitendeur open- en dichtslaan. Voetstappen op de trap. Niet die van Sullivan. Die van David, dat wist ze zeker, ook al was ze nog niet zo vertrouwd met het geluid van zijn naderende voetstappen. Het was nieuw, anders, en toen die voetstappen bij de derde deur waren gekomen en ze hem hoorde kloppen, was ze echt nog nooit zo blij geweest dat er iemand bij haar aanklopte.

'David?' riep ze.

'Met ribbetjes en rijst en zo,' riep hij terug. Ze deed de deur van het slot en liet hem binnen. Ze gaf hem nauwelijks de tijd om zijn tassen neer te zetten voordat ze haar armen om zijn hals sloeg. Hij had zijn haar laten knippen, een schone spijkerbroek aangetrokken, plus een wit overhemd met open boord en een geelbruin katoenen jack. Hij zag er goed uit en hij rook lekker, en toen hij haar welkom beantwoordde met een omhelzing die de lucht uit haar longen perste, voelde ze precies wat ze altijd had gehoopt te voelen wanneer ze nauw bij een ander betrokken was.

'Ho even,' zei hij, 'ik heb alleen maar Chinees meegebracht.'

Annie liet hem los. Ze deed een stapje naar achteren en nam hem van top tot teen op. 'Je ziet er goed uit,' zei ze. 'Mooi geknipt... Het staat je.' Ze stak haar hand uit en raakte zijn gezicht aan, trok hem naar zich toe en kuste hem. Ze voelde zijn handen om haar middel. Sterke handen. Gevoelige vingers. Ze wilde met hem naar bed.

'Eerst eten,' zei hij.

'Eerst?'

'Je gezicht is een open boek, Annie O'Neill.'

Ze lachte, pakte de zakken die hij had meegebracht en haalde borden tevoorschijn.

Ze aten. Ze praatten een beetje. Annie zette koffie en keek naar hem toen hij een sigaret opstak.

Toen hij die had opgerookt stond ze op, trok haar T-shirt over haar hoofd en deed haar beha uit.

Ze liep naar de slaapkamer terwijl ze de knoop van haar broekband losmaakte. 'Pak me dan als je kan,' zei ze toen ze bij de deur was.

David kwam meteen overeind en kreeg haar bij het bed te pakken.

Ze bedreven de liefde. Bijna woest. Hunkerend, alsof ze op wraak uit waren. En toen het voorbij was lagen ze naakt en ademloos zwetend naast elkaar zonder elkaar aan te raken, zonder enig contact, wachtend tot de innerlijke rust was teruggekeerd.

'Heb je Forrester vanavond nog gesproken?' vroeg David uiteindelijk. Hij rolde zich om en duwde zich met een hand onder zijn hoofd overeind.

'Hij kon niet komen... Hij heeft een hoofdstuk door een koerier laten brengen.'

'Mag ik het lezen?'

Annie rolde naar de rand van het bed. 'Nu?' vroeg ze.

'Als je het niet erg vindt...'

Ze glimlachte. 'Ik vind het niet erg. Waarom zou ik het erg vinden?'

David haalde hoofdschuddend zijn schouders op.

Annie stond op en liep naar de deur. Ze keek achterom en zag dat David haar nakeek.

'Wat is er?' vroeg ze.

'Verbijsterend,' zei hij.

'Wat?'

'Jij.'

'Verbijsterend? Is dat niet een beetje sterk uitgedrukt?'

Hij glimlachte. 'Ik vind van niet.'

'Plaaggeest,' zei ze, en ze glipte de deur uit naar de voorkamer. Ze nam zijn sigaretten mee terug, ging op de rand van het bed zitten en stak er eentje voor hem aan. Ze zoog een mondvol rook naar binnen en blies die uit zonder te inhaleren.

'Je wilt er echt niet weer mee beginnen,' zei David.

'Moet je horen wie het zegt,' antwoordde ze, waarna ze hem de sigaret gaf. David pakte de pagina's aan, ging rechtop zitten, met zijn rug tegen het hoofdeinde, en zolang hij las bleef Annie naar hem kijken.

Vreemd dat iemand die je een tijdje kent er heel anders uitziet dan toen je hem net leerde kennen, dacht ze. Misschien komt zijn ware aard naar boven wanneer je hem beter leert kennen... Je begint te zien wat er onder de huid zit, en achter het gezicht dat hij de buitenwereld toont. Zoals die echt aantrekkelijke kerels bijvoorbeeld – bij de eerste oogopslag tenminste, maar wanneer je ze beter leert kennen, ontdek je dat het ontzettende zakkenwassers zijn en worden ze steeds maar lelijker.

Ze moest om die gedachte glimlachen en keek naar David, die soms een beetje op Kevin Costner leek en toch weer alleen maar op zichzelf. Ze wilde hem aanraken, haar hoofd op zijn buik leggen en voelen hoe zijn borstkas bij het ademen op- en neerging, maar hij zat te lezen – heel aandachtig – en het leek zo belangrijk dit met hem te delen dat ze zijn concentratie niet wilde verstoren. Ze deelden het leven van anderen, en het maakte niet uit of het het leven van echt bestaande mensen was, of dat ze alleen maar aan de verbeelding van de schrijver waren ontsproten, of dat het het evangelie van Rose en Redbird was. Ze kon voelen wat ze had gelezen, en daarom wilde ze het delen, en op dit moment leek het veel belangrijker het met David Quinn te delen dan met wie ook, Sullivan inbegrepen. Zelfs Jack Sullivan – de man die ze ooit als haar beste vriend had beschouwd en met wie ze nauwer verbonden was dan ze ooit voor mogelijk had gehouden. Annie had het gevoel dat ze de rest van haar leven met een man als David Quinn zou kunnen doorbrengen en nooit meer iets anders zou willen. Om de een of andere onbekende, ongrijpbare, onbestemde reden voelde dat ontzettend goed.

'Wat een verhaal,' zei David toen hij de laatste bladzijde omsloeg. 'Dit is me wat. Het intrigeert me, het intrigeert me enorm.'

Annie knikte. 'Mij ook,' antwoordde ze. 'Het fascineert me gewoon... Wie ze waren, hoe dat allemaal is gebeurd, wat er van Redbird zal worden, of hij ooit uit Rikers Island zal komen.'

'Dat wordt wel gesuggereerd,' zei David. 'De zin "Die gedachte – vermoedelijk uitsluitend die gedachte – hield me op Rikers Island de volgende zeven jaar uit de problemen" geeft mij het idee dat er iets gaat gebeuren wat alles anders voor hem maakt.'

'Wie weet,' zei Annie.

'Forrester weet het,' antwoordde David. Hij legde de stapel papier op het bed, draaide zich om en keek Annie recht aan. 'Zou jij niet meer over hem aan de weet willen komen?'

'Over Forrester? Of over de man die dit heeft geschreven?'

'Over Forrester,' zei David.

'Ja,' zei ze, 'maar iets anders lijkt me nog belangrijker.'

'En wat mag dat zijn?'

'Mijn vader... In welk opzicht dit iets met mijn vader te maken kan hebben.'

'Je vader?'

'Forrester heeft me twee brieven gegeven... allebei door mijn vader aan mijn moeder geschreven. Het afzenderadres luidt het Cicero Hotel... Heb jij daar ooit van gehoord?'

'Niet dat ik weet, maar er moeten honderden hotels in New York zijn.'

'Als het al in New York was,' zei Annie.

'Juist ja, als het al in New York was.'

'Dit hele gedoe heeft me nieuwsgierig gemaakt. Ik kan me nauwelijks iets van hem herinneren, mijn moeder sprak nooit over hem, ik weet eigenlijk niet eens wat voor werk hij deed. De brieven hebben me aan het denken gezet over hoe hij was, en ik vroeg me af of ik Sullivan zou kunnen vragen eens wat inlichtingen te verzamelen, om te proberen erachter te komen hoe hij is gestorven, dat soort dingen. En verder zei jij laatst iets: dat Forrester die brieven tussen de spullen van mijn vader had gevonden, en dat mijn moeder ze dus nooit kon hebben ontvangen.'

'Het zou goed zijn om dat te weten te komen,' zei David. Hij rolde zich om en trok Annie dicht tegen zich aan. Zijn handen waren warm en hij begon kleine kringetjes op haar bovenbeen te trekken.

De rillingen trokken door haar been. Ze propte de kussens onder haar hoofd en ging in haar volle lengte tegen David aan liggen.

'Hoe ben jij aan die winkel gekomen?' vroeg David.

'Hoe ik eraan kwam?'

'Ja, hoe ben jij aan zo'n winkel gekomen?'

'Toen mijn moeder stierf heb ik ons huis verkocht en de winkel gepacht. Waarom vraag je dat?'

David trok haar nog dichter tegen zich aan. 'Ik vroeg het me gewoon af.'

Het bleef een poosje stil.

'Alles goed?' vroeg Annie.

'Zeker weten,' fluisterde David. Ze voelde zijn adem in haar nek, wat haar plezierige huiveringen bezorgde.

'Waar denk je aan?'

'Afsluiting,' zei hij kalm.

'Afsluiting?' vroeg ze. 'Wat bedoel je daarmee?'

'Kijk, wanneer je iets niet weet, raak je de gedachte eraan niet kwijt. Maar wanneer je de waarheid ontdekt, heb je het gevoel dat je het los kunt laten... Ook al is het het ergste wat je je maar kunt voorstellen, dan helpt die je toch om het los te laten.'

Ze knikte zonder iets te zeggen.

Ze bracht haar linkerhand naar haar gezicht, en daar was haar vaders polshorloge weer; de wijzerplaat was nog geen vijftien centimeter van haar gezicht verwijderd.

Ze hoorde het tikken, en het leek het ritme van Davids hart te volgen. Ze voelde zijn borstkas tegen haar rug, de warmte van zijn huid, en de veiligheid en stabiliteit dat het haar gaf. Als een anker. Een veilige haven in de storm. Ze drukte zich dichter tegen hem aan, voelde hem reageren, sloot haar ogen, en ademde zo diep uit dat het leek of ze leegliep en in rook opging.

'Gaat het?' fluisterde hij.

'Beter dan ooit,' fluisterde ze terug.

Ze voelde dat hij haar nek kuste, haar schouder. Ze hoorde het geluid van zijn ademhaling vlak bij haar oor, en diep daarbinnen voelde ze een peilloze, zeldzame, haar naar het hoofd stijgende en verslavende emotionele vrijheid – en ze voelde dat ze geluidloos in slaap zakte.

David sliep ook – hun lichamen als lepeltjes tegen elkaar, alsof ze één entiteit vormden, en hoewel de wind tegen de ramen op haar verdieping beukte, hoorde ze niets dan stilte.

De stilte van de eenzaamheid verdween op zijn tenen voorgoed uit haar leven.

21

*H*et ochtendlicht dat door het raam naar binnen sijpelde en Davids lichaam dat slapend op bed lag omhulde, de warmte van de zonnestralen die haar huid raakten – het leek allemaal tijdloos, oneindig, onvergetelijk.

Annie deed haar ogen dicht, opende ze heel even, en sloot ze toen weer alsof ze een foto nam. Haar geest was de camera. Ze zou dit beeld voor eeuwig vasthouden en elke keer dat ze het weer wilde bekijken zou ze het achter haar oogleden kunnen zien en zich herinneren hoe goed ze zich had gevoeld op het moment dat die foto werd genomen.

Een momentopname voor het hart.

Ze liet hem slapen; ze wilde hem per se slapend achterlaten, want ze kon zich de laatste keer niet meer heugen dat ze was weggegaan en thuis was gekomen en iemand in haar bed had aangetroffen. Het gaf haar een gevoel van vervulling, met daarnaast een gevoel van verwachting over wat eruit voort zou kunnen komen, en de dringende behoefte alles te ontdekken wat er maar te ontdekken viel in een goedfunctionerende relatie. En bovenal was ze zich ervan bewust dat eenzaamheid nu al iets was waarvan ze zich nauwelijks kon herinneren dat het ooit belangrijk was geweest.

Annie trok een T-shirt en een spijkerbroek aan, liep haar appartement uit, stak de gang over en ging naar Sullivan. Ze klopte op de deur, wachtte een paar tellen, en liep naar binnen toen de deur werd geopend.

'Fijn dat je er bent,' zei ze tegen Sullivan, waarna ze hem omhelsde.

Hij was aangekleed. Vermoedelijk was hij al vanaf het ochtendgloren op. Dat deed hij soms, terwijl ze hem andere keren pas na de lunch wakker kon krijgen. Er was iets met zijn ogen: niet zozeer de schaduwen van slapeloosheid als wel de mentale en fysieke spanningen die hij te bestrijden had. Het was niet gemakkelijk om te stoppen met drinken, dat wist ze wel, en Sullivan had nog een hele strijd voor de boeg.

'Hoe gaat het?' vroeg ze.

'Met het drinken gaat het feitelijk best goed, Annie. Ik dacht dat het veel moeilijker zou zijn. Ik vervloekte mezelf dat ik dat had beloofd, maar eigenlijk gaat het best. En met jou?'

Annie glimlachte. Ze wist dat hij omwille van haar loog. Ze wilde wel iets zeggen, maar ze wist niet wat, en op dit moment wilde ze ook liever niet haar goede stemming bederven.

'Het gaat goed,' zei ze. 'David slaapt nog steeds... Ik kom je vragen of je iets voor me zou willen doen.'

Sullivan liep naar zijn voorkamer en ging op de bank zitten. Annie nam plaats aan tafel.

'Mijn vader,' zei ze nuchter.

'Je vader?'

Ze knikte. 'Ik vroeg me af of jij wat speurwerk zou willen doen – alles ontdekken wat je maar over hem aan de weet kunt komen... Ik dacht dat je misschien nog wat contacten bij de kranten had of zo.'

'En waarom zou ik dat doen?' vroeg Sullivan. 'In de vijf jaar dat we elkaar kennen is dit de eerste keer dat je me zoiets vraagt.'

Ze schudde haar hoofd. 'Ik heb er vaak over gedacht, maar ik denk dat de brieven van Forrester me er wat serieuzer over hebben doen nadenken. Ik zou nooit het lef hebben om het zelf te doen, begrijp je dat?'

Sullivan fronste zijn voorhoofd. 'Omdat je misschien dingen te weten komt die je niet bevallen?'

'Nee, dat niet. Eerder omdat ik bang ben dat het me verdrietig zal maken dat ik nooit de kans heb gekregen hem te leren kennen.'

'Ik kan wel eens navraag doen,' zei Sullivan. 'Geef me eens even pen en papier. Daar,' zei hij, wijzend naar een ladekast. 'Vertel me maar wanneer hij geboren is, waar hij woonde, dat soort dingen.'

'Ik denk dat hij eind jaren dertig is geboren, maar dat weet ik niet zeker. Voorzover ik weet heeft hij voornamelijk in New York gewoond, en Forrester zei dat hij een soort constructeur was.'

'Kun je iets specifieker zijn dan alleen "een soort constructeur"?' vroeg Sullivan. Hij pakte pen en papier aan en schreef op wat Annie hem vertelde.

Annie schudde haar hoofd. 'Meer weet ik niet. Ik weet dat het niet echt helpt, maar ik dacht dat je misschien toch iets zou kunnen ontdekken.'

Sullivan haalde zijn schouders op. 'Je weet maar nooit,' zei hij. 'Maar voor dit soort werk betaal je honderd per dag plus onkosten.'

Annie glimlachte. 'Ik waardeer het echt, Jack.'

Ze draaide zich abrupt om toen er op de deur werd geklopt.

'Kom binnen!' brulde Sullivan.

De deur ging behoedzaam open en David keek om de hoek.

'David,' zei Annie terwijl ze opstond. 'Kom, dan zal ik je aan de kat voorstellen.'

Sullivan fronste zijn voorhoofd.

187

Annie knipoogde naar hem. 'Dat is een heel verhaal,' zei ze.

David liep naar hem toe en stak zijn hand uit naar Sullivan.

'David Quinn,' zei hij.

'Jack Sullivan.'

Ze schudden elkaar de hand.

'Wil je ook een kop koffie?' vroeg Sullivan.

'Op zich wel,' zei David, 'maar ik ben zojuist opgeroepen. Ik vroeg me af of ik de telefoon kon gebruiken, Annie.'

'Neem de mijne maar,' zei Sullivan.

David leek even niet op zijn gemak. 'Mijn pieper ligt nog bij Annie,' zei hij. 'Met het nummer... Ik kan net zo goed daarginds bellen.'

'Ga je gang,' zei Annie. 'Ik kom ook zo.'

David knikte glimlachend. 'Haast je maar niet,' zei hij, en hij draaide zich om en liep naar de deur.

'Hij lijkt me wel in orde,' merkte Sullivan op toen Annie en hij weer alleen waren.

'Ja,' antwoordde Annie. 'Hij is echt oké, Jack.'

'Ik ben oprecht blij voor je.'

Ze stak haar hand uit en raakte zijn gezicht aan. 'Dank je,' zei ze.

'Ga nu maar naar hem toe en blijf niet langer bij die oude zuiplap aan de overkant, wat?'

'Ex-zuiplap,' hielp Annie hem herinneren.

'Zuiplap, ex-zuiplap, maakt niet uit... Ga jij je nu maar als iemands vriendinnetje gedragen.'

Iemands vriendinnetje, dacht ze terwijl ze Sullivans deur achter zich dichttrok. Het is lang geleden dat ik iemands vriendinnetje ben geweest.

Ze liep haar appartement in en zag David met een gespannen gezicht in de kamer staan. Hij had de pieper in zijn hand.

'Is er iets?' vroeg Annie.

'Boston,' zei hij. 'Ik moet voor een paar dagen naar Boston.'

Voordat ze nog een woord had gezegd was de teleurstelling al op haar gezicht te lezen. 'Nu meteen?'

Hij knikte. 'Nu meteen.'

'Krijg je altijd zo weinig tijd?'

'Soms wel, ja,' zei hij, en toen – alsof hij ineens op een idee kwam: 'Ik bedenk net iets.' Ineens zag hij er niet meer zo gespannen uit, en hij werd zelfs vrolijk. Hij lachte.

'Wat dan?'

'Kom mee... Kom een paar dagen mee naar Boston.'

'Naar Boston? Wat moet ik verdorie in Boston?'

'Ben je ooit in Boston geweest?'

Ze schudde haar hoofd. 'Nee.'

'Voor alles is er een eerste keer.'

Ze keek hem licht fronsend aan. 'Je meent het echt, hè?'

David kwam naar haar toe en pakte haar hand. 'Ik meen het echt. Waarom verdorie niet? Ik moet daar een paar mensen spreken en iets nakijken, maar vermoedelijk duurt het niet langer dan een paar uur. We zouden naar Nantucket kunnen gaan... We zouden zelfs een trip naar Cape Cod en Martha's Vineyard kunnen maken. Het is een goed idee, Annie – een paar dagen uit New York weg, verandering van omgeving, ja toch?'

David liep er warm voor. Hij drong bijna hartstochtelijk aan, en eerlijk gezegd had zijn voorstel ook wel iets opwindends en romantisch.

'Er zijn daar hotelletjes die uitkijken op de haven... Je kunt 's ochtends vroeg opstaan en ernaartoe lopen en de schepen binnen zien varen. Het is een prachtig deel van het land, echt waar.'

Annie was nog steeds besluiteloos. Ze begon al nee te schudden. 'Ik weet het niet, David. Het lijkt me wat prematuur.'

'Jezus, Annie, ik vraag toch niet of je met me wilt trouwen...? Ik stel alleen voor dat we een paar dagen naar Boston gaan en de stad even achter ons laten. Wat heb je nu helemaal te verliezen?'

Wat heb je nu helemaal te verliezen, vroeg ze zichzelf. Een paar dagen geen inkomsten uit de winkel? Waar maak ik me zo druk om?

'Nou?' vroeg David, aandringend.

'Ach, stik ook,' zei ze. 'Ik ga mee.'

'Fantastisch!' Hij sloeg zijn armen om haar middel, trok haar dicht tegen zich aan en knuffelde haar. 'Het zal ons allebei goeddoen.'

Twintig minuten later ging hij naar zijn appartement om kleren en andere spullen te halen. Annie stopte een paar dingen in een weekendtas, haalde haar tandenborstel en föhn uit de badkamer, en stak de gang over om Sullivan te vertellen dat ze – niets voor haar – spontaan en impulsief had gehandeld.

Sullivan leek er blij om. 'Stuur me een ansicht,' zei hij.

'Ik zal je een vis sturen,' antwoordde ze.

'Een vis voor de huiskat zeker?'

Ze moest met hem meelachen, knuffelde hem nog een keer en vertrok.

Ze was zo nerveus als een kind dat in de rij stond voor het reuzenrad omdat het eindelijk groot genoeg was om een ritje te maken. Het was allemaal nieuw en alles leek veel te snel te gebeuren, maar aan de andere kant werd ze er ook door aangetrokken, of ze nu wilde of niet.

Ze stond in de keuken, goot een half pak melk in de gootsteen en vroeg zich af waar ze in vredesnaam mee bezig was.

Word je verliefd? Neem je gewoon een reuzensprong in de hoop dat het allemaal goed zal komen? Probeer je tien jaar van je leven in twee weken te stoppen om de verloren tijd in te halen?

Ze glimlachte naar haar vage spiegelbeeld in het raam, schudde haar hoofd en hield zichzelf voor dat ze ermee moest ophouden te veel betekenis te hechten aan alles wat ze deed. Ze ging gewoon een paar dagen met David weg. En wie was David? Nou, een vent die ze bijna twee weken geleden toevallig had leren kennen. Liep ze niet een beetje te hard van stapel? Wel verdorie, hoe snel werd het dan geacht te gaan? Er bestond toch ook nog zoiets als liefde op het eerste gezicht? Van te snel gaan was hier geen sprake. Het had niets gecompliceerds. Zo ging het soms in het leven... en te oordelen naar hoe ze zich voelde had het meer weg van het leven zoals het hoorde te zijn. Iets om naar uit te kijken, iets om enthousiast over te raken, iets om van weg te gaan, en naar terug te komen...

De telefoon ging.

Annie draaide zich met een ruk om en staarde naar het toestel alsof het een diertje was dat zich had binnengedrongen.

Jezus, dacht ze. Hoe lang is het wel niet geleden dat hier de telefoon ging? Ze liep de keuken uit en de voorkamer door, en pakte de hoorn van de haak.

'Hallo?'

'Annie?'

'David?'

'Ben je bijna klaar?'

'Hoe wist je mijn nummer, David?' vroeg ze.

'Jezus, Annie, ik heb daarnet je telefoon gebruikt om Boston te bellen. Je nummer staat op de telefoon... En ben je nu klaar of niet?'

Annie knikte. 'Ja, David, ik ben bijna zover... Over vijf minuutjes.'

'Ik kom je met een taxi halen... Dan rijden we meteen naar het vliegveld. Ik heb een vlucht kunnen boeken die over een klein uur vertrekt, oké?'

'Oké,' zei ze, een beetje verbaasd om haar eigen reactie op zijn telefoontje. Dit was allemaal zo nieuw dat ze er nog aan moest wennen dat er iemand anders in haar leven was gekomen. Wilde ze die iemand eigenlijk wel? Natuurlijk wel, en dat kostte je wat. Je eenzaamheid verdween, maar in ruil daarvoor moest je een beetje van je privacy prijsgeven. Was dat nu echt zo'n slechte ruil? Ze dacht van niet.

'Ik ben er over vijf minuten.'

'Prima,' zei ze. 'Tot zo.'

Ze hing op en deed snel de laatste spulletjes in haar weekendtas. Ze keek na of alle apparaten waren uitgeschakeld, zette de thermostaat lager, propte wat kleren in de waszak achter de badkamerdeur en vertrok uit haar appartement.

Ze keek nog even bij Sullivan om de hoek en zag dat hij zat te internetten. 'Ik kijk een lijst van constructiebedrijven na,' zei hij. 'En veel plezier... Maar vergeet niet dat je van te veel neuken blind wordt.'

Ze lachte terwijl ze de deur achter zich dichttrok, en rende toen de traptreden af.

22

B ij het inzetten van de landing zag ze op een gegeven moment de zee rechts van haar. Het water reikte tot aan de horizon en over de rand naar het onbekende. Het was vroeg in de avond, de dalende zon zette de zee in brand, en onder haar leek die op een enorme golvende oceaan van zwavelzuur; en terwijl ze daar midden in de lucht hing met het gevoel dat ze door de wind werden voortgestuwd, probeerde ze zich te herinneren wanneer ze zich voor het laatst zo vrij had gevoeld. Ze kon het zich niet heugen, en op het moment waarop de wielen de landingsbaan raakten greep ze Davids hand – niet uit angst, of omdat ze gespannen was of iets dergelijks, maar uit pure verrukking. Ze keek hem aan en hij glimlachte.

'Je bent veel te lang in New York gebleven,' fluisterde hij.

'Ik ben veel te lang alleen geweest, David,' fluisterde ze terug.

Hij gaf haar een kneepje in haar hand.

Annie deed haar ogen dicht toen de landingsbaan onder hen door flitste, en toen het vliegtuig stilstond en de mensen hun bagage bij elkaar zochten en naar de uitgang liepen, besefte ze dat ze er op de een of andere manier in was geslaagd om zichzelf bijna volledig buiten het leven te plaatsen. Deze mensen, de mensen met wie ze had gevlogen, waren volgens de theorie dat iedereen met iedereen verbonden was dezelfde mensen die in The Reader's Rest kwamen snuffelen.

David nam haar via de aankomsthal snel mee naar buiten, in de wind en de regen van deze Bostonse avond. Hij hield een taxi aan en gaf de chauffeur de naam van een hotel. Toen ze wegreden keek Annie achterom naar het vliegveld. Felle lampen, honderdduizend van elkaar verschillende mensen die kriskras hun weg zochten door honderdduizend andere van elkaar verschillende mensen, en allemaal liepen ze heen en weer, mengden zich onder elkaar, zochten contact met anderen, en leefden op de enige manier die ze kenden: voor iemand uit, achter iemand aan, of naast elkaar. Dit was de mensheid: goed, slecht, onverschillig, onopvallend, extravagant, individualistisch, nadenkend, stom of mooi. Allemaal samen, en Annie O'Neill zag hoe ze zelf aan de zijlijn van het leven had gestaan en nu pas ontdekte dat je je hand moest uitsteken als je wilde overleven.

'Hoe gaat het?' vroeg David terwijl de weg zich voor hen uitstrekte.

'Prima, David, en met jou?'

David sloeg zijn linkerarm om haar schouder en trok haar tegen zich aan. Met zijn rechterhand pakte hij haar hand en gaf er een geruststellend kneepje in. Hij zei niets. Hij hoefde ook niets te zeggen.

De rit duurde iets meer dan tien minuten, en toen ze voor een hotelletje aan de rand van Boston stopten, toen David achter de taxi om liep, het portier voor haar opende, de taxichauffeur betaalde en haar tas naar binnen bracht, liep Annie achter hem aan met het gevoel dat elke stap iets nieuws bracht. Ze realiseerde zich dat het nu even genoeg was om zich alleen te voelen. Dat was de enige manier waarop ze het later kon omschrijven: dat het genoeg was om het te voelen.

Er bleek een kamer op naam van meneer en mevrouw Quinn te zijn geboekt.

'Niks profetisch,' fluisterde hij tegen haar terwijl hij zijn handtekening zette.

'Contant, cheque of creditcard?' vroeg de receptioniste.

'We betalen contant,' zei David.

'En u blijft maar één nacht?'

David knikte.

'Als u dan vijfenzeventig dollar aanbetaalt, rekenen we bij uw vertrek verder af,' zei de receptioniste.

David betaalde en pakte hun tassen. Annie nam de sleutel aan, waarna ze via een wenteltrap en een brede gang naar een kamer aan de rechterkant werden gebracht.

Het was een huiselijke kamer, warm – bijna te warm. Annie deed haar jas en trui uit, en bekeek het bed, de stoelen aan weerszijden, de tafel waarop een kleine koloniale lamp stond, het raam met de diepe erker, en daarachter niets dan diepblauw, besprenkeld met straatlantaarns en in de verte auto's op de snelweg. David was in de badkamer zijn toiletspullen aan het uitpakken, en toen hij in de kamer terugkwam, keek hij haar wat achterdochtig aan.

'Je ziet eruit alsof je nog nooit eerder in een hotel bent geweest,' zei hij.

'Heel lang geleden,' zei ze. 'Toen ik dertien was, heeft mijn moeder me een keer een lang weekend meegenomen.'

'En was dat de laatste keer?'

Ze knikte.

'Verdraaid, Annie, je zou er echt eens vaker tussenuit moeten gaan.'

'Dat doe ik ook... Dat heb ik ook gedaan,' zei ze, en ze stak haar hand uit. David kwam naar haar toe.

'Trek?' vroeg hij.

'Ik rammel.'

'Ze hebben hier een goed restaurant,' zei hij.

'Ben je hier al eerder geweest?'

'Een paar keer... Een van onze kantoren is in Boston gevestigd. Daar moet ik morgen naartoe.'

'Laten we dan maar gaan eten,' zei ze.

Ze hadden verse krab en kreeft, garnalen en oesters; David bestelde voor hen beiden Surf 'N' Turf – een combinatie van vlees en zeevruchten – een fles rode wijn, broodjes zo uit de oven, en een salade. Annie at meer dan ze voor mogelijk had gehouden, en toen ze klaar waren met eten bleven ze met een kopje koffie natafelen. David rookte een sigaret en praatte over een klus die hij een keer in Nantucket had gehad.

Toen ze het restaurant verlieten, was het al over tienen. Annie was moe en sleepte zichzelf door de gang, en zodra ze in de kamer waren viel ze volledig gekleed op het bed.

David liet het bad vollopen en riep haar zodra hij erin zat. Samen lagen ze in het diepe water en praatten over ditjes en datjes. Ze waren zich erg van elkaar bewust en geloofden misschien wel dat ze nergens ter wereld liever zouden zijn. Toen ze uit bad waren, bleef ze naakt in de badkamer staan terwijl hij haar afdroogde, waarna hij haar optilde, naar het bed droeg en een tijdje naast haar ging liggen, voordat hij zich tegen haar aan vouwde en haar nek kuste.

Ze bedreven zwoel en traag de liefde, zonder woorden, zonder geluid. Annie voelde alle spanningen uit haar botten, haar spieren en haar zenuwen wegglippen. Ze losten zich als inkt in water op en uiteindelijk waren ze helemaal verdwenen. Toen ging ze naast hem liggen, en terwijl hij al lag te slapen liet ze haar gedachten de vrije loop en viel ze zonder enige moeite in slaap. Ze kon de regen horen, de voorbijrijdende auto's op de snelweg, en het geluid van Davids ademhaling die met de hare overeenkwam.

De geesten zijn weg, dacht ze. Eindelijk zijn de geesten weg – en misschien wel voorgoed.

De woensdagochtend kwam in heldere, koele zonnestralen door het raam naar binnen. De kamer baadde in een glanzende, schone warmte, heel anders dan in New York.

Bij het ontbijt, een uurtje of zo voordat David weg moest voor zijn afspraken, vertelde ze dat ze de avond ervoor met Sullivan had gesproken.

'Hij gaat voor me op zoek,' zei ze. Het was een terloopse opmerking.

'Ik heb er eens over nagedacht,' antwoordde David, en heel even zag ze weer die intense uitdrukking op zijn gezicht.

'Wat dan?' vroeg ze. De rust van de ontbijttafel leek ineens door zorgen verstoord. Het was smakelijk geweest – verse koffie, warme broodjes en boter, roerei, en een porseleinen potje met eigengemaakte Engelse marmelade.

Hij schudde zijn hoofd. 'Niets.'

'Zeg dat niet wanneer er duidelijk wel iets is.'

David wierp haar een enigszins defensieve blik toe. Of was het een wat uitdagende blik?

Stille wateren hebben diepe gronden, kon ze haar moeder horen zeggen. Het zijn altijd de kleintjes...

'Vertel,' drong ze aan.

Hij schudde zijn hoofd. 'Ik weet het niet,' zei hij ietwat gereserveerd, 'maar ik zat er in het vliegtuig over na te denken hoe het zou zijn als ik in jouw schoenen stond en niets van mijn vader wist, en ik vroeg me af wat ik dan zou willen weten.'

'En?'

'Nou, Annie, ik dacht eigenlijk dat ik het verleden met rust zou willen laten. Dat het voorbij was, begrijp je? Er zou niet echt iets veranderen als ik bepaalde dingen ontdekte...'

'Ik zou denken dat het wel degelijk invloed op het heden zou hebben,' zei ze.

'Maar zou het er beter door worden?'

Ze fronste haar voorhoofd. Ze wist niet zeker waar hij op zinspeelde of waar hij naartoe wilde.

'Stel nou eens dat je iets ontdekte wat je helemaal niet graag had willen weten?'

'Zoals?'

'Dat hij niet was zoals je had gedacht... dat hij bijvoorbeeld een verhouding had gehad of zo.'

Annie glimlachte. 'Jezus, David, is dat het ergste scenario dat je kunt bedenken? Dat mijn vader een verhouding kan hebben gehad? Denk je echt dat ik daardoor van mening zou veranderen?'

'Alles heeft invloed op je mening, Annie, zelfs de kleinste dingen.'

Ze bleef er even bij stilstaan. Ze dacht aan de vlucht hierheen, de gedachten die haar in het vliegtuig door het hoofd waren gegaan, en toen ze door de aankomsthal liepen, en in de taxi wegreden en naar het hotel op weg gingen. Ze was heel vaak van mening veranderd, en het was altijd om kleine dingen gegaan.

'Stel dat het iets ergers was,' zei David. 'Dat hij iets slechts had gedaan... Echt slecht, bedoel ik.'

Annie schudde haar hoofd. 'Dat zou ik denk ik wel hebben geweten,' zei ze. 'Ik denk dat mijn moeder er dan wel iets over zou hebben gezegd... Want als het echt zo slecht was, dan zou ik er ooit toch wel achter zijn gekomen. En Forrester dan? Als er iets belangrijks was geweest, zou hij het me toch wel hebben verteld?'

'Hoe zit dat eigenlijk met Forrester?' vroeg David. 'Hoe vaak heb je hem gesproken?'

'Twee keer,' zei ze.

'Je hebt hem twee keer gezien, en hem beide keren een paar minuten gesproken, nietwaar?'

'Ja,' zei Annie.

'Nou, wie is híj dan, verdomme? Waar past hij in het geheel?'

Annie boog zich naar voren. 'Waarom denk je eigenlijk dat hij ergens in het geheel moet passen, David? Ik begrijp niet waar je naartoe wilt.'

David schudde glimlachend zijn hoofd. 'Sorry,' zei hij. 'Soms ben ik een beetje bezitterig. Alles is zo snel gegaan. Het lijkt wel of er nog maar een paar dagen zijn verstreken en toch gaan we al samen naar Boston.'

'Het zíjn ook maar een paar dagen geweest,' zei Annie, 'en we gáán ook... Of nee: we zíjn ook al samen naar Boston gegaan.'

'Let maar niet op mij,' zei hij. 'Hier had ik het over toen we naar mijn appartement gingen.'

Annie trok haar wenkbrauwen op. 'Waarover precies?'

'Ach, je weet wel: over grenzen verleggen, over dat je jezelf onder de loep neemt en beseft dat alles misschien niet zo is als het lijkt.'

'Wees eens wat nauwkeuriger.'

'Dingen die je niet van jezelf bevallen en waarvan je hoopt dat niemand ze ooit zal ontdekken.'

Annie schudde haar hoofd.

'Jaloezie,' zei David. 'Laten we maar eerlijk zijn, Annie... Ik ben een beetje jaloers uitgevallen.'

'Jaloers?' zei ze, en ze begon te glimlachen.

'Nee, serieus... Ik bedoel niet zoals in *Fatal Attraction*, groen zien en zo, maar wanneer je echt om iemand gaat geven... Nou, dan wil ik die eigenlijk het liefst voor mezelf houden en met niemand delen.'

'Ben jij jaloers op Jack Sullivan en Robert Forrester? Jezus, David, ik ken Jack al jaren, en Forrester loopt vast al tegen de zeventig. Ik geloof echt niet dat je je zorgen hoeft te maken.'

David glimlachte, boog zich naar voren en pakte Annies hand. 'Dat weet ik wel,' zei hij, 'maar mannen zijn nu eenmaal mannen, begrijp je? We zijn volslagen andere wezens, en wanneer we iemand vinden, écht vinden, bedoel ik, dan worden we een beetje geschift.'

'Maar als ik met een andere man praat, ga je niet gek doen, oké?'

David lachte en leek weer de oude. 'Nee, ik ga niks geks doen, Annie. Ik reageer een beetje overdreven.'

'Waarom?'

'Omdat ik al die jaren heb geloofd dat het onmogelijk was je bij een ander zo goed te voelen.'

Annie glimlachte. Het raakte haar.

'Sorry...' begon hij.

Ze stak haar hand op. 'Dat heb je al vaak genoeg gezegd. Eet je eieren op, drink je koffie en ga naar je afspraken, oké?'

Hij knikte. 'Oké.'

Hij deed wat ze zei. Hij at zijn ontbijt, dronk zijn koffie en stond toen op om weg te gaan. Ze zag hem zijn jack aantrekken, zich over de tafel buigen en haar een kus op het voorhoofd drukken, en daarna haar hand vasthouden terwijl hij zei dat hij niet meer dan een paar uur weg zou zijn.

'Ga wat rondkijken,' zei hij.

'En niet met vreemde mannen praten, zeker?'

'Niet alleen vreemde mannen, Annie O'Neill, met geen enkele man!'

David lachte en ze lachte mee. En toen liep hij weg, en heel even werd ze bevangen door verwarring en bekroop haar de vraag waarmee ze zich in vredesnaam had ingelaten.

Ze zette die gedachte van zich af. Dat lukte moeiteloos en een tijdlang bleef ze alleen in het restaurant van het hotelletje zitten en geloofde ze dat wat hier ook uit voort mocht komen, het beter zou zijn dan wat ze vroeger had – of om precies te zijn: nooit had gehad.

23

Het wachten gaf Annie O'Neill een onbehaaglijk gevoel.

Na het ontbijt, nadat David naar de stad was vertrokken, liep ze naar hun kamer terug, ging zitten en bladerde een exemplaar van de *Tatler* door dat iemand op de salontafel had achtergelaten. Ze was rusteloos en een beetje geagiteerd, liep naar het raam en keek over de groene gazons die zich voor het hele gebouw uitstrekten naar de oprit van de snelweg, en naar de auto's die zo hard reden dat het leek alsof ze bang waren te laat op hun bestemming aan te komen.

Ze kon zich een keer herinneren, een eeuwigheid geleden, dat ze haar moeder naar een kapsalon had vergezeld.

Naast Annies moeder had een vrouw gezeten die ze blijkbaar kende, en ze hadden een tijdje zitten praten terwijl hun hoofden onder ruimtevaarthelmen werden gebraden.

'Secundair melanoom. Drie, vier maanden en toen was hij dood,' had de vrouw tegen Annies moeder gezegd.

'Hij ging naar een plaats ergens in het westen, waar ze Steiners leer toepasten. Iscador gaven ze hem. Dat is een essence van mistletoe; ze dachten dat een parasietplant een parasietziekte zou genezen, maar hij kwijnde gewoon weg. Ik heb hem nog vlak voor zijn dood gezien, bij een stelletje nonnen in een kloosterziekenhuis vlak bij Secaucus. De huid zat strak over zijn gezicht getrokken, zijn wangen waren zo dun als vloeipapier, alsof je er met je vinger doorheen kon prikken, alsof je het als rijstpapier kon verscheuren. Dat maakte me doodsbang, Madeline... Ik ben van mijn leven nog niet zo bang geweest. Hij was net veertig, ging elke dag hardlopen, rookte niet, dronk nog minder dan een puriteinse dominee, en was zijn vrouw trouw. Hij werkte voor die maatschappij... je weet wel, dat grote gebouw vlak bij waar de New Jersey Turnpike de 280 kruist...'

Annie had naar elk woord geluisterd, en hoewel ze er de helft niet van had begrepen, had ze wel geweten welke emotie daar speelde. Het was iets wat aan angst grensde, en iets over wachten tot iemand doodging.

Ze had maar aan één ding kunnen denken, en dat was haar zelfs blijven achtervolgen toen ze de kapsalon al uit waren en haar moeder haar mee naar De Walt had genomen en haar op een sorbet had getrakteerd omdat ze zo lief was geweest toen mama haar haar had laten doen.

Ze had gedacht: daar heb je het, dromelot... daar heb je het weer.

Alsof angst niets nieuws was. Alsof ze al eerder had gewacht tot er iets ergs zou gebeuren, maar het zich niet meer kon herinneren. Hoe ze ook haar best deed, ze kon het zich niet herinneren.

Een paar uur na Davids vertrek voelde ze datzelfde steekje weer. Ze was alleen, zo op het oog tenminste, en had haar vertrouwen op een man gezet die weinig meer dan een minnaar was, die tot nu toe nog niet eens een echte vriend was geworden, en hier zat ze dan, honderden kilometers van huis, en hij was weg. Hoe lang had hij ook weer gezegd? Hooguit een paar uur. Nou, die paar uur waren allang verstreken, maar hij zou toch zeker wel bellen als het erg zou uitlopen? Hij zou toch wel bellen? Ja toch?

Annie overwoog naar buiten te gaan, een wandelingetje te maken, iets van de omgeving te gaan zien, maar het idee dat David zou kunnen bellen hield haar tot na twaalven in haar hotelkamer. Hij was kort na negenen vertrokken, maar het was natuurlijk best mogelijk dat het verkeer tegenzat.

Om één uur vervloekte ze zichzelf dat ze hem niet had gevraagd hoe de verzekeringsmaatschappij heette waarvoor hij werkte. Als ze dat had geweten, had ze zelf kunnen bellen, en kunnen vragen of hij er nog was of dat hij al weg was. Maar ze wist niet zeker of ze wel zou hebben gebeld, ook al had ze het nummer geweten. Zou het hem hebben geïrriteerd, zou hij het gevoel hebben gekregen dat ze zich wat al te obsessief gedroeg? Wat dacht ze in vredesnaam? Hij was naar een afspraak gegaan, een zakelijke afspraak met zijn werkgevers, of misschien toekomstige cliënten, en zij raakte in paniek uit angst dat hij niet terug zou komen, dat het allemaal een afschuwelijke practical joke was. Zoek een meisje, zorg ervoor dat ze met je naar bed gaat, neem haar mee naar Boston en laat haar in een hotel aan haar lot over.

Annie O'Neill moest bij zichzelf lachen terwijl ze van de badkamer naar de kamerdeur op en neer liep, maar ineens bleef ze stokstijf staan.

Wat deed ze nu toch?

Dit was te gek voor woorden.

Ze keek op haar horloge; het was tien voor halftwee. Ze had trek en besloot in het restaurant beneden te gaan lunchen.

Ze was net bij de deur toen de telefoon ging.

De telefoon naast het bed. Het klonk schril en verscheurde de stilte in de kamer. Ze schrok ervan en sprong toen bijna dwars over het bed om de hoorn van de haak te grissen.

'Mevrouw Quinn?'

Annie fronste haar voorhoofd, maar toen wist ze het weer en moest ze erom lachen. 'Daar spreekt u mee,' zei ze.

'We hebben een boodschap gekregen van uw man. Hij zegt dat hij wat later komt dan de bedoeling was. Hij stelde voor dat u in het restaurant zou gaan lunchen en zegt dat hij hopelijk tussen vier en vijf uur terug is, oké?'

'Oké,' zei Annie. 'Dank u.'

Ze legde de hoorn weer op de haak, maar terwijl ze van het bed opstond vroeg ze zich af waarom hij haar niet te spreken had gevraagd. Misschien had hij gebeld en had ze de telefoon niet gehoord. Was ze misschien in de badkamer geweest? Ze kon zich niet herinneren dat ze ook maar een seconde buiten gehoorsafstand van de telefoon was geweest. Misschien had David alleen de receptie gevraagd een boodschap aan 'mevrouw Quinn' door te geven om haar aan het lachen te maken.

Het hád haar ook aan het lachen gemaakt.

Waarom raakte ze dan zo van streek om iets wat eigenlijk niets om het lijf had?

Daar heb je het, dromelot... Daar heb je het weer.

Ze zette die gedachte schokschouderend van zich af, liep de trap af en ging naar het restaurant.

Annie nam wat de maître d'hôtel voorstelde: *clam chowder* – een gebonden schelpdierensoep – en een groene salade met schijfjes avocado en citroenmayonaise. Het eten was lekker; ze had niet geweten dat ze zo'n trek had. Misschien was het de zeelucht. Of de seks. Of misschien compensatie voor het feit dat ze zich in haar eentje op een onbekende plek bevond en niemand had om mee te praten. Net als Elvis.

Na de lunch ging ze wel de deur uit. David had zijn boodschap doorgegeven, dus moest ze een paar uur zien door te komen, en als hij weer belde moest hij zich maar een tijdje afvragen waar ze uithing. Het zou zijn verdiende loon zijn, want hij had haar mee hiernaartoe gesleurd en haar vervolgens aan haar lot overgelaten.

Ze wist niet eens waar ze naartoe ging, maar een poosje bracht ze haar tijd zoek in souvenirwinkeltjes en boekwinkels die met grote regelmaat in de straat tegenover de haven opdoken. Ze kocht een exemplaar van *Heart Songs and Other Stories* van Annie Proulx, ging op een bankje aan het eind van de straat zitten en begon te lezen, totdat het te koud werd. Ze liep langzaam terug – doelloos eigenlijk

– en toen ze weer bij het hotel was, was het bijna vijf uur.

Ze vroeg bij de receptie of haar man al terug was, of er nog meer boodschappen waren. 'Nee,' kreeg ze te horen, 'geen bericht, maar zodra hij belt zullen we het u laten weten. Oké, mevrouw Quinn?'

'Oké,' zei ze, maar het was níét oké, en toen ze op de rand van het bed zat, was het nog steeds niet oké.

Ze trok haar jas uit en maakte met een zakje oploskoffie iets te drinken. Ze ging in de leunstoel zitten en probeerde weer te gaan lezen, maar haar hoofd stond er niet naar. Ze overwoog weer naar het restaurant te gaan en daar vroeg te gaan eten, maar ze had geen trek, in elk geval niet in voedsel en vitaminen. Die knagende, geagiteerde honger die je het gevoel geeft dat alles beter is dan zitten wachten tot er iets gebeurt, was honger uit verveling.

Ze was kwaad op zichzelf, kwaad dat ze zich zo voelde. Hierover had David het onder andere in het appartement gehad: dat het niets wat je had gehad misschien toch beter was dan datgene waar je uiteindelijk mee werd opgezadeld.

Ze draaide zich om toen ze voetstappen hoorde naderen.

Haar hart stokte.

De voetstappen niet.

Ze vloekte, stond op en gooide de rest van de vies smakende oploskoffie in de wastafel. Het liefst wilde ze het kopje erachteraan gooien en het in scherven horen vallen, om vervolgens er de tijd mee zoet te brengen het fraai gedecoreerde porselein van het linoleum op te rapen. Dan zou ze tenminste iets te doen hebben.

Ze liep de badkamer uit en wilde naar het raam gaan, maar op dat moment hoorde ze de deur opengaan en verscheen David in de deuropening. Zijn gezicht was rood, zijn haar verwaaid, en de geur die met hem binnenkwam leek op die van een lang uit het oog verloren neef op Kerstmis. Ze wilde het liefst eisen dat hij haar zou vertellen wat hij verdomme wel dacht...

Maar dat kon ze niet.

Ze had geen boze woorden, ze kon hem niet ondervragen over zijn wegblijven, over wat hij had gedaan, waarom hij haar niet had gebeld, of was gekomen, of ten minste een ansicht had gestuurd...

Ze was alleen maar ontzettend opgelucht dat hij terug was.

Nu hij terug was, kon ze zichzelf weer zijn.

'Het spijt me enorm,' zei hij kalm, en toen liep hij naar haar toe en legde zijn handen op haar schouders. 'Ik had er geen idee van dat ze me zo lang zouden vasthouden... We moesten wat mensen rondleiden, mogelijke cliënten, en die hadden een ellenlange lijst met vragen. Jeetje, wat was ik kwaad.'

Hij trok haar tegen zich aan en knuffelde haar.

Annie liet zich door zijn aanwezigheid, door de persoon die hij was, overstelpen, en heel even wist ze helemaal niets te zeggen.

'Het is al goed,' zei ze uiteindelijk. 'Ik heb geluncht, ben gaan wandelen, en heb zelfs een boek gekocht.'

David schudde zijn hoofd. 'Het was echt niet mijn bedoeling je de hele dag alleen te laten,' zei hij. Toen duwde hij haar van zich af, maar zonder haar los te laten, en keek haar recht aan.

Ze zag iets in zijn ogen wat op uitputting leek, en toen hij naar de rand van het bed schoof en zich erop liet neerzakken, vroeg ze of alles wel goed met hem was.

Hij schudde zijn hoofd, deed zijn best te glimlachen en zei dat er niets met hem aan de hand was. 'Alles is prima, Annie. Zullen we uitgaan?' stelde hij voor. 'Een beetje rondkijken en ergens iets gaan drinken? Hoe lijkt je dat?'

'Dat lijkt me fantastisch,' zei Annie. Het was duidelijk te horen hoe graag ze dat wilde. Ze had zich de hele dag een beetje opgesloten gevoeld. De wereld wenkte.

Ze pakte haar jas en tas en samen verlieten ze het hotel. Ze gingen lopen. Ze gaf hem een arm, en alles leek weer goed – de geluiden en geuren van deze stad, de gezichten van de mensen die langskwamen, de gedempte kleuren van de winter, die hier vroeg begon.

'Ik heb zitten denken,' zei David op een gegeven moment.

Annie wierp een zijdelingse blik op zijn vermoeide gezicht.

'Ik heb zitten denken dat we misschien iets heel anders zouden moeten doen.'

'In welke zin?'

Hij glimlachte, sloeg een arm om haar schouder en trok haar naar zich toe. 'Weet ik veel, iets spontaans... Ons boeltje pakken en ergens een halfjaar naartoe gaan, naar Europa of zo.'

Ze voelde zich enigszins in het nauw gedreven en moest ineens lachen. 'En waarvan zouden we dat moeten betalen?'

David ging langzamer lopen. 'Ik heb wat geld gespaard. Als we nu eens alles bij elkaar legden, zou dat misschien kunnen.'

'Jij mag dan wat geld achter de hand hebben, maar ik heb net genoeg om de huur te betalen en de komende drie weken eten te kunnen kopen. Die winkel levert niet veel op.'

David schudde fronsend zijn hoofd. 'Heb je dan helemaal niets kunnen sparen?'

'Dit is de werkelijkheid, David,' zei Annie. 'Ik had het geluk dat ik de pacht voor de winkel kon betalen van de opbrengst van mijn ouderlijk huis, en het appartement waar ik woon ligt in een buurt waar voor de huren regels gelden. Het geld dat ik met de winkel verdien is net genoeg om me van maand tot maand in leven te houden.'

David knikte begrijpend, maar zijn teleurstelling was bijna tastbaar. Hij kon de blik op zijn gezicht onmogelijk verbergen. 'Dus dan geen halfjaar rondzwerven door Europa?'

Ze schudde glimlachend haar hoofd. 'Ik vrees van niet, David. Als ik de winkel een halfjaar sluit, betekent dat het einde.'

'Dan moet ik misschien maar eens wat aan mijn appartement gaan doen, het inrichten en schilderen en zo, en naar ander werk uitkijken. Ik wil er liever blijven wonen, en aan het idee wennen dat ik langer dan een week achter elkaar in hetzelfde huis woon.'

Zijn stem zakte weg.

Ze wist dat hij liever had dat ze niets zei omdat hij nog niet was uitgedacht.

Ze wierp weer een blik op hem. Hij glimlachte en draaide zich naar haar toe. Zij moest ook glimlachen.

'Ik zat te denken dat als we weer in New York zijn, dat je me dan zou kunnen helpen... Als je dat wilt, natuurlijk.'

Ze knikte. 'Ik zou je graag willen helpen,' zei ze.

'Mooi zo,' zei hij kalm. 'Dat is fijn.'

Ze zeiden verder niets en nadat ze aan het eind van de straat de kruising waren overgestoken, wees David naar een bar aan de overkant. Het zat er stampvol, het lawaai was er oorverdovend, maar het etablissement straalde enorm veel warmte uit, een allesoverheersend gevoel van leven, van zelf leven.

Ze drongen tussen de mensen door – lachende mensen, mensen die bestellingen riepen – en pas toen ze aan de bar stond met David rechts van haar en omringd door allemaal onbekenden dacht ze: wat doe ik hier? Waarom ben ik hierheen gekomen terwijl ik eigenlijk veel liever met David in het hotel was gebleven?

Toen vroeg een vrouw wat Annie wilde, wat ze wilde drinken, en Annie wist even niets te zeggen. Ze kon zelfs even niet denken, dus aarzelde ze.

Een man duwde haar opzij en ramde zijn elleboog in haar zij. Dat deed pijn.

Ze draaide zich abrupt om. 'Hé!' zei ze.

'Schiet eens op,' snauwde de man.

'Geduld... geduld,' antwoordde Annie.

'Leef je nog, of wat?' beet de man haar toe.

Ineens stond David tussen de man en haar.

'Ken je deze vrouw?' vroeg David hem.

De man keek hem fronsend aan en besloot er niet op te reageren, maar wist niet goed raad met zijn houding.

'Hé!' zei David. 'Ken je deze vrouw?'

Op slag voelde Annie zich onbehaaglijk. Ze hield niet van ruzie, vooral niet als ze er zelf bij betrokken was.

De man schudde zijn hoofd.

'Nou, dan zal ik je eens wat vertellen...' begon David.

'Wat is dit, verdomme?' viel de man hem in de rede.

David kwam voor Annie staan, recht tegenover de man.

Annie wilde zich het liefst in de menigte verschuilen en stilletjes naar buiten sluipen. Ze was gespannen, zelfs een beetje bang, en ze wilde David aan zijn arm trekken en zeggen: 'Laat maar, het doet er niet toe,' maar aan zijn gezicht en zijn houding te zien kon ze zich er maar beter niet mee bemoeien. Ze zag felheid, de felheid waarover hij het voor het eerst in zijn appartement had gehad.

David leek boven de man uit te torenen, ook al waren ze even lang. Annie merkte dat er naar hen werd gekeken.

'Wat dit te betekenen heeft? Dat zal ik je verdomme vertellen,' ging David door. Hij ging steeds luider praten. 'Vind jij dat ze moet opschieten? Waar bemoei je je verdomme mee? Vertel me verdomme eens waar jij je mee bemoeit!'

David leek de man klem te zetten, hem mentaal in een hoek te drijven, en die man stond daar maar en wilde maar dat hij zijn mond had gehouden.

'Jij komt hier, ze staat je in de weg en dan denk jij dat ze jou iets schuldig is... dat je er iets van moet zeggen, dat je de grote meneer moet uithangen. En nu zit het je niet zo lekker dat ik er iets over zeg, en misschien voel je je zelfs wel een beetje schuldig, een beetje opgelaten. Zo is het toch?'

De man stond met zijn mond vol tanden en zijn gezicht was volslagen uitdrukkingsloos.

'Zeg het maar, en zeg dan meteen maar dat jij belangrijker bent dan de rest hier.'

De man stond als aan de grond genageld.

David boog zich wat dichter naar hem toe en fluisterde hem recht in zijn gezicht: 'Je excuses aan mevrouw?'

204

De man wierp een blik op Annie en er speelde een zwak glimlachje om zijn mond.

Sorry, mimede hij.

Annie glimlachte, gaf te kennen dat ze het zo goed vond, had een beetje medelijden met hem, maar was tegelijkertijd toch ook tevreden. Ze kon zich niet herinneren dat iemand het ooit zo krachtig en uitdagend voor haar had opgenomen.

David greep de man bij de schouder. 'Goed,' fluisterde hij met een kille, barse stem, 'nou is het jouw beurt om op te schieten.'

De man liet zijn hoofd zakken en deinsde achteruit. De menigte die zich om hen heen had verzameld ging zwijgend uiteen. Sommigen keken naar de man, anderen naar David.

Annie keek op. Een vrouw die tegen de bar leunde, stond strak naar David te kijken. Annie kon bijna proeven dat hij haar aantrok, dat ze in hem was geïnteresseerd.

Van mij, hoorde Annie zichzelf denken. Hij is van mij. En toen: wat krijgen we nu? Jaloers? De intensiteit van dat gevoel verbaasde haarzelf. Het was een nieuw gevoel, een ander gevoel, een ander gezichtspunt.

Ze zette de gedachte van zich af en pakte David bij de arm, waarna ze samen door de menigte naar buiten liepen, de koele lucht in, met ruimte om zich heen, en het geluid van leven dat niet was aangetast door wat daarbinnen was gebeurd.

Pas toen ze weer bij de kruising waren, drong het tot haar door dat David in zichzelf liep te lachen.

Ze gaf hem een por met haar elleboog. Hij draaide zich naar haar toe, maar bleef lachen, en dat was zo verschrikkelijk aanstekelijk dat ze zelf ook begon te lachen... Twee mensen, twee vreemdelingen die bij de kruising stonden waar de auto's stopten om hen te laten oversteken.

Terug in het hotel, nadat ze hadden gegeten en de liefde hadden bedreven, vroeg ze hem toen het eindelijk stil was waarom hij in die bar zo had gereageerd.

'Omdat mensen soms zo blind en egocentrisch zijn,' zei hij. 'Soms kijk je iemand aan en dan zie je niets in zijn ogen... Alsof ze hol zijn, begrijp je wel? Soms zie je zo iemand en dan wil je iets doen om hem wakker te schudden.'

Zoals je met mij in je appartement deed, wilde Annie vragen, maar ze hield haar mond.

En toen dacht ze: is er nog iets anders in het spel, David? Verzwijg je iets voor me? Was je echt kwaad op die man, of was er iets anders waarmee je het moeilijk had?

Maar ze zei geen woord.

Ze trok zichzelf dichter tegen hem aan en deed haar ogen dicht.

Morgen was er weer een dag.

24

Hij bracht haar vanaf het vliegveld naar huis, liet de taxi wachten terwijl hij met haar naar boven liep, kuste haar, hield haar even tegen zich aan, en vertrok. Hij moest wat werk afhandelen, had hij gezegd, rapporten voorbereiden voor de cliënten die hij in Boston had gesproken. Hij had er een dag of wat voor nodig, meer niet, maar als hij niet alleen was zou hij het nooit gedaan krijgen. En bovendien, had hij verder nog gezegd, zou Annie wel naar de winkel willen omdat de vaste klanten het anders zouden laten afweten.

Vanuit het raam aan de voorkant dat op straat uitkeek zag Annie de taxi wegrijden, en toen draaide ze zich om en liep door haar appartement alsof ze er nog nooit eerder was geweest. Ze raakte haar spulletjes aan – haar boeken, de prulletjes die als soldaatjes op de ladekast stonden – en van de voorkamer ging ze naar de badkamer, deed het medicijnkastje boven de wastafel open en keek naar de potjes antirimpel- en vochtinbrengende crème, de kruidenshampoo, de filmsterrentandpasta en meer van dat soort dingen, die ineens anders leken dan ze eerder hadden aangevoeld. Hoe voelde ze zich eigenlijk? Een beetje verontrust, een beetje ongemakkelijk na de scène in de bar van de vorige avond? Nee, dat was het niet. David had het er niet meer over gehad; hij had in alle talen gezwegen over de reden waarom hij zo tegen de man tekeer was gegaan. Misschien had hij het niet nodig gevonden om zijn gedrag te rechtvaardigen of goed te praten. En Annie, die er wel over had willen praten, had zich ingehouden. Ze had er niet te veel betekenis aan willen hechten. Was het werkelijk zo belangrijk geweest? Het had iets voor haar betekend dat er iemand voor haar was opgekomen en haar welzijn boven het zijne had gesteld. De man had best beledigend of gewelddadig kunnen worden, en hij had zich met recht op David kunnen storten om wat die had gezegd. Maar dat had hij niet gedaan. Hij was teruggedeinsd. En dat alleen al had Annie onnoemelijk opgelucht. Weken geleden, zelfs nog dagen geleden, zou een dergelijke gebeurtenis haar met ontzetting hebben gevuld. Ze zou doodsbang en trillend zijn weggelopen, en het zou uren hebben geduurd voordat ze zich weer naar het strijdperk had durven wagen. Deze keer niet. Deze keer had ze een half blok gelopen en vervolgens met David om de hele situatie gelachen.

Er was iets veranderd. Er was veel veranderd. En dat was van binnenuit gebeurd.

Annie moest er inwendig om lachen en liep vervolgens naar de keuken. Ze keek naar rechts, deed het kastje boven het aanrecht open en wilde de thee pakken. Haar hand ging een paar centimeter naar links, toen weer terug, en toen pas keek ze fronsend op. De thee stond niet op zijn plaats. Ze schoof een doos met zakjes soep opzij en daar – schuin erachter – stond het blik waarin ze theeblaadjes bewaarde. Ze zette het blik op het aanrecht en schudde haar hoofd.

Er is een vaste plaats voor alles, en alles heeft zijn plaats, zou haar moeder hebben gezegd. Vooral die eigenschap had ze van Madeline geërfd. Annie O'Neill was netjes en uiterst voorspelbaar. Ze wist altijd precies waar alles stond, en wanneer ze ermee klaar was ging alles meteen weer naar zijn eigen plekje terug.

Ze haalde haar schouders op. De invloed van de man, dacht ze, en ze zette de waterkoker aan.

Aan de tafel in de voorkamer bladerde ze de pagina's door die Forrester had meegebracht. Ze was eraan toe om meer te weten, en toen ontstond er een vage gedachte in haar achterhoofd. Het was donderdag, Forrester zou pas maandag terugkomen; teleurstelling en frustratie leken als een gapend gat voor haar te liggen.

En toen schoot het haar weer te binnen.

Sullivan.

Haar vader.

Ze stond op, liep haar appartement uit en klopte bij Sullivan aan.

Ze keek op haar horloge. Even na tienen. Ze probeerde zich te herinneren of Sullivan iets voor de donderdagochtend had staan.

Ze liep terug naar haar voorkamer, ging weer aan tafel zitten, en begon het manuscript door te bladeren. Het kwam allemaal terug: Jozef Kolzac en Elena Kruszwica, de verschrikkingen van Auschwitz en Wilhelm Kiel. Sergeant Daniel Rosen die het uitgemergelde kind dwars door het bevrijde Europa op een schip had meegenomen naar New York; Rebecca McCready die het kind in huis had genomen, het kind dat een tiener was geworden en na de dood van Rosen was weggegaan en in New York was opgelost. Vanaf dat punt ontvouwde het verhaal zich als een film van Martin Scorsese: het gokken en drinken, de moorden en berovingen – ze vulden haar hoofd met de beelden en geluiden en kleuren van een voorbije tijd. Ze dacht aan Johnnie Redbird die op Rikers Island voor de moord op

Olson was opgesloten, en dat Harry Rose hem daar aan zijn lot had overgelaten, en hem liet boeten voor iets wat ze samen hadden gedaan.

En toen ze de laatste bladzijde omsloeg wilde ze alles weten, ze wilde echt weten wat er zeven jaar later gebeurd was.

Annie pakte het telefoonboek en liep de lijst van Forresters door... A, B, G, K, O, P... en dan tientallen R's. Forresters, een hele rij die pesterig tot onder aan de pagina doorliep. Op die manier zou ze hem nooit vinden. Niet zo. Dat was uitzichtloos.

Ze draaide zich om en keek naar haar deur. Waar was Sullivan, verdorie? Als antwoord op haar vraag hoorde ze de buitendeur open- en dichtgaan. Ze stond op, liep naar de overloop en riep naar beneden: 'Jack?'

Van beneden hoorde ze zijn stem: 'Jezus Maria Heilige Moeder Gods, je jaagt me de stuipen op het lijf, Annie O'Neill... Wat moet dat, verdomme?'

Sullivan kwam de laatste bocht van de trap om, bleef staan, keek naar haar op en haalde diep adem, alsof hij had hardgelopen.

'Wanneer ben jij teruggekomen?' vroeg hij.

'Vanochtend, nog maar kortgeleden.'

'En wat is er zo dringend dat je van bovenaf tegen me staat te brullen?' Sullivan liep naar haar toe. Hij was inderdaad buiten adem en hij zag er weggetrokken en moe uit. Zo beroerd had hij er volgens haar nog nooit uitgezien. Ze wist dat zijn lichaam strijd moest leveren, en een fractie van een seconde betreurde ze het dat ze hem die belofte had afgedwongen. Maar die spijt verdween toen ze besefte wat hij deed. Of liever gezegd niet deed. Hij dronk niet meer.

Zachte heelmeesters maken stinkende wonden, zou haar moeder hebben gezegd.

'Ik wilde weten of je al iets had ontdekt,' zei Annie, en ze kon zelf horen hoe hoopvol ze klonk.

Sullivan schudde zijn hoofd. Hij liep naar de deur van zijn appartement, haalde zijn sleutel tevoorschijn en stak die in het slot. Hij was al binnen, met Annie op zijn hielen, voor hij antwoord gaf.

'Jouw vader...' begon hij. 'Voorzover ik kan nagaan...'

'Nou?' drong Annie aan. 'Voorzover jij wat kunt nagaan?'

Sullivan schudde fronsend zijn hoofd. 'Jouw vader... Wel verdomme, Annie, zo te zien staat je vader nergens geregistreerd.'

Er ontsnapte haar een kort, nerveus lachje. 'Wát?'

Sullivan liep de kamer door en ging zitten. 'Ik heb alle constructiebedrijven nageplozen die ik maar kon vinden. Ik heb op internet gezocht. Ik ben gisteren naar de bibliotheek gegaan en vrijwel alles wat ze op de afdelingen Constructie en Architectuur hadden doorgekeken. Verwijzingen, registers, alles wat ik maar kon bedenken. Ik heb niets gevonden, en toen heb ik wat vrienden opgebeld die de microchips van de overlijdens- advertenties in de kranten hebben nagelopen, en toen dat ook niks ople- verde ben ik naar het departement van Openbare Werken gegaan, en toen ik daar niet één Frank O'Neill kon vinden die ook maar in de buurt kwam van de data die jij me had gegeven, ben ik naar een bar op 114th gegaan en heb daar een flesje fris en een schaaltje pinda's naar binnen gewerkt.'

'Een flesje fris?' vroeg Annie.

Sullivan knikte. 'Een flesje fris, Annie O'Neill. Bij god, Jack Ulysses Sul- livan zat in een bar op 114th en dronk een flesje fris.'

Annie ging naast Sullivan zitten. 'Ik begrijp het niet,' zei ze. 'Ik begrijp niet dat iemand niet kan bestaan.'

Sullivan glimlachte, pakte haar hand en gaf er een kneepje in. 'Natuurlijk kan dat niet, Annie. Je vader bestond net zo goed als jij en ik... Maar ik heb om de een of andere reden niets over hem gevonden. Dat is heus niet zo erg...'

'Voor jou misschien niet, Jack, maar voor mij wel.'

'Oké, Annie, oké... Dat klonk denk ik anders dan ik het bedoelde. Men- sen kunnen een heel leven bestaan zonder dat ze ooit...'

'Iets hebben bereikt?' onderbrak ze hem.

'Leg me geen woorden in de mond, Annie,' zei Sullivan. 'Ik zeg alleen dat ik durf te wedden dat jouw vader verrekte goed was in wat hij deed... maar dat hij er nooit door op de voorgrond is getreden.'

Annie was even stil.

'Kijk, afgezien van een paar krantenfoto's zal geen mens ooit van mijn be- staan op de hoogte komen... Behalve de mensen die me hebben gekend natuurlijk,' voegde Sullivan eraantoe.

'Ik weet het niet,' zei Annie. 'Ik kan niet beweren dat het me niet teleur- stelt... Ik had echt gehoopt dat je iets over hem aan de weet zou komen.'

'Vertel eens,' zei Sullivan. 'Vertel eens waarom het ineens zo belangrijk voor je is geworden.'

Annie schudde haar hoofd. Ze wendde haar blik af en keek een poosje naar het midden van de kamer. 'Ik zou het niet weten,' zei ze uiteindelijk. Het kwam kalm en bijna fluisterend uit haar mond. 'Ik zat er al een paar dagen over na te denken. Dat gedoe met Forrester heeft denk ik de aanzet gegeven. Het feit dat er behalve mijn moeder nog iemand was die hem heeft gekend. Daardoor drong het tot me door dat hij echt heeft bestaan, dat hij vrienden heeft gehad, mensen die hem bij naam kenden, en mis- schien wel een kroeg waar hij iets ging drinken wanneer hij in een sombere bui was.' Annie hield even op en bleef opnieuw een paar tellen zwijgen. 'Hij was mijn vader, een echt bestaand mens, en er is helemaal niets van hem overgebleven dan dit horloge en een boek dat hij me heeft nagelaten.'

'En de winkel,' zei Sullivan. 'Ook de winkel.'

'Ja, ook de winkel,' antwoordde Annie.

'En wat zal het je denk je opleveren als je wel iets ontdekt?' vroeg Sullivan.

'God mag het weten, Jack. Het gevoel dat ik ergens bij hoor, denk ik, het gevoel dat ik ergens vandaan kom.'

'Volgens mij is het veel en veel belangrijker om te weten waar je naartoe gaat dan om te weten waar je vandaan bent gekomen.'

'Behalve wanneer je afkomst je toekomst bepaalt,' zei Annie.

'En wat is volgens jou jouw toekomst?'

Annie glimlachte. 'Ik wil blijven voelen wat ik met David heb gevoeld: dat er iemand is die thuis op je wacht, iemand die je kunt opzoeken...'

'En iemand met wie je jouw overweldigende vocale vermogens kunt oefenen,' voegde Sullivan er met een wrang lachje aan toe.

'Ja, Jack... dat ook.'

'Ga dan door met leven, Annie O'Neill... Want het leven gaat door, of je er nu in meegaat of niet. Dat staat als een paal boven water. En dan zal ik je nog eens iets vertellen, gratis en voor niks. Je ziet er de laatste dagen een stuk gelukkiger uit dan ik je ooit heb gezien, verdomd als het niet waar is.'

'Dat ben ik ook,' zei Annie. 'Ik ben ook gelukkiger, Jack.'

'Zet je vader dan uit je hoofd. Ik weet het: ik heb gemakkelijk praten, maar wie hij ook was, wat hij ook deed, is lang niet zo belangrijk als wat jij op dit moment aan het doen bent.'

Sullivan gaf haar weer een kneepje in haar hand.

'Volgens mij is het enige wat vaders altijd willen – en moeders trouwens ook – dat hun kinderen gelukkig zijn. Het komt er gewoon op neer dat ze altijd de beslissingen van hun kinderen kunnen accepteren zolang die maar gelukkig zijn. Ja toch?'

Annie knikte. 'Dat zal wel.'

'Zorg dus maar dat het met David leuk blijft, en breng met Forrester net zoveel tijd door als je maar wilt en luister naar wat hij te vertellen heeft, maar hecht er niet te veel waarde aan. Verhalen blijven verhalen, oké?'

Annie boog zich naar voren en omhelsde Sullivan. 'Oké,' fluisterde ze. 'Oké, Jack.'

Ze hield hem nog even vast en liet hem toen los.

'Heb je plannen voor vanavond?' vroeg ze.

Sullivan schudde zijn hoofd. 'Ik dacht dat ik maar eens een halve pot Excedrin moest slikken en proberen de DT's van me af te slapen.'

'Dat lijkt me echt leuk. Waarom kom je niet naar mij om samen te eten?'

'Graag,' zei Sullivan. 'Dat lijkt me wel wat.'

'Na het eten kijken we dan naar een video of zo, goed?'

'Wat mij betreft prima,' zei hij glimlachend.

Annie verliet zijn appartement en stak de gang over.

Terwijl ze die avond voor Sullivans komst het eten bereidde zocht ze een bepaalde cd op in het rek. Natuurlijk was die er, maar hij stond niet op alfabetische volgorde.

Ze herinnerde zich dat David de eerste keer dat hij bij haar was geweest tussen de cd's had zitten zoeken. Dat zou de reden wel zijn. Ik moet die man opvoeden, besloot ze, en ze dacht er verder niet meer aan. Maar vlak nadat ze aan David had gedacht wilde ze hem het liefst bellen om zijn stem te horen, en besefte toen dat ze nog steeds zijn nummer niet had, zodat ze hem niet kon bereiken, niet als ze dat wilde en niet als het nodig was.

Toen kwam Sullivan van de overkant en gingen ze samen eten, en daarna zaten ze naast elkaar op de bank en keken naar *The Philadelphia Story*, en Annie werd opnieuw stapelverliefd op Cary Grant.

Sullivan bleef na afloop van de film niet lang hangen, en Annie – die vermoeider was dan ze had gedacht – ging naar bed, trok de quilt om zich heen en viel in slaap.

Ze droomde niet.

Haar hoofd was leeg.

Net zo leeg als de herinnering aan haar vader.

25

De envelop gaf uitkomst. De envelop die de koerier haar had gebracht en waarin de laatste aflevering van het manuscript had gezeten. Toen ze zichzelf vrijdagochtend in de winkel binnenliet, in een ruimte die vreemd aandeed en heel anders leek, zag ze hem op de balie liggen.

Ze pakte hem op, draaide hem om, en daar, op de achterkant, stond een stempel: SPEEDY COURIERS, en een telefoonnummer.

Ze belde het nummer, en werd begroet door Al, die beleefd vroeg of het om een bezorging ging of dat er iets moest worden afgehaald.

'Geen van beide,' zei ze. 'Het gaat om een inlichting.'

'Laat maar horen,' zei Al.

Ze legde uit wie ze was, gaf hem haar adres, en vertelde dat ze afgelopen maandagavond een pakje had ontvangen dat door een van hun personeelsleden was bezorgd.

'Was het niet goed?' vroeg hij.

'Nee, alles was in orde,' zei ze, 'maar ik vroeg me af of het mogelijk was het telefoonnummer van de afzender te krijgen.'

'Waarom niet?' zei Al. 'Blijf even aan de lijn, liefje.'

Annie bleef aan de lijn en keek naar buiten in de hoop David te zien, die genoeg had van rapporten schrijven en nergens liever wilde zijn dan bij haar.

Al kwam weer aan de lijn. 'Heb je pen en papier?' vroeg hij.

'Ja,' zei Annie, en ze schreef het nummer dat hij haar gaf op de achterkant van dezelfde envelop op.

'Verzonden door ene meneer Forrester,' zei Al. 'Klopt dat?'

'Ja, Robert Forrester,' zei Annie. Ze bedankte Al, hing op en bleef naar de envelop zitten staren terwijl er diverse scenario's door haar hoofd speelden.

Hallo, met Annie... hopelijk vindt u het niet erg dat ik uw nummer bij het koeriersbedrijf heb opgevraagd, maar ik zat me af te vragen of u de volgende bijeenkomst van de leesclub niet naar vanavond wilde verzetten.

Meneer Forrester. Met Annie O'Neill. Ik hoop maar dat u het niet heel brutaal vindt, maar ik vond het echt erg dat u maandagavond niet kon komen en ik wilde u nog bedanken voor het toesturen van het manuscript. Ik vroeg me af of u misschien de volgende hoofdstukken zou kunnen brengen...

Ze voelde zich niet op haar gemak, een beetje verward ook, want hoe ze het ook zou verwoorden, hoe ze het ook zou inkleden, het bleef gekunsteld klinken, alsof ze een uit haar hoofd geleerd lesje opzei.

Ze stak haar hand uit naar de hoorn. Pakte hem van de haak. Hij was uitzonderlijk zwaar.

Ze keek naar het nummer dat ze had opgeschreven en toen ze het intoetste was het bijna alsof ze ertoe werd gedreven: ze wilde het niet doen, maar ze moest gewoon.

Aan de andere kant ging de telefoon over. Eén keer. Twee keer. Drie keer. Ze begon te beven en vroeg zich af waar ze in vredesnaam mee bezig was, en op het moment dat ze de hoorn van haar oor nam hoorde ze de verbinding tot stand komen.

'Ja?'

'Hallo,' zei ze. 'Is meneer Forrester daar?'

Het werd doodstil.

'Wilt u zeggen dat het Annie is... Annie O'Neill?' zei ze.

Ze hoorde iemand aan de andere kant scherp inademen, al kon ze het zich natuurlijk best hebben verbeeld. Ze dichtte die persoon dezelfde nervositeit toe die haar in zijn greep hield. Ze hoorde dat de hoorn werd neergelegd, het geluid van voetstappen, en toen een gemompelde woordenwisseling.

Klonken die stemmen agressief?

De stemmen zwegen. Weer die voetstappen. Het geluid van de hoorn die werd opgepakt.

'Mevrouw O'Neill?'

Het was Forresters stem.

Annie was bijna verbaasd hem aan de telefoon te horen.

'Meneer Forrester, mijn excuses. Ik heb uw nummer van het koeriersbedrijf gekregen waarmee u maandagavond het manuscript hebt laten bezorgen.'

'Ach ja, natuurlijk. Hoe gaat het, mijn beste? Het speet me heel erg dat ik niet kon komen, maar ik moest wat zaken afhandelen.'

'Het geeft niet, meneer Forrester, echt niet. Ik wil u nog bedanken voor de moeite.'

'Het was me een genoegen, mijn beste, en ik kan u verzekeren dat ik de volgende bijeenkomst niet zal mislopen.'

'Daar wilde ik het juist met u over hebben.'

'Is er iets? Hebt u een andere afspraak?'

'Nee, helemaal niet, meneer Forrester. Ik wilde eigenlijk... Nou, ik wilde eigenlijk...'

'Wat dan, mijn beste... Zeg het maar.'

Annie lachte bijna gegeneerd. 'Nou, ik vroeg me af of het mogelijk zou zijn of ik...'

'Nog vóór maandag weer een hoofdstuk kan krijgen?'

Annie zweeg in alle talen.

Forrester lachte. Het klonk hartelijk en begripvol.

'Het is een boeiend verhaal, hè? Ik geloof echt dat het had kunnen worden uitgegeven als het was afgemaakt.'

'Is dat dan niet gebeurd?'

'Nee, jammer genoeg niet... Maar er is nog heel wat te lezen.'

'En denkt u dat...'

'U het voor het weekend zou kunnen krijgen?'

'Ja, ik hoopte dat ik het voor het weekend zou kunnen krijgen. Ik weet dat er regels waren en zo, maar...'

'Maar regels zijn er om te worden overtreden, mevrouw O'Neill... Daar hoopte u zeker op?'

'Ja,' zei ze. 'Ik hoopte dat er een uitzondering kon worden gemaakt.'

'Nou, gezien het feit dat ik niet bij de laatste bijeenkomst ben verschenen, lijkt het me niet meer dan billijk. Ik zal u een gedeelte laten brengen. Tot hoe laat bent u er vandaag?'

'Nou, ik ben er meestal tot vijf uur, halfzes,' zei ze.

'Ik zal zorgen dat het er is voordat u vertrekt... Maar als u het goedvindt, wil ik toch aanstaande maandag komen.'

'Natuurlijk,' zei Annie. 'Dat spreekt toch vanzelf?'

'Goed dan, mevrouw O'Neill. Ik stuur u een volgend deel, en dan zie ik u maandag weer. Pas goed op uzelf, en een prettig weekend.'

'Dank u, meneer Forrester. Ik waardeer het enorm.'

'Graag gedaan, mijn beste, graag gedaan... Goedendag.'

De verbinding werd verbroken en ze legde de hoorn langzaam en bijna voorzichtig weer op de haak.

Ze haalde diep adem. Het was prima verlopen. Forrester had helemaal niet verstoord geklonken omdat ze achter zijn telefoonnummer was gekomen. Het leek hem niets te kunnen schelen. Ze haalde haar schouders op en vroeg zich af waarom ze zich er zo druk om had gemaakt. Hij vond het vermoedelijk wel prettig dat iemand hem had gebeld. Hij was gewoon een eenzame, oude...

Ze stopte midden in die gedachte.

Iemand anders had de telefoon opgenomen. Een andere man. Aan de stem te horen een jongere man.

En die stem had iets gehad wat haar het gevoel had gegeven dat hij door haar telefoontje verrast was. Of had ze zich dat verbeeld?

Ach verdorie, wat deed het er nog toe? De klus was geklaard. Het doel bereikt. Ze zou vanavond nog het volgende deel van het manuscript gaan lezen.

De dag verstreek uitermate traag. Er waren vier klanten geweest. *See under: Love* van David Grossmann, *Acts of Worship* van Yukio Mishima, *The Dust Roads of Monferrato* van Rosetta Lou, en dan nog een exemplaar van De Lillo's *Americana*. John Damianka was niet met het gebruikelijke met mayonaise doordrenkte stokbroodje komen opdagen, waarvoor ze hem alleen maar dankbaar kon zijn. Ze vond het wel lekke rustig om de dag in anonimiteit te kunnen doorbrengen, met mensen die ze nog nooit eerder had gezien en vermoedelijk ook nooit meer zou zien. En als dat wel zo was – in de ondergrondse, of op straat voor haar uit lopend – dan zou ze hen nooit meer herkennen.

Ze had genoeg om tevreden over te zijn. David Quinn had de laatste twee dagen haar gedachten beziggehouden, en nu probeerde ze hun snel ontluikende relatie in balans te brengen met wat ze voor haar vader voelde.

Op een gegeven moment overwoog ze Forrester nog eens te bellen om hem te vragen of er nog meer brieven waren en of hij die dan kon meesturen.

Ze besloot het toch maar niet te doen. Er waren grenzen.

De koerier kwam even na vieren. Een andere knul, hetzelfde bedrijf. Ze gaf Stan – zo heette hij volgens de geborduurde naam op zijn borstzakje – een fooi van tien dollar. Ze betaalde die tien dollar niet voor zijn moeite, maar omdat ze zo blij was dat ze het pakje had gekregen voordat ze de winkel dichtdeed. Forrester was een man van zijn woord. Wie of wat hij verder ook mocht zijn, hij was in elk geval een man van zijn woord.

Ze sloot de winkel af. Vijf voor halfvijf. Ze draaide het licht uit, deed de winkeldeur op slot en ging snel naar huis.

Als Sullivan thuis was geweest, zou ze hem even gedag zijn gaan zeggen, maar toen ze het gebouw was binnengekomen had ze al besloten hem niets over deze nieuwe aflevering van het manuscript te vertellen.

Deze keer wilde ze het in haar eentje lezen – al had ze geen flauw idee waarom.

216

26

Rikers Island was ontstaan in het hoofd van een wraakzuchtig man die werd verteerd door schuldgevoelens.

Rikers Island ligt in de East River, tussen Long Island en Manhattan, en vanaf de noordwestpunt kun je de North en South Brothers zien liggen, Port Morris, en de enorme vlakte van de Conrail Freight Yard. Links ligt Lawrence Point, het terrein van de Consolidated Edison Company, en aan de andere kant van Steinway Creek de Bowery Bay en de doordringende stank die eeuwig en altijd boven het afwateringskanaal van de waterzuiveringsinstallatie hangt. Manhattan groeide in de hoogte en stak zijn stalen en betonnen vingers hemelwaarts; Astoria en Steinway wenkten met hun straatverlichting en het geluid van avondfeesten in New York, maar Rikers Island veranderde nooit.

Rikers werd door onredelijke mannen gebouwd om de kwaadaardigen en ongewensten in toom te houden. En dat deed het, met onwankelbaar en onbetwistbaar gezag.

Binnen zijn muren zaten de ergsten van de ergsten: mannen die uit liefde, om geld, uit wraak of gewoon voor de lol hadden gemoord. Mannen die niet alleen hun eigen pijn meedroegen, maar ook die van degenen die ze hadden gemarteld en verminkt en beroofd, het geschreeuw van de vrouwen die ze hadden verkracht en geslagen en misbruikt, de kinderen die ze hadden verwekt en verlaten zonder ooit nog naar hen om te kijken, de moeders wier hart ze hadden gebroken, de vaders wier dromen ze hadden verwoest. En tussen die mannen zaten de onschuldigen, de verloren zielen, de verwarden, degenen die tot slachtoffer waren gemaakt, de krankzinnigen, de verslagenen en de bijna-doden.

En daartussen zat ik ook.

Zeven jaar zat ik daar, en van die tweeduizendvijfhonderd dagen en van die zestigduizend uur verstreek niet één minuut dat ik niet het idee had dat ik daar zou sterven. Maar onder die zekerheid lag een vage, niet-aflatende hoop dat Harry Rose op een goede dag iets zou bedenken waardoor ik weer vrij zou zijn – vrij om te delen in de weelde en wonderen, omdat ik er net zoveel recht op had als Harry. Ik was een geduldig mens, ik leek wel een jobsgeduld te bezitten, en hoewel de uren zich tot dagen aaneenregen, en de dagen tot weken, wist ik mezelf in toom te houden. Ik verhief nooit mijn stem of mijn vuisten uit woede of om wraak te nemen, want ik wist dat er geen weg terug meer was als ik ook maar één keer de regels van Rikers overtrad. Ik was al een keer in het kot gegooid, en die ene keer was genoeg.

Vanuit mijn smalle cel hoorde ik Amerika tijdens zijn groeipijnen huilen. Ik hoorde de racistische spanningen en het neerschieten van zwarten in Mississippi, ik zag hoe Kennedy door de Democraten als presidentskandidaat werd genomineerd, en ik luisterde naar de radio toen hij in januari '61 werd beëdigd.

En ik wachtte.

Ik wachtte dwars door de protestmarsen, de mariniers in Laos, de dood van Marilyn Monroe, de blanken die de universiteit van Mississippi bestormden, de Varkensbaai, en de blokkade van Cuba, de duizenden arrestaties in Alabama, het neerschieten van Medgar Evans, Valachi's getuigenverklaring tegenover de Senaatscommissie over de Georganiseerde Misdaad, en de moord op Kennedy, dwars door de afkondiging van de krijgswet in Saigon, de moord op Malcolm X en het bombardement van Hanoi – dwars door al die dingen, al die gedenkwaardige sporen van vernieling die Amerika's aanzien bekladden. En ik, Johnnie Redbird, zou me er weinig of niets van herinneren.

Wat ik me gek genoeg vooral zou herinneren waren tanden.

Snijtanden, kiezen, hoektanden, kronen en wortels, tandbeen, vullingen en glazuur. Ontstoken tandvlees, trekken, abcessen en gingivitis.

Door mijn samenwerking met ene Oscar Tate Lundy werden tanden mijn leven, en uiteindelijk mijn verlossing.

'Doc' Lundy was geen echte dokter, zelfs niet eens tandarts. Doc Lundy was een gepensioneerd automonteur uit Brooklyn Heights, een man die het in zijn hoofd had gehaald zijn magere spaarcentjes aan te vullen door op klaarlichte dag een juwelierszaak te overvallen met niet meer dan een koperen pijp van nog geen halve meter, volgestopt met zand. Hij was destijds zesenzestig geweest, en hoewel het hem was gelukt met een handjevol kweekparels en drie diamanten verlovingsringen te ontkomen, kwam hij dankzij een leven lang roken en zwaar drinken maar vier straten ver. Daar werd hij ingehaald door de filiaalhouder, twee winkelbediendes, een klant, en een politieagent die geen dienst had maar toevallig op dat moment naar de etalage had staan kijken.

Doc verscheen dertien minuten te laat op de rechtszitting, zei tegen de gerechtsdienaar dat 'hij zichzelf maar moest gaan naaien' toen hem werd gevraagd of hij schuld bekende, en toen de rechter liet doorschemeren dat dat hem een aanklacht wegens minachting van het hof zou kunnen opleveren, naast die voor de roofoverval, stond Doc Lundy op, ritste zijn broek open, haalde zijn lul eruit en zei tegen de rechter: 'Kom hier maar op lurken, hoerennaaier.'

Sommigen zeiden dat Doc Lundy zich bij de rechtszitting zo tactvol en beschaafd had gedragen omdat hij stapelgek was.

Anderen zeiden dat hij een zo lang mogelijke straf wilde hebben, omdat zijn spaarcentjes wel toereikend zouden zijn als hij daarna weer op vrije voeten kwam.

Ik vond hem gewoon een eenzame, oude sukkel die nooit iets had weten te bereiken, en na alle teleurstellingen die hij te verwerken had gekregen, leek Rikers Island daarmee vergeleken op een countryclub.

Doc Lundy kwam dus naar Rikers, en was vast van plan zich nuttig te maken. Er vielen verrekt weinig auto's te repareren, vandaar dat hij zich met zoveel toewijding in de bibliotheek opsloot dat het leek alsof hij hoopte met een beurs van Queens naar Harvard te kunnen. Daar begon hij alles over het menselijk gebit te lezen waar hij maar de hand op wist te leggen. Na anderhalf jaar peuteren en prutsen, smartelijk tanden trekken en spoelen met zout water gaven de blokbewakers Doc Lundy zijn eigen cel. Ze brachten injectienaalden en pijnstillers voor hem mee, en spatels en papieren bekertjes. Ze schilderden de muren wit en zetten een scheidingsmuurtje tussen Docs bed en zijn 'behandelkamer'. Zelfs het gevangenispersoneel liet zich regelmatig door hem controleren, en toen Doc een verrotte kies wist te behandelen die de broer van Tony Cicero al bijna vijf jaar had geplaagd, sloot iedereen op Rikers Island de oude man in zijn hart.

Toen Doc vierenzeventig was, werd hij te oud en te zwak om nog gebitten te repareren. Zijn handen beefden en zijn ogen lieten hem in de steek, maar hoewel hem de voorgaande vier jaar drie keer de mogelijkheid van voorwaardelijke invrijheidsstelling was geboden, was hij er nooit op ingegaan. Rikers was niet alleen zijn werkplek geworden, maar ook zijn thuis, en hij was al heel lang geleden tot de conclusie gekomen dat hij zich hier een stuk nuttiger kon maken dan hem ooit in de vrije wereld was gelukt. Doc Lundy nam dus een leerling, en daarvoor viel zijn keuze op mij.

Ik kon niet zo goed lezen, toen niet tenminste, dus leerde ik alles wat er te leren viel door toe te kijken en te luisteren, en door te oefenen op de monden van een paar van de gevaarlijkste mannen van Amerika. Maar Doc stond erop dat ik ging studeren, en hij stuurde me naar de bibliotheek en strafte me door me ellenlange teksten door te laten worstelen. Na een tijdje – een maandje of wat, schat ik – wilde ik alles kunnen begrijpen. Ik las alles wat ik maar in de vingers kreeg, niet alleen over tanden. Er ging een wereld voor me open, een wereld binnen werelden. En door middel van de pagina's van de boeken, door de verhalen en de artikelen, de biografieën en vakbladen, kreeg ik de ontwikkeling die me altijd was ontzegd. 'Kennis is macht,' zei Doc tegen me, en ik geloofde hem. Stel je voor: hij zette me zelfs aan het schrijven, en hij corrigeerde het zin voor zin, en verbeterde mijn spelling, mijn grammatica, mijn interpunctie en de verbuigingen. Dat alles stelde hij als voorwaarde voor mijn leerlingschap, en ik verdroeg het zonder klagen. 'Ooit zul je er iets aan hebben,' zei hij, en al geloofde ik hem toen niet, nu geloof ik hem wel. Als ik destijds niet zoveel had geleerd, zou ik nu deze regels niet schrijven. Toen leek het geen zin te hebben, maar mettertijd bleek het belangrijker dan wat ook – zoals ik nu weet.

Na een jaar wist ik alles wat Doc Lundy ooit van tanden had geweten. Tanden werden de reden van mijn bestaan, en met behulp van de voorhanden zijnde ziekenboeg begon ik gebitsgegevens vast te leggen en nam de patiënten mee voor röntgenfoto's, sommigen geboeid en onder begeleiding van een bewapende bewaker. Ik nam mijn werk serieus, als een echte professional, en onder het werken, onder het vullen en schrapen en injecteren en spoelen, begon ik het belang van tanden te begrijpen.

Tanden waren net zo veelzeggend als vingerafdrukken. Tanden overleefden vuur en zuur. Tanden waren even karakteristiek als de iris, en even uniek als DNA.

Geleidelijk aan kreeg ik een idee, en toen Doc Lundy eindelijk stierf, toen zijn lichaam was gecremeerd en zijn as was uitgestrooid in het Rikers Island Channel, stapte ik naar de directeur en drong erop aan dat de tandheelkundige zorg zou blijven. Ik had berekend hoeveel geld die zorg de gevangenis anders zou kosten, en nadat de directeur de feiten en getallen die hem werden voorgelegd had bekeken, stemde hij toe. Ik zou de nieuwe Doc worden.

Het was begin 1966. De Verenigde Staten had het grootste offensief in de oorlog in Vietnam ingezet, waarbij achtduizend manschappen de IJzeren Driehoek in werden gestuurd; Buster Keaton stierf in dezelfde maand als admiraal Nimitz; mevrouw Ghandi kwam naar Washington om met Lyndon Johnson te praten, en ik begon op Rikers met abcessen doorprikken zonder dat Doc Lundy over mijn schouder meekeek.

Ik had toegang tot de medische en tandheelkundige gegevens en op die manier vond ik de juiste man. Henry Abner Truro van Staten Island was drie keer schuldig bevonden aan kindermisbruik. Hij had zich als kermisklant voorgedaan en drie kindertjes in een smalle tunnel achter het platform van de monteur van het reuzenrad gelokt, en daar zijn misdaad gepleegd. Niemand wist waarom. Truro had geen woord ter verdediging aangevoerd; hij had alleen zwijgend en kwaad naar de jury, de openbare aanklager en zelfs zijn eigen advocaat gekeken. De rechtszitting werd snel en oppervlakkig afgehandeld. Truro kreeg tien tot vijftien jaar en werd naar Rikers Island gestuurd. Hij kwam naar me toe met een ontstoken kies rechtsonder en een lijf dat een uur in de wind stonk. Iedereen die zo stonk verdiende het dood te gaan. Daarnaast was Henry Truro bijna net zo lang als ik; hij woog ongeveer evenveel, en had dezelfde lichaamsbouw en schoenmaat.

Truro zat alleen in een cel, wat vaak uit voorzorg bij kinderverkrachters werd gedaan, en een week nadat ik hem voor het eerst had behandeld ging ik tijdens het luchten naar zijn cel en doordrenkte Truro's matras met reinigingsalcohol, geurloos en uiterst ontvlambaar spul. Truro had niets in de gaten toen hij die middag weer naar zijn cel terugging en op zijn bed ging liggen.

Ik ging naar mijn eigen cel terug, de cel die ik van Doc had geërfd, behandelde een afgebroken kroon en een beginnend abces, en vroeg vervolgens toegang tot de medische gegevens. Ik werd er door een cipier naartoe gebracht, bleef in mijn eentje achter, en gebruikte mijn tijd om mijn eigen gebitsgegevens met die van Henry Truro te verwisselen.

Vervolgens zocht ik Truro op, bood de man die nog steeds op zijn bed lag een sigaret aan, en toen ik die voor hem had aangestoken liet ik de lucifer op Truro's paardenharen matras vallen en deed een stapje naar achteren. Ik zag de vlammen om hem heen omhoogschieten en hem met huid en haar verslinden. Er lag een ongelovige en verbijsterde uitdrukking op zijn gezicht, en ik lachte in mijn vuistje terwijl ik aan die kindertjes dacht wier leven hij had verwoest. Hij begon met zijn blote handen naar de vlammen te slaan, maar het vuur hunkerde ernaar hem te verteren, en hij kon er weinig tegen doen. Op een gegeven moment probeerde hij van het bed te komen, maar ik bracht mijn voet omhoog en schopte hem terug op de matras. Hij deed zijn mond open en ik wist dat hij wilde gaan schreeuwen, dus tilde ik mijn voet nog een keer op en gaf hem uit alle macht een trap op zijn gezicht. Hij viel geschokt achterover, waarbij zijn hoofd tegen de muur knalde. Hij raakte niet buiten westen, maar was wel versuft en gedesoriënteerd. Hij keek me aan met ogen die nog nauwelijks iets konden onderscheiden; zijn kleren stonden in brand, en zijn huid ook. Ik kon me met geen mogelijkheid voorstellen hoe afgrijselijk veel pijn hij moest hebben, maar ik wilde dat hij pijn leed. Ik kende hem absoluut niet, maar ik wilde dat hij zou lijden. Geen vrouwen en kinderen, zeiden Harry en ik altijd. Wij zouden nooit vrouwen en kinderen iets aandoen, maar deze rotzak had zich aan de ergste van die twee vergrepen. Hij probeerde weer overeind te komen, en deze keer schopte ik hem midden in zijn lijf. Het bloed spoot hem uit de mond en ik wist dat ik zijn ribben of zo aan barrels had geschopt. Hij was nog steeds bij bewustzijn; hij klauwde wanhopig met zijn handen om lucht te krijgen en hij vocht tegen de pijn. Ik gaf hem nog een trap, en deze keer raakte hij wel buiten westen. Ik wist hem van het bed te sleuren en doofde de vlammen met een deken. In de cel stonk het alsof iemand een biggetje voor een barbecue van de kerk had staan roosteren. Bovendien hing er een dikke, scherpe walm van het brandende paardenhaar. Als je in de gang had gestaan, zou je niks hebben kunnen zien, en je zou vanwege de stank ook niet naar binnen zijn gekomen. Ik scheurde mijn eigen overhemd aan flarden, maakte het nat in de plee en wikkelde de repen om mijn hoofd. Ik kon bijna niks meer zien; de tranen stroomden over mijn gezicht en onder andere omstandigheden zou ik het daar geen seconde hebben uitgehouden, laat staan een paar minuten. Maar mijn leven en mijn vrijheid stonden op het spel; elke keer dat ik ook maar even dacht dat ik het geen seconde meer kon volhouden, hoefde ik alleen maar aan Harry Rose te denken die een handjevol dollars van een arme donder aanpakte en ze in zijn jaszak stak. Het geld was daar buiten. Mijn geld. Ik wilde goddomme mijn geld, en dat was het enige wat me op de been hield.

Nadat de vlammen waren gedoofd, haalde ik een scalpel uit mijn jaszak en sneed er Truro's gezicht mee aan flarden. Tegen de tijd dat de andere gevangenen en een stuk of wat cipiers ten tonele verschenen, had ik Truro al uit zijn cel naar de galerij gesleept, met een handdoek stijf om zijn gezicht gewikkeld, en probeerde ik hem naar de ziekenboeg te dragen. Ik bleef bij hem en hielp met het verbinden van zijn hoofd en handen die het ergst door het vuur waren aangetast. Ze gaven hem morfine, legden hem op bed, en belden met het vasteland om toestemming om hem met de ambulanceveerpont naar een ziekenhuis te brengen.

Ik zei tegen de ziekenbroeder dat hij beter kon gaan kijken hoe het er met de brand voor stond, en zo bleef ik iets meer dan een halfuur met Henry Abner Truro alleen. Ik kleedde Truro uit, gaf hem genoeg morfine om een paard te doden, haalde het verband van zijn handen en gezicht, schroeide zijn vingertoppen met behulp van een aansteker, en stampte toen met de hak van zijn eigen laars net zo lang op zijn gezicht tot hij volslagen onherkenbaar was geworden. Ik sleepte hem naar het kamertje ernaast, waar de medische voorraad werd bewaard, en deed de deur op slot. Ik verbond mijn eigen handen en gezicht, trok Truro's kleren aan en lag net op bed toen de broeder terugkwam. Ik hoorde mijn eigen hart hameren. Ik voelde het in mijn borstkas denderen. Ik rook mijn eigen verhitte adem tegen het verband om mijn gezicht. Ik kon bijna niets zien, en toen de broeders naar me kwamen kijken, toen ze mijn polsslag opnamen en naar mijn hart luisterden, voelde ik de spanning vanbinnen groeien alsof het een levend iets was. Dit was het. Dit was het moment dat ik uit Rikers zou ontsnappen. Ik geloofde erin, ik moest erin geloven, en ik kan me niet herinneren dat er ook maar een seconde verstreek waarin ik niet Harry's gezicht voor me zag, waarin ik niet het lachje zag bij het zoveelste hand-jevol dollars dat hij van een arme sloeber pakte... en de helft van die dollars was van mij. Het was mijn geld. Altijd al geweest, ik had het verdomme verdiend. Ik had het met al die jaren in Rikers verdiend.

Die hartstocht en dat vooruitzicht maakten dat ik me in bedwang wist te houden. Dat gevoel van vergelding en rechtvaardigheid weerhield me er-van uit woede in tranen uit te barsten toen de broeders en de cipiers zich afvroegen of ze het verband van mijn gezicht moesten halen om te kijken hoe erg ik verbrand was. De gedachte dat er misschien toch een toekomst voor me was weggelegd zorgde ervoor dat ik mijn hoofd erbij wist te hou-den en niet het scalpel op een van die kelen zette en het hele zootje gijzelde om op die manier te kunnen ontsnappen. Ik had vreselijk lang op dit mo-ment moeten wachten, bijna zeven jaar, en ik was niet van plan om ook maar iets te doen om de kans te verspelen om hier weg te komen.

Op een gegeven moment besloot een van de ziekenbroeders een kijkje on-der het verband op mijn gezicht te nemen. Ik voelde zijn handen dichter-bij komen, ik voelde de druk van zijn vingers dwars door het verband, en ik was me ervan bewust dat hij het heel voorzichtig begon los te wikkelen. Ik zat eronder. Niet Henry Abner Truro, maar ik, Johnnie Redbird.

Ik hield mijn adem nog heel even in en kreunde toen luidkeels, alsof ik ineens onverdraaglijke pijn leed. Iemand zei iets. 'Wat doen jullie daar, verdomme? Blijf van hem af. Laat zijn hoofd in godsnaam met rust.'

Ik zegende die man, wie hij ook mocht zijn, en ik geloofde heel even dat er toch een God was.

Een uur later werd ik op een brancard van Rikers Island gedragen en met een veerpont over het kanaal gevaren. Vanaf de pont werd ik met een am-bulance naar het staatsziekenhuis vervoerd om me zo snel mogelijk naar de dichtstbijzijnde behandelkamer te brengen.

Tegen de tijd dat ik bij het St. Francis of Assisi in Brautigan Street was aangekomen, hadden de directeur en de hoofdcipier van Rikers Island Truro's lijk gevonden. Dankzij het geïsoleerde, onafhankelijke systeem op Rikers werd de ontdekking niet volgens de officiële kanalen gemeld.

Het gezicht was onherkenbaar, en vanwege de ernstige brandwonden was het niet mogelijk vingerafdrukken van het lijk te maken. Dus maakten ze röntgenfoto's van het gebit, ontdekten dat dat overeenkwam met het mijne, en probeerden erachter te komen wat zich daar had afgespeeld. De directeur was intelligent, en het kostte hem dan ook een paar dagen voor hij begreep dat het lijk in de ziekenboeg niet het mijne was. De reputatie van Rikers Island evenaarde bijna die van Alcatraz. Sinds hij de scpeter zwaaide had er nooit iemand weten te ontsnappen. Over drie jaar zou hij met pensioen gaan, en hij wilde koste wat het kost met een schone lei vertrekken. Henry Abner Truro werd op Rikers gecremeerd, en werd in de overlijdensannalen als Johnnie Redbird bijgeschreven. Ze sloten dat boek en waren niet van plan het ooit nog open te slaan.

Wat mij betreft: zodra de ambulance bij het ziekenhuis stopte, maakte ik me via het achterportier als de gesmeerde bliksem uit de voeten. Voorbijgangers zagen een man in verbrande en bebloede kleren, zijn gezicht en handen in het verband, als een speer Brautigan Street uit rennen. Ze kregen me maar één keer te zien, en dat was absoluut het laatste wat ze nog ooit van me te zien zouden krijgen. Ik verdween. Ik ging in rook op.

Het kostte me drie weken om Harry Rose op te sporen. Ik vond hem in een bar op loopafstand van de armoedige flat op East 46th Street. Hij zat in zijn eentje aan de bar, met een pure Jack Daniels en een biertje voor zich, en ik schoof zonder een woord te zeggen op de kruk naast hem.

Harry Rose stikte bijna toen hij zich half omdraaide en mij in het oog kreeg. We zeiden zeker een halve minuut helemaal niks, en toen glimlachte ik, alsof dat tegenwoordig de grote mode was, en vroeg of er kans was dat ik iets te drinken kreeg.

We bleven drie uur in de bar hangen, trokken ons aan een hoektafeltje terug en goten de drank naar binnen alsof we een reclamebordje met DRINK CANADA DRY hadden gelezen en dat als een bevel hadden opgevat. Harry luisterde toen ik hem over de verschrikkingen van Rikers Island vertelde, waarbij ik niet één keer aanstipte wat hij me allemaal wel schuldig was, of dat er zeven jaar van mijn leven waren verdwenen en dat ik nu verhaal kwam halen. Hij vertelde me toen over zijn eigen leven, de keren dat hij van voren af aan had moeten beginnen, alles waarover ik hier schrijf, de dingen die hij me aanvankelijk niet had verteld... Alsof hij alles weer in evenwicht probeerde te brengen, me wilde laten inzien dat het voor hem net zo moeilijk was géweest als voor mij. Ik luisterde, ik luisterde heel aandachtig, en ook al had ik destijds geen idee dat ik het allemaal ooit zou opschrijven, het bleef me bij – elk detail, elk woord, alsof mijn hersens een spons waren geworden en ik alles opzoog wat er ooit met mij was gebeurd, alsof ik de verloren jaren wilde compenseren.

Het was niet nodig Harry te herinneren aan wat hij me verschuldigd was, en toen we eindelijk uit die bar weg wisten te komen en naar East 46th trokken, liet hij me zien hoeveel geld hij in schoenendozen onder de vloerplanken bewaarde. Het was alsof de tijd had stilgestaan, en hoewel er een duistere schaduw om me heen hing, een schaduw die ik van het eiland had meegebracht, was er toch ook iets wat nooit zou veranderen. Ik was het maatje van Harry Rose, zijn *compadre*, zijn vriend. We waren bijna broers, en hoeveel water er ook onder al die bruggen door was gestroomd, er was nog steeds die fundamentele overeenkomst: we waren er samen bij betrokken. Dat was altijd al zo geweest en dat zou altijd zo blijven.

Harry vertelde me dus dat hij voor honderd ruggen was bezwendeld. Hij vertelde over King Mike Royale, over Cynthia, Mary-Rose, Jasmine, Louella-May, Claudette en Tanya. Hij vertelde me over het gemak waarmee die dikke hoerennaaier hem alles wat hij bezat afhandig had weten te maken, en over de moeite die het hem had gekost om het terug te verdienen. En het was ons geld geweest. Geld waarvoor we allebei keihard hadden gewerkt, van voor Carol Kurtz, Karl Olson en de hel van Rikers Island.

Ik ging dus weer aan het werk en deed waar ik echt goed in was. Ik verkleedde me als een politieagent in burger, compleet met penning en gezaghebbende stem, en ik schuimde net zo lang de bars en illegale kroegen en danstenten en de stripclubs af totdat ik het spoor van Mike Royale te pakken kreeg en wist waar hij zat. King Mike had zijn geld in een chic bordeel gestoken, in de buurt van Edgewater Avenue, tussen Cliffside Park en Fairview. Een verdomd mooie tent, een verdomd goede clientèle, en die meiden die hij daar aan het werk had waren de chicste hoeren die je ooit buiten het witte doek te zien kreeg. Senatoren, leden van het Congres, commissarissen van politie, bankiers, gangsters, wethouders en gemeenteraadsleden – ze kwamen er allemaal om met hun roze torpedo doel te treffen, en het geld dat daar werd omgezet overtrof alles wat Harry Rose en ik ons maar konden voorstellen. Sommigen zeiden dat ze een weekomzet van meer dan vijfentwintigduizend hadden, anderen zeiden weer dat zo'n bedrag een gigantische onderschatting was, maar om eerlijk te zijn maakten Harry en ik ons lang niet zo druk over al die groene ruggen als om de kop van King Mike.

Er was echter een kleine complicatie: ik had een vriendinnetje gekregen, een lief roodkopje van Hudson Heights dat dacht dat ik Gary Cooper was. Ze kleefde als een akelige griep aan me vast, en al gaf ik best om haar, al behandelde ik haar goed, ik zag mezelf toch niet als het huisje-boompje-beestjetype. Het mag nu misschien vreemd klinken, maar ergens in mijn achterhoofd zat het idee dat ik vader had kunnen worden. Misschien was het een waanzinnige gedachte, want ik wist donders goed dat ik met mijn soort leven nooit een kind op de wereld zou zetten. Toch was die gedachte er, die liet me niet los, en ik kon er weinig tegen doen. Toen ze zwanger werd, vertelde ik haar de waarheid die ze moest weten: dat er geen toekomst voor ons was, dat ik net zomin in de wieg was gelegd voor vader en echtgenoot als voor een melkmeisje uit Tuscaloosa. Ik gaf haar vijfduizend dollar, vertelde haar dat ze zelf maar moest beslissen of ze het kind wilde houden – dat het uitsluitend haar beslissing zou zijn – en zette haar vervolgens de deur uit. Ik loog tegen dat meisje, en ik loog tegen mezelf, want vanbinnen zei een stemmetje dat ik er wel mee moest doorgaan, dat ik haar moest laten blijven, dat zij op het kind kon passen terwijl ik mijn dagelijkse werk deed. Ze ging tekeer als bij een rituele begrafenis van de Apaches, maar ze ging wel. In de tijd die ze met mij had doorgebracht had ze één ding geleerd: ik zei alleen wat ik meende, en wat ik meende was zo goed als de wet. Pas later, veel later, moest ik weer aan haar denken, en toen vroeg ik me af of dat kind ooit aan ademen was toegekomen. En wanneer die gedachte bij me opkwam, werkte ik eens zo hard om mezelf ervan te overtuigen dat ik voor alle betrokkenen de juiste beslissing had genomen, maar als ik in de spiegel had gekeken zou ik een man hebben gezien met een leugen in zijn ogen. Ik wilde destijds niet weten waar ze naartoe was gegaan en wat er verder was gebeurd; ik had maar één ding in mijn hoofd: de zaken met King Mike Royale weer in evenwicht te brengen.

Het had zo een scène uit een slechte gangsterfilm kunnen zijn geweest, en misschien was dat ook wel onze bedoeling.

Vlak tegen het trottoir zaten Harry en ik op een avond in een zwarte sedan vier uur te wachten tot King Mike uit zijn bordeel kwam en naar huis ging. We volgden zijn Cadillac Towncar vijf kilometer lang dwars door de stad, en toen hij aan de rand van Fort Lee, op de plek waar Lemoine de I-95 kruist, voor een royaal landhuis stopte, deden wij hetzelfde. We zetten de motor uit en wachtten. We wachtten twee uur, terwijl binnen en buiten het licht aan- en uitging, en toen het eindelijk overal donker was, braken we in en liepen naar boven.

Het feit dat de slaapkamer van King Mike naar alcohol stonk, het feit dat hij zich nauwelijks verroerde toen we de dekens terugsloegen en hem aan handen en voeten vastbonden, gaf ons enige aanwijzing over de hoeveelheid drank die de man naar binnen had gewerkt. Het was een wonder dat hij heelhuids dwars door de stad was gereden, zei ik terwijl ik King Mike in het gezicht begon te slaan en hem in zijn ogen prikte.

King Mike Royale, de man die in zijn hele volwassen leven nog nooit een stap had gelopen, de man die het beste at en dronk wat Manhattan te bieden had, de man die niet alleen dacht dat hij boven de wet stond, maar vermoedelijk ook boven God, werd wakker en keek in de ogen van een vreemdeling die met een paperclip in zijn hand op hem neerkeek.

Er werd erg weinig uitgelegd. Er werd natuurlijk een heleboel gesmeekt, maar ik snoerde King Mike de mond en vroeg Harry waarom juist altijd die dikke kerels het hardst kreunden. 'Hoe vetter ze zijn, hoe harder ze lijken te schreeuwen,' zei ik tegen Harry, en Harry lachte en hield King Mikes hoofd stil, terwijl ik de paperclip rechtboog en die door het ooglid van de dikkerd prikte.

Hij loeide erger dan een brandweersirene, en daarom pakten we de hoek van het laken en propten het King Mike ver genoeg in de mond tot hij bijna stikte. Zijn ene goede oog keek ons smekend aan, en Harry en ik gaven hem om beurten een klap in de nek, hielden een aansteker bij zijn ballen, pisten op hem, en krasten met een metalen kam diepe, bloederige voren in de huid van zijn buik. Na een uurtje begon het ons te vervelen, en King Mike, die nog steeds behoorlijk bij bewustzijn was, werd van het laken bevrijd. Toen zeiden we dat hij ons nog één vraag mocht stellen voor hij stierf.

'Wie zijn jullie?' vroeg hij sputterend en snakkend naar adem.

Harry keek me aan. Ik keek hem aan, en toen, terwijl we naar elkaar lachten alsof het om een geheim grapje ging, vertelden we King Mike dat hij de vraag had gesteld en dat hij nu dood zou gaan.

'We hadden toch niet gezegd dat we antwoord zouden geven, hoerennaaier?' zei Harry tegen hem, waarna hij het beddenlaken in lange repen scheurde en hem daarmee aan het ledikant vastbond.

'Wil je geld?' vroeg King Mike ons. 'Is dat wat jullie willen? Neem dat verdomde geld dan en laat mij in leven...'

Harry zat naast King Mike terwijl die lag te zweten, te bloeden en te kreunen.

'Wat voor geld mag dat zijn?' vroeg Harry.

'Het geld op de bank,' zei King Mike. 'Er zit bijna driehonderdduizend ballen in een bankkluisje...'

'Op de bank?' zei Harry. 'Wat moet je nou met geld op de bank?'

Het ene goede oog van King Mike ging wijd open en staarde Harry Rose aan. Was er even iets van herkenning? Misschien wel, misschien niet. Harry had zo'n idee dat King Mike zich wel in de allerlaatste plaats de gezichten zou willen herinneren van iedereen die hij bezwendeld had. Bovendien was het meer dan zeven jaar geleden dat Harry deze vette klootzak honderd ruggen had gegeven.

'Wil jij het geld van de bank?' vroeg Harry me.

Ik liet mijn hoofd schuin zakken en lachte zo half en half. Ik haalde mijn schouders op en zei: 'Jij wel?'

'Dat zou betekenen dat we deze klootzak in leven moeten houden om met ons naar de bank te gaan, toch?'

'Dat lijkt me wel,' zei ik. 'Wat denk je?'

Harry schudde zijn hoofd. 'Neuh,' zei hij. 'Naar de hel ermee. Ik zie hem liever branden.'

Opnieuw werd er een prop van het laken in de mond van King Mike gestopt. We bonden hem stevig aan het ledikant vast. We stopten kussens en dekens onder zijn lijf, totdat hij op een bebloede bokser leek die na acht rondjes met Primo Carnera in het ziekenhuis was beland.

Van de commode aan de andere kant van de kamer pakten we twee flessen Armagnac 1929 en goten die uit op de lakens, de kussens, de dekens en het te dikke lijf van King Mike.

Toen staken we hem aan en smeerden we hem.

We startten de motor en reden naar het eind van de straat, en toen we de vlammen uit de ramen op de bovenverdieping zagen slaan, keken we elkaar aan en knikten tevreden.

'De wraak is zoet,' zei Harry Rose.

'Zo zoet als maar kan,' zei ik, waarna we wegreden.

We hielden ons twee dagen schuil in het appartement op East 46th, en het duurde ook niet meer dan twee dagen om te beseffen wat voor ellende we in gang hadden gezet.

King Mike Royale was een man met connecties geweest; hij had het in bepaalde kringen gemaakt, en er waren heel wat mannen op invloedrijke posities die zich meer dan een beetje zorgen maakten dat een onderzoek naar zijn dood dingen boven water zou brengen die nooit aan het licht mochten komen. Harry en ik praatten. We praatten heel wat af. En toen het gerucht de ronde deed dat de mogelijkheid bestond dat een paar Italiaanse families verlies zouden lijden op hun investeringen in de zaken van King Mike, stelde Harry voor dat ik me voorlopig uit de voeten zou maken. Hij zei dat hij zou achterblijven en een tijdje onze belangen zou behartigen totdat de rust was weergekeerd. Harry zei dat hij bekend was, dat er vragen zouden worden gesteld als hij ineens verdween, en dat er wat herrie door zou ontstaan.

'Mexico,' zei ik.

'Mexico,' was Harry met me eens.

'Neem twintig- of dertigduizend mee,' zei Harry, 'en in het nieuwe jaar stuur ik je meer. Wanneer je je ergens hebt gevestigd, neem dan contact op en laat me je adres weten, dan zorg ik verder voor alles.'

Ik zweeg, maar mijn blik maakte Harry wel duidelijk dat er meer aan de hand was dan ik liet blijken.

'Rikers?' vroeg Harry.

Ik knikte. 'Rikers,' zei ik. 'Je zou ook voor me zorgen toen ik daar zat, Harry.'

Harry knikte. Hij wist dat ik gelijk had. 'Ik was al dat geld kwijtgeraakt,' zei Harry. 'Die dikke rotzak die we in de fik hebben gestoken heeft me al mijn geld afgepakt, en ik dacht dat het verstandiger zou zijn om het geld terug te krijgen dan om als de genaaide aap in Queens te blijven zitten.'

Ik knikte. Harry had gelijk. En bovendien vertrouwde ik Harry Rose nog steeds, en wist ik dat een man als Harry altijd en eeuwig zijn principes hoog zou houden. Zoals toen met Carol Kurtz. Olson stierf omdat hij een meisje had vermoord om wie Harry had gegeven, en het zou geen barst hebben uitgemaakt of ze een tweederangs hoertje was geweest of prinses Gracia van Monaco.

Ik vertrok dus, nam twintig- of dertigduizend ballen mee, en belandde in Mexico, in Ciudad Juárez, aan de overkant van de Rio Bravo del Norte. Ik kocht de bovenste etage van een hotel van vier verdiepingen, en na een maandje of wat stuurde ik een berichtje naar Harry Rose. 'Hier zit ik,' zei ik. 'Helemaal in Mexico, waar de tequila vrijelijk stroomt, en de señorita's nog vrijer. Kom me hier eens een keertje opzoeken. Geld heb ik voorlopig niet nodig. Hier kun je voor een rug een maand in alle luxe leven en dan nog wisselgeld terugkrijgen ook. Laat het me weten als alles weer wat tot rust is gekomen. Laat het me weten als je ooit mijn naam in één adem hoort noemen met Rikers Island of King Mike Royale. Pas een beetje op jezelf.'

Harry kreeg mijn briefje, maar diep in zijn hart wist hij al dat hij me er opnieuw voor zou laten opdraaien. Er was niets wat Harry aan Manhattan bond, en het feit dat er in de kranten nooit gewag werd gemaakt van mijn ontsnapping uit Rikers deed Harry geloven dat we met ons tweeën naar Las Vegas hadden kunnen gaan en daar opnieuw de grote jongens hadden kunnen worden. Maar Harry was een einzelgänger geworden, een man alleen, en in de jaren dat ik weg was geweest had hij zich zonder mij naast zich een reputatie weten te verwerven. In bepaalde opzichten was het fijn om me terug te hebben, maar anderzijds...

Harry Rose verhuisde dus nog eens. Hij vertrok uit de flat op East 46th en verhuisde naar een veel chiquer appartement bij Columbia Park, aan de andere kant van de Bergen Turnpike. Hij was inmiddels dertig en had geld te verteren, maar vanbinnen kreeg hij het gevoel dat hij op het punt stond een nieuwe weg in te slaan. Hij had twee mensen gedood – uit principe, uit wraak – en de enige echte vriend die hij ooit had gehad hield zich in Mexico schuil. Dus toen hij op een zaterdagochtend Maggie Erickson in de lift van het appartementsgebouw ontmoette, toen hij haar hielp haar boodschappen een verdieping onder de zijne door de gang naar het appartement van haar ouders te dragen, en toen ze zich omdraaide en hem bedankte, en zei dat echte heren tegenwoordig tot een uitstervend ras leken te behoren, voelde Harry Rose vanbinnen een emotie die hem niet alleen volkomen vreemd was, maar die ook als een magneet leek te werken.

Hij liep achteruit naar de lift en hield die open totdat ze haar eigen voordeur had geopend en naar binnen was gestapt, en toen ze zich omdraaide en naar hem lachte terwijl ze een beetje met haar wimpers knipperde alsof ze een tikje verlegen was, of bedeesd, kwam hij meteen uit de lift naar haar toe en vroeg haar allercharmantst of ze eens een keer in de lunchroom op de hoek een kopje koffie met hem wilde gaan drinken. Maggie Erickson bloosde weer, maar zei dat ze dat heel graag zou willen. Ze spraken een dag en een tijd af, en een plek om elkaar te ontmoeten. Maggie was normaalgesproken niet het type meisje om zulke afspraakjes te maken, maar die man had iets – zijn gedrag misschien, of zijn openheid – wat haar meteen had aangetrokken. Alle achtentwintig jaar van haar leven had ze bij haar ouders gewoond – oppassende mensen, goed christelijk – maar vanbinnen brandde er een vuurtje in Maggie. Ze wilde meer, ze wist dat er daar buiten meer was; het lag op haar te wachten, en misschien had ze alleen toegestemd omdat het iets heel anders was. Soms leek het al genoeg als het anders was, of misschien was het hetzelfde magnetisme dat Elena Kruszwica moeiteloos tot Jozef Kolzac had aangetrokken. Misschien had Harry Rose iets wat hij van zijn eigen rondzwervende en onnavolgbare vader had geërfd. Hoe het ook zij, Maggie zei niets tegen haar ouders over Harry omdat ze attent genoeg was om hen niet onnodig ongerust te maken, en opgewonden genoeg om te geloven dat dit wel eens een man kon zijn die hun goedkeuring niet zou kunnen wegdragen. En misschien was er nog een reden: het verbodene, het taboe, dat waar met gefronste wenkbrauwen op werd gereageerd. Haar opleiding en opvoeding hadden haar geleerd dat dergelijke ontmoetingen altijd gechaperonneerd moesten plaatsvinden, en dat een potentiële aanbidder vóór een dergelijk rendez-vous fatsoenlijk en beleefd aan de ouders diende te worden voorgesteld, maar ze had iets vurigs in Harry Roses ogen gezien, en dat stemde overeen met het vuur in haar buik. Bij het idee dat die man bij haar ouders op de thee zou komen en over politiek en de kerk en familiepicknicks zou praten, kreeg ze koude rillingen. Maggie Erickson was geen Alice Raguzzi, maar ze was beslist ook geen Shirley Temple.

En Harry Rose? Harry ging met de lift naar boven, naar zijn eigen appartement, en vroeg zich af of hij gek was geworden, of dat er misschien toch een heel klein kansje was dat hij uiteindelijk dan toch een echt mens zou worden.

Hun afspraak ging door. Drie dagen later. Ze ontmoetten elkaar op de afgesproken plek. En Harry bracht bloemen mee, een beschaafd boeketje van rozen en anjers, en Maggie Erickson gaf Harry een arm, waarna ze samen van het appartementsgebouw naar de lunchroom op de hoek liepen. Harry vond haar geestig en charmant, en bijna intellectueel omdat ze zoveel van literatuur en politiek wist, en toen hij haar vroeg of ze een keer met hem uit eten wilde, was hij verbaasd dat ze 'ja' zei, en zij omdat ze 'ja' had gezegd. Dat meisje was beslist anders dan ze leek. Alice Raguzzi en 'Indigo' Carol Kurtz kenden alle onaangename kanten van het leven; ze praatten met de mond vol, ze deden de deur van de plee niet dicht, ze kenden alle hebbelijkheden van de mensen, van hoog tot laag, maar iets had hun ontbroken: klasse. Maggie Erickson bezat die klasse in overvloed, en ze mocht dan geen muurbloempje zijn, ze mocht Harry dan met het grootste gemak onder tafel kunnen praten en hem duidelijk maken hoe de zaken er echt voor stonden, ze mocht dan heel belezen zijn en zo'n uitstekende opleiding hebben dat Harry er met zijn verstand niet bij kon, toch had ze iets wat nog veel verderging.

Ze was stiller dan Alice of Carol, maar stille wateren hebben diepe gronden. Dat wist Harry heel zeker, en terwijl ze hem aansprak op de manier waarop hij over mensen praatte, en toestond dat hij de deur voor haar openhield, en kalm wachtte tot hij klaar was met eten, begon Harry in te zien dat de mensheid misschien nog wel een andere kant had, eentje waaraan hij nooit enige aandacht had besteed.

Honest Harry Rose begon de mogelijkheid te overwegen dat hem een bepaald deel van het leven was ontgaan. Het deel met klasse, met elegantie en decorum. Maggie leerde hem alle mensen in hetzelfde licht te gaan bezien, en dat er een reden was waarom ze waren zoals ze waren, dat ze allemaal hun eigen problemen hadden, ongeacht hun afkomst of opvoeding. 'Mensen zijn mensen,' hield ze hem steeds weer voor. 'Mensen doen wat ze doen omdat ze geloven dat het juist is, ook al hebben ze het mis. En

231

mensen doen verkeerde dingen omdat ze nooit de tijd hebben genomen om te bekijken of ze het anders, en beter, hadden kunnen doen.'

En Harry luisterde. Het was misschien wel voor het eerst dat hij naar iemand anders luisterde dan zichzelf. Hij begon te denken dat er misschien wel een andere manier was om mensen te behandelen dan met zijn vuisten of een vuurwapen, dat er misschien wel een mogelijkheid was om bepaalde hoofdstukken van zijn leven af te sluiten en opnieuw te beginnen.

Misschien... heel misschien.

Het leek of iemand het vuurtje opstookte, en toen de vonkjes vlammetjes werden, en er rook kwam die naar de hemel steeg, begon Maggie ook te geloven dat ze wellicht een uitweg had gevonden. De Amerikaanse middenklasse was een gevangenis op zich – comfortabel, lekker eten, een warm bed om in te slapen en een dak boven haar hoofd, maar desalniettemin een gevangenis. Het had er alle schijn van dat Harry Rose een sleutel bezat en dat hij wist hoe die andere wereld eruitzag.

Het decennium liep ten einde – een decennium dat in heel Amerika grote veranderingen teweeg had gebracht, misschien wel de belangrijkste van de hele eeuw. En Harry had die verandering ook gevoeld; hij was niet alleen vanbinnen veranderd, maar ook naar buiten toe, en toen de afspraakjes voor etentjes elkaar opvolgden, toen hij Maggie mee uit dansen nam in het Regent Astoria bij Broadway, toen Kerstmis werd gevolgd door een fonkelnieuw jaar, wist hij dat hij Queens eindelijk van zich af had geschud en dat hij nooit terug zou gaan. Dat wist hij heel zeker.

Hij had de meertouwen van zijn vroegere leven losgemaakt, zodat het schip waarop hij zich tot dusverre had laten meenemen naar dieper water en de woelige onderstromen van het verleden mocht wegdrijven. Het was een fonkelnieuwe dag, misschien wel een fonkelnieuw leven, en verlost van de noodzaak om steeds maar weer achterom te kijken begon de wereld er voor Harry Rose een stuk echter en levendiger uit te zien. Het leek of hij alles achter zich liet: Daniel Rosen en Rebecca McCready; de verschrikkingen van de oorlog waaruit hij was voortgekomen; de gokkers en verliezers, de zuiplappen en bedriegers en leugenaars; de moordenaars en de dealers en de souteneurs en de hoeren; Alice Raguzzi, Freddie Trebor, de broertjes Olson en Carol Kurtz; Mike Royale, en dat laatste overheersende beeld van een doodsbange en veel te zware man die levend verbrandde in zijn eigen bed...

En mij ook. Ik mocht ook wegdrijven. Voor de tweede keer vergat Harry Rose de man die zijn straf voor hem had uitgezeten.

En hij haalde Maggie Erickson weg bij haar ouders; ze verhuisden naar

Englewood, vlak bij Allison Park. Ze waren nooit getrouwd, maar ze nam wel zijn naam aan, en Maggie Rose wist wel beter dan ongewenste vragen te stellen. Het was 1970, een vrijere en tolerantere tijd, en toen ze begin 1971 zwanger werd, geloofde Harry Rose dat hij eindelijk zijn bestemming had gevonden. Hij verlangde naar het kind; hij wilde dat kind liever dan zijn eigen leven.

Nietsvermoedend en gelukkig geloofde hij een tijdlang dat hij beide kon hebben.

27

Pas later, veel en veel later, zou Annie O'Neill zich afvragen waarom ze zo goed van vertrouwen was geweest. Was het niet altijd zo gegaan? Hadden er niet altijd veel meer haken en ogen aan gezeten dan ze had willen geloven? Misschien wel, misschien ook niet. Pas in het harde, kille daglicht, met de scherven aan haar voeten die daar in al hun bittere en verwrongen glorie tentoon werden gespreid, had ze de tekenen gezien. Seintjes. Altijd weer die seintjes.

David kwam op zaterdagochtend naar de winkel. Hij zei dat hij naar het appartement was geweest omdat hij had gedacht dat ze de winkel misschien niet had geopend, maar daar had hij geen gehoor gekregen.

'Sullivan is op zaterdagochtend altijd weg,' vertelde Annie hem, en David had geknikt, geglimlacht en gevraagd of ze samen weer naar haar huis konden gaan.

'Onverzadigbaar,' zei ze. 'Je bent echt onverzadigbaar, David Quinn,' en toen had hij zo'n beetje gelachen en had hij voor de zoveelste keer zijn nek gemasseerd, en dat seintje had Annie herkend.

Het grootste deel van de weg legden ze zwijgend af, en hoewel dat in het grote geheel bezien op zich niet veel zei en eerder niet ongewoon zou zijn geweest, wist Annie dat er iets mis was, en leek het of de kille wind van angst alle andere gedachten op de vlucht joeg.

En toen ze eenmaal binnen waren, hun jassen hadden uitgetrokken, Annie koffie had gezet en naar de voorkamer terugliep; toen ze eenmaal naast elkaar zaten en David een minuut lang had gezwegen, móést Annie het wel vragen.

En hij zei het, kort en krachtig – drie woordjes, elk op zich zonder betekenis. Hij legde er alles in wat moest worden gezegd.

'We moeten praten.'

Nog voordat de woorden uit zijn mond waren, voelde ze de emotie al in haar borst opwellen. Nog voordat ze tegen de wanden weerkaatsten. Nog voordat de echte betekenis door de blik in zijn ogen werd bevestigd.

Ze voelde het.

Alles wat er maar te voelen was.

En wanneer die woorden er eenmaal uit waren, konden ze niet meer teruggenomen worden. Het was onmogelijk ze vol wanhoop uit de lucht te klauwen en ze terug te duwen. Het was gebeurd.

'Hoezo moeten we praten?'

Hij glimlachte. Er was iets met dat lachje, iets belangrijks. Op dat moment kon ze het nog niet nauwkeuriger omschrijven, evenmin als ze kon zeggen wat die uitdrukking op zijn gezicht kon betekenen, want al haar gedachten hadden zich vlak achter haar voorhoofd bij elkaar gepropt en er was geen ruimte voor diepere gedachten.

En toen zei hij het tweede.

Het op een na ergste.

En zodra hij het op een na ergste had gezegd, wist Annie dat er geen weg terug meer was, dat hij al te ver buiten haar bereik was om hem vast te pakken, wat ze ook zou zeggen of voelen of laten blijken, hoe ze zich ook aan hem zou vastklampen.

'Het is allemaal zo snel gegaan,' mompelde hij, en hij keek daarbij neer op zijn eigen handen, die in zijn schoot met elkaar in gevecht leken te zijn.

'Te snel?' vroeg ze, en daar was het dan – zo duidelijk te horen in haar stem, in de klank van verdriet, verlies en hartzeer omdat ze iets geluidloos maar onherroepelijk zag wegglippen dat ze als een constante was gaan beschouwen.

Hij knikte. 'Te snel,' zei hij haar na. 'Ik weet het niet,' zei hij nog. 'Misschien ligt het aan mij... Misschien komt het doordat het zo lang geleden is dat ik op deze manier bij iemand betrokken ben geweest...'

'Betrokken geweest?' zei ze. 'Noem je dit zo? Betrokken geweest?'

Hij schudde zijn hoofd. Maar hij was zich al aan het terugtrekken, hij wilde maar dat hij niet hier was maar ergens anders, maakte niet uit waar. Hij keek naar Annie en glimlachte nog eens, maar het was het glimlachje waarmee je naar de treurende weduwe bij de begrafenis van haar man keek, een glimlachje dat je een meisje toewierp dat niet tot moeders mooiste was uitgeroepen.

Het was de glimlach van een verrader terwijl hij het mes terugtrok en het bloed van zijn handen veegde.

'Voor alle duidelijkheid,' zei Annie, die langzaamaan kwaad begon te worden. 'Zeg je me nu dat je rustiger aan wilt doen... dat we misschien wat minder tijd met elkaar moeten doorbrengen? Probeer je me dat te vertellen, David?'

Annie stond op van de bank omdat ze het niet kon verdragen nog langer naast hem te zitten. Ze begon te ijsberen, en voelde de woede vanbinnen opkomen.

David hield zijn ogen neergeslagen.

'Kijk me aan!' snauwde ze. 'Kijk me aan, David Quinn.'

Geschrokken door die uitbarsting sloeg David zijn ogen op. Hij deed het onwillekeurig, het was een reactie, en zijn ogen waren wijd opengesperd en de adem stokte hem in de keel.

'Wil je me dát vertellen?' zei ze weer.

'Ja,' zei hij, en hij klonk zo onverschillig, zo zakelijk, dat ze haar oren bijna niet kon geloven. Hij stond langzaam op, en voor het eerst voelde Annie zich bedreigd, echt bedreigd. Er lag iets in zijn ogen, iets zo kils en afstandelijks, iets zo gereserveerds en dreigends, dat het haar ineen deed krimpen. 'Ik ben jou geen verantwoording schuldig,' zei hij met afgemeten en bijna monotone stem. 'Ik vertel je dat ik niet met je kan blijven omgaan, en als je me vraagt waarom niet, vertel ik je dat niet. Ik kán het je niet vertellen.'

'En waar komt dit verdomme ineens vandaan?' vroeg ze. 'Waar komt dit verdomme nu ineens vandaan? We waren samen twee dagen in Boston, we hebben elkaar vierentwintig uur niet gezien omdat jij moest werken...' Annie hield midden in de zin op. Ze deed een stap naar David toe, en heel even leek David dieper in de bank te willen wegzakken.

'Je bent getrouwd, dat is het, hè?' zei Annie kil. 'Je bent verdomme getrouwd, nietwaar?'

David lachte – een kort, nerveus lachje, het lachje van een man die in de hoek was gedrongen. 'Getrouwd?' zei hij. 'Jezus, ik ben niet getrouwd.'

Annie deed nog een stapje naar hem toe en zette haar handen op haar heupen. 'Waar gaat het dan verdomme om?' zei ze. 'Wat is dit in godsnaam? Ik dacht dat we iets hadden, dat het voor de verandering iets echts was... iets waaruit wat zou kunnen groeien, niet een oppervlakkige verhouding van twee weken die net zoveel betekende als...'

Ze stak haar handen wanhopig omhoog.

Ze wilde het liefst gaan huilen.

Ze wilde het liefst schreeuwen en dingen kapotsmijten, en ze geloofde – later – dat als ze ergens anders was geweest dan in haar eigen appartement, ze dat ook zou hebben gedaan.

'Je wilt van me af, is dat het?' vroeg ze.

David schudde zijn hoofd. 'Ik heb geen keus...'

'Keus? Je hebt geen keus? O goddomme, jullie ook!'

David keek haar fronsend aan.

'Mannen!' zei ze. 'Stuk voor stuk onvolwassen klotetieners zonder ruggengraat... Jezus, alsof ik dat niet weet! Je komt hier, je naait me, je neemt alles van me wat je maar wilt, en dan, wanneer het een beetje te intiem wordt om nog prettig te zijn, wanneer het ernaar uitziet dat je je iets op de hals hebt gehaald wat verplichtingen met zich meebrengt, dan gaan jullie er stuk voor stuk als een haas vandoor.'

David stond op.

Annie werd zich er toen pas van bewust dat hij veel langer leek dan zijzelf. Hij deed denken aan een opgewonden veer, alsof er vanbinnen een spanning zat die zich elk moment kon ontladen. Opnieuw voelde ze zich bedreigd, geïntimideerd, en de uitdrukking in zijn ogen was er een van emotionele doodsheid, alsof hij tegen iets moest vechten wat hij niet onder controle had.

Ze aarzelde even, heel even, en toen viel ze hem met een nog luidere stem aan. 'Waar gaat het dan verdomme om? Vertel me verdomme wat er aan de hand is, David Quinn! We moeten erover praten. Het gaat allemaal veel te snel. En heb je goddorie wel enig idee hoe cliché het allemaal klinkt? Hufter... klotehufter.'

Annie kwam met gebalde vuisten op hem af en dwong hem achteruit te stappen, waardoor hij met zijn benen de bank raakte en opnieuw moest gaan zitten.

Ze stond met een rood aangelopen gezicht en wijdopen ogen over hem heen gebogen, en toen ze haar mond opendeed klonk ze vastberaden, boos, kil en kwaadaardig.

'Verdwijn, als de sodemieter,' zei ze. 'Hou je zielige, pathetische, egocentrische, slappe en ruggengraatloze excuses maar voor je en maak als de sodemieter dat je hier wegkomt. Heb je me gehoord?'

David aarzelde.

'Nu!' riep Annie keihard. 'Maak als de sodemieter dat je wegkomt!'

David stond op en liep naar de deur. Hij liep langzaam, te langzaam, en toen hij bij de deur was, draaide hij zich om en keek haar aan.

Op dat moment leek het alsof hij haar zonder woorden iets wilde zeggen. Hij zag er even verloren uit, maar toen loste het moment op als rook. Hij wil liever blijven, dacht ze. Hij wil iets zeggen, uitleggen wat er precies aan de hand is. Hij wil dat ik het begrijp, maar dat kan hij niet... Kan hij niet of wil hij niet?

Ze wilde het hem vragen, hem terughalen en hem dwingen haar te vertellen wat er nu precies mis was, maar opnieuw voelde ze die dreiging die hij leek uit te stralen, en uit zelfverdediging en om haar eigen trots en waardigheid te beschermen, verwierp ze de mogelijkheid dat zijn gedrag misschien toch iets redelijks had.

De woede kwam als een tornado terug, onverwacht en abrupt, en ze liep met gebalde vuisten en wijd opengesperde, wanhopige ogen naar hem toe. David deed nog een poging zijn jack van de stoel bij de deur te pakken, maar Annie was zo vlak achter hem, en was zo boos en zo gewelddadig in haar woede, dat hij misgreep.

Annie duwde hem bijna de trap af toen hij eenmaal op de overloop stond, en hoewel er talloze woorden in zijn mond zaten wist hij er maar eentje uit te krijgen.

'Sorry...' begon hij.

Annie had inmiddels zijn jack te pakken en toen David halverwege de trap naar beneden was smeet ze dat achter hem aan. Hij probeerde het te vangen, en gleed bijna uit maar wist zich nog net aan de trapleuning vast te grijpen. Hij pakte zijn jack op en liep snel de trap af.

Annie rende naar haar appartement terug, greep een vaas van het tafeltje vlak bij de deur en liep weer naar buiten.

Ze smeet de vaas zo hard als ze kon omlaag, maar op hetzelfde moment waarop ze hem in duizend scherven in de hal beneden te pletter hoorde vallen, hoorde ze ook de voordeur dichtslaan.

Het klonk als een geweerschot, het weerkaatste in het trapgat, en toen het boven kwam doorboorde het haar hart.

Op dat moment zakte ze in elkaar. Ze viel op haar knieën en haar knokkels werden wit toen ze zich aan de trapleuning vasthield. Ze barstte in snikken uit, want ze had het gevoel dat alles wat ze ooit had moeten ondergaan – alle pijn, alle verraad, alle verlies, alle zwakheid – als een vloedgolf uit haar eigen borst over haar heen kwam.

Uiteindelijk – hoeveel later wist ze niet, en het kon haar ook niets schelen – kroop ze terug naar het appartement en deed de deur achter zich dicht. Een tijdlang lag ze op haar knieën, met haar hoofd op de rand van de bank. En toen liep ze naar de keuken, pakte een van Sullivans flessen Crown Royal die ze onder de gootsteen had verstopt, en begon zonder glas of mok te drinken.

Zo uit de fles.

Zo uit de fles, rechtstreeks naar haar ziel.

28

E erst was er de geur. Geen stank. Het pleegde geen aanslag op haar neus, maar het was wel doordringend. Het leek op een combinatie van diverse, elk met zijn eigen identiteit, en als het mogelijk was geweest elke geur afzonderlijk te ruiken, zouden ze stuk voor stuk geïdentificeerd kunnen worden.

Maar in dit geval waren ze allemaal tot één geheel samengebald, en na een tijdje werd ze zich ervan bewust dat er ook geluiden in die bal zaten, en beweging, en toen kwamen er stemmen bij – onduidelijk, vaag, woorden die ze niet begreep, en ze deed er ook geen moeite voor ze te begrijpen. En het licht leek zich dwars door haar oogleden te boren en haar gedachten te belichten.

En de eerste gedachte was: waar ben ik?

En de tweede gedachte was: o god... o god... David...

Op dat moment gaf ze het op en liet zichzelf terugzakken in iets wat vagelijk aan vrijheid deed denken, en hoewel die vrijheid samenging met pijn en enorme golven van misselijkheid die haar hele lijf dreigden te overspoelen, geloofde ze dat deze vrijheid beter was dan naar de wereld terug te keren.

Dus liet ze zich erdoor meenemen, en dat gebeurde dan ook – gewillig en met groot gemak – en een tijdlang was ze zich nergens meer van bewust. Misschien was het zo wel beter.

Maar toen kwamen de geluiden terug, en voelde ze iets naast zich bewegen, en toen ze met moeite haar ogen opendeed, werd ze door iets helders, wits en indringends verblind.

'Opzij,' zei iemand, en vervolgens was dat felle verdwenen.

Ze probeerde weer haar ogen te openen, een voor een leek het verstandigst, en toen ze weer iets begon te zien, zag ze een man naast zich zitten, een man in een witte jas, en haar eerste gedachte was dat hij echt knap was.

'Hai,' zei hij, en hij klonk begripvol en meevoelend. Maar dat was alleen uiterlijk vertoon. Dat wist Annie best.

'Ik ben dokter Jim.'

'Is dat je achternaam... Jim?' vroeg ze, met een stem die beneveld en onduidelijk klonk.

Dokter Jim schudde glimlachend zijn hoofd. 'Nee, dat is mijn voornaam. Mijn achternaam is Parrish.'

'Maar je noemt jezelf dokter Jim? Waar ben ik verdomme, op de kinderzaal?'

Dokter Jim lachte. 'Nee,' zei hij. 'Je bent op de Spoedeisende Hulp van het St. Luke's Hospital bij Amsterdam Avenue. Je vriend heeft je hier gebracht...'

'Vriend? Welke vriend?' vroeg Annie. Ze probeerde haar hoofd op te tillen en meteen sneed er een vlijmscherpe pijn door de zijkant van haar gezicht. 'Aaah, herejezus, wat krijgen we verdorie nou?'

Jim raakte haar schouder aan en duwde haar zachtjes weer terug. 'Je bent gevallen,' zei hij. 'Volgens mij ben je flink in de weer geweest met een fles, en je vriend vond je op de vloer in de keuken. Je schijnt je hoofd aan het aanrecht te hebben gestoten.'

'Welke vriend?' vroeg Annie.

Jim schudde zijn hoofd. 'Weet ik niet, een of andere vent.'

'Hoe oud?'

Jim haalde zijn schouders op. 'Een jaar of vijftig, vijfenvijftig... Hij ziet eruit alsof hij in geen drie weken heeft geslapen.'

'Jack,' zei Annie. 'Jack Sullivan. Fuck, je wordt bedankt.'

'Hoort dat vloeken bij het drinken of is het met drinken begonnen?' vroeg Jim.

Annie wilde lachen, maar haar hoofd deed te veel pijn. 'Nou, je weet wat ze zeggen: als je niet af en toe fuck zegt, kon je het wel eens mislopen.'

Jim Parrish knikte begrijpend. 'Doe je dat wel vaker: zo drinken en dan ergens over vallen?'

Annie deed haar ogen dicht. 'Nee,' zei ze. 'De grootste klootzak van het millennium heeft me de bons gegeven.'

'En toen dacht je dat hij wel terugkwam als je maar genoeg dronk?'

'En jij bent ook een klootzak met je mooie praatjes,' zei ze. 'Ga weg en laat me slapen.'

'Dat wil ik wel doen,' zei Jim. Hij stond op. 'Ga jij nou maar een paar uurtjes slapen, dan kom ik later weer naar je kijken. We hebben een röntgenfoto van je hoofd gemaakt, en je hebt niks gebroken, maar je zult een paar dagen een gigantische hoofdpijn hebben.'

'Goh, dank je wel, dokter Jim,' zei Annie.

'Ik kom straks terug,' zei hij. 'Over een paar uur kom ik kijken hoe het met je gaat.'

Maar Annie O'Neill hoorde het niet meer. Ze viel in slaap met de snelheid van een achtbaankarretje dat zich naar beneden stort, en ze kreeg waar voor haar kaartje.

Hij kwam inderdaad na twee of drie uur terug, en hoewel ze geen ramen zag, wist Annie dat het avond moest zijn.

'Hoe gaat het?' vroeg hij.

'Zoals je kunt verwachten,' zei ze. 'Wanneer je zoveel drinkt dat je omvalt, verwacht je ook niet anders.'

Ze hees zichzelf omhoog tegen de kussens. Haar hoofd deed pijn, maar niet meer zo erg.

'Je vriend is er nog steeds,' zei Jim Parrish. 'Hij heeft de hele tijd zitten wachten. Ik heb hem gezegd dat hij naar huis moest gaan om wat te slapen, maar daar wilde hij niets van weten. Is hij ook ziek?'

Annie fronste haar voorhoofd. 'Waarom vraag je dat?'

'Hij ziet eruit alsof hij koorts heeft, en zijn handen trillen nogal.'

'Hij is gestopt met drinken,' zei Annie. 'Hij heeft het er moeilijk mee.'

Jim Parrish knikte begrijpend. 'Als je je lesje niet hebt geleerd van deze laatste ervaring, wordt dat ook jouw voorland.'

'We hebben even geen behoefte aan een puritein die ons de les leest, oké?'

Parrish knikte. 'Oké.'

'Welke dag is het?' vroeg Annie fronsend.

'Zondag,' zei hij. 'Je bent hier al bijna een heel etmaal.'

'Goeie god,' zei ze.

Jim Parrish ging op de rand van het bed zitten. 'Hij zegt dat je een boek-winkel hebt.'

Annie wilde knikken, maar brak de beweging meteen af omdat het pijn deed. 'Ja,' antwoordde ze, 'ik heb een boekwinkel.'

'Ik heb als hoofdvak literatuur gedaan,' zei Parrish. 'Ik ben in de eerste plaats een boekenwurm.'

'Hoe zit dat dan met die witte jas en de stethoscoop...? Of halen ze je er alleen maar bij als belezen mensen zich aan een overdosis Crown Royal te goed doen?'

'Nee, ik ben een heuse dokter,' zei hij. 'Ik bedacht dat ik toch ergens de rekeningen van moest betalen. Ik weet niet precies wat boeken lezen op-levert, maar dat kan nooit veel zijn.'

'Boeken verkopen levert ook niet veel op. Als ik huur moest betalen, zou ik binnen een week failliet zijn.'

'Wil je je vriend zien?' vroeg Parrish.

'Ja zeker,' zei ze. 'Mijn rots in de branding.'

'Wat zie jij er vreselijk uit,' waren de woorden waarmee Annie Jack Sullivan begroette, en omdat hij er niet op reageerde of misschien wel om een andere, niet-uitgesproken reden viel er even een stilte. En op dat moment kwam het allemaal terug: de reden waarom ze hier was, dat ze nooit dronken zou zijn geworden als dat met David niet was gebeurd, dat ze nooit zou zijn gevallen, en dat Sullivan nu niet bij haar op bezoek in het St. Luke's zou zijn.

De tranen kwamen moeiteloos; ze welden langzaam op en gleden traag en dik over haar gezicht, en toen ze Sullivans armen om zich heen voelde kon ze de vloedgolf van hartzeer die haar overspoelde al helemaal niet meer tegenhouden.

'Die klotehufter,' zei ze almaar tussen het snikken en hikken door, 'die klotehufter, Jack... De gemeenste, laaghartigste hufter die je je maar kunt voorstellen. Jezus, Jack, hoe heb ik ooit voor zo'n idioot kunnen vallen?'

Sullivan probeerde iets te zeggen – iets troostends, woorden waaruit bleek dat hij het begreep, dat hij met haar meeleefde, maar Jack Sullivan was er nooit in geslaagd de geluiden van het hart in woorden te vertalen, en alles wat hij zou zeggen zou het alleen maar erger maken.

'Je leert iemand kennen, die lijkt oké, het lijkt een normaal mens... Godverdorie, Jack, staat er soms schlemiel op mijn gezicht getatoeëerd?'

'Nee,' zei hij. 'Nee, Annie, echt niet.' Maar ze luisterde niet, ze slingerde haar gedachten gewoon in een monoloog de kamer in.

'Wat moet je dan verdorie doen, Jack...? Wat moet je verdorie doen om iemand te vinden die iets meer in zijn kop heeft dan jou in bed te krijgen? Want wanneer dat is gelukt, willen ze alleen nog maar weg. Het is verdomme altijd hetzelfde... altijd hetzelfde.'

Jack hield haar vast. Na een tijdje huilde ze alleen nog maar geluidloos en kon hij haar adem in haar borst voelen stokken, en dat ze haar gezicht tegen hem aan drukte en hem niet los wilde laten.

Dus liet hij haar niet los. Hij bleef bij haar, en zou de hele nacht zijn gebleven, maar toen kwam er een verpleegkundige die Annie een paar pillen gaf – pijnstillers, die Sullivan ook wel had kunnen gebruiken – en binnen een paar minuten leek ze zich in zichzelf terug te trekken en gewoon te verdwijnen.

Haar laatste gedachte, niet helemaal onder woorden gebracht en niet uitgesproken, een gedachte die ze zich later met de grootste moeite herinnerde, was dat ze David Quinn een boek had geleend. Ze had hem *Breathing Space* gegeven en hij had dat ook gestolen, net als haar hart.

Jack Sullivan liet Annie O'Neill slapend achter en liep een straatje om om iets te gaan eten. Hij was ongeschoren, zijn tong voelde als de bodem van een vogelkooi, zijn handen trilden en zijn hoofd was opgezwollen van de spanning. De weg naar de nuchterheid was een weg vol hobbels en kuilen, maar hij had een afspraak gemaakt, een belofte gedaan, en verdomd nog aan toe: niemand zou ooit kunnen beweren dat Jack Sullivan zijn woord niet hield.

Toen Annie weer wakker werd, was Jim Parrish bij haar.
'Hoe laat is het?' vroeg ze toen ze weer half bij bewustzijn was.
'Even na vieren,' zei hij. 'Maandagochtend.'
'Dan kan ik vandaag weer naar huis,' zei ze.
'Is dat een vraag of een verklaring?'
'Ik wil vandaag naar huis,' zei ze.
'Laten we eerst maar eens kijken hoe je er over een paar uur aan toe bent,' zei Parrish. 'Rust nog maar een beetje... Je hebt iets meegemaakt waarvan je niet in één dag herstelt.'
'Herstellen mensen dan?' vroeg Annie. Haar wijdopen ogen stonden vol tranen.
Jim Parrish liep naar haar toe en ging op de rand van Annies bed zitten. Hij pakte haar hand.
'Of ze herstellen?' zei hij. 'Natuurlijk doen ze dat... En jij ook, Annie O'Neill, boekwinkeleigenaar.'
Ze glimlachte zwakjes, deed toen haar ogen dicht en haalde diep adem.
'Ik heb iets voor je meegebracht,' zei hij kalm, en uit zijn jaszak haalde hij een dun boekje. 'Ken je Hemingway?'
'Ernest of Mariel?'
Parrish glimlachte. 'Ernest.'
'Niet persoonlijk, nee.'
Hij hield het boekje nog even vast en gaf het toen aan haar.
Annie pakte het aan. Het was *A Farewell to Arms*.
'Geef je me dat nu omdat het een tragische liefdesgeschiedenis is en omdat je dacht dat ik dit nu echt goed kon gebruiken?' vroeg ze een tikje sarcastisch en misschien ook wat defensief.
Parrish schudde zijn hoofd. 'Nee, ik geef je dit omdat Hemingway een dronkelap was, en hij als hij dronken was de smerigste taal uitsloeg die je maar kunt bedenken, en ik dacht dat jullie elkaar wel zouden liggen.'
'Goh, je bent vannacht echt een en al charme, hè?'
Parrish glimlachte, maar iets in zijn gezicht zei Annie dat dit verderging dan het normale gedrag van dokter tegenover patiënt.
Ze deed haar ogen even dicht, keek hem toen recht aan en met zo min

243

mogelijk emotie in haar stem als ze kon opbrengen zei ze: 'Dank u, dokter Jim Parrish. Ik waardeer het dat u me dit hebt gegeven, maar op dit moment heb ik een hoofdpijn zo groot als Texas, mijn vriend heeft me net de bons gegeven, en ik geloof echt niet dat ik al opgewassen ben tegen wat u voor mij in gedachten hebt.'

Parrish schudde zijn hoofd. 'Neem dat boekje nou maar aan,' zei hij. 'Het is een verdomd goed verhaal, en als je het leest en het daarna terug wilt geven, weet je waar je me kunt vinden, oké?'

'Oké,' zei ze. Ze wilde dat hij wegging, dat hij haar met rust liet. Hij mocht dan nog zo knap en sympathiek zijn, hij was en bleef een man.

Jim Parrish zei niets meer, bleef gewoon een tijdje bij haar zitten, stond toen op en ging weg. Hij keek niet om, hij keek niet eens. Net als de rest.

Toen Jack Sullivan haar bij de ingang van het St. Luke's ondersteunde op het moment dat de automatische deuren opengleden en de wind en de regen tegen haar aan sloegen, kreeg Annie ineens de neiging om te keren en door de antiseptische witte gangen terug te snellen, een bed te vinden, te gaan liggen, diep onder de naar ontsmettingsmiddelen ruikende lakens te kruipen, en zich daar voor de wereld te verschuilen.

De wereld zat vol scherpe randen en hoeken, en soms kwam je ermee in botsing, en soms deed het zo'n pijn dat je geen lucht meer kon krijgen, dat je je nauwelijks staande kon houden, en niemand, wie dan ook, iets kon zeggen wat je een beter gevoel gaf. Mooi maar waardeloos, zei een stem. Hij zei dat je mooi was, maar wat hij deed heeft je waardeloos gemaakt.

Ze namen een taxi – Jack en Annie – en toen ze bij het appartementsgebouw arriveerden, kreeg Jack haar met de grootste moeite zover dat ze uit de auto kwam en naar haar eigen voordeur liep.

'Ik wil niet naar binnen,' zei ze telkens maar. 'Ik wil niet naar binnen.' Dus droeg hij haar naar boven, naar zijn eigen appartement, waar hij de tv aanzette met het volume ver open, want Jack Sullivan wist alles van de behoefte aan lawaai, de behoefte om met iets onbenulligs het geluid van de geesten vanbinnen te overstemmen.

De mens herstelt altijd, hield ze zichzelf voor, maar ze wist dat het een leugen was. De middag kwam en ging, en toen de duisternis over de trottoirs naderbij kroop en de open plekken vulde, dacht ze aan Forrester.

'Ga jij maar,' zei ze tegen Sullivan. 'Ga jij hem maar vertellen dat ik niet kan komen', maar Sullivan had zich vast voorgenomen haar niet alleen te laten.

'Ik meen het, Jack... Hij is een goed mens, vermoedelijk de beste, jou niet meegerekend. Hij is te oud om iets anders van me te willen dan mijn gezelschap, ja toch?'

Ze stond erop, en Sullivan zag geen kans haar op andere gedachten te brengen, dus nam hij een taxi naar The Reader's Rest en bleef daar op Forresters komst wachten.

Annie liet de tv aan, maar toen die haar eigen gedachten begon te verdringen zette ze hem uit en stak de gang over naar haar eigen appartement.

Ze bleef een tijdje doodstil staan. Ze keek naar waar David had gezeten. Ze liep door naar de slaapkamer en ging op de rand van het bed zitten. Een bed waar ze zich nog maar zo kortgeleden veilig had gevoeld toen ze naast hem had gelegen. Van daaruit kon ze de voorkamer zien, het tafeltje waarop een vaas had gestaan die nu in duizend stukken was gevallen, die waren opgeveegd en ergens waren weggegooid. Net als haar gevoelens. Net als haar leven.

Ze boog zich voorover, steunde met haar ellebogen op haar knieën en nam haar gezicht in haar handen.

Ze had geen tranen meer, ze was hol vanbinnen, een omhulsel dat nog moest worden gevuld. Maar er was niets om haar mee te vullen, niets om haar te bevrijden van het gevoel van leegte, verlangen en hartzeer.

Ze vroeg zich af wat er nog over was, waar ze naartoe kon, wat er van haar moest worden.

Is dit het dan, vroeg ze zich af. Is dit alles wat me nog rest? Dit appartement, de boekwinkel, mijn avonden met Jack Sullivan – een fantastische man, maar niet mijn minnaar, niet mijn maatje, niet...

Niet mijn vader...

En toen moest ze weer huilen, omdat ze wilde dat haar moeder en vader bij haar waren, omdat ze wilde dat ze haar zouden omarmen en haar zouden vertellen dat alles goed zou komen, want mama's en papa's logen nooit, toch? Nee, mama's en papa's logen nooit.

En toen Sullivan terugkwam met een boodschap van Robert Forrester lag Annie te slapen. Ze lag midden op haar bed, opgekruld als een klein kind. Sullivan trok de quilt onder haar vandaan en legde die over haar heen, en omdat het goed leek, omdat het hem juist leek, en omdat hij om de een of andere reden zelf ook niet alleen wilde zijn, ging hij naast haar liggen, met zijn arm om haar heen om haar tegen ongeziene dingen te beschermen, en viel hij ook in slaap.

De wind kroop omhoog naar de ramen en duwde tegen de ruiten, want het was binnen warm, en aan de andere kant van die ramen krioelden in Manhattan talloze gedachten, elk op zich speciaal, elk op zich uniek, en toch allemaal op een eigenaardige manier stil en eenzaam.

29

'Die Forrester van je is al met al een fascinerend mens,' zei Sullivan.

Hij zat aan de tafel in Annies voorkamer. Het was dinsdagochtend even na elven, en toen ze eerder wakker waren geworden leek Annie het prettig te hebben gevonden dat Sullivan de hele nacht bij haar was gebleven.

'Hij vertelde in feite heel weinig over zichzelf. Hij leek niet direct op zijn hoede...'

'Wil je thee of koffie?' riep Annie vanuit de keuken.

'Koffie,' zei Sullivan, en hij stond op. Hij liep naar de keuken en bleef even in de deuropening naar haar staan kijken.

'Niet dat hij geen vragen wilde beantwoorden... Maar hij gaf je het gevoel dat elke vraag een inbreuk op zijn privacy zou zijn.'

'En zei hij dat hij woensdag wilde komen?'

Sullivan knikte. 'Woensdag, zeven uur, zoals altijd.'

Ze gaf Sullivan zijn koffie en samen liepen ze weer naar de voorkamer.

'Toen hij het er met me over had, die eerste keer, weet je wel? Nou, toen hij erover begon, zei hij dat je, als je te laat was, helemaal niet ging. Hij zei dat mijn vader een perfectionist was, dat hij alles precies zo wilde of anders niet.'

'Je vader is er deze keer niet bij,' zei Sullivan. 'Misschien leek het hem goed het een beetje relaxter te doen. Hij zei ook dat hij je het laatste deel van het manuscript wilde geven.'

'Het laatste deel?' vroeg Annie.

'Dat zei hij.'

Ze was een tijdje stil. Ze snakte naar een sigaret. Ze wilde maar dat Sullivan rookte, dan had ze zichzelf kunnen wijsmaken dat ze er maar eentje wilde en daarna niet meer in de verleiding zou komen.

'En wat moet ik nu met David Quinn?' vroeg ze uiteindelijk.

'Wat wil je nog met David Quinn?'

Annie haalde haar schouders op. 'Verdorie, Jack, als ik wist wat ik met hem aan moest zou ik jou niet naar je mening hoeven te vragen, wel?'

'Als iemand je om je mening vraagt, wil hij meestal alleen maar een bevestiging van wat hij zelf denkt.'

'Nou, toevallig is dat deze keer niet het geval,' zei Annie. 'Moet ik de vraag nog eens stellen?'

Sullivan schudde zijn hoofd. 'Ik had hem de eerste keer al begrepen.'

'Nou?'

Sullivan viel stil en liet zich toen tegen de rugleuning van de bank zakken, alsof hij niet van plan was voorlopig weg te gaan.

'Ik zat eens in de ondergrondse,' zei hij.

'Mooi,' zei Annie. 'Ik heb zelf ook wel eens in de ondergrondse gezeten.'

'Wil je horen wat ik te zeggen heb, of wil je dat ik naar huis ga?'

Ze glimlachte. 'Ga alsjeblieft door, Jack... Neem me niet kwalijk.'

'Je bent veel te bijdehand, Annie O'Neill. Dat wordt nog eens je ondergang. Maar goed, ik zat een keer in de ondergrondse toen ik die jonge vrouw zag. Het zal zo'n vijftien, twintig jaar geleden zijn. Ze zal toen een jaar of dertig zijn geweest, in die buurt, stokoud dus...'

Annie hief haar hand en deed alsof ze Sullivan een mep wilde geven.

Sullivan deed net of hij wegdook.

'Ik zag dus die vrouw,' ging hij door. 'Ze had niks opvallends, je kon haar echt geen klassieke schoonheid noemen... maar ze hád iets. Ze keek me recht aan – je weet wel: zoals je in een grote menigte, in een bar bijvoorbeeld, oogcontact maakt.'

Annie knikte. Ze dacht aan de priester in de trein, en ze onderdrukte een opkomende blos.

'Die vrouw kijkt me dus recht aan, en ik kijk net zo terug. Je voelt je niet op je gemak, je wilt het liefst wegkijken, alsof je toevallig die kant uit keek en zij in de weg stond. Maar dat gebeurde niet. We wendden geen van beiden onze blik af. En hoewel het maar één enkele seconde duurde, of misschien nog wel minder, wist ik het meteen.'

'Wat dan?'

Sullivan glimlachte. 'Ik wist dat zij de ware was.'

'De ware?'

Sullivan knikte. 'De enige echte.'

'En hoe wist je dat dan, verdorie?' vroeg Annie.

'Ik weet het niet... Of eigenlijk weet ik het wel... Ach, hoe leg je zoiets uit? Ik keek haar aan en ik wist dat ik met haar moest gaan praten.'

'En wat zei je toen?'

'Ik zei niets,' antwoordde Sullivan.

'Niets? Niet eens hoi? Of: hé wijfie, hoe gaat ie?'

Sullivan moest lachen, maar het klonk een tikje gedwongen. Zelfs nu nog, zoveel jaar later, herinnerde hij zich een van de kleine teleurstellingen van zijn leven.

248

'Nee, ik zei helemaal niks... Ik zat daar maar en keek af en toe haar kant uit, maar ze had al begrepen dat ik niet van plan was om iets te zeggen. Ik weet precies hoe ze zich voelde.'

'Hoe voelde ze zich dan?'

'Ze voelde hetzelfde als ik: dat er iets verloren ging.'

'Hoe wist je dat dan?' vroeg Annie, geïntrigeerd door Sullivans verhaal, dat iets liet zien van wat er onder het oppervlak van het vreemde leven van deze man lag.

'Omdat ze op het volgende station uitstapte.'

'Misschien moest ze daar wel uitstappen.'

Sullivan schudde zijn hoofd. 'Nee, dat was niet zo.'

'Hoe wist je dat dan?'

'Omdat ze uitstapte, drie of vier stappen deed en toen op een bankje ging zitten, alsof ze daar op de volgende trein wilde wachten. En toen de trein wegreed keek ik naar haar, en weet je wat ze deed?'

Annie trok haar wenkbrauwen op.

'Ze stak haar hand op. Je weet wel. En ze zwaaide zoals je doet wanneer je iemand uitzwaait... Op zo'n manier zwaaide ze: alsof ze afscheid nam.'

'En keek ze jou aan?'

'O ja.'

'Dat is verrekte treurig, Jack... Verdorie, dat is zo'n beetje het treurigste wat ik ooit heb gehoord.'

'Het treurigste was dat ik het even binnen mijn bereik had maar dat ik mijn hand niet uitstak... Dat was verreweg het treurigste.'

'Wat probeer je me nu te vertellen?' vroeg Annie. 'Dat ik in de ondergrondse moet stappen en net zo lang moet rondrijden tot ik iemand vind met wie ik contact krijg?'

Sullivan knikte bloedserieus. 'Dat is nu precies wat dit verhaaltje bewijst, Annie. Op elk moment, dag of nacht, elk uur dat je wakker bent, zou je door de tunnels van de ondergrondse alle wagons moeten afschuimen naar vrijgezellen met wie je contact kunt krijgen. Het zou nog beter gaan als je je er een beetje op kleedde. Je weet wel: een lekker kort rokje, netkousen met een gat op je dij, zilveren naaldhakken en meer van dat spul.'

Annie knikte en begon toen te lachen. 'Grijp je kans, pluk de dag?'

'Carpe diem, en alles wat ermee samengaat.'

'Goed, wat zou ik dan moeten doen?'

'Vecht ervoor, Annie. Dat is wat je volgens mij moet doen. Denk eens na over wat je voelde, hoe je je voelde toen hij in de buurt was, en vergelijk dat met hoe je je voelde toen hij weg was. Weeg die twee tegen elkaar af, en als het ene beter voelde dan het andere, vecht daar dan voor.'

'Het voelde beter toen hij er nog was.'

'Ga hem dan zoeken.'

'Jeetje, ik zou niet weten waar ik moest beginnen, Jack.'

'Een verzekeringsmaatschappij voor de scheepvaart, daar werkt hij. De mensen voor wie hij werkt moeten een vestiging in New York hebben, en eentje in Boston – ja toch?'

'Ja.'

'Dan ga ik kijken hoeveel maatschappijen in verzekeringen voor de scheepvaart doen en een vestiging in die beide plaatsen hebben, en dan gaan we wat telefoontjes plegen.'

Annie knikte, maar toen wierp ze een zijdelingse blik op Jack Sullivan.

'Wat is er?' vroeg hij.

'Ik geloof dat ik beter op de ondergrondse kan gokken.'

'Humor... je laatste houvast.'

Annie schudde haar hoofd. 'Nee, er is een wet die zegt dat de kansen met de dag kleiner worden. Daar geloof ik heilig in.'

'Waar heb je het over?'

'Over de theorie dat de kosmos zodanig is opgebouwd dat je altijd minder terugkrijgt dan je geeft.'

Sullivan knikte, en opnieuw lag er een ernstige blik op zijn gezicht. 'Nou, Annie, wat mij betreft is dat de grootste shit die ik ooit te horen heb gekregen.'

'Denk je?'

'Dat denk ik.'

'Denk jij dat hij serieus was?'

'In welk opzicht?' vroeg Sullivan.

'Ten opzichte van mij, Jack... Denk je dat hij het echt serieus met me voorhad?'

'Ik weet niet of "serieus" wel het juiste woord is. Volgens mij moet een vent die je een paar dagen mee naar Boston neemt toch wel enigszins het idee hebben dat hij wil hebben wat jij te bieden hebt.'

'Zou jij willen hebben wat ik te bieden heb?'

'O, Annie O'Neill, vanaf het allereerste moment dat jij je lekkere kontje de trap op hees heb ik al willen hebben wat jij te bieden hebt.'

'Denk je dat die kans bestaat als ik hem ga zoeken?'

'Die kans is er altijd. Verdorie, Annie, je moet eens leren begrijpen dat mannen zo'n beetje de stomste en onwetendste wezens zijn die er op aarde rondlopen. Ze denken dat ze precies weten wat ze willen, maar zodra ze het hebben krijgen ze allemaal slappe knieën en raken ze hun ruggengraat kwijt.'

Annie moest ineens lachen.

'Wat is er?'

'Daarvoor heb ik hem uitgescholden... voor een onvolwassen tiener zonder ruggengraat.'

Sullivan knikte. 'Dat verdiende die hufter ook... Volgens mij ben je nog vrij vriendelijk geweest.'

'Goed, je zei dus dat mannen...'

'Dat mannen denken dat ze weten wat ze willen, maar wanneer ze het krijgen, raken ze helemaal de kluts kwijt en beginnen ze te denken dat er misschien ergens anders nog wel iets beters is. Weet je wat de beste manier is om ze aan te pakken?'

Annie schudde haar hoofd.

'Ze vertellen wat ze willen en ze geen enkele keus geven.'

'Geen enkele keus.'

Sullivan knikte. 'Precies, geen enkele keus. Vertel ze gewoon dat jij het beste bent wat ze ooit zullen krijgen, en dat als ze beginnen weg te kijken en zo, ze zo snel een trap tegen hun je weet wel zullen krijgen dat de snelheid van het licht daarbij vergeleken op een zondags spelletje schaak in het park lijkt.'

Annie lachte. 'Je bent niet zo'n beetje getikt, Jack Sullivan.'

'En jij, Annie O'Neill, bent net zo getikt.'

'Donderdag,' zei Annie nuchter.

'Wat is er met donderdag?'

'Donderdag gaan we hem zoeken.'

'Waarom zou je tot donderdag willen wachten?'

'Omdat ik eerst het ene wil afmaken voordat ik aan iets nieuws begin.'

'En wat is er donderdag dan af?' wilde Sullivan weten.

'Het verhaal.'

'Juist ja,' zei Sullivan. 'Onze merkwaardige meneer Forrester.'

'Wat vond je van hem?'

Sullivan haalde zijn schouders op. 'Hij leek me vrij onschadelijk... Ik weet het eigenlijk niet, ik heb maar heel even met hem gepraat en toen ging hij alweer weg.'

'Had hij de rest van het verhaal bij zich?'

'Inderdaad.'

'Had hij het maar aan jou gegeven.'

'Is het zo belangrijk?' vroeg Sullivan.

'Ja... Al weet ik niet waarom. Maar ik ben verdorie altijd dol op verhalen geweest.'

'Ik heb het laatste hoofdstuk nog niet helemaal gelezen,' zei Sullivan.

Annie liet zich van de bank glijden. 'Dan moet je dat nu doen. Ik haal het wel.'

'En is er ook een kansje dat jij en ik een beetje werk in je slaapkamer gaan verzetten voordat David Quinn weer ten tonele verschijnt?'

'Tuurlijk, Jack, ga jij nu maar lezen, dan haal ik mijn netkousen en een pak van twaalf condooms.'

Sullivan lachte terwijl ze naar de deur liep.

Ze bleef ineens staan, draaide zich om en keek hem aan.

Sullivan trok zijn wenkbrauwen op.

'Ik had het je nog willen vragen,' zei ze. 'Ik heb overal naar mijn cheque-boekje gezocht, maar ik kan het niet vinden. Heb jij het toevallig gezien?'

'Je chequeboekje?'

Annie knikte. 'Ik weet zeker dat het in het appartement lag, maar toen dacht ik dat ik het misschien in de winkel had laten liggen. Heb jij het nergens gezien?'

Sullivan schudde zijn hoofd. 'Nee, ik heb het niet gezien. Het zal wel ergens liggen. Het komt vast wel weer boven water.'

Annie knikte en lachte. 'Goed, waar was ik ook weer gebleven?'

'Netkousen en condooms,' zei hij nuchter en met een uitgestreken gezicht.

'Juist ja,' zei Annie, 'netkousen en condooms.'

Ze draaide zich om en liep de kamer uit, en Sullivan keek haar na, en ter-wijl hij dat deed wenste hij voor misschien de tweede keer in zijn leven dat hij slim genoeg was geweest om zelf een vrouw te nemen.

30

Woensdagochtend begaf Annie O'Neill zich onder het volk van Manhattan.

Ze ging vroeg op pad en was zich scherp van hen bewust, van al die mensen die op dezelfde trottoirs liepen als zij, die dezelfde lucht inademden, dezelfde taxi's namen en dezelfde koffie dronken. Ze had hen vroeger genegeerd, misschien wel uit zelfbescherming, maar nu geloofde ze dat ze met ieder van hen iets gemeen had. Pijn misschien, of verlies, of niets anders dan de aanwezigheid van het leven, en het feit dat het haar aanraakte.

Het was best mogelijk dat ze onderweg naar haar werk deze zelfde mensen al duizend keer had gezien, maar vandaag – op deze bitterkoude woensdagochtend in september – was het alsof ze hen voor de eerste keer echt zag.

Een oude man wist maar net op tijd de kruising over te steken voordat het licht op rood sprong; een vrouw zeulde tassen met zich mee die duidelijk te zwaar voor haar waren, maar ze droeg het gewicht alsof het haar levenslot was; een kind dat ze toevallig op de hoek tegenkwam en dat de hand van zijn vader stijf vasthield, ongemakkelijke kleren droeg en tranen in de ogen had terwijl zijn vader maar doorzeurde over iets onbenulligs; een jonge vrouw van midden twintig die met een gsm in de hand voor de dienstingang van een warenhuis heen en weer liep en er wanhopig uitzag, alsof ze iemand probeerde te bereiken die er niet was; een bejaard echtpaar dat elkaar op beleefde manier negeerde, maar toen ze de straat overstaken hield zij zijn arm vast alsof alle jaren van hun leven die ze had moeten verdragen verloren zouden gaan als ze hem losliet; een baby in een kinderwagen die Annie in het voorbijgaan met een snoetje vol chocola smekend aanstaarde alsof hij het liefst uit zijn lekkere gevangenis verlost wilde worden; een tiener met een stuurse blik en een gluiperig gezicht en een koptelefoon op om er de kritiek die hij die ochtend van zijn ouders had moeten aanhoren mee te overstemmen; en de tijd die vertraagde, en elke seconde die een minuut ging duren, en elke minuut die een uur duurde terwijl Annie toekeek, terwijl ze recht in de harten van deze mensen leek te kijken en een fractie van hun leven leek op te vangen.

Ze liep Starbucks binnen en toen ze in de rij stond werd ze zich er ineens acuut van bewust dat ze werd gadegeslagen. De haartjes in haar nek kwamen overeind, en ze voelde dat de onbekende ogen die een gat in haar rug leken te boren iets te betekenen hadden.

Ze kon het niet omschrijven.

Ze had er geen woorden voor.

Ze draaide zich om – heel langzaam, alsof ze zware lucht opzij moest duwen om haar blik te laten ronddwalen – en zag een man die strak naar haar keek.

Hij stond drie of vier plaatsen achter haar in de rij, en er lag iets in zijn ogen, iets veelzeggends en toch ook iets hols, alsof hij hoopte dat hij alleen maar naar haar hoefde te kijken om ervoor te zorgen dat ze regelrecht in die leegte zou vallen en zou verdwijnen.

Ze voelde dat ze een kleur kreeg.

Ze wendde haar blik af, maar ze móést gewoon weer naar hem kijken.

Hij hield nog steeds zijn ogen op haar gericht, maar zijn gedrag had niets dreigends, niets opdringerigs, niets wat ook maar op iets anders wees dan op... dan op verlangen?

In die ene seconde, die fractie van een seconde die naar iets oneindigs en tijdloos omhoogspiraalde, voelde ze iets haar hart raken wat haar de adem benam.

Er was iets.

Er wás daar iets.

Was dit hetzelfde als wat Jack Sullivan in de ondergrondse had ervaren?

Ze draaide haar hoofd terug en keek strak naar de toonbank. De mensen voor haar verdwenen met hun koffie met magere melk of ijscappuccino's, of hun dubbele decaf-espresso's met slagroom, en toen was zij aan de beurt, en ze hoorde haar stem haperen toen ze de bediende antwoord gaf; hij reikte haar haar beker aan, ze voelde de warmte tussen haar vingers, en toen draaide ze zich om en liep naar de uitgang.

Ze was nog geen meter bij de man vandaan en negeerde hem straal, wat ook haar bedoeling was, maar toen ze bij de deur was en op de vlaag koude lucht wachtte die haar tegemoet zou komen op het moment dat ze naar buiten liep, draaide ze zich om.

Ze kon er niets aan doen.

Ze draaide zich om en keek hem strak aan.

Hij keek haar recht aan. Het leek wel alsof hij dwars door haar heen keek.

En hij glimlachte.

Hij glimlachte.

Ze voelde het bloed naar haar wangen stijgen.

De wind overviel haar, en toen was ze weg, even bevrijd, en ze liep met de koffie, met dat pijnlijke gevoel, met al die mensen om zich heen, snel naar de kruising.

Dit waren haar soort mensen, dacht ze.

Mensen net als zij.

Toen ze bij The Reader's Rest aankwam, werd ze getroffen door de anonimiteit die de winkel uitstraalde. De voorkant zag er saai uit, donker, en ze probeerde zich te herinneren wanneer ze die voor het laatst had laten schilderen. Dat moest minstens vijf jaar geleden zijn, en ze kon zich niet meer voor de geest halen waarom ze voor die dieprode kleur had gekozen. Om me te verschuilen, dacht ze. Al die jaren heb ik me verscholen.

Eenmaal binnen trok ze haar jas uit, zette de beker koffie op de toonbank en keek om zich heen. Ze vroeg zich af of ze de winkel ooit zou willen verkopen. Een ander kon misschien wel iets anders met deze ruimte doen. Een ander zou er een Baby Gap in kunnen vestigen of zo. Een ander zou de winkel kunnen vullen met ouders en kinderen en lawaai en gelach, met alle geluiden van de mensheid die deze wanden in geen jaren meer hadden gehoord. Een ander zou er misschien leven in kunnen brengen.

En waarom jij dan niet, Annie, vroeg ze zichzelf af. Omdat het hier is zoals ik was, en niet zoals ik nu ben. Degene die ik nu ben wil niet haar hele leven tussen deze vier muren gevangenzitten, dag na dag dezelfde beelden zien, dezelfde holle geluiden horen, en wensen dat die eindeloze dagen eindelijk voorbij zijn...

Degene die ik nu ben wil een ander soort leven.

De deurbel klonk en ze keek op.

'Annie?'

John Damianka keek haar vanuit de deuropening lachend aan. Of nee, hij lachte niet, hij straalde gewoon.

'Alles goed, Annie?' vroeg hij terwijl hij snel naar de toonbank kwam.

'Alles is prima, John,' zei ze.

'Je bent een tijdje weggeweest,' zei hij. 'Ik dacht al dat je ziek was.'

Annie schudde haar hoofd. 'Nee, ik ben niet ziek geweest, ik moest alleen wat privé-zaken regelen.'

'Nou, ik ben blij dat je er weer bent, Annie... Ik moet je wat vertellen.'

Annie kwam glimlachend achter de toonbank vandaan en liep hem halverwege tegemoet.

'We zijn verloofd... Elizabeth en ik hebben ons verloofd.'

Annie schoot naar voren en sloeg haar armen om hem heen.

Toen ze hem losliet straalde ze zelf ook, en voor het eerst sinds haar ruzie met David was er reden voor een fijn gevoel.

'O, John, wat heerlijk... wat fantastisch! Wat ben ik blij voor jullie allebei. Dat moet wel het fijnste zijn wat je me kon vertellen...'

'Weet ik, weet ik, weet ik,' zei John, die de wereld en alles erop alleen nog door een roze bril kon zien. 'Het is verbijsterend, ik kan het gewoon niet geloven. Ik ben zo gelukkig, Annie, zo ongelooflijk gelukkig.'

Annie omhelsde hem nog eens en hield hem even vast, en ze had het gevoel dat ze een bestaand persoon in de armen hield, iemand die op zijn manier alles had meegezeuld wat het leven hem op de schouders had gelegd, en die nu eindelijk een manier had gevonden om zich van die last te ontdoen en verder te gaan.

'Ik heb haast,' zei hij, 'maar ik wilde het je laten weten, ik wilde het je al sinds donderdag vertellen, en ik moest even langskomen om te kijken of je er was.'

John Damianka liep achteruit naar de deur. 'Ik breng haar een keer mee,' zei hij. 'Ik breng Elizabeth een keer mee om kennis met je te maken. Je moet haar leren kennen, Annie. Ze is een fantastische vrouw, echt waar. Oké, ik kom langs... Dat beloof ik,' en meteen was hij de deur weer uit en mengde hij zich onder het volk van Manhattan.

Haar soort mensen.

Mensen net als zij.

Tegen de middag zag de wereld er anders uit, alsof een ongeziene hand een of ander continent had tegengehouden en alles was vertraagd en de hele wereld een duizendste graad uit het lood was geraakt. De zon ging schuil achter dikke onweerswolken, en toen begon het te regenen – keihard, alsof de aarde de lenteregens niet kon verwerken, alsof de ijskappen in de straten van Manhattan smolten in een poging deze vervuilde stad eens en voor altijd schoon te spoelen.

Annie O'Neill stond bij de winkeldeur en keek naar de voorbijsnellende mensen. Sommigen hadden een paraplu en die moesten bedacht zijn op onverwachte windvlagen; anderen hadden hun jas over hun hoofd getrokken. Ze renden door de plassen en werden drijfnat, maar ze wisten precies waar ze naartoe wilden. Stuk voor stuk haastten ze zich naar een bepaalde plek, of misschien wel naar een bepaald iemand, naar huis of naar de zaak, naar een vergadering of naar een heimelijk rendez-vous in een naamloos hotel waar hun geliefde al op hen wachtte, ongeduldig, met natte haren, een bezwaard hart en te weinig tijd.

Waar bleef je nou? Ik dacht al dat je niet meer kwam.

Het spijt me, ik kreeg nog een telefoontje.

Toch niet van je vrouw?

God nee, niet van mijn vrouw... Het was zakelijk.

Ik was zo bang dat je niet meer kwam.

Ik ben er nu toch...? Je hoeft niet meer bang te zijn.

Het moet snel gaan... Ik kan maar een uurtje blijven. Ik vroeg me af of we konden praten...

Annie moest om haar eigen gedachten glimlachen, om de beelden die in die ene seconde bij haar opkwamen, en ze moest aan alle dingen denken die in deze zelfde seconde plaatsvonden.

Ergens werd een kind geboren; een paar honderd kilometer verderop blies een man zijn laatste adem uit, met zijn weduwe huilend naast hem; een moeder stond in de deuropening van haar huis op de uitkijk en vroeg zich af waar haar dochter bleef, want het was al zo laat, en ze was nooit te laat, er móést iets zijn gebeurd...

Sullivan was ook ergens, net als Robert Forrester – en David Quinn...

En bij die gedachte keerde de druk op haar hart terug, dezelfde druk die ze had gevoeld toen hij de ergste drie woorden had uitgesproken die er maar bestaan.

We moeten praten.

Waarom kon de mate van liefde altijd alleen maar worden afgemeten aan de mate van verlies?

Ze deed haar ogen dicht, haalde diep adem, liep naar het keukentje achterin en zette de percolator aan.

Ze wist dat er vandaag niemand meer zou komen; niemand zou de tijd nemen om in de regen te blijven staan en door de spookachtig beslagen ramen naar binnen kijken, naar deze wereld binnen werelden, dit kleine stukje realiteit vlak bij de hoek van West 107th en Duke Ellington.

Ze wilde weg.

Nee, ze wilde écht weg.

Maar de angst was er ook, net als David had gezegd: de angst dat je de sprong zou wagen en zou ontdekken dat de plek waar je neerkwam erger was dan de plek waar je vandaan kwam.

Maar je kunt beter springen dan doodgaan op de plek waar je staat, dacht ze. Ze wilde maar dat er een andere manier was.

Er móést een andere manier bestaan!

Ze dronk haar koffie zwart omdat ze geen koffiemelk had, en vroeg zich af hoeveel dagen het nog zou duren voordat ze op een ochtend wakker zou worden en tot de ontdekking zou komen dat ze het vooruitzicht om hier weer naartoe te moeten niet meer kon verdragen.

Kort voor zevenen, vlak voor de komst van Robert Forrester, wilde ze Sullivan bellen om naar de winkel te komen. Ze was het beu om alleen te zijn, en hoewel ze ernaar uitkeek Forrester weer te zien, geloofde ze ook dat Sullivan evenzeer bij het verhaal betrokken was als zijzelf.

Ze stond achter de winkeldeur, de deur op slot en het grootste deel van de verlichting uit, en vroeg zich af wat voorbijgangers zouden denken als ze haar daar in haar eentje zagen staan. Maar voordat ze er langer over had kunnen nadenken kwam Forrester eraan. Op het moment dat hij de straat overstak wist Annie dat hij het was; ze herkende hem aan zijn versleten overjas, zijn manier van lopen en zijn zilvergrijze haar, en toen hij het trottoir had bereikt keek hij haar recht aan en glimlachte. Hij leek blij haar te zien.

Er schoot een gedachte door haar hoofd: was hij mijn vader maar...

Ze deed de deur open en liet hem binnen. De wind, nog klam van de regen van die middag, kwam achter hem aan naar binnen gewaaid.

'Meneer Forrester,' zei ze, blij juist hem te zien.

'Mevrouw O'Neill,' antwoordde hij, 'Gaat het u goed?'

'Naar omstandigheden,' zei ze.

Forrester bleef even fronsend staan en zei toen: 'Vertel eens... Zijn er problemen geweest?'

Ze schudde haar hoofd. 'Niets waarover u zich zorgen hoeft te maken,' zei ze.

'Maar ik maak me wel zorgen,' drong Forrester aan. 'Zeg het maar als ik het mis heb... maar het gaat om een man, hè?'

Annie lachte even ongemakkelijk, omdat hij haar overviel. Ze reageerde niet.

'Zoals ik al dacht,' zei Forrester, terwijl hij zijn jas uittrok. 'Het gaat altijd om geld, mannen of allebei, nietwaar?'

Annie knikte. 'Een man,' zei ze.

Forrester gaf Annie zijn overjas, die ze op een stoel tegen de wand legde. Hij bedankte haar, wees op het tafeltje bij de keuken en liep er door de winkel heen naartoe. Hij had een bruine envelop in de hand. Het laatste hoofdstuk.

'Vertel maar,' zei Forrester terwijl hij ging zitten.

'U wilt het echt niet horen,' zei Annie.

Forrester glimlachte. 'Toch wel, toch wel... Het intrigeert me, serieus.'

Annie ging tegenover de oude man zitten. Ze vroeg of hij een glas water wilde, of misschien een kop koffie, maar hij wilde niets.

'Was die man je vriend?' vroeg hij.

'Ik dacht van wel.'

'En toen liet hij zijn ware gezicht zien, zeker?'

'Inderdaad.'

'En hoe lang kende je hem al?'

'Niet zo lang,' zei Annie. 'Een dag nadat ik u had leren kennen heb ik hem ontmoet.'

'Ach, zo kort maar... Ik kan me niet voorstellen dat iemand je na zo'n korte tijd gekwetst kan hebben.'

'U hebt geen idee,' zei Annie.

Forresters mondhoeken gingen omlaag. 'Verraad, verlies, hartzeer – ik weet er alles van, mevrouw O'Neill.'

Annie bleef een tijdje zwijgen, richtte toen haar ogen op het sympathieke gezicht van de oude man en ze zei: 'Ik dacht dat we iets hadden... Ik dacht dat het het begin van iets belangrijks was, meneer Forrester. Dat dacht ik echt. En al waren het maar twee of drie weken, er is veel meer gebeurd dan ik voor mogelijk had gehouden.'

'Ben je voor hem gevallen?'

Annie glimlachte. 'Waarom zeggen ze dat toch altijd?'

'Zeggen ze wat?' vroeg Forrester.

'Voor iemand vallen. Waarom zeggen ze dat je voor iemand valt, en niet dat je opstijgt naar de liefde?'

'Opstijgt naar de liefde?' Forrester lachte. 'Ik begrijp wat je bedoelt. Liefde is iets waarnaar je opstijgt, hè?'

'Dat vond ik wel,' zei Annie. 'Want zodra je je realiseert dat de ander niet hetzelfde voelt als jij, is het net alsof je in een gat valt. Ik kan wel begrijpen dat je uit de liefde valt, maar ik geloof echt dat ze zouden moeten zeggen dat je naar de liefde opstijgt.'

'Een kwestie van semantiek,' zei Forrester. 'Ik kan het op beide manieren zien.'

'Maar goed, genoeg over mij... Ik zie dat u het laatste hoofdstuk hebt meegebracht.'

Forrester knikte. 'Inderdaad. Dit is het laatste hoofdstuk.' Hij liet zich tegen de rugleuning zakken, zette zijn vingertoppen tegen elkaar alsof hij college ging geven, en zei toen: 'Vertel eens: wat vind jij van die onstuitbare Harry Rose en zijn vriend meneer Redbird?'

Annie glimlachte vol weemoed, alsof haar was gevraagd zich twee oude vrienden te herinneren, vrienden die ze in geen jaren had gesproken en aan wie ze in geen jaren had gedacht. 'Ik geloof dat Johnnie Redbird zich enorm heeft opgeofferd, en ik ben bang dat Harry Rose hem zal verraden.'

Forrester knikte. 'Ze hebben wel een leventje geleid, hè?'

'Ik begon me zelfs af te vragen wat voor armzalig leven ik heb geleid in vergelijking met hen,' zei Annie.

'Zo zou ik het niet willen stellen,' zei Forrester. 'In nog geen drie weken tijd ben je van iemand gaan houden en ben je die persoon kwijtgeraakt, je hebt een deel van je tijd met mij doorgebracht... en ik heb laatst op een avond je vriend, meneer Sullivan, leren kennen. Het is wel duidelijk dat hij zich bijzonder bekommert om jouw geluk.'

'Waarom denkt u dat?'

'Zoiets kun je zien aan iemands gezicht, je kunt zien hoe iemand over een ander denkt als diegene ter sprake komt. Toen we het over jou hadden, stelde hij zich erg vaderlijk op, vond ik.'

'Hij is een goed mens.'

'Vast en zeker.'

'En hoe zit dat met u, meneer Forrester?'

'Met mij? Hoe bedoel je?'

'Wat wilt u precies? Wat drijft u?'

Forrester lachte. 'Wat mij drijft? Dat zou ik niet weten, mevrouw O'Neill... Ik weet niet of er wel iets is wat mij drijft. Ik geloof dat ik misschien wel op iets zit te wachten.'

'Te wachten? Waarop?'

Forrester schudde zijn hoofd. 'Evenwicht misschien, het gevoel dat alles weer in evenwicht is... Dat ik duidelijk kan zien dat mijn leven doel en zin heeft gehad. Als we op dat punt zijn aanbeland, kunnen we het eindelijk loslaten, begrijp je wel?'

'Nou, als het leven er alleen maar om draait dat je op een gegeven moment een duidelijk inzicht in het doel van je leven krijgt, dan geloof ik dat ik nog een hele tijd te gaan heb.'

Forrester knikte. 'Misschien wel, misschien niet. Soms wordt alles in een fractie van een seconde, in één enkele hartslag, glashelder.'

'Volgens mij heb ik nog lang niet genoeg geleefd... Als morgen ineens alles afgelopen zou zijn, zou dat me bitter teleurstellen.'

'Mij ook, mevrouw O'Neill, want dan zouden we de kans niet krijgen om de komende maandag het laatste deel van dit verhaal te bespreken.'

Forrester schoof de bruine envelop over de tafel naar Annie toe.

'Lees maar,' zei hij, 'en bij leven en welzijn zien we elkaar maandag weer, en dan mag jij mij vertellen wat je ervan vindt.'

Forrester stond op. 'Ik zal nu afscheid nemen,' zei hij, 'en ik vertrouw erop dat je hart zich van je recente verlies zal herstellen.'

Annie glimlachte, stond ook op en liep naar de deur. En toen kreeg ze een idee.

'Meneer Forrester?'

Hij draaide zich langzaam om en keek haar aan.

'Wanneer dit achter de rug is, wanneer we maandag alles hebben bespro-ken, komt er dan een ander verhaal?'

Forrester haalde zijn schouders op. 'Laten we liever niet zo ver vooruit-denken,' zei hij.

'Gaat u weg?' vroeg ze.

Forrester schudde zijn hoofd. 'Ondanks mijn leeftijd is mijn leven mis-schien wel net zo onvoorspelbaar als het jouwe. Wie weet wat de dag van morgen zal brengen.'

Hij haalde zijn jas en Annie hielp hem erin. Vervolgens deed ze de deur van het slot en liet hem naar buiten, de vochtige, koude nacht tegemoet.

'Tot maandag?' zei hij, en hij hief zijn hand.

'Tot maandag, meneer Forrester,' antwoordde Annie, en ze bleef in de deuropening staan tot hij uit het zicht was.

Sullivan was er niet toen Annie thuiskwam. Maar om de een of andere reden voelde het zonder hem niet als thuis aan. Ze voelde zich met Sullivan verbonden, alsof hij familie was, de enige bij wie ze zich zo voelde, en op dat moment, terwijl ze in haar eentje voor haar deur stond, sloot ze haar ogen en deed ze een wens.

Als Sullivan gelijk had, als alles uiteindelijk door je eigen gedachten werd beïnvloed en bepaald, dan zou zij dit uit het diepst van haar hart wensen. Dat het anders wordt. Dat mijn leven anders wordt. Dat dit iets anders wordt dan duizend 'wat als'-en.

Toen opende ze haar ogen, deed haar deur van het slot en liep in het don-ker haar appartement in.

31

*H*et zou kunnen dat er dagen waren dat Harry Rose aan mij dacht, net zoveel dagen als ik aan het meisje zou denken dat ik had verlaten, en aan het kind dat ik misschien had.
Of misschien ook niet.

Maar ik geloof dat die dagen steeds minder vaak voorkwamen, en toen de maanden zich aaneenregen, toen zijn kind werd geboren, toen hij begon te begrijpen dat het leven nog wel wat meer te bieden had dan wat je mee kon nemen, wist Harry zichzelf ervan te overtuigen dat hij het juiste besluit had genomen. Ik hoorde bij een vorig bestaan, en omdat hij dat bestaan achter zich had gelaten, had hij mij ook moeten achterlaten. Ik hoorde daarginds thuis, en daarginds speelde niet langer een rol in wat er van Harry was geworden.

Misschien viel het Harry moeilijk geen vergelijkingen te trekken tussen zijn eigen leven en het leven in Amerika in zijn geheel. Dit was zijn geadopteerde thuisland, zijn toevluchtsoord, zijn fortuin, en hij wist ook dat er mensen waren die geloofden dat de excessen van de jaren zestig flink uit de hand waren gelopen. Zij haalden de teugels aan, trokken zich terug, ze accepteerden hun verlies en vroegen zich af hoe het nu verder moest. Net als ik, denk ik. Het valt me zwaar aan die tijd terug te denken zonder die bittere zaadjes van rancune en verraad te bespeuren. Ze groeiden traag en zonder bloemen, en hun wortels zaten diep in verdroogde en vergiftigde aarde. Toch was deze aarde het enige wat de zaadjes nodig hadden, want ze waren van een judasboom afkomstig. Harry Rose had zijn zilverlingen aangenomen, en ik was aan het kruis genageld.

Richard Nixon worstelde met het probleem van de oorlog in Vietnam en met de vraag hoe een natie als Amerika zich zonder gezichtsverlies uit die waanzin terug kon trekken. Hij richtte het nationale geweten op al diegenen die in deze oorlog hadden gevochten, mensen als William Calley en Ernest Medina, die verantwoordelijk werden geacht voor de slachting van My Lai. Zonder het ooit hardop te zeggen legde hij een niet mis te verstane verklaring af. De wreedheden van deze oorlog zijn door manschappen begaan, niet door een regering. Ik ben onschuldig. Ik ben een man van mijn woord, een man die men kan vertrouwen en respecteren. En toen zorgde hij ervoor dat het hooggerechtshof Mohammed Ali vrijsprak van het ontduiken van de dienstplicht. Nixon was een diplomaat, een ware politicus, en terwijl hij met zijn rechterhand de wereld witwaste, gaf hij met zijn linker- toestemming door te gaan met de luchtaanvallen op Noord-Vietnam. Hij beval de terugtrekking van vijfenveertigduizend manschappen uit Vietnam, hij kondigde aan dat hij van plan was zich voor herverkiezing in te zetten, en vervolgens stuurde hij zevenhonderd B-52 vliegende forten naar Zuidoost-Azië, die Hanoi en Haiphong plat-bombardeerden.

Een maand of wat later zouden in het Watergate-gebouw in Washington vijf mannen bij de kantoren van het Democratische Nationale Comité worden gearresteerd. Nixon vloog naar de Sovjet-Unie. Terwijl zijn eigen wereldje bijna tot stilstand kwam, slaagde Richard Milhous Nixon er in november 1972 in met meerderheid van stemmen te worden herkozen. Hij bleef negentien maanden lang manipuleren, beramen, uitdokteren en konkelen, en geloofde al die tijd dat hij de reputatie had weten te krijgen een van Amerika's grootste onderhandelaars aller tijden te zijn. Hij geloofde nog steeds in zichzelf toen alle anderen hun vertrouwen in hem al hadden verloren. Misschien was dat wel zijn grootste verdienste.

Tegen de tijd dat Nixons troon viel, was Harry Rose de vader van een kind dat bijna drie jaar was. Hij was nog steeds niet met Maggie Erickson getrouwd, hoewel het huis dat ze in Englewood bij Allison Park bewoonden zeer beslist een gezinswoning was. Het was allemaal nieuw voor Harry Rose, een nieuw gevoel, een nieuwe realiteit. De banden en verplichtingen, het vertrouwen en de vereisten, ze gingen veel verder dan het tastbare. Een gezin had niet alleen geld nodig; een gezin had ook liefde nodig, ondersteuning, en eigendomsrecht. Harry Rose geloofde dat hij iets bezat, maar erkende tegelijkertijd dat hij het bezit van iemand anders was. Dat leidde ertoe dat hij zich als legitiem zakenman vestigde. Alleen zo was het goed, en hoewel het hem aanvankelijk uitermate vreemd voorkwam, was het ook iets waaraan hij uiteindelijk gewend raakte. Er waren dagen dat hij wakker werd, zich omdraaide, naar Maggies slapende gezicht keek en zich realiseerde dat hij vandaag, net als gisteren en net als morgen, niet langer bang hoefde te zijn. Hij hield van de vrouw, hij hield van haar zoals hij van Alice Raguzzi en Carol Kurtz had gehouden, maar met Maggie was er meer. Met deze vrouw die naast hem lag voelde hij zich compleet. Hij had het niet anders weten te omschrijven. Vroeger was hij maar een half mens geweest, en nu was hij een heel mens. Vroeger had hij dat gat met geweld en geld gevuld, met seks en drinken en confrontaties met de wet. Nu was die ruimte vol met vredigheid, een klein toevluchtsoord tussen de waanzinnige woestheid van het verleden en de belofte van wat de toekomst in zich had. Wie Maggie Erickson ook was geweest voordat hij haar had gevonden, zij had dat meegebracht.

Voor het eerst in zijn leven voelde Harry Rose zich veilig, en hoewel hij wel eens aan Johnnie Redbird dacht, hoewel beelden uit het verleden van de man die hij was geweest hem wel eens beslopen, zag hij ze zoals je een droom zou zien. Toegegeven, een nare droom, maar evengoed een droom. Hoe meer tijd er verstreek, hoe meer de beelden vervaagden, en hun plaats werd ingenomen door een gevoel van veiligheid en stilte dat zoveel echter leek dan het leven dat hij eens had geleid. Hij had een tijdje geloofd dat Auschwitz en de dingen die hij daar had gezien en gehoord de oorzaak waren van het leven dat hij leidde. Hij had gedacht dat de jaren vol wreedheid en marteling, honger en ontbering, hem een lesje hadden geleerd. Het lesje dat het leven je een trap na gaf en dat het je dood zou worden als je niet terugschopte. Maggie had hem geleerd dat een echte man een schop kon incasseren, zelfs als hij erdoor werd gevloerd, en dat een werkelijk sterke man daarna weer zonder haat en wraakgevoelens op kon staan, al zou het hem zijn laatste adem kosten.

En ja, het kwam heel af en toe voor dat Maggie vragen stelde, vragen die hij nooit dacht te kunnen beantwoorden, want hij zou het niet kunnen verdragen de gekwetstheid en de pijn in haar ogen te zien die ongetwijfeld zouden verschijnen als hij ook maar een tipje van de sluier over zijn verleden zou oplichten. En dan was er nog het kind. Het kind was zijn bestaansreden geworden, zijn raison d'être, en dat kind te zien opgroeien, dat kind tot een eigen persoonlijkheid te zien uitgroeien, een mens met echte gedachten, echte gevoelens, met het echte gevoel ergens thuis te horen, dat was het prachtigste wat een mens volgens Harry Rose ooit kon bereiken.

Van Gerald Ford tot aan Jimmy Carter, van de dood van Elvis tot de nederlaag die Ali onder de hamerende vuisten van Leon Spinks leed, leefde Harry Rose tussen de mensen van New York, mensen die zijn naam kenden, en wat hij was geworden, maar niet was hij was geweest. Er waren tijden dat hij geloofde dat het eeuwig zo zou duren, maar ergens diep vanbinnen wist hij dat het verleden zou terugkeren en hem zou inhalen.

Dat gebeurde begin 1979. Harry was alleen thuis. Maggie en het kind waren op weg naar school. De radio in de keuken stond aan, de voormalige openbare aanklager John Mitchell, de laatste van de Watergatesamenzweerders, werd voorwaardelijk op vrije voeten gesteld, en op het moment dat hij dat nieuws hoorde, gingen zijn gedachten naar de gevangenis, daarna naar Rikers, en daarna naar mij.

Toen er iemand op de deur klopte, bleef Harry stokstijf midden in de gang staan. Van daaruit kon hij een silhouet op het matglas zien.

En hij wist het.

Op de een of andere manier wist hij het gewoon.

'Harry,' zei ik alleen maar toen hij de deur opendeed.

'Johnnie, 'zei Harry, en hij deed een stapje terug om me binnen te laten in het huis waarvan hij eens had geloofd dat het nooit door het verleden zou worden bezocht.

'Er zijn nogal wat jaartjes verstreken, Harry,' zei ik, en ik liep langs hem heen naar de keuken en ging daar aan de tafel zitten alsof het mijn huis was, en toen Harry binnenkwam en tegenover me ging zitten, bleef het langer stil dan hij kon verdragen.

'Je hebt me nu twee keer voor de gek gehouden,' zei ik. 'Ik begin te geloven dat je, anders dan vroeger, niet een man van je woord bent, Harry.'

'Ik zal niet proberen het allemaal uit te leggen, Johnnie,' zei Harry. 'Ik wil je alleen zeggen dat hier alles goed is en dat ik niet op narigheid heb gerekend.'

'Narigheid?' vroeg ik. 'Ik ben hier niet om narigheid te veroorzaken, Harry... alleen om me ervan te overtuigen dat alles nog goed tussen ons is. Je begrijpt me wel. Ik heb me de afgelopen jaren in Mexico in het zweet gewerkt, en dacht steeds weer: misschien laat Harry Rose volgende maand iets van zich horen, of misschien de maand erna, en zal hij me wat geld sturen, en alles in orde brengen. Je weet wel wat ik bedoel.'

Harry knikte. 'Ik weet wat je bedoelt, Johnnie.'

'Dus uiteindelijk bedacht ik dat Harry Rose misschien zijn vriendje van heel lang geleden was vergeten, en toen vond ik dat ik jou maar eens moest opzoeken.'

'En nu ben je hier.'

Ik glimlachte. 'En nu ben ik hier.'

'En wat voor regeling had je precies in gedachten, Johnnie?'

'Ik dacht ik net zoveel moest hebben als jij, Harry.'

'Er is geen geld meer, Johnnie... Alles wat we hadden is verdwenen. Ik heb een bedrijf gekocht, en dit huis... Ik krijg tegenwoordig als een goede Amerikaanse burger salaris. Ik moest een gezin onderhouden, en wanneer je alles volgens de wet doet, is niks goedkoop, begrijp je wat ik bedoel?'

Ik schudde mijn hoofd, want ik wist niet wat hij bedoelde. 'Ik heb al die jaren op mijn geld gewacht. Ik heb er een eigen gezin voor opgegeven, wist je dat? Ik had hier kunnen zitten, met een vrouw en een kind, maar nee, wat wij deden was altijd belangrijker dan wat ik voor mezelf wilde. Zo te zien deelde jij mijn gevoelens niet, Harry. Ik kom alleen mijn geld halen. Als ik had geweten dat er geen geld meer was, zou ik geen moeite hebben gedaan jou te vinden.'

Harry keek me aan met het gezicht van een eerlijk mens. 'Er is geen geld, Johnnie, dat is de waarheid... En jij hebt zelf het besluit genomen om geen gezin te stichten, Johnnie. Dat was jouw besluit en dat van niemand anders.'

Ik was even stil. In gedachten was ik bezig hem te vermoorden, net zoals ik duizend jaar geleden die vent voor zeventien ballen en wat kleingeld had vermoord.

'Als er dan geen geld meer is, Harry, neem ik aan dat je het me wel op een andere manier kunt vergoeden.'

Ik wist dat Harry Rose vanbinnen helemaal verkilde en verslapte. Ik keek naar zijn ogen, de ogen van een schuldige. Zeven jaar in Rikers en al die jaren in Mexico waarin ik mannen had gezien die zich voor de wet schuilhielden, hadden me het verschil tussen onschuld en schuld geleerd.

'Ik heb een idee,' zei ik, 'maar het is iets wat niet door één man kan worden uitgevoerd. Er zijn er twee voor nodig, begrijp je wel? En jij bent de beste nummer twee die een man zich maar kan wensen. Daarom denk ik dat jij me gaat helpen, en daarna maak ik me uit de voeten en verdwijn voorgoed, en jij kunt weer naar huis en papa spelen, en de brave burger, en wat je nog maar meer wilt. Wij hebben dan met elkaar afgerekend. Dat wil je toch wel voor me doen, Harry?'

'Het hangt ervan af wat het alternatief is,' zei Harry.

'Het alternatief, beste vriend, is dat jij geen huis en geen gezin meer hebt om naar terug te keren.'

'Dan heb ik dus geen keus,' zei Harry.

'Nee,' zei ik, 'volgens mij niet.'

Op dat moment had Harry Rose kunnen proberen mij om het leven te brengen, en daarmee zou hij zijn verleden hebben gedood. Het hebben vermoord en voorgoed uit zijn leven hebben gebannen. Maar hij deed het niet, hij kon het niet, want onverschillig wat hem te wachten stond, hij kon nooit vergeten dat ik, Johnnie Redbird, tot twee keer toe de schuld op me had genomen. Hij was me nogal wat schuldig, hij was me al die jaren van vrijheid schuldig, hij was me een fortuin aan ruggen en ballen schuldig, en als we na het King Mike Royale-fiasco samen naar Mexico of Las Vegas waren gegaan, zou hij Maggie Erickson nooit hebben leren kennen, en dan zou hij nooit vader zijn geworden. Harry Rose geloofde dus dat hij niet alleen voor zichzelf, maar ook voor zijn gezin vocht, en als het een kwestie van prioriteiten was geweest, zou er helemaal niks te kiezen zijn geweest. Ondanks onze afspraak geloofde hij dat ik net zo gemakkelijk een vrouw en een kind kon doden als bijvoorbeeld een politieagent. Hij had echt geen keus. Absoluut niet. En ik had Harry kunnen doden, ik had hem door het hoofd kunnen schieten terwijl hij daar tegenover me aan tafel zat, maar dat deed ik niet, en dat zou ik ook nooit hebben gedaan. Harry was me net zoveel geld schuldig als ik kon dragen, en ik was niet van plan om met lege handen weg te gaan.

In juni 1979, op een avond die precies goed was om een uurtje tikkertje of verstoppertje in de tuin te spelen, een stoofpot op het fornuis, en na het eten zijn voeten op de salontafel, een blikje bier in de hand en de Film van de Week op de buis, zei Harry tegen Maggie dat hij wat zaken moest afhandelen. Hij zou niet lang wegblijven. Dat beloofde hij. En toen kuste hij haar, en hij kuste zijn kind, verliet vervolgens het huis in Englewood bij Allison Park en ging naar een afspraak met zijn verleden.

En ik, die minstens net zoveel deel van het verleden uitmaakte als Harry, stond hem op te wachten. Ik wachtte geduldig, als een man die zijn recht kwam halen.

De geldtransportauto haalde geld op bij zeven nachtwinkels en benzinestations tussen Coytesville en Palisades Park. De chauffeur van de auto woog zo'n 125 kilo, en was ongeveer 1 meter 75 lang. Een dikke, nutteloze kloothufter, een truckhufter, zei ik. De vent die het geld van de benzinestations en de winkels naar de achterkant van de auto bracht, was een jaar of tweeëntwintig en zag eruit als de quarterback van een universiteitsteam met een vakantiebaantje. Ze droegen allebei handwapens, en in de cabine hadden ze ook nog een 3-inch Mossburgh Magnum onderlader in de bijbehorende en afgesloten koffer. 'Daar zullen ze verdomd weinig aan hebben wanneer er stront aan de knikker komt,' zei ik, en toen reed ik weg van de stoeprand en reed over Edgewood naar Nordhoff, langs het Cemetery of the Madonna naar het Fletcher Avenue-viaduct.

Ik had geen idee hoe Harry zich voelde, maar er stond angst in zijn ogen. Dat was goed genoeg, dacht ik. Het was tijd voor de afrekening. Nu begint hij een idee te krijgen hoe ik zeven jaar lang in Rikers heb gezeten. Nu begint hij zijn eigen zweet te ruiken, en de druk op zijn borst, en de stomme doodsangst wanneer je het idee krijgt dat dit wel eens met je laatste ademtocht kon eindigen. Voel het maar goed, Harry Rose... Voel het allemaal; dan weet je hoe het is om echt op jezelf te zijn aangewezen.

Wat er later gebeurde verliep in een waas, een maalstroom van schieten en knokken, van de dikke vent die probeerde het wapen uit de koffer te krijgen en tegelijkertijd het portier van de cabine te openen, al wist hij heel

267

goed dat hij eigenlijk helemaal niet wilde uitstappen. De cabine was kogelvrij, en Harry en ik sleurden zijn jonge collega over het voorterrein van de Texaco op Brinkerhoff Avenue; we gedroegen ons als een stelletje gewelddadige gekken die geen genade kenden, en hij wilde niet het risico lopen dat ze hem door de kop schoten. Maar hij werd er verdomme voor betaald, dus wist hij de Magnum tevoorschijn te halen en stapte hij toch de auto uit, en zodra hij het magazijn zo'n beetje onze kant uit had leeggeschoten, kreeg hij inderdaad een kogel door zijn kop.

Maar zelfs toen die dikke vent op het steenkoude grind op het voorterrein lag en zijn leven langzaam naar het afvoerputje sijpelde, slaagde hij er toch nog in zijn handwapen te trekken en drie schoten af te vuren. Het derde was raak – al zou hij dat nooit te weten komen – en in al die verwarring en herrie van politieauto's die met hun gillende sirenes de nacht verscheurden en de bediendes van het benzinestation die naar buiten renden om te kijken of ze iets voor de jonge bewaker konden doen die op het trottoir lag dood te gaan, liep ik bij de achterkant van de geldauto weg en rende zo hard als ik kon naar de auto. Harry Rose probeerde me bij te houden, maar het bot in zijn rechterdijbeen was door een .38 verbrijzeld, en toen ik de rijen rood-blauwe lichtbakken over Glen Avenue op me af zag komen, gaf ik gas en reed weg. Achter me zag ik vier zware geldtassen die steeds kleiner werden, geldtassen die samen zo'n driehonderdvijftigduizend dollar bevatten, en ernaast, met uitgestrekte arm alsof hij ze in een laatste wanhopige poging wilde grijpen, de chauffeur van de geldauto.

Harry Rose, die wist dat het lot hem eindelijk had ingehaald – stond midden op straat, zijn broekspijpen doorweekt met zijn eigen bloed, en in zijn hand de natbezwete bivakmuts die hij had gedragen, en hij dacht aan zijn kind dat over een paar maanden acht zou worden, en hoe Maggie haar zou uitleggen waar papa was gebleven.

Hij zakte op zijn knieën. De agenten stonden in een kring om hem heen, brulden tegen hem, richtten hun wapens op hem en lieten er geen misverstand over bestaan dat ze hem zouden neerschieten als hij hun bevelen niet opvolgde. Maar Harry Rose bezat noch de energie, noch de wilskracht om op te staan. Zijn leven was voorbij, dat beetje leven dat hij uit de verschrikkingen van Auschwitz had weten te bemachtigen, en dat wist hij. Er was deze keer geen ontkomen meer aan. Dit was het einde van de rit, de dikke dame had de hele aria gezongen, en de echo van haar stem was nu alleen nog een herinnering.

Die ene seconde dat ik achteromkeek zag ik een gebroken en verslagen man. Zijn leven was in één klap verwoest. Zijn vrouw weg, zijn kind weg, en alles weg waarvoor hij omwille van hen zo hard had gewerkt.

Zijn toekomst weg, zijn verleden ook, en toch wist ik dat hij zich er nog steeds van bewust was dat zijn schuld aan mij nog steeds niet was voldaan. Weg ook alle hoop dat hij Johnnie Redbird kon afkopen. En dat was misschien nog wel het ergste van alles. Hij kende me goed genoeg om te weten dat ik nooit zou opgeven. Hij wist dat ik het geld wilde dat me toekwam, en hij wist dat ik nooit zou opgeven tot ik het had.

Er kon geen enkel excuus worden aangevoerd, geen moord in de tweede graad, geen doodslag, geen gerechtvaardigde moord. Dit was moord, rechttoe rechtaan. De enige verzachtende omstandigheid was het feit dat getuigen het erover eens waren dat er twee mannen waren geweest. Ze zagen geen kans om vast te stellen wie de schoten had afgevuurd die de bewakers hadden gedood; vandaar dat er geen doodstraf tegen Honest Harry Rose kon worden geëist.

Maar ze gaven hem wel levenslang, twee opeenvolgende termijnen, en ze stuurden hem naar Rikers, waar alle slechte jongens zaten.

Het was het einde van een tijdperk, het einde van een droom misschien, en toen ik heel even achteromkeek geloofde ik dat er op een bepaalde manier, op een perverse en omslachtige manier, recht was gedaan. Weg was zijn geld, weg was zijn gezin, weg was alles waarvoor hij ooit had gewerkt. Hetzelfde wat ik was kwijtgeraakt. En dat wat ik nooit had kunnen hebben.

Maar ik ging ervan uit dat er zolang Harry Rose nog genoeg fut in zijn lijf had om adem te halen er nog steeds een kans bestond hem te dwingen zijn schuld te voldoen – want een kans was er altijd.

32

Annie kon niet slapen.

Het hielp ook niet dat Sullivan tot in de kleine uurtjes van donderdagochtend wegbleef, en toen hij eindelijk thuiskwam, vond ze dat het te veel voor hem zou zijn om ook nog eens haar last te moeten dragen.

Ze dacht aan David. Heel veel. Ze wilde ze per se weten waar hij was en die gedachte nam haar zo in beslag dat ze er bijna door verteerd werd. Kort na een uur 's nachts overwoog ze zelfs een taxi te nemen naar zijn flat. Ze dacht die wel te kunnen vinden, maar het idee om midden in de nacht de straten rondom St. Nicholas en 129th af te schuimen joeg haar angst aan. Ze was alleen, in elk geval voorlopig, en ze zou het zonder enige hulp moeten doen.

Uiteindelijk viel ze in slaap, maar toen was de zon al op en was de kamer in een vaag vuilgeel licht gedompeld. Toen Sullivan een paar uur later bij haar aanklopte, was het al over elven. Ze kon de gedachte niet verdragen naar The Reader's Rest te moeten.

'Ik moet hem vinden,' zei ze tegen Sullivan zodra ze koffie voor hen beiden had gezet en toen ze in de keuken aan tafel zaten.

'Moet?' vroeg Sullivan. 'Of wil?'

'Moet,' zei Annie nadrukkelijk. 'Ik moet erachter komen wat er met hem is gebeurd.'

'Dat kan ik je wel vertellen,' begon Sullivan, maar Annie schudde haar hoofd.

'Ik heb heel goed begrepen wat je zei over angst voor verplichtingen en zo, en ik weet ook wel dat het een van de redenen is, maar ik wil het uit zijn mond horen, ik wil het van David zelf horen, begrijp je dat?'

'En hoe ging het met meneer Forrester? Is hij gisteravond nog gekomen?'

'Ja.'

'En heeft hij nog wat van het verhaal meegebracht?'

Annie knikte.

'Vertel eens... hoe is het met die kerels afgelopen?'

'Ik wil over David praten,' zei Annie. 'Ik wil ernaartoe, naar zijn appartement, en met hem praten.'

'Ik geloof niet dat je dat zou moeten doen, Annie,' zei Sullivan.

'Waarom niet, verdorie?'

Sullivan glimlachte, maar achter zijn lach school iets van bezorgdheid. 'Waar is verdorie die verlegen en ingetogen Annie O'Neill gebleven die jaren geleden bij me kwam wonen?'

'Die kreeg de ziekte in, Jack... Die kreeg de ziekte in omdat er over haar heen werd gelopen, en omdat ze volledig genegeerd werd – daarom. Ik ga naar zijn appartement en ik ga met hem praten, en zal je maar meteen vertellen dat je kunt zeggen wat je wilt, je kunt me toch niet tegenhouden.'

Sullivan stak zijn handen omhoog. 'Verdorie, Annie, je bent vandaag wel bezig, zeg. Ik ga niet proberen je tegen te houden, ik zal het niet eens voorstellen, maar ik denk dat je je maar beter op het ergste kunt voorbereiden.'

'Het ergste? Wat zou dan nog erger kunnen zijn dan in het ongewisse blijven, Jack?'

'Soms is de waarheid erger dan in het ongewisse blijven.'

Annie schudde haar hoofd. 'In dit geval niet. Als het aan mij ligt, wil ik dat weten, en als het aan David ligt... Nou, oké, maar ik geef het niet zomaar op... Dat zei je zelf ook, of niet soms?'

'Doe jij maar wat je wilt, Annie O'Neill,' zei Sullivan. 'Mij zal niemand ervan kunnen beschuldigen dat ik me met hartskwesties heb bemoeid.'

Annie stond op en liep naar haar slaapkamer.

Sullivan bleef rustig wachten terwijl ze zich omkleedde, maar riep wel een keer om te vragen waar het manuscript was. Annie hoorde hem echter niet, en toen ze weer tevoorschijn kwam, haar jas pakte en die aantrok, vroeg hij haar of ze graag zou willen dat hij meeging.

Ze schudde haar hoofd. 'Ik ben een grote meid,' zei ze. 'Ik kan het wel alleen aan, Jack.'

'Weet je het zeker?'

Ze knikte en raakte even zijn arm aan toen ze langs hem heen liep. 'Ik red me wel,' zei ze.

'Het nieuwe hoofdstuk?' vroeg hij toen ze al bij de deur was.

'Op het aanrecht,' zei ze. 'Bruine envelop. Lees het hier maar als je wilt... en maak het jezelf gemakkelijk.'

Sullivan stond op en keek haar na. Hij liep zelfs naar het raam en wachtte tot ze op het trottoir in zicht kwam. Ze liep zonder aarzelen verder, doelbewust en gedecideerd, en hij betrapte zichzelf erop dat hij David Quinn dankbaar was voor wat hij ook met Annie had gedaan. Ze leek een stuk beter te weten wat ze wilde, en hoe het met David ook zou aflopen, dat was in elk geval mooi meegenomen.

Sullivan schudde zijn hoofd, zuchtte diep en liep terug naar de keuken om de envelop te halen.

Vanaf de kruising nam Annie een taxi en zei tegen de chauffeur dat hij naar St. Nicholas en 129th moest rijden. Vanaf de achterbank sloeg ze de wereld gade; ze keek naar de mensen op het trottoir, naar mensen die winkels en warenhuizen en koffieshops in en uit liepen. Wanneer de taxi voor een verkeerslicht moest stoppen, keek ze naar hun gezichten, en hoe ze de straat overstaken, allemaal opgaand in hun eigen kleine wereldje, allemaal op een bepaalde manier een afspiegeling van haarzelf. Hier liepen de verloren zielen en verwarde geesten, de opgejaagde en gebroken figuren, mensen met een liefdeloos leven, gepijnigde of woedende of uitgeputte personen. Hier zag je de wereld in zwart en wit en alle tinten grijs ertussenin. Het begin en het einde van de mensheid, de cirkel die rond was. Het leven was vaak een leugen, maar anderzijds soms ook zo waarheidsgetrouw dat het pijn deed, en al die mensen keken misschien wel stuk voor stuk naar hetzelfde als zij. Het had geen naam, geen gezicht, geen stem, geen identiteit. Het was er gewoon. Te zwaar om te dragen, en tegelijkertijd te licht om vast te pakken. Het kon niet worden omschreven, en toch wisten we allemaal heel goed wanneer we het bezaten, en waren we verbitterd wanneer dat niet het geval was.
De taxi stopte langs het trottoir. Annie betaalde de chauffeur en deed zelf het portier open om uit te stappen. Ze liep drie straten voordat ze een lunchroom op de hoek vond. Daar sloeg ze links af omdat ze zeker wist dat ze nu de goede kant uit ging.
Ze bekeek drie appartementsgebouwen voordat ze de voorgevel herkende, de trap die naar een overdekt portiek ging. Toen ze de trap opliep, voelde ze de spanning terugkomen, die onverdraaglijke spanning omdat ze zo graag wilde dat David er was, en tegelijkertijd hoopte dat dit het verkeerde gebouw was, of dat hij weg was. Ze bleef even aarzelend in de hal beneden staan en keek door het trappenhuis omhoog naar de eerste verdieping, en net op het moment dat ze een voet op de onderste tree zette, draaide ze zich geschrokken om toen er een deur achter haar openging.
'Kan ik u helpen?'
Ze zag een man, een oude man met een vale huid, zo droog dat het wel perkament leek; zijn handen leken een verzameling vergroeide knokkels.
'Hallo,' zei Annie. 'Ik ben naar iemand op zoek.'
'Heeft die iemand ook een naam?' vroeg de oude man.

'Quinn, David Quinn.'

De oude man schudde zijn hoofd. 'Er is hier geen Quinn. Misschien is dit het verkeerde adres.'

Annie fronste haar voorhoofd. 'Ik weet zeker dat het hier was.'

'Er woont hier geen David Quinn,' zei de oude man weer. 'We hadden hier wel een vent, maar die is nou weg... Daar boven, op de eerste verdieping.'

Annie draaide zich om en keek naar de trap. Ze werd bevangen door een onbeschrijflijk gevoel.

'Wil je een appartement huren?' vroeg de oude man. 'Wil je een appartement zien... een mooi appartement, licht, grote ramen? Nou?'

Annie knikte. Ze wilde zelf gaan kijken; ze wilde weten of dit het verkeerde gebouw was, of ze de richting kwijt was, of ze soms twee straten te ver naar het oosten of westen zat, of dat Davids appartement in de straat parallel aan deze lag. Dat zou het wel zijn. Dat móést het wel zijn.

De oude man liep tergend langzaam voor haar uit de trap op, een voet op een tree, daarna de tweede erbij, daarna de tweede tree, de derde, de vierde enzovoort, met Annie achter zich aan als in een begrafenisstoet van twee personen.

Op de eerste verdieping sloeg de man rechts af en liep de gang uit. Hij haakte een grote sleutelbos van zijn riem en zonder iets te vragen, zelfs zonder om te kijken of Annie wel achter hem stond, deed hij de deur van het slot, gooide hem wijd open en deed daarna een stapje terug.

'Zie je wel?' zei hij met een brede glimlach. 'Grote ramen, veel licht.'

Annie liep heel langzaam naar binnen. Het licht van buiten sloeg tegen haar huid, de lucht was verstikkend en maakte haar het ademen bijna onmogelijk. Ze deed een paar stappen naar voren, liet haar ogen door het vertrek gaan, en wist het. Ze wist het meteen.

'Wanneer is hij vertrokken?' vroeg ze.

De oude man glimlachte en haalde zijn schouders op. 'Twee, drie dagen geleden geloof ik... Ik was er niet. Mijn zoon zorgt voor alles. Hij is naar de markt en heeft de sleutels bij mij achtergelaten. Licht, hè?'

Annie knikte. 'Heel licht.'

Als er nog twijfel was, dan verdween die op slag toen ze het plastic tasje onder het raam op de kale hardhouten vloer zag liggen.

Een tas met boeken. Drie boeken. Dertien dollar en laat het wisselgeld maar zitten.

In die tas maken zestig levens contact... Dat zet je aan het denken, hè?

Ze liep ernaartoe, bukte zich en keek erin. Daar, in hetzelfde papier waarin ze het hem had gegeven, zat *Breathing Space*. David had niet eens de moeite genomen het in te kijken; hij had niet eens de moeite genomen het uit te pakken.

Annie haalde het boekje uit de plastic zak en stopte het in haar tas. Sinds ze het die ochtend in de deuropening van haar appartement aan David had gegeven had ze niet meer aan het boekje gedacht, behalve dan heel even in het ziekenhuis. Het belangrijkste wat haar vader haar had nagelaten, en zij had er niet meer aan gedacht. Maar hoe belangrijk het ook was, het feit dat ze het had teruggevonden was niet meer dan een troostprijs.

Ze draaide zich abrupt om, keek de oude man even aan en deed toen haar mond open. 'Waar is uw zoon nu?'

'Op de markt.

'De man die hier woonde... Heeft hij gezegd waar hij naartoe ging?'

'Ach, die vent was gek. Hij ging ervandoor alsof de boel in de fik was gevlogen. Hij moest een maand van tevoren opzeggen, anders zou hij zijn duizend dollar borg kwijt zijn... Nou, die was hij dus kwijt. Hij is hier twee of hooguit drie weken geweest, en dat heeft hem duizend dollar gekost. Het wemelt op de wereld van de gekken, nietwaar?'

'Twee of drie weken?' vroeg Annie. 'Heeft hij hier maar twee of drie weken gewoond?'

De oude man knikte, grijnsde en liet Annie de gaten tussen zijn kinderlijk kleine tanden zien. 'En, wil je dit appartement met al dat licht?'

Annie hoorde wel wat hij zei, maar het drong niet tot haar door. Ze liep de kamer door en was de deur al uit voordat de oude man ook maar de kans kreeg nog iets te zeggen. Hij stak zijn hand op alsof hij om haar aandacht vroeg, maar Annie rende al met twee treden tegelijk de trap af. Haar hart was helemaal op hol geslagen en ze vloog door de voordeur naar buiten alsof ze door iets afschuwelijks op de hielen werd gezeten.

'Ach, het wemelt op de wereld van de gekken,' riep de oude man haar na, maar zijn stem leek uit een ander leven te komen.

Sullivan sloeg langzaam de laatste bladzijde om.

Hij bleef een tijdje heel stil aan de keukentafel zitten.

'Iets,' zei hij in zichzelf, 'iets...'

Hij stond langzaam op, legde de bladzijden keurig op elkaar, stopte het stapeltje weer in de envelop en liep daarna vanuit de keuken naar Annies voorkamer.

Hij bleef in de deuropening staan en liet zijn blik door de kamer gaan waarmee hij zo vertrouwd was, een kamer waar hij zo'n duizend dagen en nachten met deze vrouw had meegemaakt, een vrouw die hem veel dieper had weten te raken dan wie ook. Er was iets met die pagina's die nu onschuldig in de bruine envelop op het aanrecht lagen.

Hij schudde langzaam zijn hoofd, deed zijn ogen open en stak de gang over naar zijn eigen appartement.

Hij wilde iets te drinken. God, hij wilde iets te drinken, maar hij had een belofte gedaan, en Annie had er op dit moment de grootste moeite mee zich aan haar kant van die overeenkomst te houden.

Als die David Quinn haar pijn deed...

Sullivan bleef even staan terwijl hij met zijn rechterhand over zijn linker onderarm wreef, en toen liep hij de kamer door en zette de computer aan.

33

'*W*eg,' zei Annie toen ze bij Sullivan naar binnen kwam. Sullivan wendde zich van het computerscherm af, waarnaar hij ingespannen had zitten turen. 'Wat?'

'David,' zei ze. 'Het appartement staat leeg. Hij heeft alleen de boeken achtergelaten die ik hem die eerste keer dat ik hem ontmoette heb verkocht. En een boek dat ik hem had geleend... O jezus, ik moet er niet aan denken hoe ik me zou hebben gevoeld als hij dat had meegenomen. En er was daar een oude man die zei dat David al twee of drie dagen geleden is weggegaan...'

'Maar zei hij wel dat David er had gewoond?' vroeg Sullivan.

Annie liep door de kamer naar Sullivan. Ze ging op de armleuning van de bank zitten. 'Hij zei dat er iemand had gewoond, maar dat de naam David Quinn hem niets zei, en dat degene die daar had gezeten er maar een paar weken had gewoond, langer niet, en dat hij overhaast is vertrokken, waardoor hij zijn borg van duizend dollar is kwijtgeraakt.'

'Particulier of verhuurbedrijf?' vroeg Sullivan.

'Hè?'

'Het gebouw waar hij een appartement had?'

'Die oude man zei dat zijn zoon de zaken regelde... Hoezo?'

'Dat betekent dat het meer dan waarschijnlijk particulier is. Een particulier vraagt niet naar referenties en controleert je inkomsten niet; die gaat het alleen om het geld. Als je maar genoeg geld hebt, dan kun je, zelfs als je de Son of Sam was, een penthousesuite op Broadway huren.'

'En wat is dit?' vroeg Annie, wijzend naar het computerscherm.

'De laatste van de rij verzekeringsmaatschappijen die hier en in Boston een vestiging hebben. Ik heb bij allemaal navraag gedaan: Mutual Consolidated, Trans-Oceanic, Atlantic Cargo Insurence, Providence Shipping Lines... God mag weten hoeveel het er waren. Ik heb hun lijst van werknemers opgeroepen en daar is maar één David Quinn op te vinden.'

'En?' zei Annie, terwijl ze iets dichter bij Sullivan ging zitten.

'En die is grootaandeelhouder bij Trans-Oceanic, drieënvijftig, en woont in Baltimore.'

'Wat betekent dat?'

Sullivan schudde zijn hoofd. 'Er moeten honderden verzekeringsmaatschappijen zijn, Annie, maar bij de maatschappijen die een vestiging in New York en Boston hebben werkt geen David Quinn.'

Annie fronste haar voorhoofd, en angst drong zich tussen de talloze gedachten die haar hoofd bestormden. 'Wie is hij dan, verdomme?'

'Je kunt je beter afvragen wie Robert Franklin Forrester is.'

'Forrester... Wat heeft dit verdorie met Forrester te maken?'

'Er zijn te veel toevalligheden,' zei Sullivan, 'maar pas toen ik het laatste hoofdstuk had gelezen begon ik die mogelijkheid te overwegen.'

'Welke mogelijkheid?'

'Die van Harry Rose en zijn vriend Johnnie Redbird.'

Annie schudde haar hoofd. 'Ik begrijp je niet.'

'Misschien heeft het een ook niets met het ander te maken,' zei Sullivan. 'Misschien zie ik iets wat er helemaal niet is, maar er is te veel dat wel lijkt te kloppen...'

'Waar heb je het verdomme over, Jack? Wát lijkt te kloppen?'

Sullivan wendde zijn blik af en keek naar het raam. Hij schudde zijn hoofd. 'Ik weet het niet...'

'Wat lijkt te kloppen, Jack?'

Sullivan draaide zijn hoofd weer om en keek Annie O'Neill recht aan. 'Ik weet het niet, Annie...'

'Jezusmina, Jack, hou op met te zeggen dat je het niet weet. Wat probeer je me te vertellen?'

'Dat het, als je het vanuit een andere hoek bekijkt, allemaal in elkaar past, of in elk geval in elkaar zou kunnen passen.'

Annie deed haar mond open en wilde iets zeggen, maar draaide zich toen om en ging op de bank zitten. 'Zeg nu maar eens wat je bedoelt, Jack Sullivan.'

Sullivan glimlachte, met een wat verlegen blik in zijn ogen. 'Vergeet het maar, Annie... Vergeet het maar. Het komt gewoon door dat verhaal dat ik heb gelezen. Dat heeft me aan het denken gezet.'

'Nou, hou daar dan mee op, en probeer verdorie maar eens te bedenken waar ik David kan vinden.'

'Waarom?'

'Waarom?' bouwde Annie hem na. 'Nou, misschien kan het jou geen donder schelen, Jack Sullivan, maar mij toevallig wel. Hij heeft dat appartement naar alle waarschijnlijkheid onder een valse naam gehuurd, is als meneer Klootzak Orkaan door mijn leven gestormd, heeft me volkomen voor schut gezet, heeft het gore lef gehad me de bons te geven, en denkt dan dat ik hem wel zal vergeten. Ik wil hem

vinden omdat ik hem op zijn minst een rotklap wil verkopen, Jack.'
'Dat snap ik. Waar zouden we volgens jou moeten beginnen?'
'Hoe bedoel je, wij?' zei Annie. 'Jij bent hier goddorie de journalist, de on-
derzoeksreporter... Jij zou mij helemaal niet hoeven te vragen waar we
moeten beginnen.'
'Het appartementsgebouw... Ik ga er wel naartoe en zal eens een woordje
wisselen met de zoon van die oude man. Dan kijken we of hij enig idee
heeft waar Quinn vandaan kwam en waar hij naartoe is gegaan toen hij
weer vertrok. Ik zal dan meteen de boeken meenemen die hij had gekocht...'
Annie keek hem fronsend aan. 'De boeken? Wat moet je met die boeken?'
Sullivan stak zijn hand op. 'Die heeft hij aangeraakt, en dus staan zijn
vingerafdrukken erop.'
Annie schudde haar hoofd. 'Met die van drieduizend anderen, denk je
ook niet?'
Sullivan schudde fronsend zijn hoofd. 'Je hebt gelijk, naar de bliksem met
die boeken. Bovendien ken ik trouwens toch niemand die vingerafdrukken kan nemen en ze met bekende kan vergelijken.'
'Jezus, Jack, je bent echt maar een amateurtje, hè?'
'Mijn oprechte dank, mevrouw O'Neill. Heb jij een beter idee?'
Annie dacht terug aan al die keren die ze met David had doorgebracht. Ze
dacht aan hun reisje naar Boston, dat alles contant was betaald, dat hij een
kamer voor meneer en mevrouw Quinn had geboekt, dat hij haar nooit
een telefoonnummer had gegeven waarop hij te bereiken was...
Nu ze het opnieuw bekeek, was het griezelig zichtbaar dat hij duidelijk
van plan was geen spoor achter te laten, dat als hij besloot te verdwijnen
niets naar hem kon leiden. Misschien was hij alleen maar een seriemin-
naar. Ze moest om die gedachte lachen, maar haar mond deed niet mee
en in haar hart waren alleen nog een grote leegte en een enorm gevoel
van verlies.
Ze schudde haar hoofd. 'Nee,' zei ze, 'ik heb geen beter idee. Voel je je
ertoe in staat naar het appartement te gaan en navraag te doen?'
Sullivan knikte. 'Tuurlijk wel, Annie. Heb jij het adres?'
Annie keek hem wezenloos aan en haalde haar schouders op. 'Ik heb geen
flauw idee, maar ik zou het probleemloos terug kunnen vinden.'
Sullivan stond op. 'Dan ziet het ernaar uit dat we samen op avontuur
gaan, hè?'
'Dat lijkt me wel.'
Een paar minuten later vertrokken ze. Ze namen een taxi aan de andere

kant van Morningside Park, en terwijl het wegdek onder de banden door gleed, kreeg Annie het gevoel dat ze een geest najaagde.

Annie bleef op straat wachten terwijl Jack naar binnen ging en een praatje maakte met de oude man en zijn zoon. Om de een of andere reden wilde ze niet mee naar binnen. Ze had niet kunnen zeggen waarom, of het moest zijn dat iemand haar in dit gebouw voor gek had gezet en dat ze er niet aan wilde worden herinnerd.

Het was koud, en na een paar minuten liep ze de paar treden van de stenen stap op en ging onder het portiek staan. Af en toe keek ze door het glas in de voordeur naar binnen. Wachten was niet haar sterkste punt, en elke minuut leek een eeuwigheid te duren. Ze keek op haar horloge – het horloge van haar vader – en toen ze er voor de vierde of de vijfde keer op had gekeken kon ze de spanning niet langer verdragen. Ze liep de trap af en ging naar het eind van de straat, keerde om, en liep minstens vijftig meter voorbij het appartementsgebouw.

Ze bleef rusteloos heen en weer lopen, geprikkeld door de kou en de situatie waarin ze was beland. Ze speurde Manhattan af naar een man wiens naam kennelijk een alias was. Deze keer was ze echt gevallen, en flink ook. Dit was niet iets waar je naar opsteeg.

Ze keerde om en wilde teruglopen, toen ze Sullivan in het portiek zag. Ze liep snel naar hem toe.

Hij schudde zijn hoofd al voordat hij iets zei. 'Hij weet helemaal niks. Vijftig dollar, en nog weet hij niks. Hij was alleen maar ongerust dat ik van de huurcontrole was of zo.'

'Vertelde hij je onder welke naam het appartement werd gehuurd?'

Sullivan keek Annie aan. Zijn gezicht zei eigenlijk alles al.

'Nou?'

'David O'Neill,' zei Sullivan met neergeslagen ogen.

'David O'Neill?' vroeg Annie vol ongeloof. 'Dat is toch zeker een geintje, Jack?'

'Nee, die naam heeft hij opgegeven. David O'Neill.' Hij kwam de trap af, bleef op het trottoir staan en keek haar aan. 'Vertel jij me nu maar dat er niet iets raars aan de hand is.'

'Toeval,' zei Annie, maar ze wist eigenlijk meteen al dat ze zichzelf voor de gek hield.

Sullivan glimlachte, misschien in een poging medeleven te tonen. 'En wat voor toeval mag dat dan zijn?'

'Lulkoek,' zei Annie. Ze stak haar handen diep in haar jaszakken en zuchtte. 'Waarom?' vroeg ze, niet alleen aan Sullivan, maar ook aan zichzelf.

'Wie zal het weten?'

'David Quinn, of O'Neill, of wie hij goddorie maar is, die weet het,' zei Annie.

Sullivan begon te lopen.

Annie, die opging in haar eigen gedachten, bleef even staan, en ging toen op een holletje achter hem aan. Ze stak haar arm door die van Sullivan, en als je hen van de overkant van de straat had gezien, zou je hebben gedacht dat ze een stel waren, vader en dochter misschien, die een wandelingetje maakten en wat tijd met elkaar doorbrachten. Ze zeiden niets, ze keken elkaar niet eens aan, maar drie straten verder bleef Sullivan voor een café staan en wees naar binnen.

'Hij heeft een keer iets gedaan wat om vertrouwen draaide,' zei Annie zodra ze waren gaan zitten.

'Vertrouwen?' vroeg Sullivan.

'Hij deed het toen ik naar zijn appartement ging; hij blinddoekte me en zei dat ik op een stoel moest gaan zitten en een minuut lang helemaal niets mocht doen.'

Sullivan fronste zijn voorhoofd.

'Hij had het over vertrouwen, over dat iedereen had geleerd niemand te vertrouwen, dat iedereen altijd de uiteindelijke bedoelingen en belangen van de ander wantrouwde, en toen zei hij tegen me dat hij me zou vragen hem te vertrouwen.'

'En hij blinddoekte je?'

Annie knikte. 'Hij blinddoekte me en zei me dat ik een minuut lang stil moest blijven zitten en niks mocht zeggen, en dat ik hem moest vertrouwen, dat hij het een of ander zou doen en dat ik hem gewoon moest vertrouwen.'

'En dat deed je?'

'Dat deed ik... Maar niet langer van zevenendertig seconden. Toen kon ik het niet meer aan. Ik kreeg er de zenuwen van. Als je een minuut lang in doodse stilte in het donker zit en probeert erachter te komen wat de ander aan het doen is, of je hem kunt horen ademen om zo te ontdekken waar hij is, dan krijg je het echt op je heupen.'

'En wat deed hij?'

'Nou, hij had zich niet piemelnaakt uitgekleed en stond niet met een slagersmes en een stijve voor me.'

Sullivan moest ineens lachen en morste een beetje koffie op de mouw van zijn jack. 'Shit, Annie, dat moet wel een enorme teleurstelling voor je zijn geweest.'

Ze glimlachte, pakte een servetje en bette Sullivans mouw.

'Nou even eerlijk... wat deed hij in die zevenendertig seconden?' vroeg Sullivan.

Annie schudde haar hoofd. 'Hij deed niets... helemaal niets. Hij zat gewoon tegenover me naar me te kijken.'

'Hij zat gewoon naar jou te kijken?'

'Ja, zo was het. En dat was precies waarom het draaide... Het hoorde bij het spelletje dat hij met me speelde om me te laten denken dat ik hem kon vertrouwen.'

'En vertrouwde je hem?'

'Ja... Ik vertrouwde hem genoeg om met hem mee naar Boston te gaan, en om er niet bij hem op aan te dringen me zijn telefoonnummer of zijn adres te geven. Als ik daaraan terugdenk, begrijp ik eerlijk gezegd niet dat ik dacht dat ik ook maar iets van hem af wist.'

'En waar praatten jullie over wanneer jullie bij elkaar waren?'

'We hebben eigenlijk niet zoveel gepraat,' zei Annie. 'We hadden meestal wel iets belangrijkers te doen.'

'Het spijt me,' zei Sullivan rustig en bijna teder.

'Wat spijt je precies?'

'Dat hij een klootzak was.'

'Ik weet niet zeker of hij wel een klootzak was, Jack... Jezus, op dit moment kan ik helemaal niks denken. Volgens mij kon er nog wel eens een volkomen redelijke verklaring zijn voor alles wat is er gebeurd.'

'Dat hij bijvoorbeeld een stille van de CIA was die negen verschillende aliassen had, en dat de terroristengroepering waarin hij probeerde te infiltreren er lucht van kreeg wie hij was en dat hij daarom verdween, om er zo voor te zorgen dat jou niks zou overkomen?'

'Dat lijkt me net zo'n redelijke verklaring als ik kan bedenken,' zei Annie.

'Je wilt gewoon niet onder ogen zien dat hij geen ruggengraat had en onvolwassen was, net als het merendeel van de mannen in deze stad, en dat het een beetje al te prettig werd en hij zich uit de voeten maakte voordat je kon voorstellen te gaan trouwen of iets in die geest.'

Annie schudde haar hoofd. 'Nee, die mogelijkheid wil ik niet onder ogen zien, Jack...'

Sullivan sloot zijn hand om de hare. 'Zo bedoelde ik het niet... Dat was onnodig.'

'Soms weet de waarheid je te achterhalen, of je het nu wilt of niet,' zei Annie. 'Jezus, ik zou een moord doen voor een sigaret.'

'Je rookt niet,' zei Sullivan.

'Ik kan toch weer beginnen?'

'Als jij met roken begint, ga ik weer drinken,' zei hij. Hij schoof naar de rand van zijn stoel en wilde opstaan. 'Kom op,' zei hij. 'Laten we maken dat we hier wegkomen. Laten we naar huis gaan, naar iets onbenulligs op de buis gaan kijken en samen een halve liter slagroomijs naar binnen werken.'

Annie deed haar best te glimlachen en stond ook op. Ze trok haar jas aan, knoopte hem dicht, zette de kraag op om haar hals, en gaf Sullivan bij het verlaten van het café opnieuw een arm.

'Dank je,' fluisterde ze.

Hij draaide zijn hoofd om en keek haar fronsend aan. 'Waarvoor?'

'Dat je er bent,' zei ze. 'Gewoon omdat je er bent.'

34

*A*nnie O'Neill vroeg zich af of verlies ooit wel eens iets goeds kon opleveren. Ze dacht aan het zinnetje van Joni Mitchell: Je weet pas wat je hebt als je het kwijt bent, maar ze was het er niet per se mee eens. Zij had David gehad – dat geloofde ze althans – en nu was hij weg. Het was goed geweest toen hij er was, en ze had geweten wat het was geweest. Het was een begin geweest, en ze had zich voorgesteld hoe het zich zou kunnen ontwikkelen. Zelfs in Boston, waar ze al die uren in haar eentje in een vreemde hotelkamer had doorgebracht, was het lang niet zo beroerd geweest als had gekund, omdat ze had geweten dat hij terug zou komen. Niet dat ze naar gezelschap snakte, want ze vond zichzelf niet onzeker genoeg of juist te afhankelijk, maar twee waren gewoon beter dan een. Twee was beslist beter dan een.

Zwijgend zat ze met Jack naar de film te kijken. Ze keek er wel naar, maar ze hoorde niet wat de acteurs tegen elkaar zeiden. Toen hij was afgelopen, had ze niet kunnen zeggen welke film het was geweest, of wie erin meespeelde, of waar het over ging. Het deed er niet toe, want het enige wat momenteel voor haar belangrijk was waren de gedachten in haar hoofd en de gevoelens in haar hart. Haar hart was niet gebroken, alleen wat verkreukeld. Het was te ver de verkeerde kant uit getrokken, en het genezingsproces was nog niet begonnen. Genezen vergde tijd, er moest af en toe bij gehuild worden, en midden in de nacht wakker worden hoorde er ook bij, net als vragen stellen waarop geen antwoord was. Maar langzaamaan zou het helingsproces zijn werk doen, en al zou er meer tijd voor nodig zijn, en al zouden er in de komende weken en maanden momenten voorkomen waarop ze heel ergens anders zou zijn – in een winkelcentrum of op de groentemarkt, waarbij ze haar hoofd alleen bij sla en avocado of parmezaanse kaas had – en David Quinn mijlenver weg zou zijn... toch zou het steeds weer gebeuren dat ze een naam hoorde, een geur opving, of misschien iets op een plank zag staan wat haar deed terugdenken, en in die fractie van een seconde zou ze dan meteen beseffen dat het genezingsproces nog niet voltooid was.

Thanksgiving zou haar zwaar vallen, en Kerstmis in sommige opzichten nog zwaarder, maar dan zou er meer tijd zijn verstreken en wie weet was ze dan alweer in een nieuwe wanhoopsrelatie verwikkeld.

Ze moest er bij zichzelf om glimlachen, een bespiegelend lachje, een vaag nostalgisch lachje.

'Wat is er?' vroeg Sullivan.

Ze keek hem aan. Ze zaten naast elkaar op de bank, Annie met haar benen onder zich getrokken en Jack lui achterover met zijn hakken op de salontafel.

'Relaties zijn klote,' zei ze kalm.

'Soms wel, maar soms is het juist klote om geen relatie te hebben,' zei hij.

'Maar we herstellen ons altijd... Kennelijk herstellen we altijd weer.'

Sullivan knikte. 'Je blijft je verbazen over alle ellende die een mens kan verduren en waar hij zich zonder zijn verstand te verliezen toch weer onderuit weet te worstelen.'

'Ik ken eigenlijk niemand die bij zijn volle verstand is,' zei Annie. 'Volgens mij is iedereen tot op zekere hoogte gek.'

'Maar David Quinn moet zijn verstand wel helemaal hebben verloren.'

Annie knikte. 'Absoluut... David Quinn moet zijn verstand wel helemaal hebben verloren.' Ze leunde opzij, zodat haar hoofd tegen Sullivans schouder kwam te liggen.

Hij sloeg een arm om haar heen en trok haar tegen zich aan.

'Wil je blijven zoeken?' vroeg hij.

Ze schudde haar hoofd. 'Dat weet ik nog niet. Ik zal er eens een nachtje over slapen en kijken hoe ik er morgen tegenover sta.'

'Je mag je er door zoiets niet van laten weerhouden verder te gaan met je leven.'

'Dat weet ik... Maar ik ben geloof ik op het punt aanbeland dat ik er genoeg van heb.'

'Genoeg? Waar heb je genoeg van?'

Annie zuchtte. 'Om dag in dag uit hetzelfde te doen, Jack. Van de winkel, van de voorraden en de inventarisaties, van haveloze pocketboeken die nooit iemand zal lezen.' Ze keek naar hem op. 'Weet je wat ik denk?'

'Wat dan?'

'Ik denk dat mensen boeken kopen om mee naar huis te nemen en in de boekenkast te zetten, zodat anderen zullen denken dat ze beschaafd zijn, en ontwikkeld, en belezen.'

'Dat is wel erg cynisch.'

'Ik heb vanavond het recht cynisch te zijn. Laat me alsjeblieft.'

'Wat wil je dan gaan doen? De tent verkopen? Verhuizen?'

Ze haalde haar schouders op. 'Weet ik nog niet... Ik weet echt niet wat ik zou willen. Naar alle waarschijnlijkheid blijf ik een paar dagen mopperen en steunen, om daarna gewoon weer als vanouds door te gaan.'

'Het zal nooit meer als vanouds worden, Annie. Als je zoiets als dit overkomt, ga je de dingen altijd vanuit een andere invalshoek bekijken. Dat is op zich al een verandering.'

'Maar het is niet genoeg,' zei ze. 'Het verschilt niet genoeg.'

'We zouden allebei kunnen verhuizen... naar een andere stad, naar Las Vegas of zo.'

'De winkel verkopen, al het geld meenemen en het aan de blackjacktafels verspelen. Een week in de presidentssuite, en wanneer we al ons geld erdoor hebben gejaagd worden we dakloos en slapen we in bushokjes en drinken spiritus uit bruine zakken tot onze lever het begeeft en we doodgaan.'

'Klinkt goed.'

Annie deed haar ogen dicht en haalde diep adem.

'Ik ga naar huis,' zei Sullivan. 'Probeer wat te slapen... Morgen praten we wel verder.'

'Goed,' zei ze.

Sullivan schoof van haar weg en stond op. Hij bukte zich, gaf haar een kus op haar voorhoofd, raakte haar gezicht aan, glimlachte en liep naar de deur.

'Slaap lekker,' zei hij.

'Jij ook,' antwoordde ze.

Sullivan liep de kamer uit en trok de deur zachtjes achter zich dicht.

Annie bleef nog een tijdje op de bank liggen voordat ze naar haar slaapkamer ging. Ze nam niet de moeite zich te douchen of haar tanden te poetsen. Ze deed haar kleren uit, ging op bed liggen en trok de dekens over zich heen.

Ze lag een tijdje wakker, draaide op een gegeven moment haar hoofd om om een blik op de wekker te werpen, stak haar hand uit en keerde de wijzerplaat van zich af. Het enige wat ze momenteel in overvloed bezat was tijd, maar ze had er geen enkele behoefte aan die af te meten.

Er zijn van die ogenblikken, dacht ze, dat alles volkomen zinloos lijkt. Van die ogenblikken waarop alles wat je ooit hebt gedaan, alles waar je naartoe dacht te werken, op niets blijkt uit te lopen. Hoe diep kun je eigenlijk zinken? Hoeveel mensenlevens worden verdaan met wachten tot er iets zal gebeuren, terwijl ze aan het eind moeten concluderen dat er nooit iets is gebeurd? Er moeten wel ik weet niet hoeveel anderen zijn die zich net zo voelen als ik. Leeg. Onbeduidend. En toch hebben we allemaal op een goed moment gevoeld dat er iets op ons wachtte, dat het op een dag allemaal goed zou komen, dat die volmaakte dag zou komen waarop alles zich ten goede zou keren...

Ze begroef haar gezicht in het kussen en deed haar ogen dicht. Ze kon de tranen achter haar oogleden voelen.

Niet huilen, Annie, dacht ze. Huilen helpt niet. Je kunt jezelf nu in slaap huilen, of je kunt gaan bedenken hoe je uit dit gat kunt kruipen en iets voor jezelf kunt gaan doen. Nog twee maanden, dan ben je eenendertig, maar er komt niemand om je hand vast te houden en je te vertellen dat het allemaal weer goed komt, en er dan ook voor zorgt dát het goed komt. Zoiets gebeurt nooit. In Hollywood misschien, maar niet hier in Morningside Park, Manhattan. Dit is het leven. Het echte leven. Met zijn scherpe hoeken en randen waarmee je soms in botsing komt, waardoor je je botten breekt en een bloedneus krijgt, en heel gemakkelijk blauwe plekken oploopt. En wat doe je dan? Nou, dat hangt af van wie je bent. Als je slachtoffer van de omstandigheden bent geworden, blijf je gewoon liggen waar je viel, in de hoop dat al die herrie voorbijgaat. Als je een overlever bent... Nou, als je een overlever bent, dan overleef je het.

Ben jij een overlever, Annie O'Neill? Ben je dat?

Ze pakte het kussen nog steviger beet, voelde de warmte van haar lichaam in de matras sijpelen, en voelde dat het gewicht van haar gedachten haar in slaap duwde.

Ga maar een poosje slapen, Annie... en als je wakker wordt ziet de wereld er misschien heel anders uit. Het moet wel heel anders zijn. Zoals hij nu is, kan ik hem eigenlijk niet meer verdragen. Nee... zoals hij nu is, kan ik hem eigenlijk niet meer verdragen.

Toen viel ze in slaap, en terwijl ze sliep begon het te regenen, en vanachter de ramen in haar appartement zou je honderdduizend straatlantaarns op de natte straten en boulevards en avenues hebben zien weerspiegelen.

En misschien was er daar buiten wel iemand die aan Annie O'Neill dacht en aan wat de dag van morgen zou brengen.

Een uur of twee later werd ze weer wakker. En ze huilde. En hoewel ze om David Quinn huilde, of om de degene van wie ze had gedacht dat het David Quinn was, huilde ze nog meer om zichzelf. Ze huilde om haar eenzaamheid, haar verlies, om heel wat redenen. En ze huilde om haar vader, Frank O'Neill. Ze raakte zijn polshorloge aan, keek naar de secondewijzer die traag de metronomische seconden opslokte, en toen ging ze op zoek naar *Breathing Space,* en met haar vinger raakte ze de woorden aan die hij aan de binnenkant van het omslag had geschreven. *Annie, voor wanneer de tijd daar is. Pap. 2 juni 1979.*

Pap, dacht ze, en die gedachte leidde tot nog meer tranen, en toen haar ogen brandend rood waren liep ze naar de badkamer om haar gezicht te wassen.

Ze bleef daar een tijdje staan en deed niets anders dan naar haar spiegelbeeld kijken.

Misschien, dacht ze, misschien waren Tom Parselle, Ben Leonhardt, Richard Lorentzen, Michael Duggan... zelfs David Quinn, en merkwaardig genoeg ook Jack Sullivan in zekere zin... Misschien waren die allemaal niets meer dan plaatsvervangers voor hem geweest. Voor Frank. Voor papa.

Later huilde ze nog eens een beetje, en toen viel ze in slaap.

Ze droomde niet.

Ze was te moe, te leeg en te verdrietig om te dromen.

En toen het ochtend werd, lag ze nog steeds te slapen, en Sullivan, denkend aan het helende karakter van de slaap, liet haar slapen. Dat leek hem het beste. Voorlopig tenminste.

35

Vrijdag de dertiende, dacht Annie O'Neill meteen toen ze wakker werd.

En meteen daarna: klote.

En toen, niet onheilspellend en ook niet boos, gewoon: David.

Het was alsof de lucht in de kamer gedurende de nacht ineen was geperst en haar nu verhinderde op te staan. Ze voelde zich gekneusd – fysiek, mentaal, emotioneel en psychisch – en toen ze probeerde zich naar de muur om te draaien, ontbrak haar de wil daartoe. Ze liet zich weer terugvallen en probeerde nog wat te slapen; ze probeerde haar gedachten af te sluiten en weg te zakken, maar buiten denderde het verkeer voorbij; het riep haar, plaagde haar, vleide haar om toch vooral wakker te blijven.

Uiteindelijk hees ze zich met de grootste tegenzin omhoog tot ze op de rand van het bed zat. Daar bleef ze zitten, naakt op haar onderbroekje na, en keek omlaag naar haar lichaam – haar borsten, haar buik, de bovenkant van haar dijen. Het leek niet meer dan een handjevol uren geleden dat ze die man – die David, of wie hij in godsnaam ook mocht zijn – had toegestaan zich aan elke centimeter van haar te goed te doen, vanbinnen en vanbuiten. Het leek nog maar afgelopen nacht dat hij alles had genomen wat ze te geven had, het voor zijn eigen plezier had verslonden, en daarna was weggelopen. Hij was gewoon opgestaan en weggelopen, en was niet van plan terug te komen.

'Eikel!' zei ze hardop, en toen balde ze haar vuist, sloeg op het kussen en bleef slaan, en bij elke rake klap siste ze: 'Eikel! ... Eikel! ... Eikel!'

Ze boog zich voorover en verborg haar gezicht in haar handen.

De tranen zaten hoog, maar ze wilde niet huilen. Ze kon niet toestaan dat een man haar nog eens zo vreselijk verdrietig maakte. Dat verdiende hij niet. Daar was ze te goed voor. Annie O'Neill, eigenaar van een boekwinkel, was daar veel en veel te goed voor. Zij had tenminste karakter, en ruggengraat, zij bezat eergevoel en integriteit en de wil de waarheid te spreken. David Quinn had niets van dat alles bezeten, en wat hij wel had bezeten was niet eens genoeg voor een verklaring, of een verontschuldiging.

We moeten praten.

Het ging allemaal zo snel.

'Zak,' mompelde ze binnensmonds, en ze stond op.

Omdat ze onder de douche stond hoorde ze Sullivan niet binnenkomen. Hij klopte aan en Annie maakte een sprongetje van schrik toen hij boven het lawaai van het stromende water uit brulde: 'Koffie?'

'Graag!' riep ze terug, en ze probeerde eerst nog een minuutje langer David Quinn van haar lijf te schrobben voordat ze in haar badjas uit de badkamer kwam. Haar natte haar hing in slierten om haar gezicht.

I'm gonna wash that man right out of my hair,' citeerde Sullivan uit de musical *South Pacific* toen Annie de keuken binnenkwam.

'Probeer alsjeblieft niet grappig te zijn,' zei ze. 'Dat hoort niet bij je, Jack Sullivan.'

'Koffie,' zei hij, haar een mok aanreikend. Ze pakte hem aan en ging aan tafel zitten.

Sullivan nam tegenover haar plaats. 'Je komt er wel overheen,' zei hij.

'Zeg je dat of vraag je dat?' vroeg ze.

'Wat je maar wilt, zolang je het maar gelooft,' antwoordde Sullivan.

'Als het een vraag is,' zei ze, 'dan luidt het antwoord ja. Als het een verklaring is, dan kan ik je zeggen dat ik momenteel geen enkele behoefte heb aan meelevende dooddoeners.'

'Hoe gaat het?'

'Hè?' vroeg ze fronsend.

'Op de emotionele achtbaan.'

Ze glimlachte. 'Verdriet, hopeloosheid, futiliteit, en misschien ook nog wat verachting en verbittering. Daarna volgen woede, haat, en vernielzucht, en daarna raak je denk ik een beetje afgestompt, en dan word je weer jezelf en is alles weer in orde.'

'En waar zit jij vandaag ongeveer?' vroeg Sullivan.

'Bij verachting en verbittering.'

'Ik heb dus nog echt leuke dingen om naar uit te kijken?'

'Dat klopt,' zei Annie, en ze dronk haar koffie.

'Ik ga denk ik maar een paar weken bij mijn zus logeren.'

'Je hebt geen zus,' zei ze.

'Dan koop ik er een.'

'Slimmerik,' zei ze.

'Brutale, mooie, onafhankelijke, eigenwijze stijfkop,' repliceerde Sullivan.

'Dank je,' zei Annie. 'Je mag nu naar huis.'

Sullivan glimlachte. 'Mag ik zeggen dat hij het niet waard was, dat je te goed voor hem was?'

'Dat mag je,' zei ze. 'Maar het heeft helemaal niets te betekenen omdat je hem niet eens hebt gekend.'

'Maar ik heb hem een keer ontmoet, en er lag iets van zwakheid in zijn ogen... Als je iemand in de ogen kijkt, weet je altijd hoe hij is.'

'Echt waar?'

'Natuurlijk,' zei Sullivan.

'Laat me eens kijken,' zei Annie. Ze boog zich naar voren en staarde Sullivan aan. 'Ik zie een uitgeputte ex-alcoholicus, een dronkelap mag je wel zeggen, een man die net zomin een goedbetaald baantje heeft kunnen vinden als een vriendinnetje.'

Sullivan trok zijn wenkbrauwen op. 'Gaan we persoonlijk worden?'

'Jij begon,' zei ze.

'Oké, vrede,' antwoordde Sullivan. 'We beginnen opnieuw. Het komt toch wel weer goed, hè?'

Ze knikte. 'Alles komt weer goed.'

'En wat gaan we vandaag doen? Gaan we proberen die vent te vinden?'

Annie schudde haar hoofd. 'Zelfs als ik de moeite wilde nemen, zou ik nog niet weten waar ik moest beginnen. Ik ben van plan om niets te doen, vandaag niet, en het hele weekend niet, en nadat ik Forrester op maandag heb gesproken ga ik met vakantie.'

'Met vakantie?'

'Je hebt het goed begrepen.'

'Waarnaartoe?'

'God mag het weten,' zei ze. 'Misschien ga ik wel naar de Niagara Falls of zo... Zin om mee te gaan?'

Sullivan knikte nadenkend. 'Ja, hoor. Ik ben nog nooit naar de Niagara Falls geweest.'

'Dan heb je kennelijk nooit geleefd.'

Sullivan lachte, dronk zijn koffie, dacht er even over Annie O'Neill te vragen met hem te trouwen en besloot toen toch maar het niet te doen. Het was niet het goede moment. Het zou absoluut het verkeerde moment zijn geweest.

Later, alsof het ineens bij haar opkwam, vroeg Annie aan Sullivan wat ze volgens hem zou moeten doen.

'Het loslaten,' zei hij.

Annie gaf geen antwoord. Ze leek in gedachten verzonken.

'Je kent toch wel dat oude gezegde dat als je van iemand houdt je de ander echt op de proef kunt stellen door hem te laten gaan en af te wachten of hij terugkomt?'

Ze knikte.

'Nou dan... Nou goed, het is in dit geval niet echt van toepassing, maar ik wil alleen zeggen dat als die vent echt iets voor je heeft gevoeld, hij nooit zou hebben gedaan wat hij heeft gedaan. Hij zou je iets van een verklaring hebben gegeven – ja toch?'

'Dat zal wel.'

'Niks zal wel. Waar het om draait is dat de wereld van begin tot eind stampvol met mensen zit die er geen flauw idee van hebben wat ze nu eigenlijk willen, en zelfs wanneer ze erover struikelen, kunnen ze nog steeds geen beslissing nemen.' Sullivan glimlachte. 'Je zult hem moeten loslaten, anders blijft hij je achtervolgen.'

Annie fronste haar voorhoofd. 'Me achtervolgen? Hoe bedoel je dat?'

'Dan zal hij altijd in je achterhoofd blijven hangen, en wanneer je dan in de nabije toekomst de kans krijgt opnieuw te beginnen... je weet wel, als je weer iemand leert kennen, dan is het best mogelijk dat je er niet aan toegeeft omdat die vent nog steeds in je achterhoofd zit. Het kan best moeilijk zijn om hem los te laten, maar als je dat doet, geef je jezelf meteen de kans om te zien wat er voor je neus staat wanneer de tijd daar is.'

'Je zou een uitstekende echtgenoot zijn geweest, Jack,' zei Annie.

'Dat weet ik.'

'Afgezien van je eigendunk dan,' voegde ze eraan toe.

Sullivan knikte. 'Ik dacht ook altijd dat ik te veel eigendunk had, totdat ik begreep dat ik gewoon volmaakt ben.'

Annie zweeg een poosje en zei toen: 'Jij denkt dus dat de enige oplossing is het gewoon maar te vergeten?'

'Niet vergeten, dat niet,' antwoordde hij. 'Je moet het nooit vergeten. Beschouw het als een levenservaring. Zo gaat het nu eenmaal in het leven. Het enige wat echt pijn doet wanneer je eraan terugdenkt, is dat wat je nooit onder ogen hebt willen zien, of wat je hebt willen vergeten. Ik bedoel dat je het als een kledingstuk moet beschouwen dat je te klein is geworden, maar dat een sentimentele waarde heeft zodat je het niet weggooit. Je vouwt het netjes op, legt het in de onderste la van je commode, en heel af en toe kijk je er nog eens naar. Het is iets wat ooit je eigendom was, en misschien dacht je dat je je er lekker in voelde en dat het je goed stond, maar dat was toen en dit is nu, en nu zijn er andere dingen die je een fijn gevoel geven.'

'Eigengebrouwen filosofie,' zei Annie.

'Dat mag dan zo zijn, maar er schuilt wel enige waarheid in wat ik zei. Je moet niet je hele leven achteromkijken naar wat had gekund... Je moet vooruitkijken naar wat je op dit moment hebt en hoe je dat voor morgen beter kunt maken.'

'En anders ga je de weg van prozac en wodka volgen,' zei Annie droog.

'Oké, of prozac en wodka,' zei Sullivan.

'Goed, vandaag – nu dus – vergeet ik de klootzak van de eeuw.'

Hij knikte. 'Dat is voorlopig goed genoeg.'

'En wat gaan we dan doen?'

Sullivan glimlachte. 'Ik neem je mee naar het Italiaanse restaurant op 112th, we eten krab en avocado vooraf, we proppen ons vol met fusilli en mortadello en Montepulciano, en dan nemen we lachend een taxi naar huis omdat iedereen oerstom is, maar wij niet.'

'Afgesproken,' zei Annie. 'Jij betaalt.'

Hij keek haar geschokt aan. 'Ik? Betalen? Een ouwe zuiplap die niet eens een goedbetaald baantje kan vinden?'

'Jij betaalt of anders blijf ik thuis zitten kniezen omdat het leven klote is en iedereen het op me gemunt heeft.'

Sullivan haalde zijn schouders op. 'Nou, dan betaal ik wel... Ga je jas halen.'

Ze gingen lopen, omdat het maar een paar straten ver was, en daar, op West 112th, tussen Amsterdam en Broadway, stond de kleine *trattoria* met de gedempte verlichting en de Genovese dialecten, en zo sfeervol dat hij erdoor uit zijn voegen leek te barsten. Ze namen een tafeltje bij het raam, en door de beslagen ruiten keek Annie naar de mensen op straat die voorbijkwamen. Mensen in hun eentje, met zijn tweeën of drieën, allemaal op weg naar iets of iemand. Sullivan en zij gingen eten. Ze zeiden weinig, en na Annies derde of vierde glas wijn leek de wereld wat vriendelijker te zijn geworden. De scherpe randjes waren wat gladder, de ruwe kanten waren door een ongeziene, weldadige hand iets afgeslepen en terwijl ze een fraai tiramisu-kunstwerkje op haar bord heen en weer schoof had ze het gevoel dat ze misschien toch zou herstellen. Iets anders was trouwens niet mogelijk. Want wat bleef haar anders over – opgeven soms?

Ze sloeg haar ogen op naar Sullivan.

Hij glimlachte. 'Het gaat af en aan,' zei hij kalm.

Ze knikte, legde haar lepel neer en sloot even haar ogen.

'Wat doe je?' vroeg Sullivan. 'Vergat je soms te bidden?'

Ze lachte. 'Ik zat even te denken...'

'Waarover?'

'Over een paar maanden weer een verjaardag.'

'Wat krijgen we nou? Ben je nu al aan het solliciteren naar verjaarscadeautjes?'

'Tuurlijk,' zei ze. 'Je mag een auto voor me kopen.'

'Dit is New York. Hier heb je geen auto's, hier neem je een taxi of de ondergrondse.'

'Doe nou niet zo moeilijk. Dan geef je me toch gewoon een ondergrondse?'

Ze keken elkaar lachend aan. Het voelde zo goed. Op de een of andere manier voelden ze zich gewoon goed. En toen kwam er een gedachte bij haar op: ik wilde maar dat mijn vader bij me was. Hij zou wel weten wat hij moest zeggen, hij zou wel weten wat hij moest doen. Hij zou het soort man zijn dat iemand met één telefoontje kon vinden, en dan zou hij me ernaartoe rijden en naast me staan terwijl ik zei wat ik te zeggen had, en me beschermen als de zaken uit de hand liepen, en me vertellen dat ik gelijk had... me vertellen dat ik gelijk had en dat de rest van de wereld het hartstikke mis had...

Ze draaide zich om toen ze vanuit haar ooghoek een beweging waarnam. David Quinn keek haar door de ruit heen aan.

Het geluid dat uit haar mond ontsnapte was een schreeuw, het stokken van haar adem, een kreet van verbazing – al die dingen bij elkaar. Ze had het gevoel dat ze zou stikken.

Ze probeerde op te staan, maar om de een of andere reden zaten haar bovenbenen onder de tafelrand klem, en voordat Sullivan de kans kreeg te reageren viel de fles wijn om en stroomde de rode Montepulciano over de tafel en verspreidde zich tussen hun borden.

Annie wachtte niet, ze aarzelde geen moment. Haar stoel viel om toen ze van de tafel wegschoof en botste tegen de man die achter haar zat. Hij wilde ook opstaan, waardoor de verwarring als een kleine wervelwind rondom de stuk of zes tafeltjes bij het raam stormde.

Annie zag zo wit als een doek en leek diep geschokt. Pas toen ze bij de deur was, drong het tot haar door dat ze haar adem inhield.

'Annie!' riep Sullivan verbijsterd, zich niet bewust van wat zij had gezien. Hij liep achter haar aan en probeerde ondertussen de mensen om hem heen zo goed mogelijk te kalmeren, en toen hij de deur uit vloog, met een kelner op zijn hielen omdat die misschien bang was dat ze ervandoor wilden zonder te betalen, zag hij Annie op het trottoir staan. Haar hele lichaam schokte, haar hoofd ging snel van links naar rechts en weer terug terwijl ze naar beide kanten de straat afzocht.

'Annie?' vroeg Sullivan. 'Annie... wat is er nou?'

Ze keek hem met grote ogen vol tranen aan, misschien wel omdat het koud was, dacht hij, maar toen ze haar mond opende, begreep hij dat de temperatuur er niets mee te maken had.

'Da-David,' stotterde ze. 'David stond daar... Hij keek... Hij keek me door het raam aan. David Quinn stond zonet hier op het trottoir...'

Sullivan liep naar haar toe en pakte haar beet alsof ze ineens de benen zou kunnen nemen.

Ze keek hem aan, ze leek dwars door hem heen te kijken, en toen keek ze weer naar links en naar rechts en probeerde ze tussen de voorbijrijdende auto's en taxi's de andere kant van de straat te zien.

'Weet je het zeker?' was het enige wat Sullivan op dat moment kon bedenken.

'Zo zeker als wat,' zei Annie. 'Ik draaide me om, want ik wilde naar buiten kijken, en daar stond hij vlak voor mijn neus naar binnen te kijken.'

'Het bestaat niet...'

'Hij was het!' snauwde Annie. 'Jezus, ik zou het toch moeten weten, Jack? Die man wóónde praktisch bij me. Ik vergeet nooit een gezicht, en zeker niet een man met wie ik heb geslapen.'

'Oké, oké, oké... Bedaar nu even, Annie...'

'Moet ik bedaren? Wat heb ik daar nou aan? Hij stond daar, Jack, op deze plek, precies waar ik nu sta.'

'Oké, Annie... Hij stond daar. Maar nu is hij weg... verdwenen. Zullen we dan nu weer naar binnen gaan? Ik moet nog betalen, oké? Ik moet nog betalen, en dan kunnen we naar huis.' Hij pakte Annie voorzichtig bij de arm en probeerde haar mee naar binnen te nemen. 'Kom nou, lieverd... alsjeblieft.'

De kelner, die achter hem aan was gegaan, leek er inmiddels van overtuigd dat ze niet van plan waren er ineens vandoor te gaan en liep achterwaarts terug naar de ingang. Hij hield de deur open en Sullivan nam Annie mee naar binnen, terug naar hun tafeltje. Hij vroeg om de rekening en bleef staan terwijl Annie zat te rillen, en de man achter haar draaide zich om en mimede: 'Gaat het weer?' waarop Sullivan knikte en even lachte. Zodra de rekening was voldaan haalden ze hun jassen. Ze hadden het even gezellig gehad, de scherpe hoeken en randen van de wereld waren even verdwenen, maar alles kwam in één klap weer driedimensionaal en in technicolor terug. Buiten was het bitter koud, en Sullivan ging naast Annie lopen, trok haar tegen zich aan, sloeg zijn overjas om haar heen en hield haar hand vast tot ze de trappen van hun appartementsgebouw hadden bereikt en naar boven liepen.

Hij liet haar binnen, ging naar de keuken en schonk wat Crown Royal in een glas, en hoewel de verlokking hem als een gigantische vrachtwagen vol brugonderdelen ramde, wist hij die te weerstaan. Hij bracht het glas naar Annie, die stil en voor zich uit starend op de bank zat, en reikte het haar aan.

Ze nam een heel klein slokje, en vertrok haar gezicht toen ze het proefde en de drank zich als vuur door haar keel een weg naar haar borst baande, maar ze klaagde niet. Ze dronk alles op en zette het glas weg.

Ze bleef nog een tijdje zwijgend zitten, kennelijk in shock, maar op het laatst draaide ze zich om, keek Sullivan recht aan en zei: 'Hij is ons gevolgd.'

Sullivan begon nee te schudden.

'Wel waar, Jack... Hij heeft ons goddorie achtervolgd. Of draai je ineens als een blad aan de boom om en zeg je nu dat toeval geen lulkoek is?'

Sullivan schudde zijn hoofd. Deze keer zou hij het niet winnen. 'Je weet het niet zeker,' zei hij. 'Je kunt niet zeker weten dat hij ons achtervolgde.'

'Ik hoef het niet zeker te weten,' zei Annie. 'Ik hoef er maar voor meer dan vijftig procent zeker van te zijn, Jack, en in dit geval zit ik op vijfennegentig procent. Ik ben er voor vijfennegentig procent zeker van dat David Quinn ons gevolgd is.'

'Wel verdorie, waarom zou hij dat dan doen?' vroeg Sullivan.

Annie schudde haar hoofd. 'Hoe moet ik dat nou weten? Om dezelfde reden waarom hij me verleidde, waarom hij het met me deed, waarom hij me mee naar Boston nam en me toen van grote hoogte liet vallen. Jij weet net zo goed als ik dat gekken anders denken dan wij.'

Sullivan glimlachte. 'Ik geloof niet dat hij gek was, Annie. Ik vond hem alleen zwak en verward, en te bang om ook maar iets meer dan een ongecompliceerde relatie aan te gaan.'

Annie keek hem schamper aan. 'Jezus, Jack, zelfs dat wilde hij niet. Twee weken, en toen sloeg hij op de vlucht... Klinkt dat je als een ongecompliceerde relatie in de oren?'

Sullivan zuchtte inwendig. Hij wist niet wat er gaande was. Hij zou nooit weten of de man die door het raam van het restaurant naar binnen had gekeken David Quinn was of iemand die op hem leek, of gewoon een hallucinatie.

Annie stond ineens op. 'Dit is je reinste lulkoek,' zei ze. 'Dit is goddomme pure lulkoek, Jack. Zo kan ik niet leven... Ik kan niet mijn hele verrekte leven... O, jezus christus, wat een een rotzooitje is het toch.'

Annie liet zich weer op de bank vallen, en nog voordat Sullivan kans had iets te zeggen was ze al in tranen.

'Ik wil... Ik wil iemand,' zei ze, en haar stem brak toen ze probeerde de tranen tegen te houden. 'Ik wil iemand om me heen die mij wil om wie ik ben. Is dat dan te veel gevraagd? Is dat verdorie dan echt te veel gevraagd? Herejezus, wat moet je doen om een beetje gelukkig te zijn? Wat moet ik verdorie doen om iemand te vinden die in elk geval een béétje gezond verstand heeft en die naar dezelfde dingen verlangt als ik?'

Ze sloeg haar ogen op naar Sullivan. Haar eyeliner en mascara waren uitgelopen. Ze zag eruit alsof iemand haar een fiks pak rammel had gegeven. Figuurlijk gesproken was dat natuurlijk ook gebeurd, dacht Sullivan.

'En waar zijn je ouders verdomme wanneer je ze nodig hebt?'

'Je ouders...' zei Sullivan fronsend.

'Ja,' zei ze met trillende stem. 'Je klote-ouders... je moeder en je vader... Waar zijn die verdomme wanneer je naar een beetje medeleven verlangt? Nou? Die zijn dood, zo is dat. Ze zijn verdomme dood, Jack. Wat is dit allemaal? De Naai-Annie- O'Neill-maand? Heeft de burgemeester soms een speciale Naai-Annie-O'Neill-maand afgekondigd en vergeten mij er bericht van te sturen?'

Ze hield abrupt op en haalde moeizaam adem, maar het huilen hield ook ineens op.

'Ik moet met Forrester praten,' zei ze. 'Hij is de enige die iets van mijn familie weet. Er is een oude vent die meer over mijn familie weet dan ik.'

Ze stond op en begon in een stapeltje papieren op de commode te zoeken.

'Wat zoek je?' vroeg Sullivan.

'Zijn telefoonnummer... Ik moet ergens zijn telefoonnummer hebben.'

'Heb jij zijn nummer?'

Annie draaide zich om en keek Sullivan aan. 'Nadat hij dat hoofdstuk naar de winkel had gestuurd heb ik het koeriersbedrijf gebeld en zijn nummer gekregen... Dat moet er liggen... Hier!' zei ze ineens, en ze stak de blanco bruine envelop omhoog.

'Bel dat nummer, Jack... Bel dat nummer en zorg dat je Forrester te spreken krijgt.'

'Zo laat nog?'

'Bel hem nou, goddorie, ja?' snauwde Annie. Ze wierp Sullivan de envelop toe.

Hij ving hem op, liep naar de telefoon, pakte de hoorn, vroeg zich af waar hij zich eigenlijk mee inliet en toetste toen toch het nummer in.

Annie liep midden in de kamer te ijsberen terwijl ze af en toe een blik op Sullivan wierp.

Het bleef zo'n vijf seconden stil en toen volgde een boodschap dat het nummer onbekend was.

Sullivan legde de hoorn neer.

'Wat is er?' vroeg Annie.

Sullivan schudde zijn hoofd, pakte de hoorn weer op en belde opnieuw om zeker te weten dat hij het goede nummer had.

Opnieuw was er dat oponthoud, en toen dezelfde opgenomen boodschap.

'Onbekend,' zei hij tegen Annie, en nu bouwde in zijn borst de spanning zich op.

'Gelul,' zei ze. Ze liep snel naar hem toe, graaide de hoorn uit zijn hand, legde hem neer, pakte hem weer op en toetste zelf het nummer nog eens in.

'Onbekend,' zei het bandje, en ze dacht: ja, onbekend... net als ik.

Sullivan keek zwijgend naar de verbijsterde blik op haar gezicht.

'Er moet iets fout zijn,' begon ze. 'Het moet aan de lijn liggen. Ik heb dit nummer nog maar een paar dagen geleden gebeld en met hem gesproken. Bel Inlichtingen en vraag of zij het nakijken.'

Sullivan schudde zijn hoofd.

'Bel ze nou, Jack... Bel Inlichtingen, zij moeten het nakijken.'

Sullivan pakte de hoorn van haar over, en hoewel hij wist dat het geen zin had, belde hij toch Inlichtingen. Er was niets mis met de verbinding. Het nummer was afgesloten.

'Afgesloten? Hoe bedoel je?' vroeg Annie.

'Afgesloten,' zei Sullivan nuchter.

'Waarom? Waarom zou hij zijn telefoon laten afsluiten?'

'Dat weet ik niet, Annie... Ik heb echt geen flauw idee, maar ik vind op- recht dat je je er niet zo door van streek moet laten maken. Je spreekt hem aanstaande maandag toch?'

'En als hij maandag nu eens niet komt opdagen... Veronderstel eens dat hij niet komt? Wat moet ik dan verdomme, Jack?'

'Dat weet ik niet,' zei Sullivan. 'Ik weet niet wat je dan moet doen.'

'Nou, aan jou heb ik ook niks,' snauwde ze.

Annie liep terug en ging op de rand van de bank zitten. 'Ik wil alleen zijn,' zei ze. 'Ik wil een tijdje alleen zijn, Jack. Dat vind je toch niet erg?'

'Nee,' zei hij, 'maar ik vind dat je niet alleen moet blijven.'

Annie schudde haar hoofd. 'Ik wil nu even alleen zijn... Ik moet hierover nadenken. Ik moet erachter zien te komen wat me te doen staat.'

'Ik weet niet zeker of je wel iets kúnt doen,' zei Sullivan.

Annie maakte een afwerend gebaar. 'Laat me alleen, Jack... Laat me nu maar alleen.'

Sullivan knikte met neergeslagen ogen. Hij liep naar de deur en zei: 'Je weet waar je me kunt vinden.'

Annie keek op en wist een zwak lachje tevoorschijn te toveren. 'Ja,' zei ze. 'Maar ik moet gewoon zien te begrijpen wat hier gaande is, oké?'

'Oké,' zei hij. Nadat hij de deur had geopend bleef hij staan. Hij wilde nog iets zeggen maar Annie stak haar hand op.

'Ik red me wel,' zei ze. 'Ga naar huis, zie wat te slapen... Ik zie je morgen weer.'

En Jack Sullivan ging. Hij wilde niet, maar hij wist dat Annie hem niet zou laten blijven.

Hij viel pas heel laat in slaap, en ergens in de vroege uurtjes, toen het in het appartementsgebouw doodstil was, meende hij haar te horen huilen.

Zijn hart ging naar haar uit, maar voor het eerst in zijn leven had hij het gevoel dat hij haar in geen enkel opzicht kon helpen.

36

De zondag ontpopte zich als de verre echo van een andere dag. Een dag waarop iets veelbetekenends had kunnen gebeuren. Er hing iets van spanning in de lucht, maar toen Annie door haar appartement liep en de tralies van haar eigen gevangenis met gecoördineerde kleurstellingen bekeek, geloofde ze dat ze vandaag – deze dag – in haar eentje wilde doorbrengen.

Ze was de vorige avond met Sullivan meegegaan, en ja, ze waren naar de film geweest, en ja, ze hadden popcorn gegeten, en een hotdog met uien en ketchup, maar toen ze de bioscoop weer uit waren kreeg ze opnieuw het gevoel een geest te zijn; en de geluiden rondom vervaagden tot een niet-aflatende, niet te onderscheiden brij, en bij het kijken naar de gezichten, de zee van gezichten, besefte dat ze naar één gezicht op zoek was. Dat van David Quinn. Maar hij was er niet. Niet in de foyer toen ze op Sullivan stond te wachten, niet op het trottoir toen hij een taxi aanhield, niet in de rij mensen die op de bus stonden te wachten, of de massa's die voor een club op Cathedral Parkway dicht opeenstonden alsof ze warmte bij elkaar zochten.

En zodra ze thuis was wilde ze alleen nog slapen. En de slaap kwam, heimelijk als een dief, en beroofde haar van de herkenning en herinnering aan alles wat ze had moeten zijn. En niet was. En nooit zou zijn.

Sullivan kwam die ochtend naar haar toe, dronk samen met haar een kop koffie, zei weinig, en vroeg toen of ze gezelschap wilde.

Annie schudde alleen haar hoofd, glimlachend.

Sullivan begreep het en ging naar een kroeg een eindje verderop in de straat om een spelletje schaak te spelen, zoals hij op zondagochtend altijd deed.

Vanachter het raam keek ze naar de stille straten; ze kon haar eigen hart voelen kloppen en hoopte op niets anders dan de wetenschap dat er daar buiten iemand was.

Don't you want somebody to love? Don't you need somebody to love? Wouldn't you love somebody to love? You better find somebody to love...

Wie had dat ook weer gezongen? Jefferson Airplane?

Het raakte een gevoelige snaar. Iedereen had iemand nodig. Totdat die iemand er was leek je maar half te leven.

Annie at weinig, ze had geen trek. Haar lichaam had geen trek; er was alleen die emotionele hunkering, of misschien zelfs wel een spirituele. Een dergelijke trek kon alleen door menselijk contact worden gestild, door de wetenschap dat je niet alleen was.

Ze draaide Sinatra, maar de magie was er niet. Sinatra klonk veraf en zelfvoldaan. Frank had wel iemand gehad. Deze jongen uit Hoboken, New Jersey, had iedereen kunnen krijgen die hij maar wilde. En vandaag klonk hij zo: verzadigd, voldaan, tot barstens toe vol. Dus luisterde Annie naar Suzanne Vega en Mary Margaret O'Hara, vrouwen die klonken alsof ze gekwetst waren en kneuzingen hadden opgelopen, en toen *Luca* begon, zat Annie met haar gezicht in haar handen en huilde zonder tranen.

Sullivan kwam halverwege de middag terug. Hij klopte zachtjes aan, twee keer, maar Annie reageerde niet. Hij begreep het en ging weg. Hij zou het niet als een belediging opvatten. Dat deed hij nooit. Hij zou het wel begrijpen. Jack Ulysses Sullivan had zelf geesten in overvloed.

Daarna kwam de avond, waarin Manhattan door de duisternis werd verzwolgen, en de straatlantaarns in rechte lijnen de stad hel verlichtten, terwijl hier en daar gele speldenpuntjes de lege plekken vulden.

Ze keek, ze wachtte, en pas toen haar lichaam uiteindelijk naar slaap snakte gaf ze eraan toe en krulde ze zich op onder de dekens. En daar was ze even van alles bevrijd.

Morgen was er weer een dag, een dag waarop Forrester zou komen, en Annie, die geloofde dat er toch iets goeds uit dit alles moest voortkomen, had zo'n gevoel dat Forrester haar misschien iets van de waarheid omtrent haar vader zou vertellen.

Dat wenste ze tenminste, want het had er alle schijn van dat wensen het enige waren wat haar nog restte.

37

Ze werd wakker door het geblaf van een hond, en ze dacht: nu woon ik hier al zo lang, maar ik kan me niet herinneren dat ik ooit een hond heb horen blaffen. Het klonk wanhopig, als een monotone smeekbede, maar toen ze naar het keukenraam liep om te kijken waar het vandaan kwam, hield het op. Het hield abrupt op. Zomaar. Alsof er iemand kwaad was geworden en hem had neergeschoten. Maar ze had geen schot gehoord. Hij zou hem wel met een schep hebben geslagen. Ze rilde. Je reinste waanzin, dacht ze. Je hoofd zit vol waanzinnige gedachten. Je dreigt door te draaien. Ik heb horen zeggen dat mensen die alleen wonen uiteindelijk tegen zichzelf gaan praten... misschien niet hardop, maar vanbinnen.

Zoals nu.

Toen glimlachte ze. Misschien was het wel beter om gek te zijn.

Ze was van plan een groot deel van de dag thuis te blijven en pas in de middag of vroeg in de avond op pad te gaan. Ze zou zorgen dat ze vlak voor Forrester in de winkel was. Een andere reden leek er niet. Toen bedacht ze dat al die jaren in de winkel misschien de voorloper waren geweest voor haar ontmoetingen met David Quinn en Robert Forrester, en nu ze die had leren kennen, nu ze zelf een paar onbeschrijflijke veranderingen had ondergaan, leek die hele winkel geen zin meer te hebben. The Reader's Rest was op de een of andere manier kenmerkend voor haar verleden, een soort symbool: leeg, vol donkere kleuren en kleine schaduwen, een plek waar je naartoe ging om voor de regen te schuilen, of om iemand te vinden die zich verhield met je eigen eenzaamheid... Mensen als John Damianka. Maar nu had zelfs John een plek gevonden waar hij liever was. Hij had iemand gevonden.

Annie ging schoonmaken. Elke kamer werd grondig gestofzuigd, het linoleum in de keuken en de tegeltjes in de badkamer werden geschrobd, de kleren in de laden in haar slaapkamer werden op orde gebracht, en ze vond blouses en truien die ze in geen jaren had gedragen. Ze dacht aan Sullivan, aan de vergelijking die hij had getrokken, en ze vouwde ze keurig op en legde ze terug op de plek waar ze ze had gevonden.

Sullivan kwam na de lunch en bleef maar even. Hij zei dat hij iemand moest spreken en over een paar uur terug zou zijn.

'Wil je dat ik vanavond meekom?' vroeg hij.

Annie schudde haar hoofd. 'Ik wil alleen gaan,' zei ze. 'Vraag me niet waarom, maar ik heb het gevoel dat ik dit in mijn eentje moet doen.'

Hij vroeg nog of ze het zeker wist.

'Heel zeker,' zei ze. 'Maar jij bent hier en ik zal bellen als ik je nodig heb, oké?'

'Oké.'

Een tijdje later hoorde Annie hem weggaan.

Ze maakte nog wat meer schoon.

Toen het tijd werd om weg te gaan stond ze in de deuropening en liet haar ogen door de kamer dwalen. Het voelde alsof ze iets achterliet – of nee, ze geloofde dat als ze hier weer terug zou komen ze iets zou meebrengen wat haar hele perspectief zou veranderen. Ze was ervan overtuigd dat Forrester haar het een en ander kon vertellen, dingen die ze niet wist – en ook nooit had geweten. En die dingen kwamen in de buurt van de kern, dingen over haar vader, over zijn leven voordat zij was geboren, de paar jaar die hij nog had geleefd toen zij opgroeide. Voordat hij er niet meer was.

Ze deed haar ogen dicht en haalde diep adem. Toen draaide ze zich om, deed de deur dicht en liep de trap af en naar buiten.

The Reader's Rest zag er bijna vervallen uit: zielloos, donker, verscholen in de schaduwen tussen winkels die er geen enkele moeite mee leken te hebben de wereld kond te doen van wat zij precies waren, en waarom ze er waren. Daarmee vergeleken deed The Reader's Rest aan het achterlijke neefje denken dat op de familiereünie verscheen en alle aanwezigen eraan herinnerde dat er wat onduidelijke aspecten waren die in hun genen en stamboom ontbraken. De stamstruik. Het kreupelhout.

Annie lachte enigszins wrang, deed de deur van het slot en ging naar binnen.

Ze zette koffie, meer uit gewoonte dan omdat ze er trek in had, wierp een blik op de wandklok in de keuken en bereidde zich erop voor drie kwartier tot een uur te moeten wachten totdat Forrester zou komen.

Ze begon te dagdromen en stelde zich voor wat Forrester haar zou kunnen vertellen, maar hield er tegelijk rekening mee dat het heel goed mogelijk was dat hij misschien helemaal niets wist, dat haar vader en hij elkaar alleen maar oppervlakkig hadden gekend. Dat idee joeg haar angst aan, want hij was de enige met wie ze in aanraking was gekomen die ook maar iets van haar familie wist. Andere mensen, gewone mensen, vonden familie iets vanzelfsprekends. Zoals het liedje al zei: *You don't know what you've got 'till it's gone.* Of misschien nog beter: je wist niet wat je niet had totdat je je ervan bewust werd dat je het nooit had bezeten.

Die gedachten gingen door haar hoofd, en ze putte zelfs zo veel troost uit het feit dat het stil genoeg was om over zulke dingen na te denken dat het haar bijna ontging dat Forrester op de ruit klopte.

Ze schrok, stond vlug op en liet hem snel binnen.

'Mevrouw O'Neill,' zei hij toen hij binnenkwam.

Deze keer had hij niets bij zich. Het verhaal was af, hij had haar het laatste hoofdstuk al gegeven.

'Kom binnen,' zei ze. 'Komt u alstublieft binnen, meneer Forrester.'

Dat deed hij. Hij liep de betrekkelijke warmte van de winkel binnen en ging dwars door het vertrek naar de tafel waaraan ze bij vorige gelegenheden hadden zitten praten.

'Wilt u misschien een kopje koffie?' vroeg Annie, al wist ze dat hij het zou afwijzen.

'Vanavond graag, ja,' zei Forrester tot haar verbazing. 'Ik zou heel graag een kopje koffie willen, mevrouw O'Neill.'

Annie glimlachte. Ze was blij hem een kopje te mogen inschenken, en toen ze ermee terugkwam en het voor hem neerzette, had hij zijn overjas uitgetrokken, het bovenste knoopje van zijn overhemd losgeknoopt en zijn stropdas wat losser getrokken.

'De problemen met die man,' vroeg hij, 'zijn die inmiddels opgelost?'

Annie schudde haar hoofd. 'Nee,' antwoordde ze. 'Hij is verdwenen.'

Forrester glimlachte met een blik vol medeleven. 'Geloof me,' zei hij, 'volgens mij is die jongeman eerder voor iets in hemzelf op de vlucht dan voor u.'

Annie vroeg fronsend: 'Waarom denkt u dat?'

Forrester schudde zijn hoofd. 'Ik heb geleerd dat alleen degenen die bang zijn voor verantwoordelijkheid, voor de consequenties van hun eigen daden, er zonder nadere uitleg of verontschuldigingen vandoor gaan.'

Annie lachte, want dat sloeg beslist ook op haar, maar ze hield er abrupt mee op. Hoe wist Forrester wat er was gebeurd? Dat er geen nadere uitleg of verontschuldigingen waren geweest? Wat had ze hem precies verteld? Dat ze iemand had leren kennen en dat het niet zo goed was gegaan als ze had gehoopt? En Forrester had haar iets gevraagd... Hij had gevraagd of die man bij wie ze betrokken was geraakt zijn ware gezicht wel had laten zien.

Annie schudde haar hoofd. Ze kon er geen touw aan vastknopen. Forrester had gewoon goed gegokt over wat er was gebeurd. Misschien was ze inderdaad een open boek. Misschien liet ze met haar gezicht en haar lichaamstaal de hele wereld al haar gevoelens zien.

'En heb je het verhaal van Harry Rose en Johnnie Redbird gelezen?' vroeg Forrester.

'Ja,' zei ze. 'Fascinerend... Je zou er volgens mij een fantastische film van kunnen maken.'

Forrester lachte, bracht zijn kopje omhoog en nam een slokje koffie. 'En wat vond jij ervan?'

Annie leunde achterover. 'Nou, om eerlijk te zijn is het einde nogal vaag. Harry Rose zit op Rikers, maar we hebben er geen flauw idee van hoe het Johnnie Redbird is vergaan.'

Forrester knikte, maar zei niets.

'Weet u hoe het verder is gegaan?' vroeg Annie.

Forrester schudde zijn hoofd. 'Het verhaal gaat nog wel iets verder, maar dat is nooit opgeschreven.'

Annie bleef even zwijgen en richtte toen haar blik op Forrester. 'Mag ik u iets over mijn vader vragen, meneer Forrester?'

'Straks,' zei hij. 'Eerst moeten we een hypothetisch slot aan het verhaal van Harry Rose en Johnnie Redbird maken, en daarna zal ik je vertellen wat ik van je vader weet. Is dat goed?'

Annie ging wat onbehaaglijk verzitten. Ze wilde niet over een paar fictieve figuren in een verhaal praten, ze wilde het over haar vader hebben, over Frank O'Neill. Maar ze zei niets en hield haar gedachten voor zich. Ze geloofde dat dit haar enige kans was om iets van de waarheid te achterhalen, en ze besefte maar al te goed dat ze geduld moest hebben.

'Hoe is het volgens jou verdergegaan?' vroeg Forrester.

Annie haalde haar schouders op. 'Dat weet ik niet... Er zou van alles gebeurd kunnen zijn. Het enige wat ik weet is dat Johnnie Redbird per se zijn geld wilde hebben.'

Forrester knikte bevestigend, en toen glimlachte hij. 'Ik zal je vertellen hoe het volgens mij verder is gegaan,' zei hij rustig, terwijl hij zich tegen de rugleuning van zijn stoel liet zakken. 'Volgens mij ging Johnnie Redbird naar huis, naar Ciudad Juárez aan de overkant van de Rio Bravo del Norte. Hij ging met lege handen naar huis. Hij keerde met een verbitterd hart en zwarte gedachten naar huis, en met de wetenschap dat Harry Rose voor de zoveelste keer zijn verplichtingen had weten te ontduiken.'

Forrester stopte even, alsof hij diep moest nadenken, en toen glimlachte hij weer, een vreemd lachje, enigszins afstandelijk, een beetje gevoelloos. 'Volgens mij moet hij hebben gelezen hoe het Harry Rose verging en maalden er gedachten als "oog om oog" en "hoogmoed komt voor de val" door zijn hoofd, en terwijl hij tegelijkertijd heel goed wist dat Harry Rose nooit een woord over hem zou loslaten, omdat Harry Rose wist dat als hij ook maar één woord liet vallen, Johnnie zonder aarzelen zijn vrouw en kind zou vermoorden, voelde hij zich toch verraden. Hij moet zich veilig hebben gevoeld, maar hij bleef vinden dat hij de zaken hoe dan ook weer in evenwicht moest brengen en moest zorgen dat hij kreeg wat hem toekwam.'

Forrester keek Annie aan alsof hij antwoord op een vraag wilde hebben. Annie zei niets. Ze voelde zich leeg. Ze voelde zich niet op haar gemak.

'Harry zat op Rikers,' ging Forrester door. 'Dat was misschien nog wel de grootste ironie, en als Johnnie ook maar een beetje lef had gehad, zou hij hem daar hebben opgezocht. De directeur en de cipiers zouden na al die jaren door anderen zijn vervangen, maar in Mexico zat hij veilig, en daar bleef hij dan ook. Hij moet gebukt zijn gegaan onder de geest van zijn verleden, de tweede schaduw die je overal volgt, en altijd en eeuwig zou daar het stemgeluid van Harry zijn, die honende stem, het stemgeluid van een man wiens schuld was kwijtgescholden... Ook al geloofde hij dat zijn schuld was voldaan, dat er recht was geschied, Johnnie wilde er niet in meegaan. Hij wilde zijn geld. Hij wilde het allemaal, en misschien begon hij toen te denken dat er nog een mogelijkheid moest bestaan om het te krijgen.'

Annie ging weer iets verzitten. Werd het echt killer? Of verbeeldde ze zich dat maar? Er was iets veranderd, de sfeer was veranderd, en ze wist niet helemaal zeker of ze dat wel zo prettig vond. Ze wilde maar dat Sullivan er was, ze wilde maar dat ze hem had toegestaan vanavond met haar mee te komen.

Forrester schraapte zijn keel. 'De tijd verstreek, de jaren ontvouwden zich, en naarmate hij ouder werd richtten de gedachten van Johnnie Redbird zich op iets wat zo lang als hij zich kon herinneren steeds weer bij hem was opgekomen. Hij dacht aan het meisje dat hij in Hudson Heights had achtergelaten, dat meisje dat vond dat hij op Gary Cooper leek. Hij vroeg zich weer af of ze ooit dat kind had gekregen dat hij had verwekt, of dat de vijf ruggen die hij haar had gegeven voor een heimelijke abortus en een schuldig geweten waren gebruikt. Hij liet die gedachte een tijdje los, maar hij kwam telkens terug als een straathond die hij één keer een bak voer had gegeven en die nu op meer hoopte. Harry was hem nog steeds geld schuldig, en Johnnie geloofde dat zolang Harry leefde er een kans was het terug te krijgen. De gedachte vatte post dat Harry tegen hem had gelogen, dat hij niet al het geld dat hij had bezeten had uitgegeven, en tegelijkertijd wist hij ook dat hij niet van plan was voor de rest van

305

zijn leven in Mexico te blijven.' Forrester leunde voorover, een fractie, meer niet, maar hij leunde wel voorover. Hij glimlachte op diezelfde verontrustende manier.

Annie voelde de kilte zich om haar ruggengraat sluiten en langzaam naar haar nek kruipen.

'Maar als je in Amerika vier mensen doodt, kun je niet terugkomen voor de reünie van je middelbare school, nietwaar mevrouw O'Neill?' zei Forrester.

Hij wachtte niet op Annies antwoord. Het was ook geen vraag waarop een antwoord nodig was.

'Johnnie bleef dus in Mexico, maar hoe hij ook zijn best deed, hij moest telkens aan dat meisje van Hudson Heights denken. Op een ochtend werd hij wakker en herinnerde zich haar naam. Hij herinnerde zich zelfs haar mooie gezichtje, en dat ze had moeten lachen als hij haar kuste. Hij was inmiddels zevenenvijftig, en het kind – als er ooit een kind was geweest – zou nu tweeëntwintig zijn. Een man of een vrouw? Hij had geen idee, maar hij was slim, en hij had geld, en met een stuk of wat telefoontjes en een beetje geld kon hij daar wel achter komen. Iedereen kon worden opgespoord, dat wist hij net zo zeker als zijn eigen naam, en hoewel hij de verleiding weerstond maakte het feit dat hij steeds ouder werd het noodzakelijk de waarheid te weten; het was belangrijk om te weten of hij iets zou achterlaten, of er iets tastbaars was wat hij na zijn dood zou achterlaten. Hij had bovendien het gevoel dat als er een kind was, dat kind ook recht had op het geld dat hém verschuldigd was. Wie zal zeggen of hij het ooit zou opgeven als hij te oud en te moe was om nog aan Harry Rose te denken? Maar hij gaf het niet op, dat kon hij niet. Er moest een schuld worden vereffend, en dat zou hij blijven geloven zolang hij nog adem kon halen.'

Forrester zweeg en deed zijn ogen even dicht, en toen hij ze weer opende lag er een kille en gereserveerde blik in.

Annie wilde iets zeggen; ze wilde hem vragen op te houden met praten, nu meteen weg te gaan... alstublieft?

Ze deed haar mond open, maar er kwam geen geluid uit. Ze geloofde stellig dat als ze op dat moment had uitgeademd, ze haar eigen verkilde adem in de ruimte zou zien oplossen.

'Pas twaalf jaar later pleegde Johnnie Redbird die telefoontjes. Hij belde mensen die zelfs een vlokje stof in een tornado zouden kunnen vinden. Er was een kind. Dat kind was een man. Vierendertig inmiddels. Het meisje van Hudson Heights was dood; ze was in 1960 aan een overdosis gestorven, en na haar dood had de jongen tot zijn achttiende tussen pleeggezinnen en weeshuizen heen en weer gependeld. Nu had hij zijn eigen leven, en Johnnie, een oude man die hunkerde naar zijn wortels, dacht dat hij misschien nog tijd had om hem te vinden. Het kind was een vader ontzegd, en hij begon te denken dat het net zo goed de schuld van Harry Rose was als de zijne. Als hij was gebleven, of als Harry en hij samen naar Las Vegas of Los Angeles waren gegaan, had het meisje misschien mee kunnen komen, en met het geld dat net zo goed van hem was als van Harry had hij voor hen kunnen zorgen. Dat in elk geval. Hij dacht aan zijn zoon. Hij vroeg zich af hoe hij was. Hij wilde dat hij zou begrijpen wat er gebeurd was, waarom hij al die jaren alleen was gelaten. Het leek hem noodzakelijk dat zijn zoon het zou weten, want als hij zijn vaders leven begreep, zou hij misschien ook bepaalde aspecten van zijn eigen leven beter gaan begrijpen.'

Forrester deed zijn ogen weer dicht, en deze keer bleven ze dicht.

Annie keek om zich heen, kreeg zin om op te staan, in beweging te komen, iets anders te doen dan hier te zitten luisteren naar de oude man die dingen vertelde die veel te plausibel klonken om alleen maar een gissing te zijn.

'En toen begon hij te schrijven,' zei Forrester.

Annie keek naar hem. Hij deed zijn ogen zo plotseling open dat ze ervan schrok.

'Hij begon al die woorden te schrijven die ik je heb laten lezen. Hij was Oscar Tate Lundy dankbaar dat die hem had gedwongen boeken te lezen en het alfabet te leren schrijven, dat hij hem geen enkele keus had gelaten. Lezen en schrijven hadden hem ergens geholpen uit Rikers te ontsnappen, en nu zou het zijn zoon helpen om te weten waar hij vandaan kwam. Hij schreef het voor hem, zodat hij het kon lezen, en kon begrijpen dat hij was verraden, dat ze allebei waren verraden door een man die Harry Rose heette. Harry Rose was de verrader, hun eigen Judas, en voor zijn dertig zilverlingen, die eens eigendom van Johnnie waren geweest, had hij hem verkocht en hem tot eenzaamheid, afzondering en ontbering veroordeeld. Er waren ogenblikken waarop hij niets anders wilde dan Harry vertellen wat hij voelde, hoe woedend, gekweld en mishandeld hij zich voelde. Want Harry had alles bezeten en Johnnie had niets. Zelfs niet zijn eigen vlees en bloed. Zijn zoon had er recht op te weten wie deze man was, te zien wat hij allemaal had gedaan, en wanneer hij dat eenmaal begreep kon hij misschien met zijn eigen gevoel van verlies in het reine komen en zelf beslissen of hij tot daden wilde overgaan. Dat soort gedachten maalden door Johnnies hoofd in zijn kamer in een huis in Mexico. De hitte was een marteling, en het kwam wel voor dat hij zich tot diep in de nacht schreeuwend wezenloos dronk. Dan galmde er een stem over de woestijn die om recht schreeuwde, om vergelding, om billijkheid...'

Weer hield Forrester op, alsof hij het om het effect deed, en toen leunde hij weer achterover en zuchtte diep.

'Zijn zoon zou het weten,' zei hij. 'Hij móést het weten. En als Johnnie het hem nooit van aangezicht tot aangezicht kon vertellen, dan kon hij het hem in elk geval laten lezen. Het lezen en huilen, het lezen en begrijpen dat zijn leven nooit het zijne was geweest. Dat Harry Rose zijn leven had afgepakt, en dat hij daarvoor – voor deze hartsmisdaad – zou moeten boeten. En toen kwam er nog een gedachte bij hem op. Dat Harry's kind ergens leefde, en dat zij misschien het geld bezat, en als zij het geld bezat, dan kon Johnnie het misschien terugpakken. Alles. Die gedachten kwamen als geesten uit een overschaduwd verleden, of als bange kinderen die zich hadden verscholen en nu met een snoepje naar buiten werden gelokt... Die dingen hielden Johnnie overeind, ze hielden hem in leven. Het gevoel dat er een schuld moest worden betaald, dat de zaken in evenwicht moesten worden gebracht – en dat hij, Johnnie Redbird, altijd wel een manier kon vinden.'

Forrester zweeg. Hij zat zwaar te ademen, alsof zijn monoloog hem had uitgeput. 'Ik geloof stellig dat Johnnie zijn zoon zou hebben gevonden, een zoon die niet helemaal goed functioneerde, die een tikje onwerelds was. Maar goed, hij had geen normale jeugd gehad, hij was zonder vader geboren, had zijn moeder op jonge leeftijd verloren, en toen werd hij heen en weer geschoven tussen allerlei pleegouders en weeshuizen.'

'Ja, goed,' zei Annie, die eindelijk genoeg moed had om iets te zeggen, wat dan ook. 'Een einzelgänger dus, een man zonder verleden...'

Ze hield abrupt op, want ze had ineens het idee dat ze het in zekere zin over zichzelf had. 'En toen dook zijn vader die hij nooit had gekend ineens op, en werden ze verenigd.'

'En de vader vertelt over zichzelf, over zijn leven, laat hem zien wat hij heeft geschreven, en de zoon ontdekt de werkelijke reden waarom hij werd verlaten,' zei Forrester. 'De zoon ontdekt de waarheid over zijn vader en Harry Rose. De zoon is diep geschokt. Zijn leven, het leven dat hij meende te hebben, valt in duigen. Hij begrijpt de verbittering en de spijt van zijn vader; hij begint te begrijpen hoe diep het verraad van Harry Rose is geworteld, en hij weet dat het geld dat Harry van zijn vader afpakte ook van hem werd afgepakt.'

Annie fronste haar voorhoofd. 'Johnnie zou zich vast en zeker schamen voor zijn verleden.'

'Misschien,' zei Forrester. 'Of misschien ook niet. In wat hij schreef staan de redenen. Er was veel geld in het spel, heel veel geld, en de helft ervan was van Johnnie Redbird. Hij bracht zelf heel wat jaren op Rikers door, en daarna in Mexico, en al die tijd ontzegde Harry Rose hem wat hem rechtens toekwam... Hij vond dat zijn zoon de waarheid moest weten, zodat ze er iets aan konden doen... zodat ze hun aandeel terug konden krijgen. Ze trokken met elkaar op, tijd die ze vroeger nooit hadden gehad, en ze beginnen het met elkaar eens te worden. Ze huilen samen, ze praten urenlang, ze beginnen te begrijpen dat hun leven zonder Harry Rose heel anders zou zijn verlopen. Zijn zoon stelt zich voor hoe het zou zijn geweest om een vader te hebben. Hij ziet welke beslissingen zijn genomen, dat zijn leven door deze ene man een strijdtoneel is geworden, en hij voelt de pijn en de smart die ontstaan wanneer je de waarheid leert kennen.'

Annie keek naar Forrester. Hij sprak met zoveel vuur en heftigheid dat het haar bang maakte. 'Misschien zijn ze wel met Harry Rose gaan praten, hebben ze hem op Rikers Island opgezocht,' opperde Annie, blij dat ze even iets kon zeggen, dat ze vragen kon stellen en beantwoorden. Door over deze dingen te praten kon ze er afstand van nemen. Er hing iets van onrust in de lucht, iets wat haar nerveus en onrustig maakte, en ze wilde maar dat er iets zou gebeuren wat dat gevoel zou verjagen.

Forrester schudde zijn hoofd. 'Redbird zou nooit naar Rikers terug kunnen gaan. Hij was een ontsnapte misdadiger, en al waren er nog zoveel jaren verstreken, er zouden daar nog altijd mensen kunnen zijn die hem zouden herkennen.'

Annie zweeg, maar toen keek ze op. 'Dus stuurde hij zijn zoon.'

Forrester glimlachte en knikte instemmend. 'Misschien stuurt hij zijn zoon, ja. En de zoon praat met Harry Rose om erachter te komen of er echt nog geld was, of Harry had gelogen toen Johnnie hem thuis kwam opzoeken.'

'En Harry vertelt de zoon waar het geld is.'

'Of dat er geen geld is, dat alles op is... dat alles is opgegaan aan zijn pogingen zichzelf en zijn gezin veilig te stellen.'

'Zijn vrouw en kind,' zei Annie.

'Zijn vrouw en dochter,' antwoordde Forrester.

'In het manuscript staat niet of hij een zoon of een dochter had.'

Forrester aarzelde even en knikte toen. 'Je hebt gelijk, mevrouw O'Neill. Dat staat er inderdaad niet in.'

'De zoon gaat dus terug naar zijn vader en vertelt hem dat Harry Rose geen cent bezit.'

'En Johnnie Redbird is woest, heel boos dat hij voor de derde keer is verraden door een man die hij als zijn vriend beschouwde, en nu denkt hij erover na hoe hij zijn gezicht kan redden, hoe hij Harry Rose zo veel mogelijk pijn kan doen voor alles wat hij heeft misdaan. En dan is er nog die andere mogelijkheid: dat Harry opnieuw liegt...'

'En de zoon... wil die ook genoegdoening?' vroeg Annie.

'De zoon ook,' zei Forrester. 'De zoon heeft zijn vader terug, maar hij heeft ook al die jaren achter zich waarin hij niets had. Geen familie, geen wortels, niets. En dan ontdekt hij dat er toch iets is wat altijd het zijne had moeten zijn, en dat die oude man op Rikers Island hem zijn geboorterecht heeft ontnomen.'

'Maar ze kunnen Harry Rose niets meer doen... Harry Rose zit op Rikers, en daar blijft hij tot aan zijn dood.'

'Maar er is nog steeds iemand die ze wel kunnen bereiken,' zei Forrester suggestief.

'Harry's kind,' zei Annie. 'Ze kunnen nog steeds bij Harry's kind komen, en het enige waarvoor Harry altijd bang was, was dat zijn kind de waarheid over hem zou ontdekken.'

'De zoon gaat dus terug naar Rikers...'

'En vertelt Harry dat ze dat kind zullen vinden en haar de waarheid over Harry Rose zullen vertellen, wat hij deed en waar hij was... en kijken of Harry's kind misschien geld heeft.'

'En Harry's kind... het kind dat inmiddels volwassen is?'

'Zal de waarheid leren en weten dat Harry Rose pijn heeft moeten lijden in ruil voor al het kwaad dat hij Johnnie Redbird heeft aangedaan.'

Forrester glimlachte. 'Niet alleen heeft de vader moeten lijden, maar de vader was ook een waanzinnige, een moordenaar, net als Johnnie Redbird, en zit nu voor de rest van zijn leven op Rikers Island. Het kind zal de vader vinden, maar zelfs als hij wordt gevonden, zal het kind zich ervan bewust zijn dat alles wat ze ooit had gedacht op een leugen berust.'

Forrester zweeg even en haalde diep adem. 'Dat lijkt goed mogelijk, vind je ook niet? Misschien is het zelfs mogelijk dat Johnnies zoon een manier heeft ontdekt om Harry's kind diep te kwetsen.'

Annie knikte, maar ze voelde zich niet op haar gemak. Ze deed haar mond open om iets te zeggen, wat dan ook, maar ze kon geen woord uitbrengen. Ze zat voorovergebogen op haar stoel. Ze voelde de kracht van het verhaal, en zoals Forrester het had afgemaakt leek het rechtvaardig. Johnnie Redbird was een slechte, waanzinnige man geweest, maar Harry Rose had op zijn manier beslissingen genomen die net zo slecht waren, net zo waanzinnig, en in zeker opzicht waren dat de ergste beslissingen geweest. Hij had zijn woord gegeven, en het vervolgens gebroken. Annie deed haar best om die dingen los van elkaar te zien, als iets wat niets met haarzelf te maken had, maar ze kon het gevoel van inbreuk, van een emotionele en mentale inbreuk, niet van zich afzetten. Ze rilde zichtbaar. Ze wilde maar dat ze ergens anders was. Eerlijk waar, ze wilde maar dat ze ergens anders was.

'Je ziet dus ook wel dat er uiteindelijk iets van rechtvaardigheid in zat?' vroeg Forrester. 'De zoon van Johnnie Redbird vond het kind van Harry Rose, maar hoe hij ook zocht, hij vond geen geld. Toch weegt de zekerheid dat de schalen weer in evenwicht zijn gebracht soms zwaarder dan al het geld van El Dorado.' Forrester hief zijn hand, en weer met die wat theatrale zwier. Hij was klaar.

Annie bleef even stil zitten. Ze voelde zich leeg.

'En nu wil je iets over je vader horen,' zei Forrester.

Annie knikte. Ze probeerde iets te zeggen, maar haar keel leek dichtgeknepen.

Forrester glimlachte. 'Zou je zo goed willen zijn?' vroeg hij terwijl hij zijn koffiekopje omhooghield.

Annie pakte zijn kopje aan en liep naar de keuken achterin. Ze deed het op de automatische piloot; ze zag haar handen koffie inschenken, maar haar hoofd en haar hart waren in de winkel en wachtten op wat Forrester haar zou vertellen. Alles leek vertraagd te gaan. Alles was stil. Uiteindelijk had ze een vol kopje in haar hand en liep terug zoals ze was gekomen. De afstand tussen de keuken en de winkel had nog nooit zo groot geleken. Ze zette het kopje op de tafel en ging weer zitten.

'Je vader,' zei Forrester, 'was op zijn manier briljant. Er waren heel wat mensen die hem niet zo gemakkelijk konden doorgronden, die niet snapten waarom hij was zoals hij was, maar een heleboel van zijn eigenaardigheden kwamen voort uit zijn achtergrond, uit de dingen die hem vroeg in zijn leven waren overkomen.'

'Dingen?' vroeg Annie. 'Wat voor dingen?'

Forrester schudde zijn hoofd en maakte een afwerend gebaar. 'Je zou kunnen zeggen dat hij een hartstochtelijk man was, wilskrachtig, niet bang om te vechten voor de zaken waarin hij geloofde. Een man met principes...'

Forrester hield even op. Hij bracht zijn kopje naar zijn mond en nam een slokje. Hij zette het kopje weer neer, trok zijn hand terug, stak die toch weer uit en draaide het oortje naar zich toe.

Annie voelde de spanning als een ijzeren band om haar borst.

'En hij was een constructeur, zoals ik al eerder heb gezegd, maar geen gewone constructeur.'

Annie fronste haar voorhoofd.

'Hij construeerde het leven, mevrouw O'Neill. Hij liet dingen gebeuren. Hij had ideeën en bracht die tot leven.'

Annie schudde haar hoofd. Er begon haar iets te dagen wat ze daarvoor niet had willen begrijpen.

Forrester bleef een tijdlang zwijgen. Hij knoopte zijn overhemd dicht, trok zijn stropdas aan, legde zijn vingertoppen tegen elkaar en boog zich voorover. 'Je vader had ook een duistere kant; wanneer je dacht dat je wist wat hij zou gaan doen, deed hij soms precies het tegenovergestelde. Zijn stemmingen wilden nogal eens schommelen, maar achter alles wat hij deed zat een bedoeling die alleen hijzelf kende. Je vader wist uitstekend hoe hij zich moest afsluiten en niemand binnenlaten, maar dat vermogen – en misschien wel alleen dat vermogen – was de reden dat hij uiteindelijk alles verloor.'

Annie fronste. Ze voelde zich niet op haar gemak. Het gesprek nam opnieuw een wending die ze niet begreep en waarbij ze zich onbehaaglijk voelde. 'Verloor?'

'Verloor,' zei Forrester koel.

'Wat dan?'

'Zijn vrouw, jouw moeder... en jou.'

De spanning dreigde Annie inmiddels te verstikken. Ze leek niet meer te kunnen ademen, alsof de lucht ineens dikker was geworden, bijna vloeibaar. 'Maar hij is overleden,' zei Annie. 'Hij stierf in 1979... Waarom zegt u nu dat hij ons heeft verloren? Wij hebben hém verloren.'

Forrester stak zijn hand in de zak van zijn jasje. Daaruit haalde hij een envelop. Hij hield die in de hand alsof het zijn einde zou betekenen als hij hem losliet.

'Ik heb hier een foto,' zei hij. 'Een foto die je misschien wel interesseert.'

'Een foto?'

Forrester knikte. 'Een foto van Harry Rose.'

Annie schudde haar hoofd. Ze begreep er niets meer van. Ze móést meer over haar vader aan de weet komen, maar terwijl Forrester aan het woord was wist ze al wat er kwam; diep vanbinnen wist ze het, al wilde ze het helemaal niet horen.

Forrester deed de envelop open en haalde er een korrelig zwartwitfotootje uit. Hij hield het even vast alsof hij het wilde wegen, en toen schoof hij het over de tafel naar Annie toe.

Annie staarde naar de foto, een foto waarop een man met blond haar vol trots met een kindje in zijn armen stond.

'Is dit Harry Rose?' vroeg Annie.

Forrester knikte en glimlachte welwillend, alsof hij de pauselijke zegen over dit moment afriep. Dit heel speciale moment.

'Ja,' zei hij rustig, en het klonk als een fluistering.

Hij leunde achterover, en toen Annie opkeek lag er een uitdrukking op zijn gezicht die ze nog niet eerder had gezien. Een uitdrukking van voldaanheid.

'En het kind?' vroeg ze.

'Is Harry's dochter,' zei Forrester.

'Zijn dochter?' vroeg Annie. Ze klonk ontdaan en verward.

Forrester lachte weer. 'Ja, dat is zijn dochter.'

'En hij zit op Rikers Island?'

'Ja, inderdaad... Al die jaren was hij ondergebracht in een cel in de westelijke vleugel van de gevangenis, een vleugel waar de Italiaanse families regeren en waar iedereen onder hun bevel staat.' Forrester glimlachte, alsof hij haar iets bijzonders, iets unieks vertelde. 'Het ging zelfs zover dat het vaak het Cicero Hotel wordt genoemd.'

Annie staarde Forrester aan, en ergens vanbinnen groeide een gevoel, het akelige gevoel alsof ze een knoop in haar maag had.

'En het meisje... Het kleine meisje?' zei ze, terwijl de tranen in haar ogen opwelden en het gevoel van ademloosheid in haar borst haar ter plekke leek te verstikken.

Forrester wachtte even. Hij ademde langzaam in en uit, alsof hij iets moest loslaten. 'Het kleine meisje,' zei hij.

'Dat kleine meisje is nu volwassen,' zei Annie. De tranen rolden over haar gezicht, haar blik vertroebelde, en haar handen beefden onbedaarlijk.

'Dat is waar.'

'En hoe heet ze?' vroeg Annie met trillende stem en haar ogen vol tranen.

'Hoe ze heet?' herhaalde Forrester. 'Haar naam, mevrouw O'Neill, luidt... Annie.'

Forrester boog glimlachend zijn hoofd.

Annie O'Neill werd even door een onbeschrijflijke golf van smart overspoeld. Ze liet de foto los, zag hem als vertraagd naar de grond vallen, en probeerde toen op te staan.

Dat lukte haar niet. De wil en de kracht ontbraken.

Forrester stak zijn hand uit, sloot die om haar onderarm en trok haar omlaag tot ze weer zat.

'Blijf zitten,' zei hij kalm, bijna fluisterend. Zijn hand klemde zich om haar pols. Ze voelde dat de bloedtoevoer werd afgeknepen.

Annie keek naar hem, naar Robert Forrester, de man die ze had vertrouwd, de man die haar leven was binnengewandeld en had gedaan alsof hij haar een beetje zou kunnen begrijpen, die een beetje evenwicht in haar leven zou kunnen brengen, maar die nu de hele wereld onder haar vandaan had getrokken.

313

'Jouw vader heeft mij mijn leven ontnomen,' fluisterde Forrester. 'Hij heeft me keer op keer verraden en bedrogen... en hij is heel iemand anders dan jij ooit had gedacht. Hij was een dief en een moordenaar en een verrader. Hij was een man die deed voorkomen dat hij principes en eergevoel bezat, maar hij was een doodgewone misdadiger.'

Annie deed haar mond open om iets te zeggen. Ze kreeg bijna geen lucht. De tranen in haar ogen rolden nu in dikke, trage druppels over haar gezicht.

'Jij weet bijna net zoveel van hem als ik,' zei Forrester, 'en hoewel ik dit verhaal voor mijn eigen zoon heb opgeschreven, heb ik het ook voor jou gedaan, zodat jij zou weten en begrijpen wat voor iemand Frank O'Neill in werkelijkheid was.'

Nee, zei Annie geluidloos. Het woord klonk luid in haar hoofd, maar uit haar mond kwam niets.

Nee... nee... nee... nee...

'Ja, mevrouw O'Neill, ja, ja en nog eens ja. Frank O'Neill was een slecht mens, een man die net zomin iets om jou gaf als om mij... En nu weet je het dus, nu weet je hoe ik me voelde toen hij mij de rug toekeerde en me op Rikers Island elke dag een beetje dood liet gaan.'

Ze begon het woordje 'maar...' te vormen.

Forrester schudde zijn hoofd. 'Niks maar, mevrouw O'Neill. Jij bent de dochter van een waarlijk waardeloos mens. En mijn zoon...'

Forrester stopte even en glimlachte inwendig. 'Mijn zoon weet ook wie jouw vader is, en hij haat jou om wat je bent.'

Annies ogen vlogen wijd open. Ze wilde niet weten wat hier gebeurde.

Forrester schudde zijn hoofd en verstevigde nog eens de greep om haar pols. 'Hij kwam zijn erfenis halen, het geld dat hem toekwam, en al begon je invloed op hem te krijgen, al begon je hem tegen mij op te zetten, de waarheid is dat je niets voor hem betekende, en ook nooit zult betekenen.'

Annie schudde haar hoofd en terwijl haar verstand wankelde keek ze naar de deur en vervolgens weer naar Forrester in een poging te bedenken dat als ze kans zag zich uit Forresters greep los te maken, ze misschien door de keuken zou kunnen ontsnappen. Had ze de achterdeur vergrendeld? Had ze echt een kans om weg te komen?

En toen drong zich een andere gedachte aan haar op, een gedachte die ze nauwelijks kon bevatten. Is dit het? Is dit het moment waarop ik zal sterven? Gaat deze man, die al eerder gemoord heeft, mij nu vermoorden?

Vanbinnen schreeuwde ze het uit, maar er kwam geen woord over haar lippen.

'David,' zei Forrester. 'David die je heeft meegenomen naar Boston,

David, die je in een hotel achterliet terwijl hij hier terugkwam om mij te helpen jouw appartement te doorzoeken naar een aanwijzing waar jouw vaders geld was verstopt. David die de telefoon opnam toen jij me die avond belde. Dezelfde David die jouw hele leven heeft nagespeurd, jouw bankrekening, je connecties, de mensen die je kent. Dezelfde David die me er uiteindelijk van overtuigde dat Harry Rose me al mijn geld had afgepakt en me zonder een cent had laten zitten. Ik vertelde hem wie jouw vader was, wat hij me had aangedaan, wat jouw vader hem, een onschuldig kind, had aangedaan. Diezelfde David was daarna vast van plan jouw hart te breken om op die manier het evenwicht te herstellen. Je hebt hem bijna van me afgepakt, Annie O'Neill... Heel even was het je bijna gelukt hem van me af te nemen, maar ik wist hem bij zinnen te brengen, ik liet hem inzien wat voor iemand jij wel moest zijn. Nu begrijpt hij weer dat een kind van Harry Rose onze vijand is, een vijand die alleen maar veracht en gehaat kan worden. En hoewel wij momenteel geen cent bezitten, weten we ook dat jij evenmin iets bezit. Jij hebt zelfs minder dan niets, want jij bent ook nog eens alles kwijtgeraakt wat je met mijn zoon dacht te krijgen. Jouw vader was zo waardeloos dat hij er, zonder dat hij zelfs maar in de buurt was, in is geslaagd het kleine beetje geluk te verwoesten dat je dacht te hebben gevonden.'

Annie wilde weer opstaan, maar opnieuw konden haar benen haar niet dragen. Forrester hield haar zo stijf vast dat alle pogingen zich van hem los te rukken zinloos waren. Ze probeerde zich uit alle macht los te trekken, maar ze kon nauwelijks een spier bewegen.

Ze viel weer op de stoel, kon door de tranen in haar ogen niets meer zien, veegde ze weg en keek toen weer naar Forrester.

Hij glimlachte en stond op. En tegelijkertijd verslapte de greep om haar pols. Hij pakte zijn overjas, trok hem aan, deed een stapje naar achteren en liep weg van de tafel, en al die tijd staarde Annie hem met lege ogen aan.

'Alles wat jij dacht dat David was, was hij niet. Je dacht misschien dat je hem had geraakt, maar mij lukte dat beter. Jij hebt hem geraakt, dat weet ik wel, maar ik bracht hem binnen de kortste keren terug naar de realiteit en liet hem zien wie jij werkelijk was.'

Forrester liep nog een pas of wat achterwaarts bij haar weg. Hij was nog zo'n meter of vier bij de winkeldeur vandaan.

'Je hebt je een beeld van je vader gevormd. Je dacht dat hij goed en vriendelijk en gul en meelevend was, maar hij was niets van dat alles.'

Forrester kwam weer in beweging, en deze keer slaagde Annie erin overeind te komen.

'Het leven dat jij zou hebben geleid als je vader bij je was gebleven, zou een leven van vluchten en verstoppen zijn geweest, van stelen en moorden en vertrouwen beschamen.'

Forrester was nu bij de deur. Zijn vingers lagen al om de knop, en toen hij die wilde omdraaien kwam Annie op hem af. In het voorbijgaan greep ze een boek van een stapel.

'Jouw vader, mevrouw O'Neill, was een waardeloos excuus voor een menselijk wezen, en voor zijn zonden zal hij branden in de hel.'

Toen schreeuwde Annie, en met die schreeuw gooide ze het boek naar hem toe. Forrester ontdook het en smeet de deur wijd open, maar Annie rende achter hem aan, greep vlak bij de toonbank nog een boek en gooide het naar de man die snel de winkel verliet. Ze hoorde hem lachen, en het klonk als vingernagels over een schoolbord, als een roestige draad die over een ijzeren rooster werd getrokken, maar toen ze de vlaag koude wind voelde, wist ze dat ze niet genoeg kracht meer had om nog langer te blijven vechten.

Toen ze op het trottoir kwam, was Robert Franklin Forrester de straat al overgestoken, en hij bleef op het trottoir aan de overkant even onbeweeglijk onder een straatlantaarn staan.

Annie deed nog een stapje naar voren, maar bleef toen ook doodstil staan. Iemand anders had zich bij Forrester gevoegd, en zij aan zij stonden ze naar haar te kijken.

Robert Forrester en zijn zoon stonden naar haar te kijken. Ze bleven even staan zonder zich te bewegen, en alles wat Annie O'Neill ooit had gevoeld werd geluidloos verzwolgen op het moment waarop David zijn hoofd naar links draaide en een beetje scheef hield.

Net als duizend jaar geleden achter het raam aan de overkant van de straat. Net als toen.

Hij had haar al die tijd in de gaten gehouden. Hij had haar in de gaten gehouden bij haar dagelijkse doen en laten, en hij had haar in de gaten gehouden toen zij dacht dat ze dreigde verliefd te worden.

Toen kwam hij in beweging. David liep naar achteren en sloeg de hoek om.

Forrester aarzelde even, maar toen draaide hij zich ook om en verdween uit het zicht.

En met hem – als een schaduw, als een geest – verdween Johnnie Redbird.

Een uur later, terwijl het licht nog steeds brandde, vond John Damianka Annie O'Neill ineengezakt in de stoel en met haar hoofd in haar handen. Hij was op weg naar huis geweest na een avondje uit met Elizabeth

Farbolin. Hij had het licht zien branden en dat was zo ongewoon dat hij naar het raam was gelopen. De winkeldeur zat op slot en hij bonsde net zo lang met zijn vuisten op de deur tot ze haar hoofd hief en hem aankeek. Uiteindelijk stond ze op, liep ze naar de deur, deed die van het slot en liet hem binnen. Met zijn mobieltje belde hij een taxi, en hij moest haar bijna als een dood gewicht dragen om haar daarin te krijgen, en toen bracht hij haar naar huis.

Sullivan was thuis toen ze arriveerden, en hij bracht haar naar binnen. Hij sloeg zijn armen om Annie O'Neill heen en nam haar mee naar zijn appartement. Hij legde haar op zijn bed en deed het licht uit. Hij bleef bij haar zitten tot hij zeker wist dat ze sliep.

Vanavond zou er niets worden gezegd. Nog geen woord.

Het kwam Annie O'Neill voor dat er ook niets meer te zeggen viel.

38

*H*et duurde een week.
Een week van tranen en hysterie, van Jack Sullivan die nacht na nacht bij haar lag tot ze sliep. En vaak werd ze vroeg in de ochtend wakker en begon weer te huilen, en dan hield Jack haar vast, trok haar dicht tegen zich aan en zei wat hem voor de mond kwam, als het maar hielp. Dat deed het niet. Dat kon ook niet.

Ze wist nu de waarheid.

En die waarheid deed pijn.

Al die jaren was haar vader binnen haar bereik geweest, levend en wel op Rikers Island, en Annie had het nooit geweten. Haar moeder had het geweten, maar zij had dat geheim al die jaren verzwegen, net zo lang tot ze zelf was gestorven. En nooit had ze ook maar iets gezegd.

Ze praatten, Annie O'Neill en Jack Sullivan; ze praatten misschien meer dan nodig was, en ze lazen het hele manuscript nog eens, en Annie zag de harde werkelijkheid onder ogen, een werkelijkheid die tanden en klauwen had, en bloed in de mond.

En soms praatte Annie er zomaar op los, gooide ze haar gedachten er in een lange monoloog uit, en dat Sullivan haar kon horen maakte geen enkel verschil. Hij kon iedereen zijn geweest, en dan nog had het haar niets uitgemaakt. Ze was verwikkeld in iets wat ouder was dan zijzelf, en die man – die Redbird, Forrester, of wie hij verdomme maar mocht zijn – was iets komen halen wat ze niet had. Hij had zelfs zijn zoon in het spel gebracht, een zoon die háár naam had gebruikt om een appartement in háár stad te huren... En toen praatte ze over Boston, en dat David urenlang was verdwenen, en dat ze bij thuiskomst had gezien dat er allerlei dingetjes waren verplaatst, en dat ze nu pas besefte dat zíj er waren geweest, dat ze haar huis waren binnengedrongen, en haar hart, en alles wat ze maar was...

En dat ze vervolgens waren verdwenen.

Ze hadden de waarheid willen bezorgen, en dat hadden ze dan ook gedaan. En die waarheid was zoals hij was, van welke kant ze die ook bekeek: haar vader was een moordenaar geweest; haar vader zou als moordenaar sterven; hij zou in een kleine stenen ruimte van nog geen drie bij drie sterven, en hij wist niet alleen dat zijn dochter er nog was, maar dat ze hem op een dag wel eens zou kunnen vinden. En dat had hij altijd geweten.

En zo ging het een week lang.

Sullivan moest een telefoontje plegen. Hij gaf hun Annies naam, met alle details die hij kende, en hij vroeg een bezoekerspasje voor hen aan. Op Rikers Island vertelden ze hem wanneer ze konden komen, en dat het pasje op de dag van aankomst kon worden afgehaald, en toen begon Sullivan Annie O'Neill op een ontmoeting met haar vader voor te bereiden.

Dinsdagochtend 23 september.

Het was een bitterkoude dag. Van de East River blies de wind als een tornado van scheermesjes door Hell Gate en hij sneed Annie op het dek van de veerpont in het gezicht. Haar hart lag als een dode vuist in haar borst, haar zenuwen waren aan flarden, en haar mond was kurkdroog.

Ze keek een paar keer achterom, over de schouder van Jack Sullivan, die haar tegen zich aan hield, en naar het vasteland, naar de lichtjes van Port Morris en Mott Haven. Rechts lagen Long Island en Astoria, waar haar vader jaren geleden had gewoond, zijn vertrekpunt toen hij Johnnie Redbird was gaan opzoeken, en zijn bestemming was dezelfde geweest als de hare. Ze zag de North en South Brothers, Lawrence Point en de Conrail Freight Yard. De stank van de Bowery Bay ontbrak evenmin; die leek door alle poriën in haar huid te trekken. Het was er allemaal, net als het was beschreven, net als ze had gelezen.

Haar gezicht was verdoofd van de kou, maar dat was beter zo – een goede reden om stil te zijn. Het leek of de tranen – of wat er nog van was overgebleven – in haar ogen waren bevroren, en als ze knipperde kon ze ze voelen, ergens daarachter, waar ze verstoppertje speelden. Sullivan keek naar haar, hij hield haar goed in de gaten, elke beweging, elk gebaar, en nadat de veerpont bij de steiger was afgemeerd, met rondom geluiden en geuren van een onbekende wereld die zo ver van hun eigen wereldje was verwijderd, hield hij haar arm stevig vast toen ze de trap afliep naar het plankier dat zich langs het hele havenhoofd uitstrekte.

Ze waren niet de enigen. Er waren meer mensen die ook iemand kenden die hier zat. Zij waren ook koud, en misschien een beetje geïntimideerd door wat hun te wachten stond, onverschillig of ze deze korte reis al vaker hadden gemaakt.

En toen waren daar gewapende mannen in uniformen, hoge hekken en prikkeldraad, en waar je ook keek een eindeloze opeenvolging van hemelhoge zwarte muren die tot in zee leken door te lopen, met funderingen tot honderden mijlen diep in de grond, zodat niemand er ook maar over zou peinzen hier weg te komen. Daar binnen werd aan weinig anders gedacht. Overleven en ontsnappen.

Sullivan werd naar zijn naam gevraagd, en gaf die, en toen Annie hetzelfde werd gevraagd gaf hij haar naam ook.

'En wie komt u bezoeken?' vroeg de bewaker. Hij was breed gebouwd, misschien wel de breedst gebouwde man die Sullivan ooit had gezien, en in zijn ogen lag een hardheid die voortsproot uit de noodzaak zijn werk te verrichten zonder emoties te tonen.

'Mijn vader,' mompelde Annie.

'Hè?' vroeg de bewaker.

'Haar vader,' zei Sullivan. 'Frank O'Neill.'

'Bent u al eerder op bezoek geweest?' vroeg de bewaker, en met elke vraag liet hij zijn afmetingen, zijn gezag, zijn koele onverschilligheid een beetje meer gelden.

Annie schudde haar hoofd.

'Nee,' zei Sullivan. 'We zijn hier niet eerder geweest. Er zouden bezoekerspasjes voor ons klaarliggen.'

'Deze kant op.' Hij wees naar een hek van dik vlechtdraad. 'Aan de andere kant zullen ze uw namen noteren en u vertellen wat de gebruikelijke gang van zaken is.' De bewaker plakte een nietszeggend lachje op zijn gezicht, alsof hij een poging deed een beetje menselijk over te komen. 'Zoals wanneer u aan boord van een vliegtuig gaat,' voegde hij er nog aan toe.

Sullivan knikte, waarna ze verdergingen.

De geluiden en de geuren van de gevangenis waren net zo beroerd als Sullivan zich had voorgesteld en zoals hij in Forresters manuscript had gelezen: de stank van een goedkoop ontsmettingsmiddel, de stank van een heleboel mannen die in kleine cellen waren gepropt en in elkaars broekzak leefden. Een stank die aan je bleef kleven. Hij kon angst en frustratie ruiken, eindeloze verveling, haat en rancune, schuld en onschuld. En het drong tot hem door dat hij hetzelfde voelde wat Annies vader moest hebben gevoeld toen hij Johnnie Redbird voor het eerst kwam bezoeken, en opnieuw toen hij hier voorgoed kwam, toen hij wist dat hij hier voor de rest van zijn leven zou blijven.

Annie was stil, haar ogen waren wijd opengesperd en ze zag bleek. Ze bleef onbeweeglijk staan toen een vrouwelijke bewaker haar fouilleerde, haar tas onderzocht, de inhoud eruit haalde en een nagelvijltje, een haarborstel en een poederdoosje met een spiegeltje achterhield. Die voorwerpen werden in een zakje van doorzichtig plastic gedaan en er werd een etiketje opgeplakt. Annie moest haar handtekening op het etiket zetten, met haar naam en de datum, en kreeg in afgebeten eenlettergrepige woorden te horen dat ze deze voorwerpen bij haar vertrek weer kon ophalen. Sullivan vroeg opnieuw naar de bezoekerspasjes, maar de bewaker schoof hen gewoon verder, en Sullivan pakte Annie maar weer bij de arm.

Ze werden naar een volgend hek gebracht, met een deur erachter, en daarachter een gang waarvan ze het einde niet konden zien en die eindigde in een tunnel van duisternis.

Het groepje bezoekers liep als een slang van doodsbange kinderen verder. Op een gegeven moment bleef Annie staan, draaide zich zonder nadenken om en liep een paar stappen weg. Sullivan pakte haar nog steviger bij de arm en was bang dat ze morgen wel blauwe plekken zou hebben, maar Annie leek er niets van te voelen. Ze stond daar maar, doodsbleek en met rode ogen, en met een zo uitdrukkingsloos gezicht dat je er van alles op had kunnen tekenen.

'Ik kan het niet,' mompelde ze.

'Je kunt het best,' zei Sullivan. 'Je moet wel.'

En toen nam hij haar weer mee, en ze volgde hem zonder protest of vraag of keus, en na wat wel een uur leek, of een dag, kwamen ze aan het eind van de gang bij een volgende deur.

Sullivan rook de mensen om hem heen, de geur van angst en ontzag.

De deur werd van binnenuit geopend. Dat knarsende geluid van sleutels, grendels en zwaar metaal klonk zo verschrikkelijk dat het met niets te vergelijken was.

Binnen deze muren lag haar verleden, haar nu, en misschien een deel van haar toekomst. Je kon dat nooit achter je laten en dan toch onveranderd blijven.

Het licht was verblindend – veel te fel, veel te schel – en dat felle licht had een kille, indringende tint blauw, dat aan ultraviolet deed denken: een licht dat dwars door alles heen scheen en liet zien wie je werkelijk was.

Het vertrek strekte zich uit zo ver het oog reikte en werd in tweeën gedeeld door een hekwerk tot aan het plafond, met aan weerszijden tafels, en links en rechts bewakers. Ze volgden de slag van bezoekers naar een registratieloket, waar ze in de rij moesten staan en hun namen werden genoteerd, waarna een hoorn werd gepakt en een kort, oppervlakkig telefoontje werd gepleegd.

Eindelijk waren zij aan de beurt. Annie keek Sullivan aan, met in haar ogen alle vragen die ze maar kon bedenken.

Toe maar, zei hij zonder geluid, en Annie deed een stap naar voren, deed haar mond open en noemde de naam van haar vader. De hoorn werd gepakt, het telefoontje werd gepleegd, en toen ze een vreemde de naam van haar vader hoorde uitspreken, drukte ze zich zijdelings tegen Sullivan aan; en hoewel ze niets zei, wist hij door het schokken van haar lijf dat ze huilde.

Er leek enige verwarring te ontstaan.

Van de zijkant van het vertrek kwam een bewaker naar Annie toe en hij zei iets tegen haar.

'Wat is er?' vroeg Sullivan. 'Wat is er aan de hand?'

'Deze kant op,' zei de bewaker. 'Komt u maar.'

Ze gingen gehoorzaam mee en werden van het grote vertrek door een andere deur in een donkere tussenkamer gebracht. Het licht werd aangeknipt en Sullivan bleef stokstijf staan terwijl de bewaker Annie op een tafeltje wees. Hij knikte naar Sullivan, die naar hen toe kwam en ook ging zitten.

'Zijn er problemen?' vroeg Sullivan. 'Is er iets mis?'

De bewaker leek te glimlachen, hoewel Sullivan dat niet met zekerheid kon zeggen. 'Wacht hier,' zei hij.

Hij liep het vertrek uit en deed de deur achter zich op slot. Heel even kreeg Sullivan enig idee van hoe het moest zijn als je hier door een of andere truc terechtkwam en wist dat deze muren, deze geluiden en deze gevoelens alles waren wat je voor de rest van je leven was overgebleven.

'Wat zou er aan de hand zijn?' vroeg Annie uiteindelijk.

'Er is niets aan de hand,' loog Sullivan, want hij wist best dat er iets mis was.

'Ik weet niet wat ik moet zeggen,' zei ze. Haar stem was niet meer dan een fluistering. 'Hij zal erg oud zijn, Jack... echt erg oud, en ik weet niet wat ik tegen hem moet zeggen.'

'Het komt wel goed,' zei hij. 'Zodra je hem ziet weet je het.'

Maar er lag angst in haar ogen – nee, geen angst, maar paniek, vreselijke paniek; en terwijl ze wachtten en de eindeloos lange minuten zich aaneenregen, begon Sullivan te geloven dat niets van wat hij zelf allemaal in de vreselijkste oorden op deze wereld had meegemaakt en beleefd hiermee te vergelijken viel.

Dit was een nachtmerrie, een levensgrote nachtmerrie.

'Dank je... dat je met me mee bent gegaan,' zei Annie, en Sullivan kneep nog wat harder in haar hand. Toen hoorden ze een geluid, een sleutel die in het slot werd gestoken, en instinctief stond hij op, alsof hij zich erop voorbereidde zijn straf aan te horen.

Hij draaide zich om en keek naar de deur, en het leek alsof de groter wordende spleet tussen de deur en de deurpost bij hem vanbinnen iets opende, en hij keek naar de man die binnenkwam, de man die bleef staan en hen aankeek en iets verder de kamer in kwam waar ze hadden zitten wachten, en hij wist dat dit niet Frank O'Neill kon zijn.

Hij had zwart haar, was hooguit midden veertig, en was als priester gekleed.

'Mevrouw O'Neill neem ik aan?' zei hij op die kalmerende, sussende toon die eigen leek te zijn aan iedereen die tot het geloof was geroepen.

Annie stond met tranen in de ogen op.

'Het spijt me,' zei de priester. 'Het spijt me heel erg, maar er schijnt een vergissing te zijn begaan.'

'Een vergissing?' vroeg Annie, die al zo door emoties heen en weer was geslingerd dat ze meende niet nog meer te kunnen verdragen.

'Uw bezoekerspasje,' zei de priester. 'U hebt een bezoekerspasje voor Frank O'Neill aangevraagd, klopt dat?'

Ze knikte. Ze keek naar Sullivan en Sullivan keek haar aan, maar hij zei niets.

'Nou, het schijnt dat degene die de aanvraag heeft genoteerd die per abuis op naam van ene Frank McNeal heeft uitgeschreven.'

Annie knikte. 'Juist ja,' zei ze. 'Mijn vader heet Frank O'Neill, niet McNeal...'

De priester sloeg zijn ogen neer en toen hij ze weer opsloeg, lag er iets te lezen wat haar alles al vertelde, nog voordat hij ook maar een woord had gezegd. 'Het spijt me dat ik u dit moet vertellen,' zei hij, 'maar ik ben bang dat uw vader, Frank O'Neill... Ik ben bang dat uw vader afgelopen juni is overleden.'

39

H eartbreak Hotel
27 november 2002

Lieve pap,

Ik ben het, je dochter Annie.

Ik heb dit eerder willen doen, een brief aan je schrijven, maar dat heb ik tot nu toe niet gedaan omdat ik dacht dat het het zoveelste bewijs zou zijn dat ik bezig was mijn verstand te verliezen. Maar verdorie, ik schijn de laatste tijd zoveel dingen te hebben verloren dat eentje meer geen kwaad moet kunnen.

Mijn vriend Sullivan (hij woont aan de overkant van de gang) zegt dat humor de laatste strohalm is. Nou, hier hang ik dan aan mijn laatste strohalm, vlak voor het doel.

Ik heb dus na al die jaren ontdekt wat er allemaal is gebeurd. Een man die zich Robert Forrester noemde kwam me opzoeken, en hij heeft het een en ander opgeschreven. Ik dacht dat het gewoon een verhaal was, een nogal ruig verhaal, maar evengoed een verhaal, maar het bleek allemaal waar gebeurd te zijn. En hij had een zoon, zoals jij een dochter had, en hij heeft een val voor me opgezet zodat ik verliefd zou worden op zijn zoon, en daarna hebben ze me alles weer afgepakt.

Ik heb met de mensen op Rikers Island gesproken. Zij hebben me verteld dat ene David Quinn je drie of vier keer heeft bezocht. Ze dachten dat hij een vriend van je was. En toen je was overleden kwam hij weer en gaven ze hem je spulletjes. Ze gaven hem de brieven die je aan mama hebt geschreven, maar nooit hebt verstuurd. Ze vertelden me dat je aan een beroerte bent gestorven, dat je gewoon in elkaar zakte en dat ze niets meer voor je hadden kunnen doen. Sullivan vertelde me dat mensen soms doodgaan om aan het onvermijdelijke te ontkomen. Is dat waar? Hebben Forrester en zijn zoon gezegd dat ze me zouden vertellen waar je zat? Dat als je hun het geld niet gaf, ik alles te horen zou krijgen? Was het idee dat ze me de waarheid zouden vertellen zo afschrikwekkend dat je liever doodging? Ze geloofden echt dat je

324

iets voor hen verborg, dat je ergens tienduizenden dollars had verstopt. Er is nog meer, zoals de ontdekking dat mama en jij nooit echt zijn getrouwd. Dat maakt mij op zich niet echt iets uit, maar het doet me wel beseffen dat ik van veel dingen niets af wist. Zoals waar je feitelijk vandaan kwam, en wat je als kind is overkomen. Mama heeft er nooit met ook maar een woord over gesproken. Ik neem aan dat je haar dat hebt laten beloven. Nou, zij heeft zich goed aan die belofte gehouden. Echt waar. Ze was in dat opzicht denk ik net als jij, iemand met principes.

De foto die ze van je hebben genomen, waarop je me in de armen hield toen ik nog klein was, daar zit ik nu naar te kijken. Je gezicht is het gezicht van een vreemde, maar ik zie mezelf in jouw ogen. Ik heb de foto. Die is nu van mij, samen met de paar brieven die mama nooit te zien heeft gekregen. En ik heb je polshorloge, en het boek dat je me hebt nagelaten. *Breathing Space.* Je hebt er een opdracht in geschreven. *Voor wanneer de tijd daar is.* Wat bedoelde je daarmee? Welke tijd? En wanneer zal die komen?

Het is nu ruim twee maanden geleden dat ik naar Rikers ging. Ik heb niet helder kunnen denken. Maar nu begin ik alles weer op een rijtje te krijgen, papa, en ik ga je boek nog eens lezen. Misschien zal ik het nu allemaal anders zien. Misschien staat er iets in wat ik nu zal herkennen, een soort boodschap van jou aan mij. Nu ik de waarheid ken, zal het me misschien opvallen. En misschien ga ik nu wel een heleboel dingen anders zien. Dat weet ik niet, en in zekere zin kan het me ook weinig schelen.

Ik ben nu eenendertig. Gisteren was ik jarig. Morgen is het Thanksgiving, de dag van het gezin, weet je nog? Nou, ik heb nu enig idee wie je was en hoe je eruitzag, en dat geeft me een beetje het gevoel dat ik thuis ben gekomen. Stom, hè? Ik kan nu zonder te huilen naar de foto kijken. Dat heeft even geduurd, maar nu lukt me dat. Ik klem mijn kiezen op elkaar, ik bal mijn vuisten, en dan lukt het me. Je was mijn vader, Frank O'Neill. Je bent mijn vader. Ik ben je kind, je enige kind voorzover ik weet. En je mag dan dood zijn, maar ik ben dat niet. Ik ben er nog.

Ik heb deze brief geschreven om met alles in het reine te komen, als een soort verlossing, en wanneer ik ermee klaar ben stoppen we hem in een fles Crown Royal (Sullivans idee), gaan we over de Triborough Bridge naar Randall's Island Park en gooien hem in het Rikers Channel. Waarom? Omdat ze me op Rikers hebben verteld dat daar je as is uitgestrooid. Ze hebben je gecremeerd en je as in het kanaal uitgestrooid. Dus misschien komen we elkaar nog eens tegen, jij en ik, maar dan zal ik een brief zijn en jij een draaikolkje dat me zal opslokken.

Het is meer dan waarschijnlijk dat ik dat nooit te weten zal komen, maar ik moet me aan dat idee vastklampen. We hebben allemaal een anker nodig, anders drijven we gewoon weg, ja toch?

Nou, ik ga nu, pap. Ik heb nog een leven te leven. Ik zou denk ik moeten zeggen dat ik van je hou, maar dat zou meer uit plichtsgevoel zijn, en niet vanuit mijn hart... en ik heb zo'n vermoeden dat je het beter zou begrijpen als ik gewoon zei dat ik je mis. Hier gaat ie dan: ik mis je, papa.

Pas goed op jezelf.

Eeuwig je dochter, Annie

40

Als je ziet hoe de wind door de tunnels van de ondergrondse jaagt, krijg je altijd het gevoel dat die daar al eeuwen zit opgesloten maar nog steeds meent te kunnen ontsnappen. Die wind is bitter koud, en hij weet je altijd onverhoeds te pakken te krijgen, samen met de stank van diesel en olie en dode dingen. Zo kan Annie O'Neill die stank alleen omschrijven: diesel en olie en dode dingen.

Ze is blij wanneer de trein uiteindelijk arriveert. Ze is nerveus, geagiteerd, en vraagt zich voortdurend af waarom ze dit eigenlijk doet en wat ze ermee hoopt te bereiken. Ze denkt dat ze zichzelf er alleen maar door in verlegenheid brengt, maar ondanks die wetenschap drijft iets haar altijd voort. Boven sneeuwt het, heel licht. Maar toch: het sneeuwt. Het is zaterdag, vier dagen voor kerst. Kerstmis in New York had altijd al iets, en dat is nog steeds zo. Het voelt anders. Het voelt echt.

Annie stapt in en gaat zitten. Ze leunt achterover en zucht. Ze doet heel even haar ogen dicht en haalt dan het boekje uit haar tas dat hij haar had gegeven. *A Farewell to Arms* van Ernest Hemingway. Het ligt naast *Breathing Space,* dat ze altijd als een soort morele steun met zich meezeult. Ze heeft het weer gelezen, langzaam, elke regel proevend, misschien wel elk woord, in een poging de betekenis ervan te herkennen. Ze weet dat het boek iets heeft te zeggen, ze moet alleen nog beter zoeken.

Wat ze nu aan het doen is, begon drie avonden geleden, terwijl ze met Sullivan in haar appartement zat te praten. Hij had het boek van Hemingway op tafel zien liggen en had ernaar gevraagd.

Ze vertelde het hem toen – over het ziekenhuis, de dokter daar, wat hij had gezegd, en wat hij er misschien mee had bedoeld – en Sullivan begon weer aan zijn carpe diem-verhaaltje. Hij wilde het niet met rust laten, hij bleef haar maar aan haar hoofd zeuren. Ga ernaartoe, had hij tegen haar gezegd. Ga ernaartoe en zoek die vent op. Hij was wel leuk, hè?

Ze had haar schouders opgehaald. Ach, hij zal wel leuk zijn geweest.

Waar wacht je dan verdomme nog op... Ga ernaartoe, breng het boek terug, vertel hem dat je het hebt gelezen en dat je het nu terugbrengt.

Twee dagen lang was Sullivan dat blijven herhalen, en ten slotte, misschien omdat het de enige manier was om hem de mond te snoeren, had ze alle moed verzameld en toegestemd.

Ze zei dat ze na de kerst zou gaan.

Jezus, Annie, als die vent er maar half zo goed uitziet en maar half zo sympathiek is als jij beweert, dan is hij met de kerst getrouwd en heeft hij drie kinderen. Hou op met die flauwekul van 'misschien vindt hij me niet leuk', 'misschien ben ik niet goed genoeg', en maak als de sodemieter dat je ernaartoe gaat en hem gedag gaat zeggen. Wat is nou het ergste wat je zou kunnen overkomen? Als je merkt dat hij je niet langer leuk vindt nu je nuchter bent, dan weet je dat hij niet de ware voor je is, zo is het toch?

Zodra Annie zich op Amsterdam Avenue bevindt, zit haar maag in de knoop. Ze wil omkeren, maar dat kan ze niet. Het ligt niet aan Sullivan, en ook niet aan het feit dat hij het onderwerp niet had willen laten rusten tot ze had toegestemd; ze is niet bang dat Jim Parrish verloofd is, of getrouwd, of niet langer geïnteresseerd... Het is niets van dat alles.

De pure waarheid is dat ze hem wel wil zien, maar dat ze bang is. Bang dat hij niet meer zal weten wie ze is. Bang dat hij niet degene is die zij zich herinnert. Bang dat hij heel anders zal zijn, en dat hij haar ook zal verraden.

Op het moment dat ze de Spoedeisende Hulp binnenkomt, probeert ze zichzelf onzichtbaar te maken. Ze voelt wat ze voelt, en toch weet ze niet wat ze nu eigenlijk voelt. Ze wil het liefst dat haar vader er was, zodat ze het hem kan vragen. Maar hij is er niet. Hij is dood, opgeslokt in het Rikers Channel.

Ze is nog drie meter van de balie verwijderd en denkt dan: verrek, als ik alles aankan wat er tot dusver is gebeurd, kan ik dit verdomme ook wel aan.

'Jim Parrish, dokter Jim Parrish,' zegt ze tegen de verpleegkundige achter de balie.

De verpleegkundige lacht niet. Ze zegt niet: 'Hé, meiden, weer een zuiplap die voor dokter Jim is gevallen en vanavond kijkt of ze geluk heeft,' of: 'Heb je jezelf de laatste tijd wel eens bekeken, dametje? Dacht jij dat je bij dokter Jim ook maar de geringste kans maakt? Hahaha!' Ze kijkt gewoon op haar computerscherm en zegt: 'U boft. Zijn dienst zit er over tien minuten op. Als u daarginds wilt plaatsnemen, ziet u hem vanzelf wanneer hij uit die groene deur aan het eind van de gang komt.'

Annie bedankt haar, loopt achteruit en denkt: dit is het dan. Tien minuten om te besluiten of ik blijf of wegga. Ik zou het boek ook aan de balie kunnen afgeven en de verpleegkundige kunnen zeggen dat ze het aan hem terug moet geven wanneer ze hem ziet...

Annie loopt naar de stoel waarop de verpleegkundige had gewezen. Ze blijft even staan en gaat dan bijna onwillekeurig zitten. Haar verstand wil haar wegjagen. Haar hart houdt haar gegijzeld.

De minuten gaan traag voorbij en ze vindt het vreselijk.

Ze werpt een blik op de wandklok en op het polshorloge van haar vader. Ze denkt aan Sullivans gezicht, de manier waarop zijn ogen oplichtten toen ze zei dat ze hierheen zou gaan.

Ze vervloekt zichzelf dat ze zo nerveus is, om het gevoel van verwachting, om haar ongegronde zorgen. Zoals Sullivan al zei: wat was nu helemaal het ergste wat er kon gebeuren?

Ze haalt Hemingway uit haar tas, en ook *Breathing Space*.

Ze slaat het omslag open en leest nog eens de opdracht. Was dit de juiste tijd? Was dit waarom het draaide? Moedig zijn ten overstaan van tegenspoed, van conflicten, van...

'Hé, hallo.'

Annie kijkt op.

Dokter Jim Parrish staat voor haar, en de brede glimlach op zijn gezicht dreigt het doormidden te splijten.

Heel even weet ze niet wat ze moet zeggen. Of wat ze moet voelen.

'Je boek,' zegt ze, een beetje scherp, een tikje bruusk.

'Tjee,' antwoordt hij. 'Zo slecht was het toch ook weer niet?'

Ze glimlacht. Ontspan je, denkt ze, ontspan je, goddomme!

'Hoe gaat het nu?' vraagt hij terwijl hij naast haar komt zitten.

Ze knikt en probeert te glimlachen, maar ze is zich bewust van de spanning op haar gezicht en weet dat ze er gepijnigd uit moet zien.

Hij glimlacht. Een goede glimlach. Een oprechte glimlach. Niet de glimlach van een stalker of een serieverkrachter.

'Je herinnert je me niet meer van die laatste keer, hè?' zegt hij.

Annie trekt haar wenkbrauwen omhoog, laat haar ogen over zijn zelfverzekerde, knappe gezicht gaan en vraagt zich af wat hij daarmee bedoelt.

'Niet hier in St. Luke's,' zegt hij. 'Niet toen je die dronken vrouw was die over haar eigen voeten struikelde...'

Annie fronst haar voorhoofd. Ze voelt zich in verlegenheid gebracht, serieus in verlegenheid gebracht.

'Ik heb je nog een keer gezien,' gaat hij door. 'Een tijdje geleden in Starbucks, maar ik heb kennelijk heel weinig indruk op je gemaakt, omdat je me absoluut niet herkende.'

'Was jij dat?' zegt ze, en dan herinnert ze het zich als de dag van gisteren, eensklaps opgelucht dat ze iets uit haar mond had weten te krijgen.

Annie toont nu een wat natuurlijker lachje, een wat minder gegeneerd lachje ook, hoewel ze in alle eerlijkheid geen enkele reden kan bedenken waarvoor ze zich zou moeten generen. Misschien omdat ze – in elk geval bij één persoon – een zekere reputatie had gekregen: die van de dronken vrouw die over haar eigen voeten struikelde.

Ze verweert zich met een listige en spontane opmerking. 'Nou, ik denk dat jij niet meer weet hoe ik heet,' zegt ze.

'Annie O'Neill,' antwoordt hij.

Dat verbaast haar oprecht.

'Je hebt een gemakkelijke naam,' zegt hij. 'Die rijmt op Ally McBeal.'

Ze moet weer lachen. Het is een lachwekkend moment, maar tegelijkertijd een bevestiging van het leven. Er zijn de laatste tijd wel meer van die momenten geweest: Sullivan die om twee uur 's nachts komt opdagen met een bak vol gepaneerde gebraden kip, een week geleden een klein kind op de stoep van hun portiek dat haar vroeg of ze net zo naar Kerstmis uitkeek als zij...

'Daar heb je me te pakken,' zegt Annie glimlachend en knikkend. 'Dat levert je een sigaar op, maar alleen zo'n zwarte stinkstok van vierentwintig cent, en niet een van die fantastische met de hand gerolde havanna's.'

Parrish leunt achterover. 'Je hebt het boek dus gelezen?'

Ze schudt haar hoofd. 'Nee, ik moet bekennen dat ik het niet heb gelezen.'

'Waarom heb je het dan teruggebracht?'

Annie weet niet wat ze daarop moet antwoorden. Ze kijkt naar de wandklok en voelt dat ze een kleur krijgt.

Het is even benauwend stil, het duurt niet lang – niet langer dan een hartslag – maar ze voelt de spanning.

'Hoe gaat het met je winkel?' vraagt hij.

'Weet je dat nog?'

Hij knikt. 'Natuurlijk weet ik dat nog... Ik heb je toch verteld dat ik in de allereerste plaats een lezer ben? Eerlijk gezegd was ik van plan om er eens naartoe te gaan en de zaak te bekijken, maar om de een of andere reden is het er nooit van gekomen.'

Annie kijkt hem aan. Er speelt hier nog iets anders. En dan herinnert ze zich het moment waarop ze hem in Starbucks zag, en de anekdote die Sullivan haar kort ervoor had verteld. Het moment. Hét moment. Ze doet het met een schouderophalen af.

'En wat heb je hier?' vraagt hij, wijzend naar het exemplaar van *Breathing Space,* dat ze stijf vasthoudt.

Annie houdt hem het boek voor. 'Het heet *Breathing Space*.'

'Van Levitt?' vraagt hij, een tikje verrast.

Annie fronst haar voorhoofd. 'Ja... Nathaniel Levitt.'

'Verrek, ik dacht dat dat al jarenlang niet meer werd uitgegeven.'

Annie haalt haar schouders op. 'Ik zou het niet weten... Mijn vader heeft het me nagelaten. Het is erg oud.'

'Je weet toch zeker wel wie hij was?' vraagt Jim Parrish.

Annie schudt haar hoofd. 'Een of andere vent... een schrijver uit de negentiende eeuw.'

Parrish glimlacht. 'Hij was de broer van de oude Hickory... Nathaniel Levitt was een pseudoniem.'

'De oude Hickory?'

'Andrew Jackson, de zevende geloof ik – ja, de zevende president van de Verenigde Staten. Hij heeft twee termijnen uitgediend, van 1829 tot 1837.'

'Hoe weet je dat soort dingen in vredesnaam?' vroeg Annie.

Parrish haalt zijn schouders op. 'Weet ik veel... Misschien moet ik echt eens een hobby zoeken.'

Ze lacht en draait het boek in haar hand om alsof ze het in een nieuw licht beziet. 'Dus dit werd gedrukt toen Andrew Jackson president van de Verenigde Staten was?'

'Nou, niet echt gedrukt, natuurlijk, maar in elk geval werd het wel geschreven toen hij president was.'

Annie schudt haar hoofd. 'Nee,' zegt ze terwijl ze het boek openslaat. 'Hier staat... gedrukt in 1836 door een bedrijf dat Hollister & Sons heette, uit Jersey City, en gebonden door Hoopers uit Camden...'

Parrish buigt zich met een gespannen uitdrukking op zijn gezicht voorover. 'Krijg nou wat,' zegt hij bijna binnensmonds. 'Mag ik eens kijken?'

'Natuurlijk,' zegt Annie, en ze reikt hem het boek aan.

Parrish pakt het behoedzaam aan, zo voorzichtig alsof hij het handje van een baby wil pakken.

Hij kijkt ernaar, slaat het open, leest de met de hand geschreven opdracht en raakt de drukletters met zijn vingertoppen aan.

'In jouw winkel,' vraagt hij, 'verkoop je daar zeldzame en antieke boeken?'

'Nee,' antwoordt Annie, 'gewoon de doorsneepockets en zo.'

'Weet je wel wat je hier hebt?'

Ze schudt haar hoofd. 'Een boek dat *Breathing Space* heet en dat door de broer van Andrew Jackson is geschreven?'

'Precies... precies,' zegt Parrish. Hij lijkt echt een beetje in de war. 'Maar weet je ook wat dit is?'

Hij kijkt naar haar, naar het boek dat hij vasthoudt, en er ligt zo'n intense uitdrukking op zijn gezicht dat Annie zich afvraagt wat er nu eigenlijk aan de hand is.

'Nou?' vraagt ze, en ze steekt haar hand uit om het boek terug te krijgen.

'Ze hebben er driehonderd of hooguit vierhonderd van gedrukt,' zegt Parrish. 'Literair gezien heeft het niet veel om het lijf... maar historisch is het van grote betekenis.' Hij zwijgt even en kijkt Annie dan recht aan. Hij doet denken aan een vader die serieus boos is op zijn kind. 'Neem dit nooit meer mee naar buiten, mevrouw O'Neill...'

'Annie,' zegt ze. 'Noem me Annie... Iedereen die me goed genoeg kent om mij te omschrijven als de zuiplap van een vrouw die over haar eigen voeten struikelt mag me Annie noemen.'

'Nou, neem het nooit meer mee naar buiten, Annie. Ik meen het. Breng het terug en pak het in en stop het ergens in een kluisje.'

Annie kijkt hem fronsend aan.

'Zes of zeven jaar geleden,' zegt Parrish, 'bij Sotheby hier in New York... daar hebben ze zo'n eerste editie van Levitt geveild, en dat bracht iets in de buurt van 125.000 dollar op.'

Annie kijkt Parrish aan. Kijkt naar het boek, de mond open, de ogen opengesperd.

'Wist je dat niet?' vraagt Parrish.

Annie schudt haar hoofd. 'Zeg dat nog eens.'

'Dat boek dat je daar hebt... een exemplaar van dat boek heeft zes of zeven jaar geleden bij Sotheby 125.000 dollar opgebracht.' Parrish schudt zijn hoofd. 'En nu? Dat weet ik niet precies, maar ik stel me voor dat je er rond de tweehonderdduizend dollar voor zult kunnen krijgen.' Hij glimlacht breeduit, met de grijns van een klein kind. 'Waarom heeft je vader dat geschreven?'

Annie schudt haar hoofd. Ze kijkt weer naar het boek.

Langzaam en bijna behoedzaam slaat ze het open. Ze voelt het gewicht in haar hand.

Het heeft nog nooit zo zwaar geleken.

Net zo zwaar als mijn hart, denkt ze.

Ze laat haar vinger langzaam over de woorden glijden die haar vader heeft geschreven.

Annie – een vader van wie ze had gedacht nooit de waarheid te zullen weten – *voor wanneer de tijd daar is.* En nu – eindelijk – beseft ze dat de waarheid bijna te mooi was om waar te zijn.

Pap, 2 juni 1979.

Ze wil het niet geloven. Ze kan het gewoon niet bevatten. Ze staat op, loopt weg van de stoel waar ze zat, blijft dan staan en draait zich om.

'Heb je iets te doen?' vraagt ze aan Jim Parrish.

'Op dit moment?'

'Op dit moment.'

Parrish schudt zijn hoofd. 'Nee, niets bijzonders... Hoezo?'

'Kom mee naar de winkel... Kom de winkel bekijken en ga dan een hapje met me eten.'

Parrish trekt zijn wenkbrauwen op. Hij heeft nog steeds die brede grijns van een kind op zijn gezicht. 'Nodig je me uit?'

Annie glimlacht en lacht dan hardop. 'Zeker weten... Waarom verdomme niet? Zo'n kans krijg je maar één keer, of niet soms?'

'Dat zal wel,' zegt Parrish, en hij haalt haar in. 'Oké... Ik kan me niet herinneren wanneer ik voor het laatst werd uitgenodigd, maar ik ga mee... Maar voordat er verder nog iets wordt gezegd wil ik dat je goed begrijpt dat het me niet om het geld is begonnen, oké?'

Annie O'Neill begint te lachen, en dan is hij bij haar, en ze stopt het boek weer in haar tas. Samen lopen ze de Spoedeisende Hulp af en gaan naar buiten.

Ze slaat links af, met Jim Parrish naast zich. Annie glimlacht en lacht dan hardop. En de wind die nog steeds bitterkoud en onvriendelijk is, raakt haar en neemt dat geluid helemaal tot aan Cathedral Park met zich mee.

Dankwoord

Achter het schrijven van dit boek verschuilen zich velen die het mogelijk hebben gemaakt.

In dit geval zijn het de gebruikelijke verdachten:
mijn agent, klankbord en medesamenzweerder Euan Thorneycroft,
mijn assistent-redacteur, *compadre* en tekstmaatje Nicky Jeanes,
mijn redacteur, mijn vriend en bescheiden genie Jon Wood.

En allen wier woorden mijn verbeelding hebben geprikkeld:
Raymond Chandler
William Carlos Williams
Jerzy Kosinski
Rene Lafayette
Anita Shreve
William Gay
Stephen King
Tim O'Brien
En honderden naamloze anderen...

Voor mijn vrouw en zoon, blijvende verwijzingen naar alles waarom het leven het waard is geleefd te worden.

Lees ook van A.W. Bruna Uitgevers B.V.

Roger Jon Ellory

Stervensuur

'Viermaal ben ik verraden: tweemaal door een vrouw, eenmaal door de
beste vriend die je je maar kunt wensen, en uiteindelijk door een natie.
En misschien heb ik ook mijzelf verraden...'

Twaalf jaar geleden werd Daniel Ford veroordeeld voor de moord op
Nathan Verney, zijn beste vriend. Nu heeft hij nog zesendertig dagen te
leven voordat zijn executie wordt voltrokken. Zesendertig dagen onder het
meedogenloze regime van de gevangenbewaarders, terwijl alle juridische
ontsnappingswegen zijn afgesloten.

Tijdens zijn laatste weken krijgt Daniek gezelschap van de geestelijke John
Rousseau. Aan hem vertelt Danie nog één keer hoe het allemaal zover heeft
kunnen komen. Het is een verhaal van vriendschap en verraad. De
vriendschap tussen de blanke Daniel en de zwarte Nathan, in een land dat
verscheurd wordt door rassentegenstellingen en oorlog. Hun vriendschap
houdt lang stand, ondanks de grote verschillen tussen hen. Maar geleidelijk
neemt de onderlinge spanning toe. Dan breekt die fatale dag in 1970 aan, de
dag waarop Nathan wordt vermoord.

ISBN 90 229 8767 1